KB179846

21세기 한국사회와 철학

양 해 림 지음

21세기 한국사회와 철학

양 해 림

(충남대학교 철학과 교수)

철학과현실사

머리말

지난 참여정부가 5년간의 막을 내리고, 2008년 2월 25일 이명박 정부가 새로운 실용주의의 시대정신을 내걸고 활기차게 출발하였다. 지난 참여정부의 공과(功過)는 역사의 뒤안길로 넘어갔지만, 단지 후세대의 후담으로만 남길 수 없다. 과거에 대한 제대로 된 평가 없이 현재나 미래의 향방을 올바로 가늠할 수 없기 때문이다. 유감스럽게도 새 정부는 짜임새 있는 모양을 갖추기도 전에 잡음들이 여기저기서 들려오기 시작한다. 영어몰입교육 및 경부대운하 건설의 기획 논란, 흠집 있는 장관들의 밀어붙이기식 내각 인사 및 사퇴 파동, 방송통신위원장의 등용 논란, 장기파업을 벌여온 코스콤 비정규직 노동조합원들의 천막 농성장에 대한 공권력 투입, 천정부지로 치솟는 물가 등 일일이 열거하기조차 힘들다. 여기에 실린 글들은 미흡하나마 2000년 이후 김대중 정권부터 노무현 정권에 이르기까지 우리 사회를 나름대로 분석하고 철학적으로 그 대안책을 제시해 보고자 하는 의도에서 기획되었다.

21세기 우리 한국사회 곳곳에서는 위기에 빠져 있다고 걱정하는 소리가 이구동성으로 들려온다. 우리 사회의 현실과 관련하여 슈펭글러가 『서구의 몰락』에서 언급한 비판적 일침이 계속 나의 귓전을 맴돈다.

"나는 최근의 모든 철학자에 대해 강력한 이의를 제기하는 바이다. 그들에게 결여되어 있는 것은 현실 생활에 있어서의 결정적인 입장이다. 그들 중의 어느 누구도 차원 높은 정치, 근대 공업, 교통, 국민경제의 발전 등 무엇인가 일종의 커다란 현실에 하나의 행위, 하나의 강한 사상만으로 결정적으로 관여한 자는 없었다. 그들 중의 어느 누구도 수학, 물리학, 국가학을 칸트의 경우만큼도 관여하고 있지 않다. 그러한 것의 의미는 다른 시대를 보면 알 수 있다. … 나는 그들 중 어느 한 사람이라도 결정적인 시대 문제에 대해 하나의 깊은 선견지명을 갖고 판단을 내리고 이것으로 명성을 떨친 자가 없을까 둘러보지만 소용이 없다. 누구나 갖고 있는 시골 사람의 의견밖에 없다. 나는 근대 사상가의 책을 손에 들 때마다 세계 정책의 현실에 대해 세계도시, 자본주의, 국가의 장래, 기술과 문명의 종말과의 관계, 러시아 문제, 과학 등 중대한 문제에 대해 그 저자가 무엇을 생각하고 있는지 의문을 품는다. 괴테라면 이것을 모두 이해하고 좋아했을 것이다. 그러나 현존하는 철학자 가운데 이것을 넓게 본 사람은 한 사람도 없다. 되풀이하여 말하자면, 이것은 철학 내용을 말하는 것이 아니라 그 내적 필연, 그 다산(多産), 그 상징적인 중요성의 명백한 징후를 말하는 것이다."

이렇듯 슈펭글러가 지적하고 있는 것처럼, 철학자들은 그동안 시대의식에 눈감고 있지는 않았는지, 전문가적인 식견을 제대로 갖추고는 있는지, 식견을 내놓는다 해도 통속적인 수준에 머물고 있지는 않은지 등에 대하여 총체적인 내적 반성을 선행해야 할 것이다. 이러한 자성적 반성 없이 학문의 위기나 사회문제의 원인을 외부로만 돌릴 경우 더 많은 위기만을 낳을 뿐이다. 이런 점에서 슈펭글러의 일침은 여전히 우리 사회에서 시사하는 바가 지대하다. 이 책은 오늘날 철학이 우리 사회에서 일어나는 현상에 대하여 시대비판을 통해 철학의 사명을 다해야 한다는 신념 하에 계획되었는데, 얼마만큼 그 역할을 수행했는지는 독자들의 판단에 맡길 따름이다.

이 책은 총 4부 16장으로 구성되어 있다. 제1부는 문화의 역동성이라는 주제로서, 철학에서 바라보는 문화교육의 다양한 스펙트럼, 문화다원주의 시대에서의 보편적 정치윤리, 생태문화운동과 철학, 슈펭글러의 문화유기체론을 조명하였고, 제2부는 몸의 철학과 예술이라는 주제로서, 니체의 몸 철학, 메를로-퐁티의 몸의 문화현상학, 푸코의 남성주체에 관한 몸과 성의 담론, 예술과 과학의 창의성을 살펴보았다. 제3부는 인문학의 위기와 극복 그리고 차별화 전략으로서의 철학이라는 주제로서, 딜타이와 베버의 인문학적 이해와 설명의 방법, 인문학 위기의 극복책으로서 딜타이·신칸트학파·베버·하버마스의 이론, 지방분권화 시대의 차별화 전략으로서 대전지역 대학 철학과의 커리큘럼, 그리고 하버마스의 『사실성과 타당성』을 중심으로 인권과 민주주의를 각각 살펴보았다. 제4부는 한국사회의 문제들에 대한 주제로서, 한국사회에서 공화주의 이념은 부활할 수 있는지, 고령화 사회에서 노동의 소외는 어떻게 극복될 수 있는지, 노동자의 비정규직화와 사회 양극화에 어떻게 대처할 것인지, 한국사회의 생명공학에 대한 성찰을 황우석 사태를 통해 어떻게 정립할 것인지 등에 대해 각각 고찰하였다.

이 책을 새로 구성하는 동안 기나긴 지난 겨울방학을 수정과 자료의 보완 등으로 헌납해야 했으나, 여전히 미진하고 보완해야 할 내용들이 많다. 이것은 다음의 숙제로 남겨 놓으며, 독자들의 아낌없는 비판과 질정(叱正)을 기꺼이 받겠다.

이 책을 준비하는 동안 아내와 고등학생 아들 승식, 어린 딸 수연에게 바쁘다는 핑계로 제대로 아빠 구실을 못해 늘 미안하다. 이러한 사소한 개인 사정에도 불구하고, 이 책이 독자들로 하여금 한국사회의 현실을 그다지 틀리지 않게 진단하였다는 평가를 받는다면 더한 기쁨이 없겠다. 장기간의 인문학의 불황 속에서도 선뜻 출판을 허락해 주신 철학과현실사에도 진심으로 감사의 말씀을 전한다.

2008년 3월
유성 궁동 연구실에서
양 해 림

차 례

머리말 / 5

제 1 부 문화의 역동성

제1장 철학에서 바라보는 문화교육 ··· 19

1. 들어가는 말: 문화교육의 출발점 / 19
2. 문화의 개념 / 21
3. 포스트모더니즘과 문화 / 25
    1) 포스트모더니즘의 철학적 분류 / 25
    2) 포스트모더니즘과 장르의 넘나들기 / 30
4. 디지털 미디어의 영상문화 / 35
5. 문화다원주의와 관용 / 42
6. 맺는 말 / 47

제2장 문화다원주의 시대는 보편적 정치윤리를 요구하는가? ··· 51

1. 들어가는 말 / 51
2. 문화다원주의의 정치철학의 문제 / 53
3. 문화다원주의와 종교: 왜 근본주의의 종교는 충돌하는가? / 59
4. 맺는 말: 보편적 정치윤리의 요구 / 71

제3장 생태문화운동과 철학 … 78

1. 들어가는 말 / 78
2. 생태문화 / 82
   1) 인간과 자연의 통합 / 83
   2) 과학 대 자연: 자연파괴 원인의 진단 / 86
   3) 과학기술의 개발과 진보개념의 재검토 / 88
   4) 탈기술지향주의 / 91
   5) 전체론적 인식 / 94
3. 생태문화운동 / 94
   1) 영월의 동강 댐 / 97
   2) 서울 용산 미군기지의 생태공원화 운동 / 99
   3) 서울 은평구 한양주택 생태마을 / 102
4. 맺는 말 / 104

제4장 슈펭글러의 문화유기체론:
        괴테와 니체의 문화 영향사를 중심으로 … 107

1. 들어가는 말 / 107
2. 문화유기체론 / 109
   1) 역사의 순환론 / 109
   2) 문화의 주요 상징 / 113
3. 괴테와 니체 / 116
   1) 보편적 상징주의 / 116
   2) 아폴론적, 파우스트적, 마고스적 문화 유형 / 118
   3) 문화의 마스터 패턴 / 121
   4) 운명이념 / 123
   5) 역사로서의 세계, 자연으로서의 세계 / 125
4. 맺는 말: 문화유기체론의 현대적 의미 / 129

제 2 부 몸의 철학과 예술

제5장   니체의 몸 철학: 오해된 몸의 복권 … 137

　1. 들어가는 말 / 137
　2. 오해된 몸의 복권 / 141
　　1) 작은 이성에서 큰 이성으로 / 141
　　2) 몸의 언어 / 147
　　3) 몸의 변화유형 / 151
　　4) 순수의식의 전도 / 154
　3. 맺는 말 / 157

제6장   메를로-퐁티의 몸의 문화현상학 … 160

　1. 들어가는 말: 문화현상으로서 몸의 담론 / 160
　2. 지각현상으로서 몸(Leib)의 개념 / 169
　3. 몸의 지식: 세계-로의-존재 / 177
　4. 맺는 말: 문화세계의 상호교호성 / 188

제7장   푸코의 남성주체에 관한 몸과 성의 담론:
　　　　『성의 역사』를 중심으로 … 191

　1. 들어가는 말 / 191
　2. 푸코의 남성주체에 대한 성의 역사적 담론 / 195
　　1) 성적 욕망의 주체: 권력 / 195
　　2) 인간주체로서의 성의 실천적 양식들 / 199
　　3) 고대 그리스 시대의 성적 욕망들 / 202
　　4) 17-19세기 자본주의 시대의 성에 대한 담론 / 210
　　5) 그리스·로마 시대의 성윤리: 자아의 테크닉 / 214
　3. 맺는 말 / 216

제8장 예술, 과학 그리고 창의성 ··· 219

1. 들어가는 말 / 219
2. 예술과 과학의 패러다임 / 222
3. 예술과 과학의 차이 그리고 만남 / 233
4. 예술과 과학의 접맥 그리고 창의성 / 237
   1) 백남준과 비디오 아트 / 237
   2) 백남준의 플럭서스 운동 / 241
5. 맺는 말 / 246

제 3 부 인문학의 위기와 극복 그리고 차별화 전략으로서의 철학

제9장 인문학의 이해와 설명의 방법:
     딜타이와 베버의 수단/목적 행위이론 고찰 ··· 251

1. 들어가는 말 / 251
2. 딜타이의 정신과학의 방법론 / 253
   1) 이해와 설명 / 253
   2) 수단/목적의 관계 / 261
3. 베버의 사회과학 방법론 / 266
   1) 이해와 설명 / 266
   2) 수단/목적의 관계 / 274
4. 맺는 말: 딜타이와 베버의 이해와 설명 / 279

제10장 인문학의 패러다임과 인문학 위기의 극복책을 위하여:
     딜타이와 신칸트학파, 베버, 하버마스를 중심으로 ··· 284

1. 왜 인문학의 위기를 말하는가? / 284
2. 딜타이의 정신과학에서의 인문학 / 287
3. 신칸트학파와 베버의 문화과학 / 299

4. 하버마스의 사회과학 방법론 / 306

5. 맺는 말: 인문학 위기의 극복을 위하여 / 311

제11장　지방분권화 시대, 차별화 전략으로서의 철학:
　　　　대전지역 대학 철학과의 교과과정을 중심으로 … 316

1. 지방분권화 시대의 도래 / 316

2. 대학의 신자유주의 교육정책은 필요악인가? / 320

　　1) 선택과 집중 / 324

　　2) 대학의 특성화 전략 / 326

　　3) 대학의 차별화 전략 / 328

　　　　(1) 배재대학교 심리철학과 / 330

　　　　(2) 대전대학교 철학과 / 332

　　　　(3) 한남대학교 철학과 / 334

　　　　(4) 충남대학교 철학과 / 336

3. 맺는 말 / 339

제12장　인권과 민주주의: 하버마스의 『사실성과 타당성』을 중심으로 … 341

1. 들어가는 말 / 341

2. 민주주의 법이론의 실마리: 사실성과 타당성의 긴장관계 / 344

3. 인권과 민주주의 / 350

　　1) 자유주의와 공화주의의 모델: 인권과 주권의 대립 / 350

　　2) 도덕과 법의 긴장관계 / 356

　　　　(1) 도덕원리와 민주주의 원리 / 356

　　　　(2) 법과 도덕의 보완 / 362

4. 맺는 말: 심의민주주의의 의의 / 367

제 4 부 한국사회의 문제들

제13장 한국사회에서 공화주의의 이념은 부활할 수 있는가? :
　　　　공화주의의 정치철학적 고찰 … 373

　1. 들어가는 말 / 373
　2. 공화주의의 이념은 부활하는가? / 375
　　1) 칸트의 공화주의 / 377
　　2) 아렌트의 공화주의 / 384
　　3) 하버마스의 공화주의 / 392
　3. 맺는 말: 한국사회에서 공화주의 이념의 부활은 가능한가? / 400

제14장 고령화 사회에서 노동의 소외는 극복될 수 있는가? … 409

　1. 들어가는 말 / 409
　2. 인구의 고령화 / 411
　3. 고령화 사회의 문제점 / 414
　　1) 경제적 문제: 소득 불평등의 심화 / 415
　　2) 연금복지재정의 문제 / 419
　　3) 건강관리 및 질병의 문제 / 422
　4. 고전적 노동의 소외: 마르크스의 노동의 인간학 / 425
　5. 노동의 소외에서 노동의 종말 시대로 / 434
　6. 맺는 말 / 439

제15장 노동자의 비정규직화와 사회 양극화, 어떻게 대처할
　　　　것인가? … 443

　1. 들어가는 말 / 443
　2. 한국사회의 양극화 현상 / 446
　　1) 양극화 현상 / 446
　　2) 중산층의 몰락 / 449

3. 비정규직 노동자의 실태 / 455

　1) 비정규직 노동자란? / 455

　2) 비정규직 증가의 원인 / 456

　3) 비정규직 노동자: 대학 시간강사의 처우 실태 / 461

　4) 비정규직 노동자: 중소기업의 처우 실태 / 464

4. 맺는 말: 어떻게 대처할 것인가? / 468

제16장　한국사회의 생명공학에 대한 성찰: 황우석 사태를 중심으로 … 475

1. 들어가는 말 / 475

2. 배아인권의 논쟁 / 480

　1) 인간배아의 도덕적 지위 논쟁 / 480

　2) 황우석 사태에서 난자의 사용과 여성의 인권 / 482

3. 황우석 사태와 참여정부의 과학기술정책 / 486

　1) 언론과의 유착관계 / 486

　2) 참여정부의 과학기술정책 / 490

　3) 황우석 사태와 책임의 문제 / 494

4. 맺는 말 / 499

참고문헌 / 505

찾아보기 / 535

제 1 부

문화의 역동성

제 1 장
철학에서 바라보는 문화교육 *

1. 들어가는 말: 문화교육의 출발점

지난 1990년대 이후로 문화의 세기라는 말이 널리 퍼졌다. 문화의 세기란 정치, 경제가 우선이고 문화는 부수적 차원이라는 인식에서 문화가 정치와 경제 발전의 원동력이라는 인식으로의 사회적 패러다임의 전환을 일컫는다. 문화가 사회발전의 원동력이 된다는 사실은 한편으로 문화발전이라는 삶의 양식에 대한 생태적 다양성의 촉진과 국민 다수의 문화의 향상을 의미한다. 다른 한편으로 공업경제에서 문화경제로의 경제 패러다임의 전환이 이루어지고 있다는 사실에 대한 발본적 인식이 필요하다는 것을 의미한다.[1]

문화교육에서 문화란 좁은 의미의 문화예술만이 아니라 신체적, 감성적, 윤리적, 지적 복합능력의 다양한 형태로 구현되어 전승되는 삶의 방식이자 인간적 잠재력의 총체, 생명의 다양성에 따라 구현되는

---

* 이 글은『문화예술연구』제1권 제1집, 문화교육학회, 2006, 1-27쪽에 실렸던 내용을 부분적으로 수정 · 보완한 것이다.
1) 심광현,『프랙탈』, 현실문화연구, 2006, 286쪽.

인류학적 문화다양성 등 넓은 의미를 갖고 있다. 따라서 문화교육은 기존의 예체능 교육을 훌쩍 넘어선다. 그것은 지식, 인성, 예체능 교육의 관계를 재조직하여 인간능력의 역동적 복합성(문화적 리터러시)을 활성화하고, 파괴되고 있는 공동체적, 사회적 연대의 기초인 사회문화적 자원(민주적, 생태적 습성)을 재활용하려는 새로운 교육이다.[2] 따라서 21세기 문화운동 선언문은 문화교육이 세 가지의 서로 다른 의미를 지닌다고 본다.

첫째, 최상위 범주로서 21세기 새 교육이념의 지평을 여는 차원, 둘째, 발단단계에 따른 새 학제와 새 교육과정의 편성 및 교과영역들의 관계를 재조직하는 원리의 차원, 셋째, 개별 교과목 내용의 재조직 원칙의 차원이 그것이다. 다시 말해 문화교육은 새 교육이념이요, 새 교육과정과 새 교과영역의 편성지침과 새 교과내용 편성의 기본 원리라 기술하고 있다.[3] 문화교육의 출발점은 칸트가 언급한 세 가지 인간능력과 밀접한 연관을 맺고 있다.

"그는 인간의 정신능력들이 인식능력, 쾌·불쾌의 감정, 욕구능력이라는 세 가지 이질적 능력들로 구분되며, 이는 각기 오성(순수이성), 판단력, 이성(실천이성)이라는 세 가지 상위의 인식능력들이 제공하는 선천적 원리들(합법칙성, 합목적성, 궁극목적)에 의해 지도되고 운영되며, 자연과 예술, 그리고 자유라는 세 가지 이질적 적용대상들을 가진다고 보았다. 이에 따르면, 수학이나 자연과학적 열쇠는 오성의 작동에서, 미학적 탐구는 판단력(특히 반성적 판단력의 작동)에서, 그리고 도덕과 형이상학은 실천이성의 작동에서 구해질 수 있다. 말하자면 정신적 능력들의 이질적 차이들로부터 학문적 편성의 근거를 도출했던 셈이다."[4]

---

2) 「21세기 문화교육운동 선언문」, 심광현 편, 『이제, 문화교육이다』, 문화과학사, 2003, 서문.

3) 같은 글.

위 인용문에서 보듯이, 심광현은 지성(지식), 인성(도덕 또는 윤리), 감성(예술 혹은 문화)의 상관관계를 문화교육의 중요한 요소로 본다. 따라서 문화교육을 새로운 교육이념으로 제시하고자 하는 목적은 오감에 상응하는 우리의 멀티미디어적인 기능을 습득하고 운용할 수 있도록 하는 데 있다고 말한다. 이를 통해 인간학적 능력들의 균형적 발전을 추구하고자 하는 것이다. 또한 김문환은 문화교육을 다음과 같은 관점에서 포괄하고 있다.

첫째, 지식에의 안내와 문화유산의 감상, 현대문화생활에의 안내, 둘째, 문화가 확산되고 진화하는 과정에 대한 친숙화, 셋째, 문화유산들과 현대문화 간의 불가해한 연결과 동등한 존엄성의 인정, 넷째, 미적, 예술적 교육, 다섯째, 윤리적, 시민적 가치들의 훈련, 여섯째, 매체 교육, 일곱째, 상호문화적(intercultural), 다문화적(multicultural) 교육 등이 그것이다.[5]

이 글에서는 문화교육의 다양한 목적 중에서 그 범위를 한정하여 먼저 문화의 개념을 살펴보고 포스트모더니즘과 문화에서의 철학적 규정 및 장르 넘나들기, 미디어 영상문화교육, 문화다원주의와 관용의 문제들을 차례로 진단하고자 한다.

2. 문화의 개념

우리말 문화(文化)에 해당하는 서양의 용어는 쿨투라(cultura)에서 유래한다. 쿨투라는 동사 콜레레(colere)로부터 온 전성명사로서, 콜레레는 보살피다, 가꾸다, 개작하다, 경작하다, 재배하다 등의 의미를 지니는 말이다. 문화라는 말은 매우 다의적으로 쓰인다. 즉 ① 땅을

---

4) 심광현, 「교육개혁과 문화교육운동: 지식기반사회에서 문화사회로의 이행을 위해」, 심광현 편, 『이제, 문화교육이다』, 57-58쪽.
5) 김문환, 『문화교육론』, 서울대 출판부, 1999, 95쪽.

가꾸고 식물을 경작하고 동물을 키우는 행위를 말한다. ② 마음을 가꾸는 것이다. ③ 사회의 발전과정을 의미한다. ④ 특정 집단에 의해서 공유되는 의미, 가치 그리고 삶의 방식이다. ⑤ 의미를 만들어내는 의미화의 실천이다. 많은 경우에 있어서 문화는 자연이나 야만과 구별되기도 하고, 어떤 때에는 문명과도 비교된다.6) 인간의 고유한 삶의 양태는 자연에다 무엇을 보탬으로써 또는 자연에서 무엇을 덜어냄으로써 비롯되었다. 문화는 거친 자연, 야성, 조야함을 벗어나 인간이 자신의 상상력을 제시하는 완전성을 기준으로 하여 자연을 가꾸고 개작한 인간의 자기활동의 생산물이다. 즉 문화란 자연과 대립되는 개념으로서 인간이 자연을 가공하여 창출해 낸 정신적 및 육체적 노동의 총화를 의미한다. 인간의 문화는 자연을 경작하여 얻은 자기활동의 산물들로 구성되어 있다. 그렇기 때문에 자연경작의 수단은 문화향상의 척도가 되기도 한다. 그래서 우리는 최초로 도구를 만들어 사용했다고 말하는 '호모 하빌리스(homo habilis)'를 인간의 시조로 간주하기도 하고, 자연을 가꿀 수 있는 '연장을 갖춘 자'를 뜻하는 '호모 파베르(homo faber)'나 연장을 만들 수 있는 '지혜를 가진 자'를 뜻하는 '호모 사피엔스(homo sapiens)'라는 말을 인간의 대명사로 쓰기도 한다.7)

어떤 삶의 형태가 문화적이냐 야만적이냐를 가름해 주는 최소한의 준거는 그것이 얼마만큼 야성을 분장하여 세련화되었는가, 자연개작이 적절하게 이루어졌는가, 문자화 내지 교양형성(Bildung)이 얼마만큼 되었는가, 도덕화가 충분히 달성되었는가 하는 것들이다. 이렇게 문화개념을 올바르게 정의하려는 노력은 지속적으로 있어 왔다. 문화의 개념은 다양하게 정의 내릴 수 있다. 즉 철학적, 인류학적, 역사학적, 사회학적 관점에서의 개념도 있고, 대중문화에 대한 관심에서 야

---

6) 김종헌, 『문화해석과 문화정치』, 철학과현실사, 2003, 14쪽.
7) 백종현, 『철학의 개념과 주요 문제』, 철학과현실사, 2007, 419쪽.

기된 문화의 개념도 있을 수 있다. 이 말이 좁은 뜻을 가질 때는 문학, 예술과 관련된 문화적 생산물이나 활동이나 제도를 가리킨다. 예를 들어 신문, 잡지의 문화면은 문학작품과 미술 전시회, 음악이나 연극 공연에 관한 평론을 싣는다. 넓은 뜻의 문화개념은 인류학적이고 역사적인 문화개념이라 말할 수 있다. 이 개념은 인류가 주어진 환경조건을 극복하면서 만들어온 도구와 사물, 제도들을 포괄하는 '문명'의 의미에서의 문화의 개념이다. 문화는 문학, 예술만이 아니라 근대에 이르러 뚜렷하게 모양을 갖춘 과학, 종교 등의 영역까지를 포함한다. 문화에 대한 보편타당한 개념의 규정을 내릴 때 어려움은 사용방법의 불충분함에 있는 것이 아니라 사태의 다양성과 사태의 특수한 존재방식과 같은 복잡성에서 나온다.[8]

문화(영어 culture, 독일어 Kultur)는 가장 넓은 뜻의 자연에 대립되는 인간 활동과 그 산물 전체를 가리킨다. 문화를 정신적 개화상태라 하고 문명을 물질적 개명상태라 하지만, 정신적 문화상태나 물질적 문화상태는 정확히 구분하기가 쉽지 않다.[9] 광범위한 의미에서 사람다운 삶을 누릴 만한 가치 있는 것을 실현하는 모든 형식과 활동 및 그 결과들을 통틀어 문화라 부른다. 문화는 식물이나 동물의 세계에 대해서는 쓰이지 않는다. 문화는 인간에게 고유한 삶의 양태이다. 이러한 인간에게 고유한 삶의 양태는 인간이 자연에다 무엇인가를 보탬으로써 혹은 자연에서 무엇인가를 덜어냄으로써 비롯된 것이다. 문화를 문학과 예술이라는 좁은 뜻의 차원에서가 아니라 사람다운 삶을 누려가는 삶의 방식, 혹은 자유가 증대되는 과정으로 파악할 때, 현대인의 삶의 참모습을 이해하고 바람직한 삶의 대안을 모색하기 위해서는 현대의 대중문화에 초점을 맞추어야 한다.

---

8) 랄프 콘너스만, 이상엽 옮김, 『문화철학이란 무엇인가』, 북코리아, 2006, 14쪽.
9) 한국철학사상연구회 편, 『삶과 철학』, 동녘, 1997, 161쪽.

문화는 학자나 전문가들의 전유물이 아니라 누구든지 향유하는 일상용어로서 이제 뿌리를 내렸다. 아직도 일부에서는 연극, 음악, 미술, 무용 등과 관련하여 문화라는 말을 한정하여 이해하는 경향이 없는 것은 아니지만, 이와 관련된 일에 종사하는 사람들을 정계나 학계 또는 경제계에 일하는 사람과 구별하여 문화계 인사라고 부르는 관행이 없지도 않다. 그러나 현재 문화라는 말은 중국문화 · 일본문화 · 한국문화 등 지역과 관련해서 뿐만 아니라 고대문화 · 근대문화 · 현대문화 등 시대와 관련된 경우, 서민문화 · 대중문화 · 청소년문화 · 노인문화 등 계층과 연령에 관련된 경우, 놀이문화 · 음식문화 · 의복문화 · 주거문화 · 소비문화 등 일상생활과 관련된 경우, 그리고 자동차 문화 · 인터넷 문화 등에 이르기까지 아주 널리 사용되고 있다.

문화는 과거에는 주로 정신문화를 가리키는 말이었다. 인간의 정신을 갈고, 닦고, 세련되게 함으로써 인간으로서의 도덕적 가치를 실현하는 활동을 문화라고 불렀다. 고도의 정신적 노력을 요구하는 활동이 문화이며, 문화를 일구는 수단이었다. 그렇기에 정신적인 활동과 무관한 분야에 대해서 문화라는 말은 고급스럽고 귀족적인 분위기가 스며들어 있었다. 또한 문화는 학문이나 예술 그리고 구체적으로는 책의 종류나 예술작품을 뜻하는 말이었다.[10] 레이몬드 윌리엄스 (Raymond Williams)는 다음과 같이 문화를 정의 내린다.

첫째로, 전통의 의미에 해당하는 것으로서 문화는 지적인 작품이나 실천행위를 가리킨다. 두 번째 더 넓은 의미에서 문화는 "의미를 나타내는 모든 실천행위가 된다." 의미를 생산 · 전달 · 해석하는 모든 실천적 습속이나 과정들이 포함된다. 그 실례로 클래식 음악 감상뿐만 아니라 대중가요, 연극, 영화, 만화, 회화, 조각, 음악, 일반의 옷차림도 문화연구에 포함된다. 이러한 문화의 개념은 20세기에 들어와서

---

10) 강영안, 「문화개념의 철학적 배경」, 『문화철학』, 철학과현실사, 1996, 190쪽.

더욱 다양하게 확장된다. 대중매체의 등장으로 고급문화 양식뿐만 아니라 대중문화의 양식까지도 포함하게 된다. 즉 대중매체의 내용에 의해서 사회에 널리 퍼진 노동계급이나 중간계급의 문화양식까지 의미가 확대된 것이다.

세 번째 가장 광의의 차원에서 문화는 "한 인간이나 시대 또는 집단의 특정 생활방식"을 지시한다. 이른바 인류학적으로 정의를 내리며 문화란 우리가 살아가는 일상적 삶의 방식이 된다. 여기서 문화는 단수가 아닌 복수의 의미를 지닌다. 최근 국내에서 논의되는 대중문화는 두 번째와 세 번째의 개념에서 출발한다.

3. 포스트모더니즘과 문화

1) 포스트모더니즘의 철학적 분류

포스트모더니즘의 철학적 이해의 시작은 모더니티/포스트모더니티, 모더니즘/포스트모더니즘의 대칭적 개념에 대한 논점에서 시작되었다. 일반적으로 "모더니티(근대성 또는 현대성)는 서양 근·현대를 총체적으로 관통하는 일종의 시대정신"[11]으로 간주되었다. 바티모는 포스트모더니티에 대해 "근대성의 논리는 단선적 시간을 향한 지속적이고 계속적이고 단일한 과정의 논리"[12]라 말한다. 이러한 바티모의 간결한 설명은 포스트모던의 조건에서 리오타르가 묘사한 "거창한 이야기" 또는 "메타 이야기들에 대한 회의(懷疑)"와 상통한다.[13]

하지만 근대나 근대성 또는 모던, 모더니티, 모더니즘, 더 나아가

---

11) 윤평중, 『포스트모더니즘의 철학과 포스트 마르크스주의』, 서광사, 1992, 14쪽.

12) Gianni Vatttimo, *Nihilism & Emancipation*, William McCuaig(Hg), New York, 2003, 49-50쪽.

13) 이광세, 「포스트모더니즘, 다원주의, 그리고 지평선의 융합: 동과 서」, 『철학과 현실』, 철학문화연구소, 2005 봄, 81쪽.

포스트모던, 포스트모더니즘과 같은 다의적 용어들은 정확하게 정의
할 수 없는 애매한 표현들이다. 그 의미 또한 쓰이는 사람의 주관적
의도에 따라 미묘한 차이를 보인다. 이렇게 포스트모더니즘은 내용면
에서 아주 복잡하게 전개되기 때문에 다른 역사적 맥락에 따라 살펴
보아야 한다. 포스트모더니즘의 다의성에도 불구하고 근대와 포스트
모던의 연속이냐 불연속이냐 하는 물음의 관계가 여전히 끝난 것은
아니다. 포스트모더니즘이 언제부터 시작되었는가 하는 문제는 그다
지 중요한 문제가 아닐 수도 있다. 단지 문제는 포스트모더니즘이 어
떤 역사적 배경이나 지적 풍토에서 처음으로 생겨나게 되었는가 하
는 데 있다. 이러한 포스트모더니즘은 크게 세 가지로 나누어 살펴볼
수 있다.

첫째, 인식론적인 포스트모더니즘의 논의이다. 이는 흔히 말하는
후기구조주의에서 비롯한 인식론으로서 그 이전의 사유체계와 지식
을 비판하고 지식을 구하는 방법에 대해 의심의 눈초리를 보내면서
그 안에 숨어 있는 편견들을 파괴하고 해체한다. 이러한 해체주의의
포스트모더니즘은 1968년 5월 전 세계로 확산되었던 사회개혁적 학
생운동과 깊은 연관을 맺고 탄생하였다. 뤽 페리(Luc Ferry)와 알랭
르노(Alain Renaut)는 『68사상: 현대의 반인간중심주의』에서 이를
'68 프랑스 철학'이라고 표현한다. 즉 포스트모더니즘을 대표하는 리
오타르, 라캉, 데리다, 알튀세, 부르디외, 들뢰즈 그리고 푸코 같은 학
자들은 학생운동을 지원하고 격려하면서 직·간접적으로 연대를 맺
는다. 뤽 페리와 알랭 르노는 『68사상』에서 포스트모더니즘의 대표
적인 사상가라 부르는 자들이 독일 사상가들에게 많은 영향을 받았
음을 밝힌다. 즉 데리다는 프랑스의 하이데거주의자로, 부르디외는
마르크스주의자로, 라캉은 프로이트주의자로, 푸코는 니체주의자로
해석한다. 이들 대부분의 사람들이 사회주의 노선과 결별하고 자신들
의 독자적인 이론을 세운 것이 포스트모더니즘이다. 특히 포스트모더

니즘의 개념을 정의하고 이 이론을 다른 철학적 주장과 구별 지었던 리오타르의 경우 분명하게 드러나는 사회주의 비판은 포스트모더니즘의 중요한 계기를 마련한다.[14] 이들은 '68 프랑스 철학'이 반인간중심주의에서 시작되었다고 본다. 이는 해방의 역할을 자처해 온 인간중심주의가 오히려 억압의 원인이 되었다는 의식에서 출발한다. 이러한 인간중심주의의 이성비판은 니체가 항상 그 중심점에 서 있다. 이러한 다의적 현상의 인식론적인 출발점은 니체가 초기 저작인『음악정신으로부터 비극의 탄생』(1872)에서 아폴론과 디오니소스 신을 등장시키면서 이성과 감성의 첨예한 대립을 선보인 것이다. 니체의 현대비판은 그 발단부터가 현대의 기본원리로 간주되었던 진보의 이념과 이성의 우월성 및 현재를 역사화시키는 경향을 비판하였다. 니체는 이성의 철학보다 감성의 철학 내지 몸의 철학을 내세웠으며, 진리와 비진리에 대한 첨예한 대립의 문제보다 도대체 인간의 삶은 무엇인가에 대해 골몰하였다.

둘째, 생활세계를 현상적으로 분명하게 보여주었다. 즉 이것은 이성에 대한 절대적 신뢰에 대한 반성이다. 서구에서 계몽주의는 이성의 빛, 합리적인 과학, 보편적인 도덕, 자율적인 예술로 암흑을 추방함으로써 인간의 성숙과 해방을 가져오려는 시도였다. 그러나 포스트모더니즘은 이러한 계몽주의, 이성중심주의에 대해 전면적으로 거부된다. 포스트모던은 근대의 기초가 되어 왔던 인간의 주체, 이성, 역사의 진보 등이 모두 신화에 불과하며, 실제로는 이성이 인간을 해방시키는 것이 아니라 억압해 왔다고 주장한다.[15] 데카르트 이래로 인간은 이성을 갖고 회의하는 존재로 여겨지면서 중세시대의 신중심주의 사회에서 인간의 이성을 중시하는 인간중심주의 사회로 점차 변

---

14) 박해용,『서양철학사』, 두리미디어, 2002, 308쪽.
15) 박종식,「칸트 철학과 리오타르의 포스트모더니즘」, 한국칸트학회 편,『칸트 철학과 현대』, 철학과현실사, 2002, 251쪽.

화의 과정을 겪어 왔다. 인간의 이성은 합리주의에 기초하여 천부적인 인간의 권리와 자율성을 보장하게 된다. 인간이 갖고 있는 이러한 이성의 능력은 절대적 진리, 보편적인 진리를 확보하는 계기를 마련한다. 보편적 진리는 소크라테스 이래로 이성중심주의의 오래된 유산이며, 근대 이후로 갈릴레이, 뉴턴, 케플러 등의 과학혁명가들을 비롯한 대륙 이성론자들과 영국 경험론자들에 의해 그 진보의 화살이 더욱 세게 당겨졌다.

최근의 포스트모더니즘은 기존의 이성중심주의를 전면 거부하고 이성의 이름으로 자명한 것으로 간주해 왔던 이제까지의 모든 지식 체계들을 뿌리째 흔들고, 전혀 새로운 시각에서 인간과 역사를 재구성하려고 한다. 이것은 이성을 비판하고 이성 그 자체를 거부하려는 급진적인 반이성주의이다. 포스트모더니즘은 근대에서 주로 기초로 삼았던 인간주체, 이성, 역사의 진보 등을 모든 권력의 억압을 합리화하는 신화에 불과하다고 말한다. 즉 계몽과 해방을 담당하던 이성의 총체성은 실제로 억압적이고 전체적인 질서를 옹호하고 정당화하는 것으로서 권력과 지식의 상호작용을 극명하게 보여주고 있다. 근대주의 내지 근대의 재구성, 즉 근대는 아직 미완성이며 그러한 근대에 성찰성을 덧붙여서 내재적으로 극복함으로써 근대를 완성시켜야 한다는 입장을 포함한다. 이른바 이성의 총체성은 자본주의의 양상을 수정하고 내부의 비판을 통해 더 나은 바람직한 사회의 건설을 추구하는 것으로서 현대의 목표이자 이상이다. 따라서 포스트모더니즘은 근대의 합리주의와 그 도구로서 이성중심주의 사고를 비판하고 지금까지의 가부장제와 형이상학적 전통에도 반대하며 탈중심주의를 강조한다. 이러한 견해는 마르크스를 비판적으로 재구성하려고 시도한 독일의 철학자 하버마스(J. Habermas)와 영국의 사회학자 기든스(Anthony Giddens)의 이론에 크게 의존하고 있다. 그러나 포스트모더니즘을 논의하는 담론은 20년 이상 무성하게 진행되어 오고 있지만, 그 내용면에서는 여전히 애매모호하다.

셋째, 문화현상으로서 포스트모더니즘이다. 문화적 현상이 그 이전의 모더니즘에 비해서 어떻게 다른가를 파악하는 것이다. 이것은 새롭게 대두하고 있는 문화예술의 사조 혹은 문화양식을 가리키는 현상으로 지칭한다. 이제 포스트모더니즘은 대중문화와 혼합하여 예술사조 그 자체로는 크게 후퇴하고 있지만, 연예오락물을 비롯한 대중문화의 여러 영역에서 널리 확산되고 있다. 이러한 포스트모더니즘의 예술의 현상은 그 구분법에 있어서 대중문화와 고급문화로 구별하여 양분되기도 한다. 20세기 말 포스트모더니즘의 경향은 철학에만 고유한 현상은 아니다. 포스트모더니즘은 현대문화의 전반적인 현상이며 철학보다는 오히려 예술, 문학, 건축 등에 더욱 두드러지게 나타난 현상이다. 포스트모더니즘이라는 현상은 젱크스가 건축 분야에서 먼저 쓰기 시작하였으며 문학, 예술, 사회학, 경제학, 정치학, 과학 분야에 이르기까지 광범위하게 퍼져 나갔다. 따라서 포스트모더니즘은 좁은 의미로 이해할 때, 문학과 예술 안에서 일어난 현상이다. 이러한 예술개념으로서의 포스트모더니즘은 20세기 중반 이후 본격적으로 시작되었다. 이는 제2차 세계대전과 맞물려 있다. 히틀러 나치주의의 절대권력과 유대인 대량학살, 나가사키와 히로시마의 원자탄 투하로 인한 전 인류의 멸망에 대한 공포감, 무차별한 자연환경의 파괴, 폭발적인 인구증가와 그에 따른 기아에 대한 두려움 등이 그 발단배경이다. 이러한 일련의 현상들은 직·간접적으로 포스트모더니즘이 생성하고 발전하는 데 적지 않은 몫을 담당하였다. 많은 사상가들이나 예술가들은 인류의 생존을 위협하는 이러한 현상들이 궁극적으로 모더니즘의 피치 못할 결과에서 비롯한 것이라고 간주하였다. 포스트모더니즘의 특징은 일원론보다는 다원론을, 이성보다는 감성을, 전통의 유지보다는 해체를, 그리고 독단주의보다는 관용주의를 더 설득력 있는 이론으로 받아들이기 시작하였다.

제2차 세계대전 이후 모더니즘 세력이 점차 약화되면서 예술의 일상화, 인터미디어적인 결합은 고급문화/대중문화, 순수미술/상업미술, 본질/형상, 감성/이성, 정신/물질, 마음/신체 등의 전통적 형이상학의 이분법적 구분을 거부한다. 포스트모더니즘으로 고급문화/저급문화, 엘리트문화/대중문화 사이에 놓여 있던 높다란 장벽이 붕괴되고 마침내 일종의 대화의 물꼬가 열렸다. 모더니즘과 포스트모더니즘 사이의 변별적인 구별로 대중문화와 저급문화에 대한 새로운 관점이 제기되고 있다. 이런 점에서 최근의 포스트모더니즘의 현상은 대중화의 현상과 밀접한 관련을 맺고 있다.

2) 포스트모더니즘과 장르의 넘나들기

최근의 포스트모더니즘 논의는 대중문화 연구자들에게 상당히 매력적이며 유용하다고 할 수 있다. 왜냐하면 포스트모더니즘과 대중문화는 모두가 다양한 문화형식과 문화적 산물, 즉 텔레비전, 뮤직비디오, 영화, 팝음악 등을 그 대상으로 삼을 수 있기 때문이다. 포스트모더니즘의 문화연구는 대중문화에 대해 특별한 관심을 갖고 소비에 대해 기본적으로 지향하고 낙관적인 목소리를 내면서 시작되었다. 대중문화의 비관론과 아도르노와 호르크하이머의 영향을 받은 교환가치로서의 문화상품에 대한 강조에 대한 반작용으로 포스트모더니스트들은 상업적 대중문화에서 사용가치와 실제적인 목적과 의미를 높게 평가한다.[16] 연구자들은 여가나 대중문학 등에 대해 긍정적인 태도를 견지했고, 소비의 쾌락과 욕망 그리고 로맨스 등의 용어를 이해하려 했다. 중요한 것은 폐쇄적이고 일률적이며, 미학적으로 빈약한 것으로 인식되던 상업적 문화상품에 대한 시각을 활짝 개방시켰다는 데 있다.[17]

---

16) M. 호르크하이머 · Th. W. 아도르노, 김유동 외 옮김, 『계몽의 변증법』, 문예출판사, 1996. 169-228쪽 참조.

포스트모더니즘은 일반대중이 향유하는 대중문화나 저급문화에 깊은 관심을 보이는 것을 그 특징으로 하고 있다. 기존의 고답적이고 엘리트주의적인 고급문화가 포스트모더니즘의 심각한 도전을 받게 된 것이다. 포스트모더니즘은 일부 특권계층만을 위한 고급문화보다는 오히려 민중적이고 대중적인 저급문화에 깊은 관심을 갖는다. 포스트모더니즘으로 인해 고급문화의 반대편에 서 있던 대중문화가 곧 저급문화라는 전통이 서서히 깨어지고 있다. 이제 대중문화와 고급문화라는 개념을 설정하는 것도 위협을 받고 있으며, 실제적으로 문화 현상 속에서 양자가 구분되지 않고 뒤섞여 등장하고 있다. 이런 점에서 포스트모더니즘의 대중문화에서는 모더니즘의 고급문화에 비해 무시되거나 소홀히 취급되어 온 장르들이 그 가치를 새롭게 인정받으면서 주변에서 중심부로 부상하게 된다. 이러한 현상은 그렇게 혁명적인 것은 아닐지라도, 포스트모더니스트들은 모더니스트들보다는 대중문화에 한층 더 많은 관심을 갖고 있다는 것이다.[18]

포스트모더니즘은 그동안 장르와 장르 사이의 경계선을 넘는 작업에 큰 관심을 보여 왔고, 고급문화와 대중문화 사이의 간격을 좁히는 작업에도 적지 않은 흥미를 보였다. 포스트모더니즘의 개념이 처음으로 구체화되기 시작한 것은 다름 아닌 대중문화와의 관련성에서부터였으며, 지금까지도 대중문화와 밀접한 연관을 맺고 있다. 이제까지 고급문화와 저급문화, 엘리트문화와 대중문화 사이에 높다란 장벽이 가로놓여 있었으나 포스트모더니즘에 이르러 이러한 장벽이 점차 붕괴되기 시작하였다. 이미 우리 문화의 현실은 고급문화와 대중문화의 경계가 허물어진 지 오래이며, 기술매체의 발달에 따른 이미지 생산과 유통의 환경이 전통적 개념의 미술영역을 제압한 지 오래되었다. 다시 말해서 엘리트주의와 고답주의의 그늘 밑에 감추어진 채 제대

---

17) 이강수, 『대중문화와 문화 산업론』, 나남출판, 1998, 93-94쪽.
18) 김욱동, 『포스트모더니즘의 이론』, 민음사, 1997, 421쪽.

로 빛을 발하지 못하던 대중문화가 존재이유를 부여받으면서 새롭게 부상하게 되었다. 모더니즘과 포스트모더니즘 사이의 구별은 대중문화와 저급문화에 대한 새로운 관심에서 분명하게 드러난다. 이런 점에서 포스트모더니즘은 예술의 세속화 현상과 밀접한 관련을 맺고 있다.

움베르토 에코가 "21세기는 갖가지 문화가 뒤섞인 잡종적 혼합이 될 것"이라고 예언한 그대로이다. 이것은 현재 퓨전현상으로 부르는 것과 맞물려 있다. 퓨전(fusion)의 사전적 의미는 융해, 용융, 융합이며 연합, 연립, 합병, 제휴 등의 의미로도 쓰인다. 퓨전의 한 실례로서 레고(lego)는 이 시대를 통틀어 가장 보편적인 놀이기구라고 일컬어진다.

"레고 조각들은 이리저리 구상하는 대로 맞추면 자동차도 되고 배도 되고, 비행기도 되고 집도 된다. 미래문명은 단일한 형태로 구성되지 않을 것이다. 개인적이고 종교 중립적인 서양모델을 중심으로 만든 모든 문명이 융합된 형태를 띠고 나타나게 된다. 미래는 각 문명이 폐쇄적으로 움츠러들지 않고 개인은 다양한 문명철학이나 이데올로기, 정치체계, 문화, 종교, 예술 같은 요소 중에서 자신이 원하는 대로 마음껏 가치체계를 선택할 수 있는 골동상품과 같은 것이다. 이미 현지문화와 식민통치문화가 뒤섞인 아프리카나 라틴아메리카는 레고 문명의 전위가 될 것이다 레고 문명은 문명 중의 문명이 될 것이다. 레고 문명은 모든 혼합이 조화를 이루어 서로가 서로에게 관용을 갖게 하며 새로운 차이점을 만들도록 독려하는 것이다. 새로운 것을 반가운 것으로 받아들이고 불안한 것을 하나의 가치로 받아들이는 것은 독특한 연대감을 지닌 새로운 유목민 부족의 창시자인 레고 문명을 끊임없이 쇄신시킬 것이다."[19]

19) 자크 아탈리, 『21세기의 사전』. 김종래, 『유목민 이야기』, 329쪽 재인용.

최근 사회가 다변화되고 컴퓨터 문화가 발달하면서, 이와 같은 레고 장난감이 보여주듯이, 융합현상이 전문분야로 점차 확산되고 있다. 문화계에서는 문학과 영화가 만나고, TV에서는 교양과 오락, 드라마나 코미디가 융합된 새로운 장르가 만나고 있다. 대중음악에서도 록음악과 랩이 결합한 음악이 인기를 얻는가 하면, 미술에서는 미술적 요소와 비미술적 요소가 결합하여 새로운 화학반응을 일으키기도 한다. 즉 사회·문화적 맥락을 어우르는 개념의 학제적 연구가 시도되고 있다. 21세기 들어 더욱 기술, 문화, 매체, 존재론, 인식론, 텍스트, 감각 등을 한 묶음으로 읽어낼 수 있는 통합 학문적 존재가 요청된다.[20] 이렇듯 퓨전의 융합현상은 21세기의 문화코드로 떠오르면서 막강한 영향력을 행사하고 있다.[21] 전 세계적으로 불고 있는 탈장르 현상은 이성중심주의, 권위주의의 폐쇄성으로부터 벗어나려는 포스트모더니즘의 담론으로부터 크게 영향을 받는다. 과학기술의 발전으로 인한 멀티미디어, 하이퍼텍스트, 전자매체, 비디오 아트, 디지털 아트 등 테크놀로지의 발전은 탈장르의 현상을 더욱 확대시킬 요인으로 작용하고 있다. 포스트모더니즘이 현대의 예술과 과학, 철학의 담론사에서 제시하고 있듯이, 다양한 학문들이 섞이고 매체의 사용과 방법에 있어서 점점 혼성화가 가속될 것으로 전망된다.

탈장르 현상을 관통하는 중심에는 "하늘 아래 새로운 것은 없다."는 후기자본주의의 문화논리이자 시대정신으로 일컬어지는 포스트모더니즘이 자리 잡고 있다. 포스트모더니스트들에게 새로운 텍스트는 과거에 이미 존재한 다른 텍스트와의 상호관계에 의존할 따름이라고 인식된다. 한 텍스트는 다른 텍스트에서 사용되고 남은 부스러기들을

---

20) 원용진, 「철학으로 영상보기/영상으로 철학하기」, 『철학과 현실』, 철학문화연구소, 2002 가을, 45쪽.
21) 양해림, 『미의 퓨전시대: 미·예술·대중문화의 만남』 철학과현실사, 2001, 147쪽.

모아 만들어낸 것이고 의미는 기존 텍스트에서 비롯된다는 이른바 '상호 텍스트성'을 중요시하는 것이다. 따라서 장르와 장르, 학문과 학문 사이를 엄격히 구분하면서 순수성을 강조하는 근대문화의 계급적, 귀족적 이분법은 시대착오적인 것에 불과하다. 장르와 장르, 학문과 학문, 순수문화와 대중문화를 이분법적으로 구분한 모더니즘이 막을 내리고 경계 허물기가 대세를 이루고 있다는 것은 모든 것이 종합된 총체 선으로의 복귀를 의미한다. 이러한 점에서 탈장르적 경향을 과도기적 혼란으로 보는 것이 아니라, 새로운 예술문화를 잉태하기 위한 창조적인 몸부림으로 받아들이고 있다. 탈장르 현상은 이제 문화예술인들이 엘리트적이고 고답적인 문화를 지양하고 더 대중적인 문화에, 중심부보다는 그간 소외되어 온 주변부에 관심을 갖는 것을 의미한다. 이른바 탈장르적 현상의 기저에는 주변부의 자기 목소리 찾기가 담겨 있다. 새로운 실험에도 뚜렷한 지향점과 대안이 담겨 있어야 하고 장르의 결합이 한낱 패션으로 그쳐서는 곤란하다는 것이다. 이처럼 문화민주주의, 문화다원주의가 대세를 이루면서 그간 지배적인 문화에 억눌려 왔던 여성, 동성애자, 환경론자, 소수민족의 목소리가 커지고 새로운 대안문화가 모색되는 것도 같은 맥락이다.

탈장르를 더욱 심화시키는 요인으로 영상 및 정보통신기술의 눈부신 발전과 이에 따른 수용자들의 태도변화를 손꼽는다. 수용자들은 이제 공연장이나 전시장에 가지 않고도 매우 손쉽게 예술정보를 얻고 감상할 수 있게 되었다. 자신이 원한다면 저렴하고 조작하기 쉬운 기계를 이용하여 음악을 작곡하고, 그림을 그리고, 영화를 만들 수 있다. 앨빈 토플러가 『제3의 물결』에서 말한 대로 생산자와 소비자가 따로 없는 프로슈머(생산자와 소비자의 합성어)의 시대로 접어든 것이다. 미술, 음악, 무용, 연극, 문학 등 모든 예술 장르가 인터넷 등 쌍방향 테크놀로지와의 결합을 시도하며 장르의 파괴를 가속화하는 것도 수용자들을 둘러싼 이 같은 혁명적인 문화환경의 변화 때문이다. 21세기는 탈중심의 정신 속에서 절대가 무너진 시대로 한동안 흘러갈 것이며 당연히 문화예술계는 누구도 그 방향을 장담할 수 없는 다양한 실험과 모색이 역동적으로 전개될 것이다. 그러나 탈장르로 특징지어지는 문화예술계의 실험에 비판적인 눈길도 만만치 않다. 장르 간 가로지르기가 탄탄한 전문성에 기반을 둔 창조적인 종횡무진이 아니라 이것저것 뒤섞어 건너뛰는 방식의 어설픈 짬뽕문화를 양산하고 있는 경우도 흔하다. 우리 문화예술계의 탈장르의 흐름이 다문화주의의 혼성문화로 포장한 미국문화 패권주의, 범미국화 전략의 희생양이 되지 않을까 하는 우려의 목소리도 들린다. 탈장르의 현상이 세기말의 과도기적 혼란인지, 아니면 새로운 문화를 잉태하기 위한 창조적 실험인지 예단하기는 쉽지 않다. 이는 21세기의 문화예술인들이 진지하게 숙고해야 할 과제이다.

4. 디지털 미디어의 영상문화

21세기는 디지털 시대라고 한다. 향후 21세기의 보편적 매체는 디지털 미디어가 될 것이라는 것이다. 인류의 역사를 돌이켜 보았을 때 그 영향력은 문자의 발명을 훨씬 능가할 것이라고도 한다. 문자가 발명되기 이전에도 넓은 의미의 문학과 역사와 철학은 존재해 왔다. 그러나 문자 발명 이전의 문화는 시각 위주의 문화가 아니라 청각과 촉각 모두가 중요한 다중감각적 문화였다. 21세기의 인문학은 문자매체를 뛰어 넘어 디지털 미디어와 기존의 영상매체를 포괄하는 인문정신으로 전개할 조짐을 이미 보이고 있다.[22]

미디어는 인간 상호간에 정보, 지식, 감정, 의사 등을 표현하고 전달하는 수단을 의미한다. 한편으로 어떤 것을 표현하는 매체(수단)라

---

22) 대중문화와 미디어의 문화교육에 대한 내용은 다음을 참조. 정현선, 『다매체 시대의 국어교육과 문화교육』, 역락, 2004.

는 뜻이며, 다른 한편으로 어떤 것을 전달하는 수단이라는 뜻으로 신문과 방송 등을 대중매체라고 부른다. 멀티미디어는 어떤 것을 표현하는 여러 개의 수단, 즉 다중매체를 뜻한다. 여기서 디지털 미디어는 디지털 매체를 의미한다. 미디어는 상대방에게 지식이나 정보를 알려줌으로써 서로 나누어 갖는다는 뜻을 포함하고 있다. 인류의 역사를 통해서 매체의 발전과정을 살펴보았을 때, 원시시대의 동굴벽화에서 자연물을 수단으로 하는 자연의 재현을 통한 형상적 정보전달 방식을 취했으며, 차츰 문자를 개발하여 종이라는 매체에 지식이나 정보를 기록함으로써 다른 사람에게 정보를 전달하거나 후세에 남겼다. 르네상스 이후 인쇄기술이 발달하여 정보를 종이 위에 활자로 인쇄함으로써 책이나 신문의 형태로 발전하게 되었다. 20세기에 들어와서는 전자기술의 도입으로 전화, TV, 비디오, 영화 등 더욱 다양한 원거리 통신 전달매체를 갖게 되었다. 1945년 컴퓨터 개발에 따른 정보의 표현은 숫자와 문자에서 시작하여 1980년대를 지나면서 음성, 음향, 정지영상, 동영상 등의 멀티미디어 데이터의 저장 및 처리를 지원하는 새로운 하드웨어/소프트웨어 기술 등을 개발하였고, 1990년대에 컴퓨터 기반의 멀티미디어 응용, 그리고 초고속 통신망을 통한 인터넷 체계는 정보소통의 새로운 구조를 형성하였다.

디지털 미디어는 비트(bits)라는 개념을 이해하였을 때 그 본질이 드러난다. 비트는 정보의 최소단위로서 'binary digit'의 약자인 이진수 가운데 하나를 말한다. 즉 0과 1의 두 단위로 모든 정보를 담아내는 것이 비트이며 디지털이라고 할 수 있다. 반면에 아날로그는 아톰(atoms)의 기본단위이며 구체적이고 물질로 되어 대조를 이룬다.[23] 정보화 시대 이전까지 정보는 대체적으로 아톰을 기본단위로 만들어졌다면, 디지털 시대에는 모든 정보가 비트화되고 있다. 예를 들어

---

23) 니콜라스 네그로폰테, 백욱인 옮김, 『디지털이다』, 박영률출판사, 1995, 13-16쪽.

우리는 일종의 아날로그 미디어인 신문, 잡지, 책, 텔레비전 등에서 정보를 얻고 서류와 대차대조표를 통하여 경제활동을 하였지만, 오늘날에는 많은 정보들이 컴퓨터 네트를 통하여 전달되고 있다. 미디어가 엄청난 정보를 운용할 수 있는 것 이외에 새로운 미디어의 다른 특성으로는 무엇을 들 수 있는가? 무엇보다 양방향성(interactivity)을 들 수 있다.24)

많은 사람들은 디지털 미디어가 종래의 아날로그 미디어(대표적으로 텔레비전)와 달리 수신자와 발신자가 서로 소통할 수 있기 때문(전자우편)에 잘만 하면 개개인들이 동등한 주체의 자격을 가지고 세계구성의 공간에 참여할 수 있다고 간주한다. 즉 인터넷을 이용하여 다양한 전문영역 간의 의사소통과 사귐, 그리고 지속적인 연결이 중요해지는 사회는 혈연, 지연, 학연의 수직적 연결망에서 수평적 연결망으로 나아갈 수 있다고 주장한다. 아톰은 과거의 것이고 비트는 미래의 것이다. 아톰에서 비트로 변화하는 것은 막을 수도 돌이킬 수도 없다. 이전에는 아톰, 즉 원자의 세계가 우리를 지배해 왔다. 우리는 중력의 무게를 느끼며 물리학적 역학세계를 거니는 것으로 만족해 왔다. 그러나 비트의 세계가 출현하면서 우리의 일상과 세계는 송두리째 변화하기 시작하였다. 비트란 무엇인가? 니콜라스 네그로폰테는 비트는 색깔도 무게도 없고 말한다. 그러나 빛의 속도로 여행을 한다. 그것은 정보의 DNA를 구성하는 최소단위이다. 아톰의 원리가 실제로 만지고 경험하는 아날로그의 세계를 창출했다면, 비트의 원리는 실제 이상의 '하이퍼 리얼'한 것으로 다가오는 디지털의 세계를 창조한다. 비트가 소용돌이치면서 인터넷과 휴대전화 등 컴퓨터를 매개로 한 사이버 커뮤니케이션이 이제 일상화되었다. 물리적인 육체의 노동에서 컴퓨터를 이용한 사이버 워크로 일의 양태가 급속도로 바뀌고

---

24) 최혜실, 「영상, 디지털, 서사」, 영상문화학회 편, 『이미지는 어떻게 살고 있는가』, 생각의 나무, 2000, 353쪽.

있는 것이다.

비트로 이루어진 컴퓨터와 아톰으로 이루어진 인간의 만남은 결코 좌절과 비인간화로 얼룩진 비극의 서막이 아니다. 시간이 갈수록 비트의 세계는 쉽고 친숙하게 사람들에게 다가올 것이다. 마치 휴대전화를 쓰듯이 말이다. 그런 의미에서 인간 휴먼 빙(human being)은 빙 디지털(being digital)되어 가고 있는 것이다.25) 우리는 인터넷의 바다를 쉼 없이 파도타기를 하며 그 디지털의 물결 속에서 비트와 아톰이 가속적, 확장적으로 결합한 새로운 삶과 생활양식을 만들어 가고 있다. 결국 새로운 시대에서 진정한 승패는 누가 더 많이 비트와 아톰의 결합을 구현할 것인가에 달려 있음에 틀림없다.

디지털 이전의 미디어는 모든 완결된 형태로 메시지를 전달한다. 독자는 완결된 형태의 책을 읽으며, 시청자는 촬영되어 편집된 영상을 보고 즐긴다. 여기서 송신자가 수신자에게 주는 정보는 수동적인 정보이고 간접적이며, 이미 전달된 소설이나 영화의 내용을 바꾸지는 못한다. 그러나 네트상의 이미지와 정보는 완료형이 아니라 진행형으로 존재한다. 여기에 하이퍼텍스트성이 개입하면 문제는 더욱 복잡해진다. 펜, 타자기, 인쇄기와는 달리 컴퓨터는 글의 물질적 흔적을 지워버린다. 키보드를 통해 컴퓨터에 정보가 입력되면 인광물질이 만드는 글자가 화면에 나타난다. 그런데 이 글자는 아날로그 미디어에서와는 다르게 임의접근 기억장치인 RNA에 포함된 아스키 코드의 재현물에 지나지 않으므로 빛의 속도에 따라 얼마든지 변경할 수 있는 것이다.

이미 많은 미술가들이 컴퓨터를 이용하여 디지털 작품을 제작하기 시작하였다. 컴퓨터 그래픽 프로그램 등을 이용한 디지털 작품들은 지금까지 원본을 전시하는 장소로 간주되는 미술관이라는 개념 자체

25) 김용석, 「문화패러다임으로서 사이」, 『문화적인 것과 인간적인 것』, 푸른숲, 2000, 142쪽.

에 큰 혼란을 불러일으키게 되었다. 지금껏 하나의 원본이 여러 개의 미술관에서 동시에 전시된다는 것은 상상할 수도 없는 일이었지만, 이제 화가는 하나의 컴퓨터 파일로 존재하는 자신의 작품을 컴퓨터 디스켓에 담거나 인터넷을 통해 여러 미술관에 동시에 보낼 수 있게 된 것이다. 이러한 디지털 예술작품은 굳이 미술관에서 전시할 필요도 없다. 인터넷 웹페이지에 '가상미술관'을 만들어 그곳에 전시하면 되는 것이다. 관람객들은 편안히 집에 앉아 작품파일을 전송받아 감상할 수도 있고 원본을 소장할 수도 있게 될 것이다. 디지털 미술작품은 생산자(미술가), 소비자(관객), 유통자(미술관의 화랑)의 세 가지 요소로 이루어진 하나의 제도로서의 미술 전체에 막대한 영향을 줄 것임이 분명하다. 최근 젊은 예술가들은 새로운 매체환경에 흥분하거나 함몰되지 않고 차분히 자신의 목소리를 담아내는 역량을 보여주고 있다. 문자 텍스트 위주의 사고방식과 아날로그 매체를 전제로 한 아이디어 표현방식의 근본적 한계를 벗어나려는 젊은 작가들의 실험정신과 새로운 서사방식에 디지털 미디어의 미래가 달려 있다고 해도 과언은 아니다.

최근 인문학과 한국미술의 인접장르 등이 공유해야 할 동시대적인 화두는 디지털 미디어와 몸이다. 특히 인간의 몸이 중요한 것은 모든 문명의 근원이기 때문이다. 모든 문화적, 사회적 활동의 근원이 몸이며, 우리가 창조하는 모든 문화적 생산물과 문명 전반에 몸이 투영되어 나타나 있다. 니체나 메를로-퐁티가 강조하고 있듯이, 정신이 우리의 몸의 일부이며 몸은 항상 정신에 선행하는 것이다. 타인은 타인의 몸으로 내 앞에 나타나며, 나는 내 몸으로 타인 앞에 나타난다. 우리는 우리 몸으로 이 세상에 관여하며 세상의 일부가 된다. 그러하기에 몸은 곧 사회성의 기반을 이룬다. 몸이야말로 커뮤니케이션의 기본전제이며, 커뮤니케이션은 마음 사이의 문제이기보다는 오히려 몸 사이의 문제이다. 디지털 미디어 역시 몸 친화적인 미디어로 발전할 조짐을 보이고 있다. 마샬 맥루한(H. M. McLuhan, 1911-1980)이 지적한 것처럼, 미디어는 인간 몸의 확장이기 때문이다.[26] 이제 앞으로 10년 정도 후면 데스크톱 컴퓨터는 구시대의 유물이 될 것이며 모바일 컴퓨터가 보편적 형태로 자리 잡을 것이다. 우리는 여러 개의 작은 컴퓨터를 몸 곳곳에 지니고 다닐 것이며, 독자적인 IP 주소를 갖고 인터넷에 무선으로 연결될 것이다. 디지털 미디어의 빠른 발전은 모니터 중심의 시각우월적 커뮤니케이션에서 청각과 촉각, 그리고 후각을 포함하는 다각중심적 매체를 보편화시킬 것이다. 다각중심적 디지털 미디어가 궁극적으로 지향하는 발전방향은 가상현실(virtual reality) 또는 원격현전(telepresence)이다. 가상현실은 메를로-퐁티가 『지각의 현상학』에서 말하는 '지각의 장(field of perception)'으로서 몸을 전제로 한다. 완벽하게 몸 친화적인 매체만이 또한 완벽한 가상현실을 구현할 수 있기 때문이다.[27] 이러한 다양한 미디어는 다음과 같은 관점에서 요약할 수 있다.

첫째, 미디어는 정보기술과 사회의 관계에 밀접하게 연관되어 있다. 정보기술과 사회의 관계는 대립적인 성격으로 파악하는 것이 아니라 상호작용하는 것으로 받아들인다. 다시 말해서 정보기술과 사회는 서로 독립적인 계보를 형성하고 있을 뿐, 대립하는 관계에 있는 것이 아니라는 것이다. 정보기술은 사회에서 작동하며, 사회는 정보기술에 의해서 존립하는 것이다. 정보기술과 사회의 관계를 파악하기 위해서는 기술의 계층성, 세분화, 제도화된 모습, 생산에서 소비에 이르기까지의 사회 각 영역의 권력관계 등을 다원적, 중층적으로 살펴

---

26) 자세한 내용은 다음을 참조. 마샬 맥루한, 김성기 · 이한우 옮김, 『미디어의 이해: 인간의 확장』, 민음사, 2002; 양해림, 「매체의 해석학: 맥루한의 미디어의 이해를 중심으로」, 『해석학연구』 제18집, 2006 가을, 105-126쪽.

27) 메를로-퐁티, 『지각의 현상학』, 문학과지성사, 2002; 양해림, 「메를로-퐁티의 몸의 문화현상학」, 한국현상학회 편, 『몸과 현상학』, 철학과현실사, 2000, 107-136쪽.

보아야 한다.

둘째, 정보기술과 미디어라는 개념은 양자의 역학관계 속에서 정의해 나간다. 주지하듯이, 미디어는 사회적인 생성물이다. 정보기술은 이러한 것에 결실을 맺게 하는 핵심적인 요소이기는 하지만, 하나의 구성요소에 지나지 않는다. 기술을 포함한 여러 가지 요소가 복합되어 사회적으로 의미가 부여되며, 문화적 상황에 적합한 형태로 사람들에 의해 채택되어 기능한 결과가 미디어인 것이다. 정보기술은 발명가나 과학자, 기술자와 같은 전문가 집단에서 태어나 그 가치가 정해지고, 국가나 산업조직을 통해 사회에 적응해 간다. 이렇게 하여 미디어는 정보기술을 내포하면서도 정치적, 경제적, 문화적인 여러 가지 사회적 요인을 개입시켜 사회적 양태를 정돈해 나간다. 특히 사회적인 특성이 그 모습을 규정함에 있어서 큰 힘을 갖고 있다는 사실을 유의해 두어야 한다. 20세기 초반까지도 라디오와 성격이 같았던 전화가 텔레커뮤니케이션 미디어로 발전하고, 초기에는 전화의 성격을 가졌던 라디오가 매스미디어로 변모해 간 과정은 이러한 역학관계에 의한 것이다.

셋째, 미디어는 다원적인 실체성을 띠고 사회에 존재한다는 인식이다. 디지털 정보화의 지각변동이 일원적으로 되어 실체화되어 있던 매스미디어의 모습을 파괴하고 있는 현재의 상황을 파악하기 위해서는 이러한 기본적인 인식이 필요하다. 무엇보다 미디어의 이미지는 의미를 공유하는 사회집단마다 다르게 받아들여진다. 예를 들어 텔레비전은 기술자나 기업가, 정책결정자, 대중 등과 같이 각기 독자적인 규범을 지닌 조직집단이나 개인에 따라 각각 다른 의도로 받아들여진다. 또한 그들이 각자의 목적을 실행시키는 과정에 의해 결과적으로 오늘날과 같은 방송미디어로서 확립하게 되었다. 대중매체 시대에는 문화에 관한 논의가 문화생산보다 우위에 있었다면, 1990년대 이후로 구분되는 정보화 시대에는 컴퓨터, 멀티미디어, 인터넷, 사이버

스페이스, 정보초고속도로 등 디지털 테크놀로지에 의한 과학기술이
문화를 주도해 간다고 할 수 있다. 이미지와 사운드, 텍스트의 새로
운 처리기술과 전 지구로 네트워킹된 새로운 정보통신 공간, 가상현
실, 하이퍼텍스트 등 그 결과로서 시공간 및 정보의 동시적 축약과
폭발적 팽창으로 특징짓는 디지털 테크놀로지는 실제 우리의 환경을
문화와 기술이 상호 분리될 수 없는 현실로 만들어놓았다.[28]

이러한 관점에서 20세기가 지녔던 아날로그 시대의 미디어 교육에
서 복합장르화 내지 매체융합화의 현상이 가속화되고 있는 21세기의
디지털 영상문화의 교육으로 확장해야 할 것이다.

5. 문화다원주의와 관용

미국의 정치철학자 존 롤즈(John Rawls, 1921-2005)는 『사회정의
론』(1971), 『정치적 자유주의』(1993), 『만민법』(1999) 등의 저서에서
다원주의의 현실을 반영하였다. 특히 롤즈는 『사회정의론』에서 질서
정연하게 체계 잡힌 민주사회를 규제하는 공평성으로서의 정의관(正
義觀)을 하나의 포괄적인 철학적 학설로 제시하고자 하였다. 롤즈의
정의관이란 포괄적인 인간의 삶과 관련된 가치관, 인간의 성품에 대
한 이상(理想), 그리고 우정을 비롯하여 가족, 사회적 인간관계의 이
상 등을 포함한다. 포괄적 교설은 시민사회의 배경적 문화, 즉 정치
적 문화보다도 사회적 문화에 속한다.[29] 이러한 학설을 근거로 하여
롤즈는 정의로운 사회의 안정성과 기본적인 도덕적 신념을 확보하려
는 것이었다. 하지만 이것은 모든 시민들이 동질적인 도덕적 신념과
가치 있는 삶에 대한 동일한 견해를 가진다는 비현실적인 가정에 입

---

28) 박신의, 「예술인가? 문화생산인가?」, 영상문화학회 편, 『이미지는 어떻게 살
　　고 있는가』, 생각의 나무, 2000, 222쪽.
29) John Rawls, *Political Liberalism*, Columbia University Press, 1993, 13쪽.

각한 것이었고 다원주의의 실상과는 다소 거리가 있다. 롤즈의 정의론은 미국사회에 관한 이론적이고 현실적인 측면에서 그 적실성을 확보하여 왔다. 하지만 그렇지 못한 우리의 정치현실에서 한국의 철학자 및 정치이론가들이 그 이론을 이해하고 정교화하는 작업이 얼마나 타당하고 적실한 것인지는 여전히 의문으로 남는다. 이러함에도 불구하고 점점 다원화되고 있는 우리 사회를 이해하는 데 그의 이론은 아직은 어느 정도 효용가치가 있다고 생각된다. 특히 그의 다원주의 분석은 우리 사회를 이해하는 데 그 참고자료로 활용할 가치가 충분히 있다고 여겨진다.

롤즈의 입장에서 다원주의는 단순한 다원주의(simple pluralism)가 아니라 합당한 다원주의(reasonable pluralism)로, 다양하고 포괄적인 종교적, 도덕적, 철학적 교설들이 특징이다. 여기서 포괄적인 교설은 오직 국가권력의 강압적인 힘을 통해 유지될 수 있다는 역사적 경험 때문이다.[30] 공정으로서의 정의와 관련된 질서정연한 사회의 본질적 특징은 그 사회의 모든 시민들이 포괄적인 철학적 교리라고 부르는 것에 입각해 있다. 또한 포괄적 교리는 공리주의의 원칙과 공정으로서의 정의를 포괄적이고 부분적인 교리로 받아들인다. 그리고 롤즈는 그의 후기 저서인 『정치적 자유주의』에서 공정으로서의 정의관은 더 이상 보편적인 도덕이론이 아니며 현대의 문제를 다루고 있다는 점에서 실천적 정치이론이라 파악한다. 즉 그는 합당한 종교적, 철학적, 도덕적 교설에 심각하게 이견을 보이고, 자유롭고 평등한 시민들로 구성된 안정되고 정의로운 사회를 이루고자 한다는 측면에서 현대문제의 과제를 출발점으로 한다.[31]

무엇보다 『정치적 자유주의』의 출간 의도는 다원주의를 배경으로 한다. 그리고 동시에 근대자유주의 국가의 기본구조에 관한 정치윤리

---

30) 같은 책, 36-37쪽.
31) 같은 책, xxv쪽.

의 이론을 제시하는 것이다. 그를 통해 국가 공권력 행사의 합법성과 사회의 기본제도에 대한 정치적 정의관을 확보하는 것이다.[32] 이 저서에서 그는 초기 근대종교의 기원과 종교적 관용의 논쟁에서 개방된 도덕설의 갈등을 드러내 보였다. 이러한 갈등은 우리에게 강력한 정치이론의 역사적 시발점을 제공해 주었다. 특히 그는 문화다원주의 사회에서 발생하고 있는 정의의 문제에 새로운 통찰을 얻고 자유로운 공정성이라는 개념을 근거로 하여 자유주의의 형식을 제시하였다. 이러한 다원주의는 합당한 포괄적인 교리들에 의해 자유롭고 평등한 시민들로 이루어진 안정되고 정의로운 사회를 오랜 기간 유지하는 방도를 찾고자 하는 현대적 과제에 근거한다.[33]

롤즈에 의해 촉발된 문화다원주의의 주요논점은 단지 문화 일반에 초점을 맞춘 것이 아니라 정치윤리의 문제로 관심을 환기시키고자 한다. 현실에 내재된 정의문제를 정당한 근거로서 규명하는 것이다.

롤즈는 이성의 부담, 판단의 부담을 강조한다. 즉 판단을 내릴 때 많은 경우 양심적이고 합리적인 사람들도 동일한 결론을 내리기가 어렵다는 것이다.[34] 그렇지만 롤즈가 다원주의적 현실을 인정했다고 해서 상대주의로 빠져 규범적인 이론정립을 포기한 것은 아니다. 그는 여전히 안정된 민주사회는 어떤 기본적인 직관적 신념을 포함하고 있으며 그러한 신념으로부터 정치적 정의관을 구축하는 것이 가능하다고 믿었다.[35] 헤겔주의자인 테일러는 타자와의 관계를 설명하기 위하여 인정의 개념을 도입한다. 즉 그는 자기의 동일성의 확보에는 오직 타자들의 인정이 필수적으로 요청되며 대화적 관계를 통해

---

32) John Rawls, *The Law of Peoples*, Havard University Press, 1999, 179-180쪽.

33) 존 롤즈, 장동진 옮김, 『정치적 자유주의』, 동명사, 2003, xxi쪽.

34) 같은 책, 54-58쪽.

35) 같은 책, 38쪽.

가능하다는 것이다.[36]

독일의 철학자 회페(Otfrid Höffe)는 다원주의를 소극적 관용과 적극적 관용, 국가 시민적 관용으로 나눈다. 그에 의하면 소극적 관용은 타인의 개성을 소중히 여기고 보장하는 데서 성립한다. 인간의 욕구, 관심, 재능은 제각기 다르다. 어느 누구도 오류, 편견, 결함은 갖고 있기 때문에 소극적 관용은 문명화된 상호교제의 조건에 속한다. 적극적 관용은 이것을 훨씬 뛰어 넘는다. 적극적 관용은 이미 타인에게 법적으로 허용된 것만을 보장하지 않고, 타인의 생존권인 자유와 발전의 의지를 자발적으로 긍정한다. 이러한 관용은 모든 인간의 자유와 존엄성을 아주 소중히 여긴다. 이는 자신의 능력을 타인에 대한 인정과 똑같은 가치를 지닌 것으로 연관시킨다. 적극적 관용을 베푸는 인간은 내적인 자유로부터 폭력이나 적대자를 극복하는 데 집착하는 삶이 아니라 동등함과 상호간의 이해를 중요시한다. 인간의 관용은 정당화의 토대가 손상되는 곳, 즉 인권에서 드러나는 모든 인간의 자유와 존엄성이 손상되는 곳에서 비로소 소멸한다. 국가 시민적 관용은 적극적 관용을 훨씬 넘어선다. 즉 국가 시민적 관용은 고유한 신념들을 토론에 부치거나 경우에 따라서는 처분에 맡길 수 있고 또한 그렇게 할 준비가 되어 있다. 따라서 국가 시민적 관용은 다음과 같이 3단계로 구분된다.

첫째 단계는 합법적인 권한의 단계이다. 이 단계는 사람들이 다원적 민주주의의 유효한 법률에 의지하는 능력과 그럴 준비가 되어 있는 상태에서 성립한다. 이 단계는 기초적인 법의식에 상응한다.

둘째 단계는 토의하는 능력의 단계이다. 각 개인이 자신의 내적 신념으로부터 어느 정도 거리를 두고 서로의 신념에 대해 토론할 수 있는 능력과 그러할 대비가 되어 있는 상태이다.

---

36) Charles Taylor, *The Ethics of Authenticity*, Harvard University Press, 1991, 45쪽.

셋째 단계는 사람들이 자신의 신념들을 처분하고, 필요한 경우에는 그것들을 근본적으로 수정하여 사려 깊은 논증으로 바꾸는 일에 관여하는 상태에 이르게 하는 단계이다. 그런데 이러한 관용은 강제로 요구되어서는 안 된다. 왜냐하면 민주주의 국가는 시민들에게 신념의 내적 핵심, 즉 양심의 내용을 남의 처분에 맡기라고 요구하지 않는다는 점에서 권위주의 국가와 대비되기 때문이다.[37]

미국의 정치철학자 왈쩌(M. Walzer)에 의하면, 다원주의가 현실적으로 존재하는 곳에서는, 어디에도 소속되지 않거나 입장이 분명하지 않은 개인 중에서 개종자나 후원자를 구원함으로써, 한 집단은 다른 집단과 경쟁한다고 말한다. 그런데 이들은 구성원들 사이에 특정한 삶의 방식을 유지하고 자신의 문화나 신념을 다음 세대에 재생산하려는 중요한 목적을 가진다. 특히 각 구성원들은 내적인 요소에 치중한다는 점에서 서로 다르다.[38] 동시에 이들은 집회, 숭배, 토론, 축하, 상호부조, 교육 등을 위해서 일종의 확장된 사회공간을 필요로 한다. 따라서 왈쩌는 관용적으로 대한다는 의미를 다음과 같이 파악한다.

첫 번째는 16, 17세기 종교적 관용의 기원을 반영한다. 평화를 위해서 차이를 용인하는 것이다.

두 번째는 차이에 대해 수동적이고 완화된 자비로운 무관심이다. "하나의 세계를 만들기 위해 온갖 종류의 것을 모두 수용한다."

세 번째는 도덕적 스토아주의에서 나온다. 즉 "내게는 마음에 들지 않더라도 타인에게 행사할 권리를 갖고 있다."라는 원리화된 인식이다.

네 번째, 타인에 대한 열린 태도이다. 호기심과 함께 타인에 대한 존경까지도 포함하는 기꺼이 배우고자 하는 열린 자세이다. 그런데

---

37) 오트프리트 회페, 박종대 옮김, 『정의』, EjB, 2004, 149-152쪽.

38) 마이클 왈쩌, 정원섭 외 옮김, 『정의와 다원적 평등: 정의의 영역들』, 철학과 현실사, 1999.

이 중에서 가장 극단적인 것은 차이에 대한 열광적인 지지이다.

다섯 번째, 차이는 신의 피조물 혹은 자연세계의 광대함과 다양함을 대변하는 문화적 형식이라 주장하며, 차이를 지지하는 미학적 태도이다.[39)

이렇듯 21세기의 문화다원주의 사회에서 관용은 차이의 용인, 자비로운 무관심, 타인에 대한 권리의 존중, 타인에 대한 열린 태도, 다양성의 존중 등 어느 것 하나 소홀히 할 수 없는 덕목들인 것이다.

6. 맺는 말

들어가는 말에서 언급하였듯이, 문화교육은 인간의 능력을 균형적으로 발전시키고자 하는 데 목적이 있다. 구체적으로 문화교육은 개인들이 잠재적으로 지닌 다양한 지적, 정서적, 정의적, 신체적 능력들을 최대한 계발할 필요가 있다고 보기 때문이다. 지식, 도덕, 예술의 각 내부에서 발현하는 세 영역을 가로지르면서 구현되는 새로운 통합적 역능을 계발하려는 교육을 문화교육이 주도적으로 이끄는 것이다. 요컨대 "문화교육은 지식교육, 인성교육, 예능교육을 복합적"으로 사고한다는 측면에서 통합교육을 지향한다는 것이다.[40) 앞 절에서 고찰하였듯이, 21세기의 문화교육은 문자매체와 영상매체, 고급문화와 대중문화, 순수와 응용, 예술과 일상, 주류문화와 주변문화 등 모든 영역에 걸쳐 이분법적 경계 해체와 재구성이 시도되고, 예술 역시도 멀티미디어 아트의 형태를 점점 가속화할 것이다. 디지털문화 시대에는 전문가와 아마추어의 구분도 별 의미를 지니지 못할 것이다. 예를 들어 디지털 카메라는 암실을 사라지게 했고, 누구나 컴퓨터를 통해

---

39) 마이클 왈쩌, 송재우 옮김, 『관용에 대하여』, 미토, 2004, 27-28쪽.
40) 강내희, 「문화교육을 위한 대학학문제도의 개혁방향」, 심광현 편, 『이제, 문화교육이다』, 115쪽.

사진, 편집, 합성, 현상, 프린트 아웃을 할 수 있게 해주었다. 향후 영상매체에 익숙한 젊은 층에게 어떻게, 어떤 방식으로 영상매체를 이용할 수 있는가를 연구하는 과제가 부과되었다. 오늘날 대부분의 사회들은 공조와 대립으로 상황에 따라 이합집산한다. 현대사회는 정치적, 사회적, 종교적 그리고 문화적 다원주의로 특징짓는다. 우리는 이러한 문화다원주의의 관점에서 다음과 같은 의의를 찾을 수 있다

첫째, 문화다원주의는 차이의 인정과 상호존경에서 우러나오는 사회적 훈련이다. 우리가 다양한 삶 속에서 가치를 강조하는 것은 다문화에 내재하고 있는 가치를 긍정하는 것이다. 문화다원주의는 문화상대주의로 귀결될 수 있다. 하지만 타문화와 다른 삶의 방식에 대해 포용하고 존중해야 하는 것은 당연하다. 우리가 다른 사회 및 문화의 차이를 포용한다는 것은 서로 다른 존재방식들에 대한 동등한 가치의 포용을 말한다. 동등한 가치의 포용은 정체성의 인정을 요구한다. 하지만 서로 다른 성별, 종족, 종교, 문화, 정치, 경제 속에서 우연하게 처해 있다는 사실만으로 모두가 동등하게 되는 것은 아니다. 이러한 각각의 차이를 어떻게 사회적으로 활용하여 포용하고 그 문제점들을 해결해 나갈 것인지를 신중하게 모색해야 할 것이다.

둘째, 현재 미국과 서유럽에서는 포스트모더니즘과 문화다원주의의 가치상대주의적 주장들이 난무하고 있다. 이런 점에서 시민들에게 문화다원주의 정치에 심한 거부감을 자극시키는 원인을 제공하고 있다는 측면은 잘못 이해할 수도 있다. 현재 민주주의 정부의 기본권인 인권이 문화상대주의와의 관계와 인본주의적 근거로서 점차적으로 정부의 간섭을 거부하고 있는 것이 단적인 실례이다. 문화다원주의의 담론에서 동등한 인정의 거부는 강대국들에 의한 압박의 형태라는 전제에서 논의가 전개될 수 있다. 이런 문제가 지나치게 과장된 것이 아니냐고 문제제기를 할 수 있으나 국가의 정체성과 자기진실성에 대한 이해는 동등한 인정의 정책을 새로운 차원으로 끌어들여야 한

다.[41] 주지하듯이, 현재 주도적인 가치관념들은 문화다원주의가 지배적이다. 이러한 다양함은 우리 앞에 놓인 현실이다. 인간이 자기의 삶을 실현하는 과정에서 똑같은 기회를 목격하는 상대주의에 빠지지 않더라도 다원주의가 개인들과 동질적인 집단들로부터 언제든지 자기 자신을 위해 현재의 가능성을 더 고양시키고자 하는 것이다. 즉, 다원주의 사회는 다양한 인간들이 자신들만의 삶의 형태에 대해 자유를 누리도록 허용하는 추세로 변해 가고 있다. 한편 모든 사람들에게 이러한 자유를 보장함으로써 정의를 적극 옹호하기도 한다.

　다원주의 사회는 단지 그 자체로 이론적으로만 추구해야 할 가치나 목적이 아니라, 정치적 정의의 주된 원리가 되기도 하는 자유에 대한 동등권에 의해 정당화되고 실천적으로 적용될 필요성이 제기된다. 무엇보다 다원주의 사회에서는 학문적으로도 자유롭게 각자를 인정하고 관용을 베풀었을 때, 학문적인 가치를 더 발휘할 수 있다. 따라서 문화다원주의 사회에서 관용의 문제는 모든 것을 관용함에 있어서 기본조건으로 제시된다. 즉 관용은 수직적, 수평적인 전망을 조화시키고 정치적 영역에서 권리와 자유의 상호교환하는 정당화의 원리를 지정하기도 한다. 또한 종교적이거나 그 밖의 부과된 갈등도 다루어진다. 다문화사회에서는 각기 사회마다 정의의 기준도 서로 승인하지 않은 채 제각기 다르게 나타나기도 하며 빈번히 다양한 문화와 함께 대립각을 세우기도 한다. 진정 문화의 차이를 인정한다는 것은 서로 다른 존재방식들에 대한 동등한 가치의 인정을 말한다. 동등한 가치의 인정은 정체성의 인정에 대한 정책을 요구하기도 한다. 위에서 언급했듯이, 사람들이 서로 다른 성별, 종족, 종교, 문화 속에 우연하게 처해 있다는 사실만으로 모두가 동등하게 되지 않는다. 서로 다른 가치만 갖고 동등한 가치근거를 세울 수는 없다. 그러면 문화다원

---

41) 찰스 테일러, 송영배 옮김, 『불안한 현대사회』, 이학사, 2001, 71-72쪽.

주의 시대에서 서로 다른 문화에 대한 인정의 거부는 불가피한 것인가? 이 지구상에서 다양한 문화가 존재하는 한, 문화교육은 사회와 세계의 다양한 상태를 어떻게 제시할 것인가 하는 물음이 여전히 남는다. 따라서 향후 21세기의 문화교육은 이러한 다름과 인정, 승인, 포용의 현실을 분석하고 고찰함으로써 현세대는 물론 차세대에게 관용에 대해 많은 교육적 효과를 제공해야 할 것이다.

제 2 장

문화다원주의 시대는 보편적 정치윤리를
요구하는가? *

1. 들어가는 말

문화는, 이미 제1장에서 고찰하였듯이, 넓은 의미로는 자연에 대립되는 인간 활동과 그 산물의 전체를 가리킨다. 사람의 손에 의해 경작되지 않은 것을 자연이라 부르며, 사람들이 만든 모든 것을 통틀어 '문화'라고 부른다. 다시 말하면 자연은 저절로 발생한 것, 스스로 성장한 것들의 총체라고 한다면, 문화는 인간의 노력의 결과로 인해 나타난 창조물과 생산물을 가리킨다. 자연은 인간의 힘을 가하지 않은 상태로 존재하는 모든 것을 지칭하며, 문화는 인간의 힘을 이용하여 인위적으로 가공한 것을 뜻한다. 이것은 이른바 과학지식을 활용한 기술에 크게 의존하고 있다. 기술은 그리스 시대 이후로 기능이나 기교 등을 뜻하였으며 미리 마련된 목표, 의도, 계획 등을 실천하기 위한 도구들을 생산하는 일에 관여한다.

문화이론은 오랜 역사적 배경을 갖고 있지만, 서구에서는 1890년

* 이 글은『철학연구』제87집, 대한철학회, 2003 여름, 225-249쪽에 실렸던 내용을 부분적으로 수정 · 보완한 것이다.

부터 1930년대 사이에 걸쳐 철학자와 사회과학자들 간에 학문적 논쟁과 그 결실이 있어 왔다. 이제껏 문화철학의 주요근거는 두 부류로 전개되어 왔다. 하나는 니체(F. Nietzsche), 딜타이(W. Dilthey), 베버(M. Weber), 짐멜(G. Simmel), 베르그송(A. Bergson) 등을 중심으로 하는 인식에 관한 현재의 체험적 가치를 추구하는 삶의 철학자들이고, 다른 하나는 리케르트(H. Rickert), 빈델반트(W. Windelband), 카시러(E. Cassirer) 등의 신칸트학파를 위시하여 현상학적 단초를 포함한 동일한 자연과학적 대상에 한계를 규정하는 문화적 현상의 가치를 활발하게 논의해 온 부류이다.1) 이에 반해 미국을 비롯한 아메리카 대륙에서는 뒤늦은 1940년대부터 프랑크푸르트학파의 벤야민(Benjamin), 아도르노(T. Adorno), 호르크하이머(M. Horkheimer), 크라카우어(Kracauer) 등의 망명파 지식인들의 영향을 받아 차츰 관심을 가지면서 문화철학이 서서히 전개되었다.2)

20세기 말부터 시작된 경제의 신자유주의와 문화의 세계화라 불리는 세계질서의 변화는 빈익빈 부익부의 갈등을 체험한 세계화였다. 21세기에 들어와 급속히 변화하고 있는 현재의 세계정세 속에서 세계화라는 말이 더욱 빠르게 확산되어 가고 있다. 주지하듯이, 우리는 1989년을 세계사의 패러다임이 전환된 연도로 기억하고 있다. 전 세계를 주목시켰던 베를린 장벽의 붕괴, 소비에트 사회주의 제국의 붕괴, 동유럽 공산국가들의 와해는 이데올로기의 종식 내지는 해체를 가져왔다. 특히 베를린 장벽의 붕괴는 시장경제, 의회정치, 그리고 문화적 다원주의의 관용이 경제·사회체계를 존속시킨다는 결론을 내리게 하였다. 현재의 세계체계는 경제적으로 단일체계로 진행되고 있

---

1) Hartmur Böhme, Peter Matussek and Lothar Müller, *Kulturwissenschaft*, Hamburg, 2000, 57쪽.

2) Jacques Chirac, French President, "Speech at the Inauguration of the 31st Session of the General Conference UNESCO", Oct. 15. 2001, 2쪽.

지만 문화적, 정치적으로는 복합다원주의 체계로 전개되고 있다. 베를린 장벽의 붕괴와 사회주의 체계의 와해는, 냉전시대의 적대자들도 동반자로서 거래를 시작하면서 평화유지와 평화조성이 우리의 일상적 질서로 자리 잡을 전망으로 보고 있으나 현실은 반드시 그러한 기대대로 진행되고 있지 않다. 대립과 화해를 진전시키거나 해묵은 대립과 갈등을 다시 소생시키고 있다. 냉전질서가 무너지면서 새로운 개인적 삶의 다양한 다원주의적 태도는 부정되고 세계는 하나의 새로운 억압체계로 재편성되었다. 억압은 힘의 폭력에 의해 의존하게 되었다. 니체의 표현대로, 강력한 '힘의 의지'를 가진 자만이 폭력을 마음대로 행사할 수 있게 되는 힘의 정치를 구현하는 세상이 되었다.

21세기에는 문화충돌의 패러다임과 근본주의적 종교관의 단순화된 세계관이 야만의 얼굴을 백일하에 드러냈다. 미국 부시 대통령이 "우리 편을 들지 않는 자는 적이다."라고 적과 동지를 극단적으로 구분하는 발언을 한 것은 야만의 시대로의 전주곡이라 할 수 있다. 이러한 발언은 현재 일어나고 있는 모든 사건의 본질을 총체적으로 보여주는 것이다. 따라서 나는 21세기에 새롭게 개편된 미국중심의 세계판도의 정세 속에서 문화다원주의 시대의 정치철학의 문제는 무엇인지, 21세기에 들어와 왜 급격하게 문명의 충돌이 일어나고 있는지, 근본주의의 종교관은 누구에 의해 일어나고 있는지, 그리고 보편적인 정치윤리를 어떻게 요구할 수 있는지에 대해 살펴보고자 한다.

2. 문화다원주의의 정치철학의 문제

지금까지 유럽문화의 중심은 과학기술로 인한 기계화와 생산력에 토대를 두고, 이에 대한 문화적 생산은 근본적으로 문화적 다원주의 (Multikulturalismus)를 배경으로 하고 있다. 문화적 다원주의의 수용은 21세기에 들어와 더욱 다양한 생산양식의 변화에 따라 이제 불가피한 사실로 받아들여지고 있다. 그런데 다원적 문화는 더 이상 기존 서구 강대국들의 중심세력의 관용이나 아량으로 인해서 형성되는 것만은 아니다. 문화다원주의 논쟁은 특히 다인종으로 구성된 미국에서 가장 활발하게 일어났으며 캐나다, 영국, 오스트레일리아, 뉴질랜드로 확산되었고, 1990년대 이후로 한국을 비롯한 아시아와 아프리카 등 세계 각국으로 퍼져 나갔다. 이 논쟁은 모든 가능한 다양한 규범뿐만 아니라, 근대사회에서 인간 집단이 함께 살 수 있는 현 상황에 초점을 맞추었다. 무엇보다 문화다원주의의 정치철학의 문제는 한편으로 문화의 다원성, 즉, 복수성에 대한 사실적 명제를 다루며, 다른 한편으로 한 문화가 다른 문화에 대해 취해야 할 태도의 규범적 명제를 다룬다. 문화다원주의 사회에서는, 사회적 질서를 유지하기 위해 한 사회 내에서의 불가피한 갈등을 해결하는 합리적인 방법이나 절차가 필요하다. 즉, 모든 사회에 다 같이 적용될 수 있는 비폭력적인 방법으로서의 어떤 원칙을 갖기 위해서라도 보편적인 정치철학의 관점을 고안해 내야 한다.3) 여기서 문화다원주의의 중요성은 문화 일반에 초점을 맞춘 것이 아니라 정치철학의 문제에 초점을 맞춘다.

서구에서 문화다원주의에 관한 정치철학의 문제는 존 롤즈의 『사회정의론』에서 질서정연하게 체계 잡힌 민주사회를 설명하는 데서 중점적으로 다루어져 왔다. 즉 안정되고 기본적인 도덕적인 신념에 있어서 비교적 동질적이며 바람직한 삶을 구성하는 것이 무엇인지에 관해 포괄적으로 합의되고 있는 사회가 있다는 것을 가정하고 있다. 롤즈의 후기 저서인 『정치적 자유주의』에 의하면, 공정으로서의 정의관은 이제까지의 보편적인 도덕이론이 아니라 현대의 문제를 적극적으로 다루고 있다는 점에서 실천적 정치이론이라 간주한다. 공정으로서의 정의와 관련된 질서정연한 사회의 본질적 특징은 그 사회의 모

---

3) 박이문, 「문화의 상대성과 보편성: 문화다원주의」, 『역사적 전환기의 문화적 재편성』, 철학과현실사, 2002, 43쪽.

든 시민들이 포괄적인 철학적 교리라고 부르는 것에 입각해 있다. 여기서 포괄적 교리는 공리주의의 원칙과 공정으로서의 정의를 포괄적이고 부분적인 교리로 받아들인다. 롤즈는 포괄적인 견해 및 정치적 정의관을 세 가지 측면에서 강조한다. 첫째, 정치적 정의관은 특정 대상, 즉, 사회적, 경제적, 정치적 기본구조를 위해 제시되는 도덕적 입장을 보이는 것이지 삶의 전반적 가치관은 아니다. 둘째, 정치적 정의관은 포괄적인 가치관에 의거하지만, 이러한 교설을 대변하거나 거기서 도출된 것은 아니다. 셋째, 정치적 정의관은 민주사회의 공공문화 속에 함축된 것으로 보이는 일정한 기본이념들에 근거하여 표현된다.[4]

하지만 문제는 현대사회가 포괄적인 종교적, 철학적, 그리고 도덕적 교리들의 다원주의에 의해 인정되는 것이 아니라 심각하게 이견을 보인다는 데 있다. 현대사회에서 합당한 포괄적인 교리들로 이루어진 자유롭고 평등한 시민들은 안정되고 정의로운 사회를 오랜 기간 유지하는 방도를 찾고자 하며 이는 현대적 과제에 근거한 다원주의에 의해 특징지어지고 있다.[5] 따라서 문화다원주의는 새로운 혼합을 통해 사회적 현상과 정치현상으로서 분석한다. 즉, 이는 우리가 그동안 형성해 온 정치적 질서에 대한 직접적인 결과인 것이다. 미약한 의미로 일정한 상황에 따라 정치적 질서가 새롭게 생성되어 그 속에서 논쟁이 급속도로 시작되는 것은 아니다. 물론 그것은 역사적 과정에서 주어져 있다.[6] 이러한 문화다원주의 정치철학의 문제는 다음과 같은 복합적인 특징을 지니고 있다.

---

4) John Rawls, *Political Liberalism*, Columbia University Press, 1993, 13쪽.
5) 존 롤즈, 장동진 옮김, 『정치적 자유주의』, 동명사, 2003, xxi쪽.
6) Dieter Thomä, "Multikulturalismus, Deutschland; Nation zur Philosophie der deutschen Einheit", in: *Deutsche Zeitschrift für Philosophie*, 43, 1995, 351쪽.

첫째, 모든 것을 파악하는 것은 정치·법제적 영역에서 존재하지만, 그것의 유래는 인간의 역사 속에 있다.

둘째, 소수는 삶의 형태에서 기존의 상태를 마음대로 처리했거나 얼마나 많이 동화되었는지, 그리고 고유한 정체성을 보존할 수 있는지, 또한 어떻게 평가할 수 있는지를 논쟁한다.

셋째, 소수의 문화적인 고유한 삶을 곤란하게 하는 것은 권력과 관계가 있다.

넷째, 소수는 정치적 상황과 함께 소수의 정체성이 계약적인 것인지 혹은 정치적 변화를 압박하고 있는지를 설명한다.[7]

이러한 문화다원주의의 정치철학의 문제는 롤즈의 정의론과 하버마스의 담론윤리학으로 대변되는 논쟁을 통해 점차 확대되어 갔다. 롤즈의 문화다원주의적 자유주의의 형식은 정치철학의 영역으로 확대되었다. 이는 롤즈와 하버마스의 정치적 자유주의 논쟁[8]을 통해 현대사회의 문화적 자기이해의 논쟁으로 확대되었다. 이 논쟁은 새로운 윤리적 유형의 자유주의자인 노직, 거워스, 애커만, 고티에, 라즈, 메세도, 킴리카, 라모어, 네이글, 갈스톤 등의 진영과 공동체주의자인 샌들, 매킨타이어, 왈쩌, 웅저, 테일러, 바버, 벨라, 누스바움, 에치오티 등의 진영을 중심으로 전개되었다. 즉 자유주의는 개인의 기본권과 자유권에 논의의 초점을 맞추어 각 공동체에 규범적인 토대가 되고 있는 인권을 전제조건으로 삼고 있다. 반면에 공동체주의는 아리스토텔레스, 마키아벨리, 홉스, 토크빌 등으로 이어지는 정치학의 계보 및 헤겔의 『법철학』에서 드러난 공동체주의적인 인륜성의 개념 속에 있는 자연법의 전통을 수용하여 정치적 공동체의 형식으로 연

---

7) 같은 글, 358쪽.

8) 롤즈와 하버마스의 정치적 자유주의에 관한 자세한 논쟁은 다음을 참조할 것. 엄정식, 「하버마스와 롤즈의 정치적 자유주의」, 『자아와 자유』, 길, 1999, 185-206쪽.

결시키고 있다. 즉 공동체주의는 민주주의의 자율의 전통을 내세워 인권이 실현될 수 있는 구체적이고 실천적인 삶의 형식으로 주권을 부각시키고 있는 것이다. 특히 현대의 많은 민주국가의 정치가들은 아리스토텔레스가 목적론적 정치관을 주장한 이래로 겉으로 어떤 논리를 펴든 마키아벨리의 수단의 정치화를 흠모하고 추종한다. 마키아벨리는, 무릇 군주는 자신의 용맹한 힘을 사용하는 사자와 간교한 꾀를 이용하는 여우, 양자 모두를 닮아야 한다고 주장하였다. "나라마다 국민의 특성은 다양하고 그들에게 무엇인가를 믿게 하기는 쉽지만, 그 믿음을 유지시키기는 어렵다. 그들이 더 이상 믿지 않을 때는 명령을 내릴 필요가 있다. 힘을 동원하면 사람들을 믿게 만들 수 있다."9) 여우처럼 목적을 달성하기 위해 자주 속임수를 사용하고, 국외의 적에 대해서보다도 오히려 지도자들을 믿으라고 교육받아 온 국민들에게 더 속임수를 쓴다. 따라서 현실정치는 목적과 수단에 집중되어 있다. 목적은 정복이고 수단은 곧 힘이다. 마키아벨리가 쓴『군주론』의 목적은 시민의 복지가 아니라 국가, 정복, 지배이다. 모든 것이 국가의 유지를 위해 필요한 것이다.10)

이 세계에 존재하는 거의 모든 문화는 자신과는 다른 문화와의 처절하고 냉혹한 '문화에 대한 문화의 투쟁'과 자기보존을 유지하려는 상태에 의존한다. 문화다원주의는 "마키아벨리-홉스주의의 세계질서의 인식과는 정반대 방향의 세계질서를 지향하는 하나의 규범적 이상으로 이해될 수 있다."11) 자유주의의 핵심은 루소, 로크, 흄, 칸트 등의 계약론적 전통 속에서 법적으로 보증된 자유의 합리적 근거를

---

9) Niccolo Machiavelli, *The Prince and The Discourses*, Introduction by Max Lerner, Modern Library College Edition, 1950, 6, 22, 25, 94쪽. 하워드 진, 이아정 옮김, 『오만한 제국』, 당대, 2001, 37쪽 재인용.

10) 하워드 진, 앞의 책, 30쪽.

11) 장은주, 「문화다원주의와 보편주의」, 한국철학회 편, 『다원주의, 축복인가 재앙인가』, 철학과현실사, 2003, 75쪽.

찾는 데 있다. 여기서 인권과 주권의 문제는 아시아적 가치의 논의 및 민족주의 문제와 일련의 관계를 맺고 있다. 그것은 서구의 자유민주주의에 영향을 받은 아시아의 권위주의적 정부들을 향해 서구인들이 인권문제를 제기한 것에 대해, 싱가포르, 말레이시아, 중국 등에서 변론적 개념을 들고 나오면서 시작되었다. 인권의 이름으로 약소 민족국가의 주권을 유린하는 행위가 미국을 위시한 강대국들에 의해 정당화되고 있는 것이다. 대표적으로 민족분쟁으로 일컬어졌던 1999년 유고의 코소보 사태, 미국의 아프가니스탄과 이라크 침공에는 인권과 주권 사이의 딜레마가 가로 놓여 있다. 무엇보다 국제사회는 인간의 기본권인 인권문제를 보편주의적인 관점에서 조망해야 하는 과제를 안고 있다. 한 실례로서 남녀평등이나 종교적 자유와 관련된 문제를 미완의 과제로 남긴 1990년의 이슬람의 인권선언(Kairo)은 보편주의적 인권의 이념을 향한 모색단계에 있다고 볼 수 있다. 이슬람 문명권을 하나의 단일한 규범체계로 대표할 수 없다는 사실과 함께 이슬람의 과거와 현재에서 발견되는 근대화, 자유화, 근본주의적 경향 등은 갈등을 겪고 있다. 1994년에 작성되었으나 아직 발효되지 않은 아랍권의 독자적 인권헌장은 인권의 해석에 관한 개별국가들의 자율성을 강조하는 것이다.[12]

이러한 자유주의와 공동체주의의 논쟁은 규범적인 정치윤리의 근거를 설정하고 우리의 문화다원적인 자기이해를 진일보시킨다.[13] 이렇게 문화다원주의에 대한 철학적 논쟁은 다양한 분야, 지역, 나라에 걸쳐 진행되고 있다. 우선적으로 문화다원주의는 "다문화적 맥락에서

---

12) Heiner Bielefeldt, "Muslimische Stimmen in der menschenrechtsdebattw", in: Raul Fomet-Betancourt(Hg.), *Menschenrechte im Streit zwischen Kulturpluralismus und Universalität*, Frankfurt a. M., 2000, 89-99쪽.

13) Wolfgang Kersting, *Recht, Gerechtigkeit und demokratische Tugend*, Frankfurt a. M., 1997, 401쪽.

사회적 정의의 현실화 문제"14)로 옮겨 간다. 다문화적 맥락에서 사회적 정의의 현실화 문제는 일찍이 문화다원주의의 구성적 문제였다. 많은 정치적 논쟁에서 정의의 기준 자체는 서로 승인하지 않은 채 제각기 다르게 나타난다. 그리고 빈번히 다양한 문화와 함께 대립적인 기준을 구체화시킨다. 이 지구상에서 다양한 문화가 존재하는 한, 문화다원주의는 사회와 세계의 다양한 상태를 제시할 것이다.

진정 문화의 차이를 인정한다는 것은 무엇을 의미하는가? 그것은 서로 다른 존재방식들에 대한 동등한 가치의 인정을 말한다. 여기서 동등한 가치의 인정에는 정체성을 인정하는 정책이 요구된다. 하지만 사람들이 서로 다른 성별, 종족, 종교, 문화 속에 우연하게 처해 있다는 사실만으로 모두가 동등하게 되는 것은 아니다. 다시 말해서 서로 다른 가치만으로 동등한 가치의 근거가 될 수 없다. 그러면 문화다원주의 시대에 서로 다른 종교에 대한 인정의 거부는 불가피한 것인가?

3. 문화다원주의와 종교: 왜 근본주의의 종교는 충돌하는가?

새뮤얼 헌팅턴은 『포린 어페어즈(*Foreign Affairs*)』에 「문명의 충돌」이라는 논문을 발표하여 전 세계적인 논쟁을 일으켰다. 헌팅턴의 이 논문은 각기 다른 문명권에 속해 있는 사람들의 신경을 크게 자극하였다. 이 논문은 곧 책으로 출판되었고 9·11 테러의 장본인으로 지목된 오사마 빈 라덴 덕분에 베스트셀러가 되었다. 헌팅턴은 이 책에서 여덟 개의 문화를 열거하였다. ① 서구 기독교 : 유럽, 북미, 오세아니아, ② 중화 : 중국과 그 주위의 동아시아, ③ 일본, ④ 이슬람 : 중부 아프리카, 중앙아시아, 인도네시아, ⑤ 힌두 : 인도, ⑥ 동방정교 : 슬라브-그리스 정교, ⑦ 라틴아메리카, 그리고 아마도 ⑧ 아

---

14) Amy Gutmann, "Das Problem des Multikulturalismus in der politischen Ethik", in: *Deutsche Zeitschrift für Philosophie*, 434, 1995, 273쪽.

프리카이다. 이 중 아프리카는 문명화했는지 확신하지 못했기 때문에 추측으로 말했다. 헌팅턴은 문명의 충돌론을 다음과 같이 언급한다.

"앞으로 다가올 미래 시대에는 충돌의 근본적인 원인이 이데올로기나 경제적인 사항들이 아니다. 인류를 분열시키고, 충돌을 부추기는 주요인은 분명히 문화가 될 것이다. 국가는 외교 문화에 있어서 가장 중요한 역할을 수행하겠지만, 국제정치의 흐름을 주도하게 될 것이다. 서로 다른 문명을 구별하는 경계가 바로 미래의 전선이 될 것이다."15)

헌팅턴은 미래의 가장 위험한 충돌은 서구의 오만함, 이슬람의 편협함, 중화의 자존심이 복합적으로 작용하여 발생할 것이라고 전망한다. 서구는 도전의식이 강한 이슬람 문명, 중국문명에 대해서 항상 긴장감을 느끼며 이들의 관계는 대체적으로 적대적이다. 헌팅턴은 세력이 약하고 서구에 대해 의존도가 높은 라틴아메리카나 아프리카의 관계에서는 갈등의 소지가 높지 않고 특히 라틴아메리카와 서구의 관계는 원만하게 될 것으로 파악한다. 이슬람과 중국은 서로 다른 문화적 전통을 갖고 있지만, 양국 다 서구에 대해 커다란 우월의식에 빠져 있다. 이 두 문명의 실력과 자긍심은 서구와의 관계에서 점차 늘어나고 있으며 가치관과 이익을 둘러싼 서구와의 충돌 역시 다각화되고 심화될 것이다.16)

헌팅턴에 의하면, 세계정치는 문화와 문명의 패션에 따라 재편되고 있다. 여기서 가장 전파력이 크며 가장 위험한 갈등은 사회적 계급, 빈부의 격차, 경제적으로 정의되는 집단 사이에서가 아니라 상이한 문화적 배경에 속하는 사람들 사이에서 나타날 것이다.17) 향후 탈냉

---

15) 에드워드 사이드, 성일권 편역, 『도전받는 오리엔탈리즘』, 김영사, 2002, 33쪽.
16) 새뮤얼 헌팅턴, 이희재 옮김, 『문명의 충돌』, 김영사, 1997, 245쪽.
17) 같은 책, 21쪽.

전의 세계에서 문화는 분열과 통합의 양면으로 위력을 발휘할 것이다. 그리고 한 국가가 문화적으로 통합되어 있지만, 이념적으로 갈라져 있던 민족이 다시 뭉치고 있다. 유럽연합처럼 문화적으로 비슷한 나라들은 경제적, 정치적으로 서로 협력을 꾀한다. 탈냉전 세계정치의 중심축은 힘과 문화의 차원에서 전개되는 서구문명과 비서구문명의 상호작용이라는 양상으로 나타날 것이다.[18] 헌팅턴은 문명의 충돌이 도래할 것이라고 경고하면서도, 상충하는 세계관과 가치체계가 존재하는 한, 아무리 강력하고 부유한 나라라 할지라도 자신의 특정한 방식을 다른 나라에 강요할 수 없다는 점을 보여주려고 한 것이다. 21세기 국제안보에서 가장 심각한 위협이 되는 것은 경제와 정치가 아니라 문화인 것이다. 즉, 헌팅턴에 따르면, 문명충돌론에서 중요한 것은 문화이며 종교 간의 차이를 적절하게 다루어야 한다는 것이다.[19]

흔히 문화다원주의를 부르짖는 사람들은 보편주의를 외치며 이들 모두를 요구하기도 한다. 미국의 문화다원주의자들은 미국과 서구를 위협하며 해외의 보편주의는 서구와 세계 전체를 위험하게 만든다. 이들은 서구문화의 독특성을 부정하고 싶어 한다는 공통성을 지닌다. 특히 미국의 문화다원주의자들은 미국을 세계처럼 만들고 싶어 하지만, 비서구적 미국은 미국적이 아니라는 데 심각성이 있다. 그래서 헌팅턴은 미국과 서구를 유지해 나가기 위해서는 서구적 정체성의 쇄신이 필요하다는 것이다. 따라서 세계의 안보를 확고히 다지기 위해서는 세계의 문화다원주의를 수용해야 한다.[20] 결국 헌팅턴이 주장한 이면에는 서구적인 것, 그것도 미국적인 것이 승리할 것이라는 전제 속에서 행동해 나가야 한다는 메시지를 담고 있다. 헌팅턴은 보스니아, 카슈미르, 티베트 등 일부지역의 사례에서 문화를 확대해석하

---

18) 같은 책, 29쪽.

19) 두유명, 나성 옮김, 『문명 간의 대화』, 철학과현실사, 2007, 100쪽.

20) 새뮤얼 헌팅턴, 앞의 책, 457쪽.

거나, 현상적이고 미시적인 고찰에 근거하여 마치 문화가 세계정치의 변동을 설명하는 핵심적이고 결정적인 요소인 것처럼 주장한다. 그러나 불행하게도 그 이면에 깔려 있는 전제는 여전히 '서양과 그 나머지 세계'라고 하는 관점이다. 결국 이러한 구분법은 서구적인 것이 승리할 것이라는 전제 아래 행동해 나가야 할 길에 대한 권유이다. 다시 말해서 그는 동양과 서양이라고 부르지 말고 '서양과 나머지'라고 부르는 것이 수많은 비서구사회의 존재를 암시한다는 점에서 적절하다는 식이다.21) 사이드는 『오리엔탈리즘』에서 동양이 서양을 "동양의 대조되는 이미지, 관념, 개성, 경험"으로 정의하는 데 있어서 토대가 되어 왔다고 강조한다. 서양은 오리엔탈리즘을 통하여 자신이 아니라고 믿는 모든 것을 선언함으로써 스스로를 알게 된다. 따라서 사이드는 "유럽문화는 일종의 대리적 혹은 비밀스런 자아로서의 동양에 대치되게 하여 자신의 위치를 정함으로써 힘과 정체성을 얻는다."22)고 주장한다. 헌팅턴의 문명충돌론이 비판받는 이유는 그의 도발적인 문화의 충돌론 때문만은 아니다. 문명충돌론의 가장 큰 문제점은 "인간의 역사에 생기를 불어넣었던 수많은 역사의 흐름을 모두 단절시키고, 지난 수세기 동안의 문명 상호간의 교류를 부정하는 것이다."23) 기독교 문명과 이슬람 문명의 관계는 문명의 충돌론자들이 주장하는 것처럼, 단지 대립적인 갈등의 관계로 지속되는 것은 아니다. 오히려 이 두 문화 간에는 다양한 역사들의 상호의존성과 당대 사회들의 상호작용이 흐르고 있음이 분명히 드러난다. 두 문화가 소통이 이루어지지 않는 이유는 다른 문명에 대한 무지와 그에 뒤따라오는 "두려움과 편견"24) 때문이다.

---

21) 같은 책, 35쪽.
22) 존 맥클라우드, 최인환 옮김, 「식민주의 담론읽기」, 『탈신민주의의 길잡이』, 한울, 2003, 69쪽.
23) 에드워드 사이드, 『도전받는 오리엔탈리즘』, 35쪽.

헌팅턴은 문화란 변화될 수 없는 본질적인 그 무엇이라고 말한다. 그가 완고한 문화 본질적 시각에서 고찰할 때 당연히 개별문화권 내부에서 작용하는 갈등과 대립 사이에서 지양의 변증법은 무시된다. 이와 같은 개별문화의 본질론은 그가 정치적 변동의 주요변수와 종속변수의 구별을 등한시하거나 무시함으로써, 혹은 이들 변수 간의 복잡성을 이론적 고찰에서 의도적으로 배제함으로써 논의를 단순화시키고 있는 것이다.25) 따라서 헌팅턴의 문화충돌의 논리는 근본적으로 미국 지배계급의 이해와 깊은 관련이 있다. 제국의 질서를 정당한 문명사적인 정통성으로 옹호하는 그의 논리는 결국 "제국의 유지에 일차적이고 현실적인 이익이 걸려 있는 미국 지배계급의 속내와 그대로 통한다."26) 다시 말해서 미국은 자신의 문화를 통해서 세계의 미래에 대한 지배권을 예약 받았다. 그렇게 되면 이것은 이미 문화의 영향력의 수준을 넘어서 정치적 지배의 문제가 되며 그 폐해까지도 지구화되고 있다는 사실이다.27)

따라서 기독교 문명권이라는 이름으로 서구 제국주의 동맹이 이슬람권에 속하는 중동의 제3세계를 지난 역사에서 어떤 방식으로 짓밟고 해체해 왔는지, 이에 대한 이슬람권 내부의 혁명적 저항이 어떤 의미를 지닌 것인지에 대한 고려와 주목은 그의 논리에 존재하지 않았다. 결국 헌팅턴의 문명의 충돌론에서 지배와 피지배, 억압과 저항, 식민주의와 민족자주 등의 현실 인식은 보이지도 않고 관심도 없어 보인다. 따라서 현대화는 서구화도 미국화도 아니다. '우리와 그들'이라고 하는 구분처럼, 헌팅턴의 '서양과 그 나머지 세계'라는 구분의

---

24) 에드워드 사이드, 박홍규 옮김, 『오리엔탈리즘』, 교보문고, 2000, 52-53쪽.
25) 임홍빈, 「인권담론의 세계성과 문화다원주의」, 『세계화의 철학적 담론』, 문예출판사, 2002, 225쪽.
26) 김민웅, 『밀실의 제국』, 한겨레신문사, 2003, 166쪽.
27) 홍윤기, 「지구화조건 안에서 문화정체성과 주체성」, 사회와 철학연구회 편, 『세계화와 자아정체성』, 이학사, 2001, 64쪽.

오류는 '모 아니면 도'라는 식의 태도를 극복하고자 하지도 않고 그러할 의도도 없다는 것이다. 서구화와 현대화가 세계화의 전례임은 분명하다. 하지만 변화 속도와 개념적 전환의 깊이라는 측면에서 본다면 엄청난 차이가 있는 것이다.[28]

롤즈는 『정치적 자유주의』에서 초기 근대종교의 기원과 종교적 관용의 논쟁에서 개방된 도덕설의 갈등을 드러내 보였다. 그러한 갈등은 우리에게 강력한 정치이론의 시발점을 제공해 준 역사적 선택을 가져다주었다. 특히 그는 문화다원주의 사회에서 발생하고 있는 정의의 문제에 새로운 통찰을 얻고 '자유로운 공정성'이라는 개념을 근거로 하여 자유주의의 형식을 제안하였다. 왈쩌는 오늘날 민족주의, 주체성의 정치, 그리고 종교적 근본주의에 관한 이론적 논의의 배후나 그 중심에는 숨겨진 문제가 도사리고 있다고 말한다. 그것은 열정의 문제라는 것이다. 한편으로 열정은 정치영역에서의 열정적인 사람들의 출현이며, 다른 한편으로는 집단의 동일화와 종교적 신념과 결부시키는 데서 드러난다. 때때로 열정은 상호적응하고, 계산된 교환, 조정과 절충의 침착한 정치적 숙고의 문제로 나타나기도 하지만, 한계를 모르고 무한히 지속되기도 한다. 열정은 모순과 갈등에 직면할 때도 폭력적인 수단을 동원하여 가차 없이 압력을 가한다. 따라서 열정은 서로 죽고 죽이는 인종과 종교 간의 갈등을 해결하기 위해 동원되기도 한다. 열정은 결국 인종청소, 강간, 대량학살이라는 끔찍한 잔인성으로 인도한다. 이것은 어떤 사람 간의 사소한 다툼, 어떤 집단에 대한 집단의 전쟁을 일으키는 데 기여하기도 하며, 순수한 증오심이 살아 있는 힘의 구실을 한다.[29]

미국의 아프가니스탄과 이라크 침공으로 헌팅턴의 문명충돌론은

---

28) 두유명, 앞의 책, 101쪽.

29) 마이클 왈쩌, 김용환 외 옮김, 「정치와 이성 그리고 열정」, 『자유주의를 넘어서』, 철학과현실사, 2001, 119-120쪽.

예언적 가치를 과시하는 듯한 무게로 우리에게 바싹 다가섰다. 헌팅
턴은 오늘의 세계정세를 문명 간의 충돌로 설명하였고, 이 충돌과정
에서 빚어진 것이 이번 이라크 전쟁이라고 그 해답을 명쾌하게 제시
하는 것처럼 보인다. 특히 9·11 테러와 관련하여 이슬람권 움직임
에 대해 많은 사람들의 관심이 모아지다 보니 이번 사태가 개별국가
들의 부분적인 사안이라기보다는 거대한 문명적 차원으로 보일 법하
기 때문이다.[30] 주지하듯이, 2003년 3월 미국은 테러와의 전쟁이라는
구실을 들어 중동의 이슬람을 대표하는 이라크에 침공을 감행하였다.
부시 미대통령은 이란, 이라크, 북한을 악의 축으로 설정하고 "기독
교"[31]적인 악의 개념을 적용하여 타종교를 가진 나라에 일방적으로
주관적 잣대를 들이대고 전쟁을 벌였다. 이라크에 침공을 개시한 부
시 대통령의 배후에는 "기독교 근본주의자"[32]들이 있다. 하버마스에
의하면, 특히 과격한 근본주의자들은 자신의 신념이 서양에서는 확실
히 사라진 하나의 실체(세속화의 힘)에 의거하고 있기 때문에 어떤
그럴듯한 구실을 지어내게 된다는 것이다. 그에 의하면, 물질주의적

---

30) 김민웅, 앞의 책, 2003, 161쪽.

31) 힉은 기독교의 입장에서 세 가지 측면에서 다원주의를 기술한다. 첫째, 자기
종교 안에서만 구원 혹은 해방이 있다는 것으로 한정하면서 다른 집단의 그
런 가능성은 배제하는 배제주의(exclusivism)이다. 둘째, 구원에 대한 인간
존재개념의 종교초월적인 변형인 포섭주의(inclusivism)이다. 셋째, 구원의
해방 및 전통적인 종교 사이에서의 다원주의이다(John Hick, *Problem of re-
ligious Pluralism*, London: The Macmillan Press, 1985, 31-35쪽).

32) 미국 기독교 근본주의의 핵심교리는 1881년 프린스턴 대학의 하지와 워필드
가 처음 고안한 '성서 무오류성'에서 근거한다. 근본주의자들은 현대신학의
자유로운 해석에 의해 성서의 권위가 훼손되는 것을 우려해 '성서 영감설의
권위'와 예수 그리스도의 신성, 처녀 마리아에 의한 탄생, 육체의 부활 등 다
섯 가지가 주요내용이다. 이 내용은 기독교 근본교리로 상정하여 현대신학을
이단으로 정죄하였다. 근본주의는 1930년 반지성주의라는 비판을 받으면서
프린스턴 대학 등 신학계에서는 퇴조하기 시작하였지만, 이미 선교사들에 의
해 1910-1920년대 한국 개신교에 커다란 영향을 끼쳤다(『한겨레신문』, 2003
년 3월 28일자, 31쪽).

서양문화는 오직 획일주의적인 소비문화를 통해서만, 위대한 세계종교의 영향을 받고 형성된 다른 문화를 만나게 된다.[33]

2001년 9월 11일 테러를 경험한 뒤 미국은 분명 "이성과 합리성을 잃어버렸다. 그들은 70%가 넘게 전쟁을 찬성하는 맹목적인 애국주의와 집단적인 히스테리 증상을 보여 왔다. 그 가운데는 선과 악의 이분법으로 세상을 보는 기독교 근본주의의 맹신도인 부시 미대통령이 있다."[34] 물론 미국의 무력사용 여론에 불을 지핀 9 · 11 뉴욕 무역센터의 테러를 주도한 오사마 빈 라덴도 근본주의의 또 다른 명칭인 이슬람 근본주의자이다. 종교근본주의가 두 진영으로 하여금 모든 종교에 고유한 신 개념을 악용하고 그때마다의 광신적 이해에 따라 신을 볼모로 하여 잡아놓도록 부추기고 있는 것이다.[35] 한 실례로서 9 · 11 테러는 궁극적인 원인의 제공자가 미국이었다고 하더라도, 미국의 제국주의적 정책의 비판과는 별개로 아랍권 종교근본주의의 반이성주의의 표현이다. 어쨌든 세계무역센터와 미국 국방부 건물에 가한 공격은 다가올 수년 동안 우리의 존재와 사고를 쫓아다니며 괴롭히게 될 심연을 드러내 보였다. 그 공격의 이름으로서 9 · 11이라는 날짜의 선택은, 그 공격에 역사적으로 기념할 만한 의미를 부여하는 목적을 지니면서 서구의 대중매체와 테러리스트 모두의 관심의 대상이 되었다.[36]

테러사건 이후로 힘의 우위의 정책을 일방적으로 펴고 있는 부시 대통령을 비롯한 미국 행정부의 눈에는 이교도들이 사탄의 무리로 보이기에 타도해야 할 적일지 모른다. 부시 대통령이 내걸고 있는 군

---

33) 지오반니 보리도리, 손철성 외 옮김, 『테러시대의 철학: 하버마스, 데리다의 대화』, 문학과지성사, 2004, 73쪽.
34) 「야만의 시대」, 『한겨레신문』, 2003년 3월 31일자, 1쪽.
35) 귄터 그라스, 「강자의 불의」, 『한겨레신문』, 2003년 3월 31일자, 5쪽.
36) 지오반니 보리도리, 앞의 책, 54쪽.

사중심주의, 선제공격 전략, "일방주의, 예방전쟁, 선악의 이원론은 새 시대의 세계를 미국에 종속시키기 위한" 유력한 수단이자 내용이 며 "이라크의 침공은 이 야심을 실현시키기 위한 첫 단계라는 것이 분명해졌다."37) 악의 축은 이러한 제국의 사제들이 전파하고 있는 정 치이념의 산물이다. 미국의 아프가니스탄 공격이 끝나고 이라크 침략 전쟁이 벌어지고 북한이 다음 공격의 대상으로 한때 거론되었던 현 실에서 오늘의 시대가 얼마나 위험에 처해 있는지를 절박하게 인식 해야 할 것이다.38) 부시의 종교이념은 주변세계를 선과 악의 이분법 적 대결구도로 단순화시켜서 악은 오로지 타도해야 할 대상일 뿐 대 화나 협상은 무용하다고 본다. 이 분류는 9 · 11 테러 직후 의회연설 에서 처음으로 발언한 이후로 부시 대통령의 대외정책을 결정짓는 핵심기준이 되어 왔다. 그가 2002년 국정연설에서 이라크와 이란, 북 한을 '악의 축'으로 규정하고 사실상 붕괴되어야 할 대상으로 지목한 것은 이러한 맥락에서이다. 미행정부는 전 세계의 대다수 시민들은 물론이거니와 유엔의 승인도 얻지 못한 이라크 침공을 다음과 같은 세 가지 사항으로 정당화하고자 하였다.

첫째, 부유한 산유국인 이라크가 여전히 미국의 통제 밖에 머물러 있다는 것이다. 둘째, 이라크 군대의 규모이다. 이라크의 군사력은 중 동지역에서 이스라엘의 막대한 군사력에 위협을 가할 수 있는 유일 한 요소이다. 셋째로, 국내적인 요인이다. 부시 행정부는 친시오니즘 유대인들을 민주주의자에게서 떼어놓는 것이 중요한 전술적 목표 가 운데 하나라고 생각하고 있다는 점이다. 동시에 공화당의 기독교 근 본주의자들이 이스라엘의 모든 잔악한 만행을 변함없이 지지하겠다 고 공개 선언하도록 만들려고 한다.39)

---

37) 정성배, 「침공이 가져올 변화」, 『한겨레신문』, 2003년 3월 22일자, 6쪽.
38) 김민웅, 앞의 책, 2003, 167쪽.
39) 타리크 알리, 정철수 옮김, 『근본주의의 충돌』, 이후, 2003, 14쪽.

한편 블랙은 각기 다른 문화권에서 일어나는 전쟁을 주요한 세 가지의 유형으로 구분한다. 첫째는 다른 문화권에서 유입된 정책들 간의 전쟁이고, 둘째는 같은 문화권에서 유입된 정책들 간의 전쟁이며, 셋째는 내전이다. 첫 번째 경우는 오스만 투르크와 기독교 세력 간의 전쟁이고, 두 번째 경우는 기독교 세력 간의 전쟁이 포함된다. 이 시대에는 첫 번째 유형의 전쟁이 유럽 제국주의들의 팽창야욕으로 인해 더 빈번하게 일어났다. 그런데 문화 자체가 시간에 따라 변화하기 때문에 영구적인 문화의 개념은 존재하지 않는다.[40]

미국중앙정보국(CIA) 국장을 지낸 제임스 울시는 캘리포니아 대학(UCLA) 연설에서, 이번 이라크 전쟁에서 미국과 영국은 3개의 적과 싸우고 있다고 말한다. 첫째는 오사마 빈 라덴 등의 이슬람 근본주의자들, 둘째는 이란 신정(神政)주의자들, 셋째는 이라크와 시리아 바트당 파시스트들로서, 이 세 무리의 적들이 미국에 대해 전쟁을 벌여 왔다고 말한다.[41] 그러나 알리는 『근본주의의 충돌(The Clash of Fundamentalism)』(2000)이라는 저서에서 오늘날 가장 위험한 근본주의는 결코 도전받지 않는 미국의 군사적 능력이라고 말한다. 미국의 정치지도자들은 "테러리즘과의 전쟁"[42]이라는 명분 아래 세계의 현

미국 국제연구소의 한국 군사전문가인 셀리그 해리슨은 미국의 이라크 침공에 대해 세 단어로 요약한다. 그는 이라크 침략의 배경은 "제국주의와 이스라엘, 그리고 석유 때문"이라고 주장한다(『한겨레신문』, 2003년 3월 24일, 5쪽).

40) 제레미 블랙, 한정석 옮김, 『전쟁은 왜 일어나는가』, 이가서, 2003, 57-58쪽.

41) http://www.pressian.com/section_article 2003.4.10.

42) 세계는 지금 제4차 세계대전의 전주곡들이 여기저기서 들려온다. 미국의 국방부 관리를 지낸 엘리엇 코언 교수(존스홉킨스 대학)는 아프가니스탄의 탈레반 정권이 미국의 공격으로 무너진 직후 2001년 11월 미국의 적은 '테러리즘'이 아니라 '투쟁적 이슬람'의 전체라고 공언했다. 그는 이에 대한 폭넓은 지속적인 전쟁을 제창하면서 이라크와 이란을 새로운 공격목표물로 제시했다. 조지 부시 대통령은 이라크 침공을 결심하기 직전에 그가 쓴 최고사령부를 탐독했다(김지석, 「4차대전과 한반도」, 『한겨레신문』, 2003년 4월 15

실적인 상태보다 그 적들이 하는 선택을 통해서 평가받기를 원한다. 미제국주의는 이슬람 테러리즘이라는 새로운 적을 만들어냈다.[43] 알리는 냉전 이후 갈등의 골이 깊어 온 미국과 이슬람의 대립에 대해 헌팅턴의 '문명의 충돌' 대신에 '근본주의의 충돌'이라는 시각을 제시한다. 먼저 미국의 제국주의적 근본주의가 노골적으로 발휘되어 온 지역은 중동이라는 것이다. 미국은 9·11 테러 이후의 국제외교와 관련하여 힘을 강조하는 정책을 펴왔다. 부시 대통령은 "걸프지역에서 미국의 이익을 보호하고 안정된 이스라엘을 바탕으로 중동지역에 평화를 정착시켜야 하며 대량살상무기와 그 운반체의 확신을 견제해야 한다."면서 "이런 노력을 집중적으로 인내를 갖고 강력히 추진해 나가야 한다."[44]고 말한다.

알리는 이라크보다 훨씬 더 심각한 불량국가가 이스라엘이라고 지적한다. 이스라엘은 "일삼아 이웃나라를 침략하고, 유엔 안전보장이사회의 결의안을 밥 먹듯이 위반하며, 법적으로 허용되지 않은 영토를 점령하고는 그 영토에 거주하고 있는 주민들을 마치 인간 이하의 존재인 것처럼" 다루어 왔다. 더군다나 이스라엘은 "치명적인 핵무기와 화학무기를 다량으로 보유하고 있다." 미국이 이러한 불량국가인 이스라엘을 감싸고돌며 이제는 그 어떤 나라도 침공할 힘이 없는 이라크를 짓밟겠다는 것은 순응적이지 않은 국가의 존재 자체를 '위협'으로 간주하는 제국주의적 근본주의와 전혀 다를 바가 없다. 문명의 충돌론을 제기했던 우파적인 헌팅턴도 최근에 미국의 이라크 침공에 대해 제국주의의 전쟁이라고 강한 비판을 가한다. 즉 그는 "우리가 이라크에서 한 일은 도저히 정당화될 수 없다."며 "이것이 제국주의의 전쟁이 아니고 무엇이란 말인가."라고 이라크의 침공에 대해 거세

일, 11쪽).
43) 타리크 알리, 앞의 책, 12쪽.
44) 「선악 이분법… 악은 제거대상」, 『한겨레신문』, 2003년 3월 21일, 8쪽.

게 비판하였다. 그는 "우리가 테러나 독재와의 전쟁이라고 생각하는 것을 이슬람인들은 이슬람에 대한 전쟁으로 생각한다는 점을 충분히 이해할 수 있다."고 말했다.[45] 촘스키도 이스라엘은 수많은 국제법의 위반을 저지른 대표적인 불량국가라고 단호하게 말한다. 한 실례로서 1982년에 있었던 이스라엘의 레바논 침공은 미국의 지원으로 이루어졌다. 그 당시 민간인의 손실은 쿠웨이트에서 이라크의 후세인이 저지른 만행보다 훨씬 더 심한 것이었다. 이스라엘의 레바논 침공은 즉각적인 철수를 명령한 1978년의 유엔 안보리 결의안을 위반한 것이었으며, 또한 예루살렘 및 골란 고원과 관련된 수많은 결의안들도 위반한 것이었다. 미국이 상투적으로 거부권을 행사하지 않았다면, 이스라엘과 관련된 결의안들은 훨씬 많았을 것이다.[46]

이러한 냉전의 끝자락에서 시작해서 '테러와의 전쟁'으로 정점에 이른 미국의 일방통행에 대해 미국 국민은 물론 전 세계가 등을 돌리기 시작했다. 2007년 12월 6-9일 미국 성인남녀 1,027명을 대상으로 실시한 여론조사에서 미국인 10명 가운데 7명이 "미국이 잘못된 길을 가고 있다."고 답했다. 긍정적인 반응을 보인 응답자는 27%에 그쳤다. 갤럽은 1994년 11월 이후 부정적인 답변이 70%를 넘어선 것은 이번이 처음이라고 밝혔다. 2001년 9·11 테러 직후 90%까지 치솟았던 부시 대통령에 대한 지지도는 2008년 1월에 30% 안팎으로 추락하였다.[47]

지금까지 살펴본 것처럼, 헌팅턴은 문명 간의 충돌을 예견하였지만, 유엔은 2001년 들어 21세기의 모토를 '문명(civilisation)의 대화'

---

45) 헌팅턴, 「이라크 침공은 제국주의 전쟁」, 『한겨레신문』, 2003년 4월 30일, 7쪽.

46) 노암 촘스키, 장영준 옮김, 『불량국가』, 두레, 2002, 45쪽.

47) 정인환, 「쉽게 눈 못 뗄 대장정 스타트!」, 『한겨레 21』 제69호, 2008. 1. 15, 80쪽.

로 정했다. 그 이유는 상호존중과 차이의 인정, 관용의 정신, 비폭력의 해결방식을 필요로 하게 되었고, 지구의 미래에 공동의 책임을 져야 할 의무가 있으며, 가난한 자를 외면하지 말고 지구온난화를 비롯한 환경 및 생태 보호를 책임져야 할 의무 등을 지녔기 때문이다.

4. 맺는 말: 보편적 정치윤리의 요구

5세기경 아우구스티누스(St. Augustine)는 『신의 나라(City of God)』에서 알렉산더 대왕과 도둑을 예로 들어 "정의가 없는 곳에서는 알렉산더의 제국과 도둑의 무리가 구별되지 않는다."[48]라고 말한다. 앞에서 고찰했듯이 문화다원주의 정치철학의 문제는 사회적 정의를 어떻게 보편적으로 현실화시키느냐에 초점을 맞춘다. 강력한 군사력과 경제력을 바탕으로 일방적인 힘의 정치가 판치는 세상에서 정의와 불의의 잣대를 어떻게 측정할 것이며, 이것은 누가 판단을 내릴 것인가? 무릇 문화는 상대적이지만, 윤리는 절대적인 가치가 필요하다.

오랫동안 철학자들은 자신들이 어떤 문제에 대해 적절한 대답을 갖고 있다고 생각했으나, 형이상학의 시대가 끝난 지금, 철학은 개인이나 집단이 어떻게 삶을 이끌어 나갈 수 있을 것인가의 물음에 대해 더 이상 설득력 있는 대답을 할 수 있을 것이라고 믿지 않는다.[49] 아도르노는 이제껏 윤리학은 슬픈 학문으로 전락하고 말았다고 한탄한다. 왜냐하면 윤리학은 기껏해야 산만하고 잠언적인 형식으로 포착된 병든 삶으로부터의 반성들을 수행할 수 있을 뿐이기 때문이다.[50] 그

---

48) Augustine, *City of God*, IV, 4.

49) Jürgen Habermas, *Die Zukunft der menschlichen Natur*, Frankfurt a. M., 2001. 11쪽. (장은주 옮김, 『인간이라는 자연의 미래: 자유주의적 우생학비판』, 나남출판, 2002, 26쪽.)

50) T. W. Adorno, *Minima Moralia*, Frankfurt a. M., 1951. (최문규 옮김, 『한줌의 도덕, 상처 입은 삶에서 나온 성찰』, 솔, 1995, 7쪽.)

러나 홉스적인 거대국가의 힘에 의해 국제질서가 난도질당했다고 해서 현실을 수동적으로 받아들여 체념하고 슬픈 자괴감에만 빠져 있을 것인가? 이제 국제적인 정의를 수용하는 가능성의 조건은 홉스적인 이론의 영역에 근거하여 사실적인 과잉이상으로 빠져든 것처럼 보인다. "보편적인 정의의 원칙은 세계국가의 차원에서 주어져야"[51] 하는데, 군사력과 경제력을 동원한 일방적인 미국에 의한 힘의 논리가 지배하는 현실에서는 어떠한 원칙도 제시하지 못하고 말았다. 그럼에도 불구하고 우리의 우울한 현실은 사회정의의 현실화 문제를 바르게 정립해야 하는 과제를 더욱 요구하고 있다.

첫째, 인류가 공존공영하기 위해서는 최소한의 윤리와 가치에 관한 규정이 시급히 확립되어야 한다. 왈쩌가 주장하듯이, 문화는 '두터운' 것이다. 두터운 윤리는 문화와 제도와 행동의 양식을 규정하고, 인간이 특정한 사회 안에서 올바른 길을 걸어가도록 한다. 두터운 윤리로부터 나와서 거듭 나타나는 특성들을 구현하는 것이 '가느다란' 최소한의 윤리이다. 진실과 정의라는 최소한의 윤리적 개념들은 두터운 윤리들 안에 담겨 있으며 그 두터운 윤리들과 분리되어 존재하지 않는다. 살인, 사기, 고문, 억압, 독재에 반대하는 부정적 규칙 등의 최소한의 윤리도 존재한다. 최소한의 윤리에서 사람들은 "공통의 문화에 대한 일체감보다 공동의 적이나 악에 대해 반감을 갖는다."[52] 최소한의 윤리는 다양하고 상이한 문화들이 그 차이성과 다원성을 유지하면서도 공유할 수 있는 공동의 가치, 규범에 대한 중첩적 합의가 가능하도록 요구해야 한다.[53] 인간사회는 그것이 인간적이기 때문에

---

51) Wolfgang Kersting, "Probleme der internationalen Beziehungen", in: Kurt Bayertz(Hg.), *Politik und Ethik*, Stuttgart, 1996, 437쪽.

52) Michael Walzer, *Thick and Thin, Moral Argument at Home and Abroad*, University of Notre Dame Press, 1994, 1-11쪽.

53) 황경식, 「문화다원주의와 보편윤리의 양립가능성」, 『보편윤리와 전통문화』, 제15회 한국철학자대회보, 2002, 85쪽.

보편적이며 그것이 사회이기 때문에 특수하다. 가느다란 최소한의 윤리는 공통된 인간의 조건 안에서 유래하며 보편적 성향은 모두 문화에서 발견된다.[54] 도덕적 최소주의(moral minimalism)는 최소적인 것/최대적인 것, 최소한의 것/두터운 것, 보편적/지역적이라는 세 쌍의 이항관계를 통해서 이해된다. 도덕적 최소주의는 인간의 생명과 자유에 관련된 최소한의 기초적, 보편적 도덕기준으로서, 예를 들어 정의로운 전쟁론과 국제사회에서의 민족자결문제 등에 적용될 수 있다. 도덕성은 최소한의 보편적 규범을 지닌다. 최소한 기준은 살인, 사기, 그리고 극심한 잔인성, 전쟁에 대한 금지이며, 또한 최소한의 공정성과 상호성이다. 이러한 최소한의 기준은 최소한의 도덕(thin morality)이고, 한 사회의 역사적 특수성을 포함하는 구체적인 도덕은 두터운 도덕(thick morality)이다.[55] 정치적 상대주의가 난무하는 현실에서 정치적 공동체는 보편주의의 최소한의 기준을 다음과 같이 상대적 표현으로 말할 수 있다.

(1) 모든 문화와 정치적 공동체에 접근하여 친밀성, 건강의 돌봄, 교육과 같은 사회적 품성의 의미에 대해 불화한다.

(2) 합당한 정치적 절차는 인간이 지닌 훌륭한 공동체의 삶이 불가능함이 없이 의견의 다양성을 위한 근거를 제시한다.

(3) 노예의 자유, 고통과 빈곤, 거절이나 모욕, 부당성을 의미하는 것 등은 절차적인 것이 아니라 또 다른 인간적 근본품성인 것이다.

(4) 합당한 정치적 절차는 또 다른 인간적 품성을 불필요하게 거절하는 것을 정당화시키지 않는다.[56]

이렇듯 정치적 상대주의는 보편주의적인 것을 인정하는 방향으로

---

54) James Wilson, *The moral Sense*, New York: Free Press, 1993, 225쪽.
55) 박정순, 「마이클 왈쩌의 공동체주의」, 『자유주의를 넘어서』, 철학과현실사, 2001, 286쪽.
56) Amy Gutmann, 앞의 논문, 282쪽.

나아가야 하며, 이는 절차적이고 실체적이어야 한다.

둘째, 현실적으로 강대국의 힘의 논리를 제어할 법적인 구속력과 강제력을 손쉽게 발휘하지 못하는 어려움이 있다고 할지라도, 보편적 정치문화와 융합하여 정치적 공동체에서 보편적인 기본법이 실천될 수 있도록 노력해야 한다. 이를 위해서는 국가마다 정치적 공동체의 깃발 아래 긴밀한 연대감을 이루어내야 할 것이다. 일반적으로 보편주의의 윤리는 "규범을 개별집단이나 정당의 정치, 사회적 목표에 의해 정당화하지 않고 인간성의 보편적 목적에 의해 합리적으로 정당화한다. 따라서 보편주의의 윤리는 규범의 보편화 가능성에 대한 요구를 전제로 한다."[57] 한 국가가 윤리적으로 정당화될 수 있는 문명의 전쟁 내지 제국주의적 전쟁을 선포하고자 한다면, "문화에 대한 보편적 인식, 즉 다른 문화에 대한 대등한 인식을 바탕으로 한 윤리적 판단을 할 수 있어야 한다."[58] 한 실례로서 경제력과 군사력의 우위를 바탕으로 하여 지배체제를 확장하고 획일화하려는 미국의 이라크에 대한 야만전쟁은 규탄 받아 마땅할 뿐만 아니라 보편적인 기본법이 적용되어야 한다. 주지하듯이, 현재의 정치철학의 목적은 현실적으로 더 이상 보편적 진리라고 일컬어지는 정의론이 아니라 특정 사회나 일반 사회에서 일어나는 문제해결책을 발견하는 실천적인 사회과제를 수행하는 데 있다. 현대사회는 각기 이념과 신조를 달리하는 다양한 입장들에 동조하는 사람들로 구성되어 있기 때문에 다원주의는 현대사회로부터 제거하거나 피할 수 없는 것으로 간주되기도 한다. 결국 정치윤리의 보편적 목적은 "시민들이 합리적이고 지식에 기반한 정치적 합의의 기초로서 공유할 수 있는 이론을 추구하는 것이다."[59] 그렇지만 정치의 윤리가 보편적이기 때문에 실천되는 것은

---

57) J. S. Mill, *Utilitarianism*, 1861, Indianapolis, 1957, 76쪽.

58) 소흥렬, 「보편윤리의 문화적 조건」, 『보편윤리와 전통문화』, 제15회 한국철학자대회보, 2002, 94쪽.

아니다. 압도적인 힘을 가진 거대국가가 실제로 도덕법칙을 준수하고 실천하려는 의지가 없다면, 정치윤리가 갖고 있는 당위와 구속력은 실천적으로 아무런 영향력을 갖지 못하기 때문이다. 하버마스에 의하면, 한편으로 다문화는 모든 시민들에 의해 동일한 몫으로 공유되는 보편적 정치문화와의 융합을 통해 해결해야 한다는 것이다. 그렇지 않으면 다문화는 자기이해적인 논의의 변수를 위해 우선적으로 결정해야 한다. 다른 한편으로 공동적 정치문화가 공통분모로 환원하는 하위문화들이 많을수록 공통적인 정치문화의 구속력은 국가의 시민들로 구성된 국민을 뿔뿔이 흩어지지 않도록 강해져야 한다는 것이다.60) 다시 말해서 현재의 "문화다원주의는 단일한 정치사회 안에서 몇 개의 문화집단이 영속하는 것을 보증하는 한편 공동의 문화를 요구한다. … 모든 문화집단들의 구성원들은 … 공유된 정치영역에서 자원경쟁과 집단의 보호 및 개인적 이익의 보호를 위한 경제에 효과적으로 참여할 수 있기 위하여 공통의 정치언어와 행위관행을 획득해야 할 것이다."61) 하버마스는 정치적 공동체의 정체성을 먼저 정치문화에서 찾고 있기 때문에 전체적으로는 윤리적-문화적 생활형식에 전적으로 의존하지 않는다. 하지만 이는 정치문화의 새로운 고향을 찾는 데 있으며, 문화적 생활형식을 구성하고자 한다. 따라서 문화적 생활형식과 정치적 주장은 서로 보편적인 기본법에 의존되어 있다. 그런데 헌법규범으로서 기본법은 도덕적 규범과는 다른 지위를 갖는다.62) 헌법규범으로서의 기본법은 그것이 특정 공동체에서 권리로서 인정받지 못한다면, 더 이상 권리는 아닌 것이다. 물론 이런 지위상

---

59) John Rawls, *Political Liberalism*, Columbia Press, 1933, 9쪽.

60) Jürgen Habermas, *Die Einbeziehung des Andern, Studien zur politischen Theorie*, Frankfurt a. M., 1996, 174쪽.

61) J. Ray, "Multiculturalism: A liberal Perspective", in: *Dissent*, Winter 1994, 77쪽.

62) Jürgen Habermas, *Faktizität und Geltung*, Frankfurt a. M., 1992, 567쪽.

의 차이가 필연적으로 다른 의미를 갖는 것은 아니다. 헌법규범으로서의 지위는 모든 인격 일반을 포함하는 고전적인 행위자유의 보편적 의미와 모순되는 것은 아니다.63) 이렇듯 정치적 공동체는 단지 개별문화의 영역에서 나타나는 것이 아니라 정치공동체의 정의에 의해 결정된다. 어떤 정의의 물음에 대한 사회적 일치는 모든 국가의 정의를 추구하기 위해 불가피한 것으로 받아들여진다. 그리고 내부의 정치적 공동체는 화합의 목적을 위해 수단을 찾지만, 우리에게 도덕적인 혼란에 대해 적절하게 최선을 선택하도록 노력해야 한다.

셋째, 닫힌 민족주의나 종교적 근본주의를 넘어선 보편적 진리는 윤리의 가치를 지닌 내용으로 밝혀져야 한다. 국가 간에 기독교 근본주의와 이슬람 근본주의가 마찰이 있을 때, 이는 어느 한쪽의 종교를 인정하는 차원에서 쉽게 끝날 것으로 보이지 않는다. 왜냐하면 두 종교는 서로 강력한 유일신을 전제로 하고 있고 또한 어느 한쪽을 인정한다는 것은 자신의 종교를 버리고 다른 종교로 귀의하거나 자기 종교를 포기하는 것을 의미할 수도 있기 때문이다. 그래서 이는 쉽게 결말이 날 것처럼 보이지도 않는다.

모든 사람들은 세속적인 권력이나 국가들로부터 자유와 정의에 관련된 숭고한 행동표준을 기대할 권리가 있으며, 만일 이러한 표준들이 교묘하게든 우연하게든 침해된다면, 이에 대항하여 용기 있게 검증하고 투쟁해야 할 것이다. 거대국가가 강력한 군사력과 경제력을 동원하여 물리적 압박을 가해 표면적으로 어느 나라를 정복한다고 할지라도, 자기들이 오랫동안 믿어 왔던 종교에서 다른 종교를 인정하기는 쉽지 않다. 따라서 우리가 이슬람 근본주의를 비판한다면, 보편성의 원리에 따라 유대교나 기독교의 근본주의도 비판해야 마땅하다.

---

63) 같은 책, 671쪽.

넷째, 최소도덕주의나 보편적 정치윤리의 공동체가 현실적으로 이루어지지 않는 어려움이 있다 할지라도, 이것과 별개로 독자적으로 한반도의 정세를 제대로 파악하는 것이 우리의 시급한 과제가 되었다. 미국 내 한반도 연구, 더 정확히 말해서 북한연구의 고질병이었던 오리엔탈리즘을 극복하는 데 우리의 올바른 객관적 시각을 곤두세워야 한다. 왜냐하면 우리 민족의 의사와 관계없이 다음 전쟁64)의 차례는 한반도에서 일어날지도 모른다는 우려를 누구나 갖게 되었기 때문이다. 한반도에서 일어나는 거의 모든 안보 현안들, 곧 "북한의 핵문제, 주한미군과 한미동맹, 남북 간의 화해교류와 통일과정, 북미관계, 군축과 평화체계 구축, 북일 관계 등"65)에 대해 우리의 눈을 갖고 바로 보는 시국관이 절실히 필요하다. 미국은 북한을 악의 축으로 몰아붙이며, 북한에 대해 강압과 봉쇄, 그리고 일방적 침공을 통한 붕괴 및 그로 인한 정권교체 이외에 다른 대안이 없는 것처럼 밀어 붙였다. 지금 우리에게 가장 큰 현안이 되고 있는 북한 핵문제가 대화의 협상으로 해결되지 않는 것도 미국 내 북한연구가들의 오리엔탈리즘에 기인한다고 할 수 있을 것이다. 따라서 한반도 내의 미국식 오리엔탈리즘은 어느 때보다도 시급히 교정해야 할 상황이 되었다.

---

64) 권혁범 교수(대전대 정치외교학과)는 한국사회의 밑바닥까지 스며든 전쟁문화는 다섯 가지의 내용을 함축하고 있다고 파악한다. ① 전쟁은 인간본성상 어쩔 수 없다. ② 국가는 생존을 위해서는 전쟁을 준비해야 하고 유사시에는 전쟁을 선택할 수 있다. ③ 자민족 국가가 살아남기 위해서는 타민족의 희생은 불가피하다. ④ 전쟁반대는 나약함과 유토피아지상주의의 표상이다. 그는 50년간의 분단, 군사독재, 지구적 냉전 그리고 징병제는 한국사회에서 혹독한 군사주의의 문화를 만들어냈다고 주장한다(권혁범, 「문명의 금기와 생명의 연대」, 『교수신문』, 2003년 4월 7일자).

65) 최근 한반도의 안보문제에 관해 방대하고 상세하게 수록한 문헌으로는 다음을 참조할 것. 셀리그 해리슨, 이흥동 외 옮김, 『코리안 엔드게임(Korean Endgame)』, 삼인, 2003.

제 3 장
생태문화운동과 철학 *

1. 들어가는 말

문화사를 진보의 개념으로 해석하는 경향은 문화와 생물이 근본적으로 동일한 원칙에 따라 발전한다는 견해와 함께 등장하였다. 근대적 진보의 개념은 세계가 통일적으로 구축되었다는 가정에 기반을 두고 있다. 그리고 가정을 바탕으로 하여 자연사나 문화사가 유전적 틀을 지니고 있다고 생각하였다. 문화의 유기체적 성격을 이론화한 대표적 학자로는 슈펭글러(Oswald Spengler, 1880-1936)와 토인비(Arnold J. Toynbee, 1889-1975)를 들 수 있다. 슈펭글러는『서구의 몰락』(1918-1922)에서 문화의 발전과정을 자연의 계절 변화에 비교하였다. 슈펭글러는 이 책에서 통일적인 세계사의 개념을 부정하고 역사적인 상대주의의 입장을 취하고 있다. 그는 세계사 중에서 이집트, 바빌론, 인도, 중국, 고대 그리스·로마, 아라비아, 멕시코 그리고 서구라고 하는 각각 고립되고 서로 영향 받지 않은 8개의 문화를 지

---

* 이 글은 한국환경철학회 편,『생태문화와 철학』, 도서출판 금정, 2007, 165-191쪽에 실렸다.

적하고 있으며, 문화를 하나의 유기체로 보고 모든 유기체가 성장하고 번영하고 몰락하듯이 모든 문화도 몰락한다고 결론지었다. 세계사의 형태학이라고 하는 과학적인 방법으로 문화의 불가피한 붕괴는 문명으로의 이행이며, 서양에 있어서는 19세기에 이 이행이 수행된다고 파악하고 '서구의 몰락'을 예언하고 있다. 그는 문화와 생물유기체는 서로 비슷한 점이 있음을 들어 문화유기체론을 펼쳤다. 문화나 생물유기체나 일정한 순환과정을 지닌다는 것이다. 그는 이처럼 문화의 유기체적인 순환과정을 통해 역사를 파악하고자 했으며 인간의 역사를 문화유기체로 간주했다. 그의 입장에서 보면 서양은 19세기에는 겨울단계, 20세기 초에 이르러서는 독재주의에 빠져 몰락의 길을 걸었다는 것이다. 따라서 그는 서구문화가 이미 겨울로 접어들었으며, 과거에 고도로 발전했던 다른 문명들과 마찬가지로 서구는 몰락하고 말 것이라고 결론 내렸다.[1] 역사학자 토인비도 슈펭글러와 비슷한 견해를 지니고 다음과 같이 말한다.

"문화가 나타났다가 사라지고 그 소멸 속에서 다시 다른 문화가 떠오르는 동안에도, 문화보다 훨씬 더 높고 목적으로 충만한 어떤 계획은 끊임없이 앞으로 나아가고 있는 듯하다. 어쩌면 문화가 몰락하는 전통을 겪으면서 태어난 이러한 인식이 진보의 최고의 수단일 것이다."[2]

슈펭글러와 토인비의 역사철학적 구상의 결과가 어떤 방식으로 드러났든 간에 두 학자들은 문화적 발전이 일정한 법칙에 따라 진행한다고 확신하였다. 토인비의 경우는 문화의 발전과정에 진보의 개념을 포함시켰으며, 슈펭글러의 경우는 문화를 생물체의 삶에 비교하였

---

1) Oswald Spengler, *Der Untergang des Abendlandes, I, -Umrisse einer Morphoologie der Weltgeschichte*, München, 1923.
2) A. Toynbee, *Kultur am Scheidewege*, Ullstein/Berlin, 1948/1958, 17쪽.

다.[3]

　서구보다 한참 뒤늦게 우리나라는 1960-1970년대에 개발과 성장에 최우선의 가치를 두던 시대가 있었다. 이 시기 정권들의 공통점은 독재였다. 우리는 이 시기를 돌이켜보면서 개발독재라고 부른다.[4] 개발과 성장이 유일한 척도가 되면서 생태가치, 분배정의 가치, 신뢰, 연대가치를 희생시켰다. 이 과정에서 바로 우리 사회 발전의 상징으로 여겼던 것은 산업화와 도시화였다.[5] 즉 1960년대 이후부터 우리나라의 공업화와 산업화를 통해 무너진 것은 금수강산뿐만 아니라 거기서 길들여진 우리의 전통적인 자연관이었다. 우리나라는 면적이 좁은 대신에 산과 강이 많아 대단히 다양한 생태 상을 가지고 있다. 우리의 전통적 자연관은 이러한 자연적 조건 속에서 오랜 세월 동안 많은 사람들이 살아오면서 다듬어진 것이다. 자연을 훼손하지 않고 우리의 전통적 자연관을 소중히 여기고 그 슬기를 잘 배워야 한다. 하지만 1960년대 근대화 이후 초가집을 없애고 마을길도 넓히고 부자가 되자고 했지만, 이런 방식으로 부자가 되는 것은 결국 자연의 순환을 깨고 고전적 근대화에 따르는 위험을 사회 전체에 퍼뜨리는 것이기도 했다.[6]

---

3) 프린츠 브케티즈, 박종대 옮김, 『자연의 재앙, 인간』, 시아출판사, 2004, 177쪽.

4) 지난 박정희 시대를 가리켜 흔히 개발독재라 부른다. 그런데 박정희의 개발독재가 무조건 물리력을 앞세워 고도성장을 추구한 것은 아니었다. 박정희의 폭압적 근대화는 한쪽에서는 군대와 경찰을 동원하고, 다른 한쪽은 개발공사를 활용하여 이루어졌다. 시대가 변하고 개발독재는 사라졌다. 개발독재는 사라졌으나 개발주의는 사라지지 않았으며 개발국가도 역시 그러하였다(홍성태, 『대한민국, 위험사회』, 당대, 2007, 286-287쪽).

5) 오용선, 「경제의 녹색화, 녹색경제 모델」, 문순홍 편, 『녹색국가의 탐색』, 아르케, 2005, 45쪽.

6) 홍성태, 「폭압적 근대화와 위험사회」, 이병천 편, 『개발독재와 박정희 시대』, 창비, 2003, 323쪽.

참여정부 들어 이 시기 못지않게 이곳저곳에서 땅을 파헤치고 녹지를 훼손하는 개발의 열풍이 곧 신개발주의(new-developmentalism)이다. 신개발주의가 개발주의의 화신이라면, 그 뿌리는 한국적 개발주의의 전통에 서 있다.[7] 무릇 병을 고치려면 먼저 그에 대한 진단이 나와야 한다. 병의 가시적 원인은 절제를 모르고 방향감각을 잃은 과학문명의 근시안적인 개발과 발전에 있다. 과거에 개인은 실질적인 힘을 가지고 있었다. 단위가 작고 각자가 공동체의 다른 구성원과 직접 거래를 할 수 있었기 때문이다. 발전이란 개념은 산업사회 이데올로기의 핵심이다. 많은 사람들은 현대의 기술과 경제성장이 확대일로의 번영을 보장할 것이라 믿고 있다. 또한 모든 국가는 선진국들과 같은 길을 쫓게 될 것이라는 점을 당연시 한다. 후진이나 저개발이라는 딱지는 한층 현대적이거나 선진적인 것으로 인식되는 것을 받아들여야 한다는 엄청난 심리적 압박을 일으킨다. 자원의 한계와 현재와 같은 사회, 환경의 여러 가지 위기상황을 면밀하게 살펴본다면, 발전에 대한 믿음은 터무니없는 허구임을 알 수 있다. 하지만 인간은 자연계를 이해할 수도 통제할 수도 있다. 오히려 생활필수품을 얻기 위해 결국 기댈 수밖에 없는 대상은 기술이 아니라 자연계의 여러 가지 작용이다.[8] 정치생태학자 문순홍(1957-2005)은 녹색사상으로 귀결되는 논의들의 공통점을 다음과 같은 다섯 가지로 정리하였다.

(1) 현재를 위기적 상황으로 설정하며, 이 상황을 생태위기로 칭한다.

(2) 이 위기적 상황은 여러 가지 문제들로 집중되어 있다. 환경파괴, 자원부족 등의 문제는 다른 사회문제들과 상호연관적인 것이며,

---

7) 조명래, 「욕망과 자연의 상품화와 신개발주의」, 조명래 외, 『新개발주의를 멈춰라』, 환경과생명, 2005, 43쪽.

8) 헬레나 노르베리-호지 · 반다나 시바, 홍수원 옮김, 『진보의 미래』, 두레, 2006, 26-27쪽.

개별적으로 분리해서 접근할 수 없다. 만일 환경문제를 사회와 분리하여 접근하고자 한다면, 해결방식은 단기적이며 미봉적일 수밖에 없다.

(3) 따라서 생태위기는 새로운 사회 패러다임을 요구한다.

(4) 새로운 사회 패러다임은 자연과 인간을 통합적으로 파악한다. 자연과 인간을 통합적으로 파악한다는 것은 학문적으로 자연과학과 사회과학을 통합적으로 재구성한다는 것을 의미한다. 녹색사상이 의존하는 자연과학으로는 생태학, 양자물리학, 가이아론, 엔트로피론 등이 있다

(5) 이로부터 자연과 인간에 대한 철학적 논의로 발전하며, 과학기술에 대한 평가를 동반하여야 하고 나아가 사회이론으로 확장한다. 이 사회이론에서는 대안경제에 대한 최소한의 방향성, 대안적 정치체제에 대한 논의, 그리고 새로운 공동체 유형을 제시하고자 시도된다.9)

나는 현재가 생태위기의 상황이라는 인식에 동의하면서 (4), (5)의 원인을 다시 진단하고, 최근 우리나라에서 생태문화운동 차원에서 전개되었던 현안들을 살펴보고자 한다.

2. 생태문화

생태란 용어는 고대부터 있었던 이른바 '전일적이고 유기적인 세계관'으로 표현될 수 있는 사유의 전통이지만, 근대의 탄생 이후에는 이러한 전통이 소수 또는 주변의 위치에 있지 못하였다. 오늘날 생태담론이 대두되는 현상을 새로운 자연관이나 새로운 철학의 등장으로 평가한다면, 논의의 역점을 두어야 하는 곳을 놓칠 수 있다. 요컨대

---

9) 문순홍,『정치생태학과 녹색국가』, 아르케, 2006, 48-49쪽.

생태담론은 고대부터 있었던 생태학적 사유가 현대 자연과학의 업적과 발견물들에 근거하여 이른바 객관성을 획득하는 과정을 배경으로 하여 새롭게 등장하였다.[10]

우리는 이제 인간의 자리와 자연과 인간의 관계에 대한 인식의 전환, 탈기술지향주의적 세계관, 자연파괴 원인의 진단, 과학기술 발전의 재검토를 바탕으로 한 문화를 생태문화라 부르고 다음과 같이 검토해 보기로 하자.

1) 인간과 자연의 통합

생태'문화'[11]는 자연과 인간의 조화를 믿는다. 자연과 인간은 단일한 하나를 이룬다. 자연과 인간의 분리와 대립은 형이상학적으로 볼 때, 피상적이며 인위적이다. 자연이 인간과 대립되어 생각되지만, 사실상 인간은 자연 밖의 존재가 아니라 무한한 존재들의 고리로 형성된 자연의 단 하나의 고리에 불과하다.[12] 인간과 자연의 구별을 없애고 인간을 생태계의 일부로 파악하며, 인간과 자연은 결합되어 있을 뿐만 아니라 모든 차원에서 동등하다고 주장하는 심층생태학자들의

---

10) 같은 책, 123쪽.

11) 문화(文化)라는 개념은 라틴어의 '(밭을) 경작하다', '가꾸다', 혹은 '(신체를) 훈련하다' 등을 의미하는 colo(형용사 cultus, 명사 cultura)에서 나온 말이다. 즉 문화는 인류가 오랜 유목생활을 끝내고 정착적인 농경생활에 접어들었을 때 형성되기 시작하였다. 주어진 동물적 생활에 만족하지 않고 각종 도구를 사용하여 자연을 변현하고 개량하여 만들어진 인간적 세계가 문화라 할 수 있다(원승룡, 『문화이론과 문화철학』, 서광사, 2007, 23쪽). 문화는 문학의 예술만이 아니라 근대에 이르러 뚜렷하게 모양을 갖춘 과학, 종교 등의 영역까지를 포함한다. 문화에 대한 보편타당한 개념의 규정을 내릴 때 어려움은 사용방법의 불충함에 있는 것이 아니라 사태의 다양성과 사태의 특수한 존재방식과 같은 복잡성에서 나온다(랄프 콘너스만, 이상엽 옮김, 『문화철학이란 무엇인가』, 북코리아, 2006, 14쪽).

12) 박이문, 「21세기 문화, 전망과 희망: 생태학적 문화를 위한 제언」, 한국철학회 편, 『문화철학』, 철학과현실사, 1996, 317쪽.

주장이나 인간과 자연의 아름다운 조화를 추구했던 유가의 동양철학 전통 속에서 생태위기를 극복할 수 있는 소박한 지혜를 찾는 것은 그리 어려운 일이 아니다. 인간의 삶은 자연 안에서 이루어지고 있기 때문에 인간과 자연은 상생, 공존해야 함은 두말할 나위가 없다. 구딘(Robert E. Goodin)은 자연도 인간과 마찬가지로 보호받을 이익관심을 갖고 있다고 파악한다. 자연은 자신의 이익을 대변할 의사표현 능력이 없기 때문에 우리 인간들이 대신해서 자연의 이익을 보호하고 후견해야 한다는 것이다. "인간과 자연은 만나서 조화를 이루어야 한다."는 사실은 위에서 언급한 인용구들을 어렵게 빌리지 않더라도 이제 삼척동자도 다 아는 말들이 되었다.

현대철학자 마이어-아비히(Klaus Michael Meyer-Abich)는, 인간이 자연에 대해 행사하는 폭력을 종식시키려면 인간과 자연, 생명들이 얽혀 있는 모든 생명의 장(場)과 계(界)가 함께 서로를 존중하며 하나의 공생관계로 존재해야 한다고 말한다.

"인류의 한 부분이 다른 부분들을 위해서만 존재하는 것도 아니고, 다른 생명체들이 인류를 위해서만 존재하는 것도 아니라는 것을 깨닫게 되었다. 그들 모두는 자연 전체에서 그들의 고유한 가치를 지니며 행동에 있어서 그 고유의 가치를 존중하는데, 자연이 부여한 이성은 그것을 파악하는 것을 가능하게 해준다. 이러한 범주에서는 더 이상 다른 인간들과 그 밖의 생명세계와의 공존만이 인간들의 자기 존재의 척도가 되는 것이 아니고 전체 공생계가 그 척도가 된다. 인간이 모든 사람들의 척도인 것이 아니라, 우리와 함께 있는 모든 것들이 우리 인간됨의 척도인 것이다."[13]

지금까지 근대의 계획에 따라 계몽주의는 인간에게 정신적인 토대

---

13) 클라우스 미하엘 마이어-아비히, 박명선 옮김, 『자연을 위한 항거』, 도요새, 2001, 73쪽.

를 상당히 부여해 왔다. 그런데 이성에 대한 강한 신념은 오히려 타자에 대한 억압을 가했다. 이러한 인간의 이성은 자연을 파괴하는 원인으로 밝혀지게 되었다.14) 자연의 파괴는 선진국과 후진국을 떠나서 근대화의 과정에서 가장 일반적으로 나타나는 현상이다. 자연의 파괴는 이미 고대로부터 나타난 현상이지만, 근대의 자연파괴 현상은 시·공간적 영향의 측면에서 근본적으로 다르다. 자연은 자연이라기보다 오히려 하나의 개념, 규범, 회상, 유토피아, 반(反)구상이라 할 수 있다. 그리고 이것은 다른 어느 때보다도 오늘날 더 진실이다. 자연은 더 이상 존재하지 않는 지금 재발견되어 버릇없이 길러지고 있다. 환경운동은 자연과 사회가 전 지구적으로 모순적으로 융합되고 있는 조건에 반응하고 있다. 자연과 사회가 아주 복잡하게 얽히면서 위해(危害)를 가하고 있는 상황에서 자연과 사회라는 두 개념이 철폐되고 있는데도, 우리는 아직 이를 적절하게 개념화하고 있지 않다. 따라서 환경논쟁에서 자연 자체의 파괴의 측정기준을 갖고 자연을 이용하려는 시도는 자연주의적 오해라는 함정에 빠지고 만다.15)

진정 인간이 자연 속에서 무엇인가 배우기를 원한다면, 인간도 자연의 한 대상이며 개체에 불과하다는 생각을 겸허하게 받아들여야 한다. 이렇게 인간이 자연지배에 대한 반성을 시작할 때에야 비로소 인간과 자연은 이제까지의 지배와 복종의 대립된 주종의 관계에서 벗어나 평등한 관계로 거듭날 수 있을 것이기 때문이다. 모름지기 우리가 자연에 대해 많은 관심을 기울이는 까닭은, 이 지구는 두말할 나위 없이 현세대뿐만 아니라 미래세대에서도 지속적으로 삶을 살아야 할 터전이기 때문이다.

---

14) Wolfang Welsch, *Vernunft. Die zeitgenoessische Vernunftkraft und Konzept der transversalen*, Frankfurt a. M., 1997, 30쪽.

15) 울리히 벡, 정일준 옮김, 「환경 마키아벨리즘 개론: 아래로부터의 녹색민주주의」, 『적이 사라진 민주주의』, 새물결, 2005, 301쪽.

2) 과학 대 자연: 자연파괴 원인의 진단

생태문화는 과학기술의 발전으로 인한 자연파괴의 원인을 밝혀내는 것이다. 자연에 대한 생태학적 인식방법은 과학혁명을 통해 확립된 지식체계와는 대조적으로 관여적인 성격을 띤다. 지식은 생태적인 다원적 성격을 지닌다. 그 이유는 자연 생태계의 다양성과 자연에 의존하는 삶이 만들어내는 문화적 다양성을 다같이 반영하기 때문이다.16) 지금까지 근대의 계획에 따라 계몽주의는 인간에게 정신적인 토대를 상당히 부여했다. 그런데 이성에 대한 강한 신념은 오히려 타자에 대한 억압을 가했다. 따라서 인간의 이성은 자연을 파괴하는 원인으로 밝혀지게 되었다.17)

과학은 자연이라는 상호연결된 연속체의 작은 부분을 분리시켜 연구하는 방식으로 이 세계를 파악한다. 이러한 접근방식이 흠잡을 데 없는 성공을 이루어내면서 사실상 현대기술은 거의 상상하기 어려울 정도로 이 세상을 쥐고 뒤흔들 수 있게 되었다. 그러나 과학자들이 자신들의 행위를 예측할 수 있는 능력이란 과학적 방식에 내재된 한정된 범위에 국한되어 있다. 다양한 과학적 모델은 비교적 단순하고 단기적인 것을 다룰 때는 성공 가능성이 매우 높지만, 사회체계나 생태계처럼 한없이 복잡한 장기적인 시간 틀을 다룰 때는 과학의 한계가 두드러진다. 오늘날 과학자들은 생명공학이라는 새로운 분야를 내세워 그 내용을 채워가는 데 엄청난 시간을 들이고 있다. 하지만 이런 눈부신 과학적 발전의 장기적인 사회 및 생태적 연관성은 과학적 탐구로 규명될 수 없다.18)

현대과학의 아버지라 불리는 베이컨(Francis Bacon, 1561-1626)은 "아는 것이 힘이다."라고 강조한다. 베이컨의 경험주의 방식에는 남

---

16) 헬레나 노르베리-호지 · 반다나 시바, 앞의 책, 72쪽.

17) Wolfgang Welsch, 앞의 책, 30쪽.

18) 헬레나 노르베리-호지 · 반다나 시바, 앞의 책, 16쪽.

녀, 정신과 물질, 주관과 객관, 이성과 감성이라는 이분법이 자리 잡고 있었다. 베이컨에게 있어서 자연은 더 이상 이 세상을 지배하는 절대적인 힘이 아니고 호전적인 남성적 의지로 정복될 수 있는 여성적 자연일 뿐이었다.[19]

그렇지만 그는 인간은 자연을 알기 위하여 먼저 자연에 복종해야 한다고 말한다. 이것은 베이컨이 우리에게 남겨준 하나의 교훈이다. 따라서 인간은 자연을 지배하기 위한 방법론적인 탐색에 열중하게 되었다. 베이컨의 유토피아적 기획은 인간의 자연지배라는 소박한 이상(理想)을 갖고 있었다. 즉 베이컨에게서 인간의 자연지배라는 유토피아는 사회변혁의 이상과 결합을 하였다. 베이컨의 유토피아적 기획은 유용성이라는 원칙을 적용함으로써 인류에게 유용한 것은 문화에도 유용하다고 보았고, 그렇지 않은 것은 사치, 미신, 야만이라고 적대시하였다.[20] 무엇보다 베이컨의 주된 목적은 인류의 행복을 향상시키려는 것이었다. 따라서 그는 진정한 의미에서 과학의 합리적인 목표를 세우는 것이 새로운 인간의 삶에 봉사하는 자세라고 보았다.[21]

베이컨의 "아는 것이 힘이다."라는 경구는 자연을 종교적으로 신성시하던 중세의 마술적인 사유에서 벗어나서 대상을 자연과학적인 인식의 틀로 바라보는 인간의 힘을 뜻하는 것이었다. 그가 말하는 지식은 자연에 대한 지식을 뜻하는 것이었고, 그러한 지식은 인간의 유용성을 위해서 자연의 지배를 목적으로 하는 것이었다. 주지하듯이, 인간은 지금까지 자연을 정복하려는 기획을 꾸준히 품어 왔다. 자연은 오로지 인간에게 복종함으로써 자신의 가치를 이용하였다.[22] 인간이 자연을 기술의 힘으로 지배하려는 소망은 전적으로 인간을 위한 실

---

19) 같은 책, 71쪽.
20) 오스발트 슈펭글러, 양우석 옮김, 『인간과 기술』, 서광사, 1998, 11쪽.
21) 닐 포스트먼, 김균 옮김, 『테크노폴리』, 민음사, 2001, 57쪽.
22) Francis Bacon, *Novum Organum*, Bd. 28, London, 1983, 11쪽.

용적인 효용가치 때문이었다. 지금까지의 과학은 자연에 대해 인간의 힘을 무한히 증대시켜 왔으며, 인간의 이성적인 힘은 자연의 정복을 이루어냈다.[23) 베이컨의 『새로운 아틀란티스(*The New Atlantis*)』라는 저서도 기술에 과학을 적용함으로써 기술적 진보와 생활조건의 향상을 이루어내어 인간의 조기사망과 빈곤을 줄일 수 있기를 바라는 소망에서 이루어졌다.[24)

단적으로 말해서 베이컨의 입장에서 그 당시 과학의 진정한 목표는 다양한 발명을 통해서 인간의 삶 자체를 풍요롭고 윤택하게 하자는 데 있었다. 지금의 현실세계에서 인간이 자연 위에 군림하려는 '베이컨의 유토피아 정신'은 이미 실현되었을 뿐만 아니라 인간은 과도한 물질적 풍요를 누리게 되었다. 인간은 지식의 힘을 동원하여 지구 도처에서 부여하지도 않은 권한을 마음대로 행사하고 있는 것이다. 더더욱 우리 인간은 기술의 힘을 이용하여 자연을 인간의 인식대상으로 제멋대로 설정하고 있다. 그 결과 인간은 기술의 힘에 의해서 오히려 자연에 대한 통제력을 상실하게 될 정도로 심각한 위기의 상황에 놓이게 된 것이다.

3) 과학기술의 개발과 진보개념의 재검토

생태문화는 과학기술의 힘을 자연이 더 이상 인간을 따라올 수 없을 만큼 한껏 강화되었다고 자부하는 것에 제동을 거는 데서 출발해야 한다. 20세기는 과학기술의 시대였다고 할 정도로 인류가 미처 생각하지 못했던 과학기술들이 대거 등장하여 사회에 커다란 파장을 일으켰다. 원자폭탄, 우주선, 컴퓨터, 통신기술, 생명공학 등은 20세기에 등장한 대표적인 과학기술이다. 이처럼 과학기술이 사람들의 일상생활 영역으로 침투함에 따라 이제는 그 어떤 사람도 과학기술의

---

23) Hans Jonas, *Technik, Medizin und Ethik*, Frakfurt a. M., 1985, 168쪽.
24) 머레이 북친, 구승회 옮김, 『휴머니즘의 옹호』, 민음사, 2002, 338-339쪽.

영향력에서 자유롭지 못하게 되었다.[25] 즉 우리는 개발이나 진보라는 이름의 구조적 변화에 우리 자신이 어떻게 개입했는가를 무시하고, 우리의 문제들을 인간의 내재적 결함의 탓으로 돌리고 있다. 기술발전을 진화의 한 부분으로 생각하는 경향이 많다. 따라서 인간은 과학기술의 힘에 의해서 이루어놓은 높은 생산성과 생활수준을 마음껏 누리고자 더욱 기술적 수단을 동원하였다. 점차 무모할 정도로 진행되는 인간의 자연에 대한 침해현상은 생산성이 높은 기술일수록 아주 심하게 나타났다. 인간은 역사적으로도 그 유례가 없을 정도로 광범위한 규모로 자연을 마음대로 약탈하고 파괴하는 행위를 서슴지 않고 자행하고 있다.

인간이 과학기술의 지식을 동원하여 자연을 통제하기 시작한 것은 불과 약 150년 전의 일이다. 그럼에도 불구하고 인간의 과학기술이 자연에 끼친 부정적인 결과는 이루 헤아릴 수가 없다. 인간은 빠른 속도로 이 지구를 서로 경쟁이나 하듯이 더럽히고 있다. 인구폭발, 산업에 따른 도시화 현상, 도시화로 인한 대기오염, 수질오염, 하수, 생활쓰레기 등은 자연을 죽일 뿐 아니라 인간 스스로의 생명을 위협하고 있는 것이다. 따라서 문명화의 과정을 믿고, 이 과정이 진보의 방향으로 나아간다고 생각하는 사람들은 이제껏 인간의 도덕적 수준을 끌어올리기 위한 많은 시도들 가운데 어떤 것도 성공한 적이 없다는 사실을 분명히 깨달아야 한다.[26] 개발과 현대화는 인위적인 욕구창출을 통해서 문화적 다양성을 소리 없이 손상시킨다. 미디어와 광고, 교육은 전 세계에 걸쳐 산업화의 풍족한 생활이라는 이미지를 널리 전파한다. 현실적으로는 세계 어느 곳에서나 볼 수 없는데도 그런

---

25) 한상진, 「과학기술 운동: 전문가 독점에서 '기술 시민권으로」, 『환경운동의 길잡이』, 환경과 생명, 2002, 164쪽.

26) 프린츠 브케티즈, 박종대 옮김, 『자연의 재앙, 인간』, 시아출판사, 2004, 296쪽.

이미지 자체는 거의 모든 사람들의 일상적인 삶을 상대적으로 따분하고 만족스럽지 못하며 빈곤하게 비치게 만든다. 전 세계에는 각기 자기 문화가 있는데도 사람들은 자부심과 자립심을 버린 채 현대적 편의도구를 지니지 못하는 것을 부끄러워하고, 이제는 수입 시멘트와 포장식품뿐만 아니라 반사형 선글라스와 고급 청바지, 람보 티셔츠까지 필요로 하게 되었다.[27]

위에서 언급하였듯이, 20세기 들어와 과학기술은 더욱더 기업에 의해 조직되고 동원되는 양상을 보여주었으며, 그 결과 기업의 이해관계를 보호하기 위한 각종 특허권과 지적 재산권의 개념이 확산되고 있다. 과학기술의 급속한 발전에 따른 불확실한 위험을 방지하려는 틀은 환경정치 전략의 중요한 항목이다. 이를 위해서는 자연의 지속 가능한 생산에 적정한 과학기술을 분야별, 단계별로 정해 시민사회의 감시체계를 구축해 나아가야 한다.[28] 과학기술의 공공성과 관련하여 다음의 두 가지를 대표적으로 지적할 수 있다.

첫째, 대부분의 과학기술은 그 영향범위가 국지적이지 않고 매우 포괄적이다. 이는 현 사회의 대다수 시민들은 자신이 원하든 원하지 않든 간에 특정 과학기술로부터 지대한 영향을 받게 되었음을 의미한다.

둘째, 정부에서 추진하는 특정 과학기술 연구 프로그램은 그 재원을 시민들에게 절대적으로 의존하는 경우가 많기 때문에 당연히 공공적 성격을 띠게 된다. 즉, 시민들의 세금으로 추진되는 국가적 과학기술의 연구개발은 한정된 특정집단의 협소한 이익이 아니라 국민 모두의 이익을 향상시키는 데 그 목적을 두어야 한다.[29]

프란츠 슈마허의 "작은 것이 아름답다."라는 결론처럼, 인간을 구

---

27) 헬레나 노르베리-호지 · 반다나 시바, 앞의 책, 26쪽.
28) 한상진, 앞의 글, 152쪽.
29) 같은 글, 166쪽.

원할 수 있는 것은 과학기술도 아니고, 오랜 세월에 걸쳐 전승되어 온 인문적, 정신적 지혜로 돌아가는 데 있음에 틀림없다. 무릇 인간은 자기 자신보다 더 큰 자연의 일부이며, 인간의 온전한 삶은 자연과의 조화로운 관계에서만 유지될 수 있다는 진리를 겸허하게 받아들일 수 있어야 한다.[30] 주지하듯이, 이제 엄청나게 성장한 과학기술의 힘은 인간에 의한 자연의 지배를 완전하게 이루어냈다. 그렇지만 인간이 과학기술의 지식을 동원하여 자연을 정복한 결과가 역으로 자연에 예속당하는 결과를 낳았다. 결국 제동장치 없는 인간 이성의 진보가 더 이상 만병통치약이 아니라는 사실이 만천하에 명백하게 밝혀졌다. 따라서 인간에 의해 무한정으로 전개되고 있는 과학기술의 힘은 모든 문명세계와 자연과의 관계를 원만하게 해결하는 치료사는 더 이상 아닌 것이다. 따라서 과학기술의 진보는 더 이상 경제적인 물질의 성장만을 의미하는 것이 아니라 오히려 인간의 성숙한 도덕적 의미를 지니는 것으로서 인간이 마땅히 수행해야 할 바를 행하는 과정이나 상태를 지녀야 한다.

4) 탈기술지향주의

오늘날 생태와 문화의 대립관계는 생태지향주의 대 기술지향주의 내지 인간중심주의, 또한 심층생태학(생태중심주의)과 사회생태학(인간중심주의)의 대립 역시도 이에 해당한다.

지금까지 인간의 역사는 인간에 의한 자연정복의 역사에 지나지 않았다. 그러한 역사의 밑바탕에는 그것을 뒷받침하는 세계관 및 인생관이 숨어 있다. 그것은 인간중심주의(anthropocentrism)라는 말로 부를 수 있다. 인간중심주의를 주장하는 사람들에 따르면, 모든 가치는 인간적 가치이며 그런 가치를 위해 인간 이외의 모든 존재는 단순

---

30) 김종철, 『간디의 물레: 에콜로지와 문화에 관한 에세이』, 녹색평론사, 2005, 188쪽.

한 도구 및 수단에 지나지 않는다. 인간의 행동이 의도적인 이상 그리고 의식적 행동이 필연적으로 어떤 정당성을 필요로 하는 이상, 자연에 대한 인간의 무제한 정복과 약탈도 그 나름대로 정당성을 요구한다. 인간중심주의는 우주의 객관적 형이상학적 구조를 반영하는 것으로서 인간에 의한 자연의 무제한 개발과 도구화, 즉 자연의 정복에 철학적 정당성을 부여한다. 자연보호에 대한 인간중심적인 해석은, 주목할 만한 종, 즉 우리가 감정적, 실용적, 인식론적인 이유로 특별한 중요성을 부여하는 종을 보전하게끔 만든다.[31]

　반면에 심층생태운동은 우리의 세계관과 문화와 생활양식에 대해 근원적인 질문을 던지며 그것들을 새로이 형성되고 있는 생태학적 비전과 조화되도록 개조하려는 장기적인 안목의 급진적인 생태운동을 지칭한다. 즉 복합성, 상호의존성, 균형성, 다양성, 평등성, 공생 등과 같은 생태계의 특성에 바탕을 둔다. 다시 말해 심층생태학의 목표는 기본적으로 생태계의 모든 구성요소에 대한 인류의 박애를 촉구하는 것이며, 이것은 다시 이들 요소들이 인류의 지배를 벗어나 자신의 방식대로 살아갈 수 있는 자유를 부여하려는 노력을 말한다.[32] 생태중심주의는 감각과 감정을 가진 생명존재자의 고통을 최소화하는 데 역점을 두는 감정중심주의, 생명존재의 내재적 가치를 인정함과 동시에 도덕적 배려의 대상이 되어야 한다는 생물중심주의, 생물체만이 아니라 무기물과 자연 전체가 아름다움과 질서, 다양성 및 목적론적 체계 등 고유의 내재적 가치를 갖는다고 보는 전체론으로 구별된다.

　생태철학자 요나스(Hans Jonas, 1903-1993)는 베이컨의 유토피아적 기획[33]이라고 했던 인간의 자연에 대한 태도에 대해 강력한 비판

---

31) 카트린 라레르, 「새로운 윤리?」, 베어드 캘리콧 외, 윤미연 옮김, 『자연은 살아있다』, 창해, 2004, 155쪽.

32) 송명규, 『현대생태사상의 이해』, 따님, 2004, 100-101쪽.

을 가한다. 요나스는, 인간의 지식을 자연지배라는 목표에 맞추고 자연의 지배를 통해 인간의 운명을 개선하려는 기획은 자본주의에 의해 지속적으로 추진되면서부터 합리성이나 정당성을 상실했다고 진단한다.[34] 요나스는 자연에 대한 강간행위와 인간 자신의 문명화는 맞물려 있다고 본다. 다음의 두 가지가 자연의 요소에 저항하고 도전한다는 것이다. 하나는 자연의 영역에 침투해 들어가 자연의 피조물들에 도전한다는 것이며, 다른 하나는 도시국가와 법률이라는 피난처를 통해 자연에 대한 내성을 구축한다는 것이다.[35] 요나스가 지적했던 것처럼, 인간에게 있어서 오랫동안 객관적 기술의 대상이 될 수 있었던 것은 바로 기술적 개입이 갖는 피상적 특성 때문이다. 인간의 기술적 개입은 자연을 일시적으로 혼란스럽게 만들 뿐이다. 자연은 이제껏 스스로 균형을 회복해 왔다. 인간과는 비교할 수 없을 만큼 강력하며 무궁무진한 자연은 인간의 행동에 영향을 미쳐 왔다. 요나스가 『책임의 원칙』(1979)에서 제시한 기술에 대한 윤리적 통제의 네 가지 원칙을 주목할 필요가 있다. ① 기술의 장기적(長期的)인 영향을 예측할 수 있는 더 나은 방법을 개발해야만 하고, ② 천국의 행복에 대한 예측보다는 불행한 최후의 심판에 대한 예언에 중요한 우선권을 둠으로써 나날이 증대되는 미지의 것들에 대해 신중하게 대처하여야 하며, ③ 인류의 생존이나 기본권적 인간애가 결코 위험에 처하지 않게 해야 하고, ④ 우리 후손의 온당한 미래를 보장하는 것이 우리의 의무임을 인식해야만 한다.[36]

---

33) 김진, 『칸트의 생태주의적 사유』, 울산대 출판부, 1998, 251쪽.
34) Hans Jonas, *Das Prinzip Verantwortung, Versuch einer Ethik für die technologische Zivilisation*, Frankfurt a. M., 1984, 251쪽.
35) 같은 책, 18쪽.
36) 같은 책, 63-101쪽.

5) 전체론적 인식

생태문화는 인식론적으로 분석적 사고방식에 앞서 종합적 사유를 강조하고 중요시한다. 순환적인 모든 현상은 근본적으로 개별적으로 분리하고 구분할 수 없는 전체의 다양한 측면에 불과하며 독립된 개별적인 존재가 아니다. 여기서 현상적 부분들은 해석학적 순환에서 보여주듯이, 전체의 맥락 속에서 그 의미가 드러난다. 궁극적으로 그것들을 서로 분리할 수 없다. 따라서 개별적 사물현상은 단 하나의 전체 속에서만 옳게 인식된다는 것이다. 이러한 생태학적인 인식론적 맥락에서 전체를 구성하는 피상적 현상들 간의 우열이나 상하의 위계적 개념은 의미를 가지지 못한다.[37] 위에서 언급하였듯이 이제까지의 인간중심적 세계관은 생태위기를 극복하는 대안으로 내세우기에는 여전히 불안하다.

3. 생태문화운동

스웨덴 출신의 언어학자, 환경운동가, 인류학자이자 『오래된 미래』(1991)[38]의 저자인 헬레나 노르베리-호지는 2006년 5월 28일 경기도 파주 헤이리 문화예술마을 커뮤니티 하우스에서 열린 '생태문화 프로젝트'에서 '여성이 만드는 생태적 삶과 문화'를 주제로 강연을 열고, 세계화에 반대하는 '지역화 운동(localization movement)'을 주장했다. 노르베리-호지와 함께 한 '생태문화 프로젝트'는 "개발 일변도의 세계화보다 지역공동체를 살려야 한다."는 구호에서 출발한다. 노르베리-호지에 의하면, '세계화(globalization)'는 단기적인 관점에서 보았을 때는 도움이 되는 것 같지만, 우리의 공동체를 사라지게 하고

---

37) 박이문, 앞의 글, 319쪽.
38) 헬레나 노르베리-호지, 김종철·김태언 옮김, 『오래된 미래: 라다크로부터 배운다』, 녹색평론사, 2000

빈곤과 폭력, 환경파괴를 부르는 등 인류의 행복한 삶을 파괴하는 주범이다. 무엇보다 그녀는 "지역화(localization)를 통해 작은 경제를 살리고 지역 공동체를 활성화시켜야 한다."고 강조한다.

인도 북부 카슈미르 지역에 위치한 라다크에서 16년간 거주하면서 겪은 경험을 쓴『오래된 미래』로 유명한 그녀는 개발의 물결에 의해 라다크가 변화하는 모습을 보면서 세계화에 반대하는 운동을 전개하게 되었다. 그녀는 "사람들이 주변에서 생산되는 싱싱한 식품 대신 점점 더 먼 곳으로부터 오는 식품을 사야 하는 비효율적인 시스템이 확산되고 있다."면서 "세계화는 사람들 자신을 위해서가 아닌 수출을 위한 생산만을 강요한다."고 역설한다. 또한 먼 곳에서 오는 제품이 더 저렴한 이런 불합리한 구조는 대기업에만 이익이 될 뿐 생산자는 더욱 빈곤한 상태에 빠지게 한다는 것이다. 지난 2007년 이후 한미 자유무역협정(FTA)[39]이 중요한 현안으로 떠올랐던 한국사회에서 그의 이러한 주장은 더욱 가슴에 와 닿는다. 세계화와 개발의 물결은 여성의 지위에도 영향을 끼쳤다. 개발 이전의 라다크는 여성의 발언권이 존중되고 공동체 운영에서 여성이 더 많은 결정권을 가진 사회였지만, 산업화가 진행되고 남편들이 도시로 나가 직장을 갖고 일을 하게 되면서 여성의 지위가 땅에 떨어졌다. 그렇지만 그는 "예전의 라다크처럼 자급자족의 사회로 돌아가자는 것은 아니다."라며 이분법적인 흑백논리 또한 경계했다. '경제에 대한 이해(economic literacy)'를 계속 강조한 데서 보듯이, 작은 경제를 살리고 지역 공동체 중심의 문화를 회복해 함께 행복할 수 있는 방법을 찾아야 한다는 것이 그녀의 핵심적 주장이다. 그녀는 "짧은 기간 동안 급속한 발전을 이루기 위해 사람들이 너무 일을 많이 하고 있으며 산업화와 세계화의 압박을 크게 느끼고 있는 것 같다."고 평가한다. 그러나 "아직까지 자

---

39) 한미 FTA에 대한 자세한 내용은 다음을 참조. 이해영,『낯선 식민지 한미 FTA』, 메이데이, 2006.

연과 공동체에 대한 기억을 잊지 않고 있는 한국은 서양에 비해 희망적인 나라"라고 말한다.

또한 1970년 중반에 피터 버그(Peter Berg)와 레이먼드 다스만이 제기한 생명지역주의(Bio-regionalism)가 주목을 끈다. 이들은 1974년 지구생물권의 자연과정과 인간문화 사이의 관계를 드러내는 정보탐구를 목적으로 활동하였다. 그 이후 미국 여러 주와 캐나다 일부지역에 이르기까지 '생명지역주의 운동'은 자연적인 생태공동체의 순결을 존중하고 그것을 새롭게 비판적으로 의식하는 가운데서 알게 된 지역적 정체성을 광범위하게 공유한다는 의미로 재창조를 추구하는 것으로 확산되었다. 생명지역주의에 기반한 문화는 자연에 무책임한 생명권 인간문화가 아니라 자연에 더 책임을 지는 생태계 인간문화를 도모한다.[40] 이러한 생명지역주의 문화는 구분된 지역공동체에 기반을 두면서 자연을 보전하고, 사회구성원이 서로 상생하는 가운데 협력하여 안정적이면서 자체 충족적인 경제를 유지하며, 중앙집권화에서 벗어난 정치제도를 상보적으로 형성하고자 한다. 따라서 사회생태주의와 심층생태주의 등의 영향을 받아 구체화된 생명지역주의 문화는 오늘날 생태위기 시대에 주목받고 있다.[41] 지금까지 환경운동에서 문화는 주로 도구적인 의미를 갖고 있었다. 문화운동에 대한 이해도 그 차원을 벗어나지 않았다. 목적 달성을 위해 문화의 형식과 기제들을 도구로 이용하는 방식으로서의 문화운동은 이미 오래 전에 일반화한 것이었다. 자연과 더불어 살았던 우리의 문화를 존중하며 단순소박한 삶의 실천을 통해 우리의 삶을 근본적으로 바꾸는 운동을 해야 한다. 더불어 사람들 마음속의 생태적 감수성을 일깨우기 위해 문화활동을 펼쳐야 한다.

---

40) 한면희, 『초록문명론』, 동녘, 2004, 313쪽.
41) 같은 책, 313쪽.

1) 영월의 동강 댐

지난 2000년 환경의 날 영월의 동강 댐42) 건설을 백지화한다는 정부의 발표가 있었다. 수도권 용수공급과 홍수조절의 필요성을 명분으로 추진되던 동강 댐 건설계획이 10년여의 논란 끝에 지역주민들의 의지와 생태환경보전이라는 사회적 요청에 밀려 철회되었다.43) 동강 댐은 강원도 지역 식수난과 용수난을 위해 계획된 댐이었다. 댐 건설로 많은 지역의 물 공급이 원활해질 것이라고 예상하였으나, 동강 자체의 비경과 생태계가 파괴된다는 여론에 부딪혔고 결국 백지화되었다.

이 일은 우리 사회의 21세기를 여는 상징이라고 부를 수 있을 만큼 의미가 깊은 사건이었다. 그 당시 남한강 상류 강원도 영월에 동강 댐이 건설될 경우 수도권 상수원인 팔당호 수질도 악화될 가능성이 큰 것으로 지적됐다. 당시 환경부는 「영월다목적댐 건설사업 환경영향평가 추진상황 보고서」를 통해 현재 생물학적 산소요구량(BOD)

---

42) 동강은 조양강과 동남천이 합쳐지는 정선군 정선읍 가수리에서 영월군 영월읍 하송리 서강과 만나는 합수지점에 이르기까지 장장 50여 킬로미터 길이로 흘러내리는 강줄기를 말한다. 동강이 세인들에게 널리 알려지기 시작한 것은 영월댐 공사계획이 발표된 직후인 1990년대 중반부터였다. 이전까지만 해도 몇몇 사람들이 '물고기가 많이 잡히고 경치 좋은 곳'으로 알고 있을 정도로 동강의 자연에 대해 아는 이는 별로 없었다. 정선과 평창 두 곳에서 흘러내린 남한강 상류의 물줄기는 영월에서 만난다. 두 물줄기 중 영월 북서쪽 평창에서 흘러 내려온 강줄기를 서강, 북동쪽 정선에서 흘러온 강을 동강이라 부른다. 그런데 얼마 전까지만 해도 사람들은 서강은 알아도 동강은 잘 몰랐다. 그것은 서강 강가를 따라 도로가 잘 나 있어 사람들이 길을 오가는 사이 서강에 대해 알 수 있었고, 또한 서강이 동강과 합쳐지기 직전에 단종 유배지로 이름난 청령포도 있어 많은 사람들이 찾았기 때문이다.

43) 정부의 동강 관련 정책은 다음과 같다. ① 1991년 4월 동강 댐(영월 댐) 건설계획 발표 ② 1997년 9월 댐 건설 예정지역 고시 ③ 2000년 6월 5일 환경의 날 김대중 대통령 '동강 댐 건설 백지화' 방침 발표 ④ 2001년 12월 강원도 동강유역 자연휴식지 지정 ⑤ 2002년 8월 환경부 동강유역 자연생태계 보전지역 지정.

1.3-1.7으로 2급수인 강원도 영월 동강에 댐이 건설되면 한강 상수원 수질목표인 1등급 달성이 어려워질 것이라고 전망했다. 특히 댐 건설로 물이 정체되면 부영양화와 녹조 발생으로 여름철에는 오염도가 크게 높아져 팔당호 수질에 영향을 미칠 것으로 우려했다. 환경부는 이와 함께 한강 유역에는 생활용수 등 연간 약 9억 톤의 물이 남아돌기 때문에 수자원 확보를 위해 7억 톤 규모의 동강 댐을 건설해야 한다는 건설교통부의 주장은 설득력이 떨어진다는 입장을 보였다.[44] 즉 건설교통부는 1996년 말 "2011년 51억 톤의 물부족에 대비해 34개의 신규 댐 건설을 추진하겠다."고 발표했으며 국무총리실 산하 수질개선기획단의 '98 물 관리 종합대책'도 건교부의 댐건설 계획을 그대로 반영하였다. 당시 환경운동연합은 정부가 물부족 문제를 해결하기 위해 추진 중인 한탄강 통일 댐과 영월 동강 댐 등 34개의 신규 댐 건설 계획을 전면 백지화하라는 요구를 국회에 제출하였다. 환경운동연합은 국회에 낸 제안서에서 "자체 분석 결과 건교부가 25억 톤의 용수 수요를 과다 예측한 것으로 판단된다."면서 "건교부의 예측자료는 불필요한 댐을 건설하는 데 예산을 낭비하면서 엄청난 환경재앙만 초래할 것"이라고 주장했다. 또한 노후 수도관 교체, 중수도 시설 확대, 물값 인상 등을 통한 절수정책으로 21억 톤의 물을 절약할 수 있고 숲 가꾸기를 통해 수자원을 함양할 수 있기 때문에 추가 댐 건설은 필요 없다고 밝혔다. 환경운동연합은 "이제는 공급보다 수요 위주로 물 관리 정책을 적극적으로 펴야 하고 동강 댐이나 팔당호 문제가 더 이상 발생하지 않기 위해 물 관리의 일원화가 시급하다."고 주장했다.[45]

이와 같이 동강 댐 건설 백지화는 한편으로 20세기 내내 우리 사회가 지향하던 근대화, 산업화, 개발과 경제의 상징이라는 지배적인

---

44) 『중앙일보』, 1998년 8월 30일자.
45) 『중앙일보』, 1998년 10월 19일자.

가치가 충분히 다른 가치로 대체될 수 있다는 가능성을 확인해 준 사건이었다. 다른 한편으로 사람들이 지니고 있는 통념과 지배적인 문화를 해체하고 대안적인 가치관과 문화를 창조해 내는 과정을 문화운동이라 정의할 수 있다. 지금까지 활발히 진행되었던 우리 환경운동이 그동안 "사람들을 지배해 오던 가치관을 바꾸는 문화운동"46)에 성공한 것이라 평가할 수 있다. 시민운동이든 환경운동이든 사람들을 유인할 뛰어난 문화전략 없이는 성공을 보장받을 수 없다. 환경운동의 과정에서 문화는 이미 사람들에게 다가서는 무시하지 못할 도구가 되었다. 음악회를 열어 후원금을 모으고 연극을 공연하면서 환경에 대한 의식을 고양한다. 이처럼 도구로서의 문화는 사회운동을 뒷받침하는 데 매우 중요하다. 동강의 경우는 위에서 언급한 두 가지 차원의 문화운동이 병행되었다. 환경운동 진영은 동강 댐 건설 저지를 목표로 문화의 기제들을 도구로 활용하였다. 하지만 그 과정에서 사람들은 '자연의 심미적 가치'라는 새로운 기준을 선택하게 함으로써 이제까지의 지배적인 통념을 해체하는 문화운동에도 성공할 수 있었다.

2) 서울 용산 미군기지의 생태공원화 운동

2004년 한미 양국은 용산 미군기지47)를 2008년까지 반환하기로 합의했다. 지난 60여 년간 용산 미군기지는 수도 한복판에 외국군 주둔이라는 치욕의 상징이었다. 서울시민은 용산기지의 존재로 인해 미군이 일으킨 온갖 범죄와 환경오염, 교통문제를 겪어야 했다. 그러나 용산 미군기지 반환은 또 다른 문제를 가져왔다. 먼저 이전 부지인

---

46) 윤형근, 「생명을 위한 삶과 사회적 총체적 변혁」, 『녹색운동의 길잡이』, 환경과 생명, 2002, 185쪽.
47) 용산 미군기지는 좁은 의미에서는 용산구에 위치한 기지를, 넓은 의미에서는 서울시내에 있는 기지를 총칭하는 것이다.

평택 대추리 주민들의 고통을 불러왔고, 정부추산만으로 최소 5조-6조 원에 달하는 주한미군 재배치 비용을 한국이 부담해야 하는 것이었다.[48] 하지만 지난 노무현 정부는 입으로는 용산 기지 87만 평을 시민의 품, 국민의 품에 돌려준다고 말하면서도 건설교통부를 앞세워 '용산 민족·역사공원 조성 및 주변 지역 정비에 관한 특별법'을 추진하였으며, 기지 이전 비용 5조 원을 마련하기 위해 용산 기지의 고밀도 개발을 하기 위한 술책을 썼다. 윤준하 환경운동연합 대표는 "매년 정부, 특히 건교부의 안일한 대응 때문에 날리는 연간 재해 피해액이 13조 원에 달하는 것을 염두에 둔다면 기지 이전 비용 5조 원을 마련하는 것은 건교부의 몫이 되어야" 하며, "한국수자원공사를 비롯한 무능한 공공기관의 축소만으로도 5조 원은 충분히 마련할 수 있다."고 밝혔다.

용산구에 위치한 기지는 본기지인 메인포스트와 사우스포스트가 있고 주변기지로는 캠프킴, 캠프코이너, 수송단, 유엔컴파운드, 용산 헬기장, 기지 내 국방부 부지, 한남빌리지 등이 있는 총 87만 평 규모이다. 그 가운데 약 30만 평이 정부의 매각과 주한미군의 재사용으로 인해 용산 기지를 공원화하는 데 막대한 차질을 주는 것으로 밝혀졌다.[49] 2004년 4월 환경부가 작성한 대외비 문서인 「환경오염복원비용 보고서」에 따르면 81만 평에 달하는 메인포스트와 사우스포스트 중 60%만 공동조사하고, 이 중 2만 4천여 평만 오염되었다고 해도 토양오염 치유를 위해 931억 원의 비용이 들 것이라 추산했다. 이 보고서는 토양오염 치유만을 가정한 것이기 때문에 지하수오염 제거와 발암물질인 석면 제거, 폐기물 처리 비용을 계산한다면, 용산 미군기지 오염 치유만으로 수천억 원이 들 가능성이 크다.[50] 이러한 사정에

48) 이형수, 「미군만 좋은 용산 미군기지 반환협상」, 『환경운동연합』, 2006년 9월호, 52쪽.
49) 『세계일보』, 2006년 8월 16일자.

도 불구하고 2006년 7월 14일 한미 당국은 용산 미군기지를 포함하여 2008년까지 반환될 총 59개 반환예정지 중 19개를 반환받기로 합의하면서, 반환기지 환경오염 치유 대부분을 우리 국민이 부담하게 하는 굴욕적인 협상을 하였다. 건설교통부는 2006년 7월 27일 향후 반환될 용산 미군기지 부지 일부를 아파트, 주상복합 등 주거시설과 상업·업무·문화 시설 등을 복합용도로 개발하고, 이를 위한 「용산 민족·역사공원 조성 및 주변지역 정비에 관한 특별법」을 추진한다고 밝혔다. 그런데 2006년 8월 24일 행사를 주관한 '용산 민족·역사공원 추진위원회'의 면면을 보면, 이 위원회의 위원장인 선우중호 씨는 20년 전에 '평화의 댐'을 주도했던 대표적인 토목공학자이다. 다른 위원도 생태공원 조성, 문화유산 복원과는 거리가 먼 인사들로 구성되었다. 이런 상황에서 특별법이 만들어지면 모든 주도권이 건교부와 건설 전문가들에게 넘어간다. 그렇다면 고밀도 개발은 필연적일 공산이 크다. 이미 용산 기지 터의 3분의 1은 비즈니스센터, 3분의 1은 주상복합단지로 조성하는 방안이 검토되고 있는 것으로 알고 있다.

2006년 8월 24일 노무현 대통령이 '용산 기지 공원화 선포식'에 참석한 것과 관련해 시민단체는 국민을 기만하는 술책에 불과하다며 강하게 반발했다. 겉으로는 용산 기지를 공원화겠다고 하면서 사실은 고밀도 개발을 하려는 게 정부의 의도라는 것이다. 녹색연합, 문화연대, 환경운동연합 등 시민사회단체 회원 50여 명은 이날 오전 행사가 진행된 용산구 용산동 국립중앙박물관 서문 앞에서 기자회견을 갖고 노무현 대통령을 강하게 비판했다.[51]

요컨대 용산 미군기지는 우선적으로 환경오염, 문화재 실태 조사를 해야 한다. 용산 기지의 환경오염 문제가 그만큼 심각하기 때문이다.

---

50) 이형수, 앞의 글, 53쪽.

51) www.pressian.com/2006-08-24.

반환 미군기지 환경오염 관련 협상에서 정부는 이미 무능함을 보여주었다. 용산 기지의 심각한 환경오염 역시 그렇게 될 가능성이 높다. 용산 기지의 환경오염에 대한 미군 측의 책임을 제대로 묻지 않는다면 공원화 과정에서 우리 정부의 부담도 크게 늘어날 것이다. 따라서 2008년 용산 미군기지의 반환은 후세대에게 총 80여만 평에 달하는 기지 부지를 아름다운 공원으로 물려주는 사업과 연계되어 있다. 정부의 어설픈 정책으로 인해 시민의 이해와 요구를 배제한 공원화 사업이 되지 않아야 할 것이다.

3) 서울 은평구 한양주택 생태마을

서울시 은평구 진관내동 440번지, 도심지 자락의 끝 통일로 입구에 북한의 탱크를 저지하기 위해 만들었다는 한양주택 220여 가구가 있다. 똑같은 모양으로 생긴 단층 양옥단지 한양주택은 1978년 박정희 대통령의 지시로 만들어졌다고 한다. 이 마을은 1972년 7·4 공동성명 이후, 남한체제의 우월성을 보여주기 위해 북의 대표단이 차량으로 이동하는 경로에 '보여주기식' 주택단지를 조성한 것이다. 한양주택은 처음에는 시멘트 덩어리로 탱크를 막기 위해 만들었다는 말이 나올 정도로 시멘트 구조물로 덮여 있었다고 한다. 하지만 1996년 서울시가 '아름다운 마을 제1호'로 선정할 정도로 변화했다. 처음에는 정치적 목적으로 조성되었지만, 지금과 같은 꽃과 나무가 어우러진 주택단지를 만든 사람은 그곳의 주민들이었다. 이렇게 한적한 동네에 평지풍파가 몰아친 것은 이명박 서울시장이 강남·강북 지역의 균형 발전과 강북 주민들의 삶의 질적 향상을 명분으로 야심 차게 추진한 뉴타운 개발 때문이다.[52] 즉 2003년 서울시와 SH공사가 발표한 은평 뉴타운 개발계획에 한양주택 일대가 포함된 이후, 한양주택은 현재

---

52) 송근, 「한양주택, 제발 그대로 놔둬라」, 『한겨레 21』, 2006년 2월 14일자, 28쪽.

전면철거의 위협을 받고 있다.

서울시와 SH공사는 한양주택을 철거한 자리에 생태전원아파트를 짓는다고 발표하였다. 문제는 아파트단지가 과연 생태적일 수 있을까 하는 의문이다. 은평 뉴타운 개발계획이 발표되자마자 한양주택 주민들은 자신들의 터를 위해 싸움을 시작하였다. 시청 앞 1인 시위, 기자회견, 집회 등을 가졌고 국가인권위원회와 고충처리위원회에 도움을 요청하는 등 박정희, 이명박 식 신개발주의에 맞서 싸웠다. 그러나 서울시는 한양주택 주민들의 개발반대의사에 대해 "주민의견으로 개발 여부를 결정하겠다.", "3지구라 시간이 많고 주민의사를 존중하겠다."는 등 거짓말로 주민들을 속여 왔다. 문제는 실제로 뉴타운 개발 이후 원주민의 재정착률이 채 10%도 못 미친다는 데 있다.53) 지금까지 한양주택을 지키기 위한 싸움을 통해 주민들 자신이 공동체를 강화하였다. 그리고 주민들은 무분별한 개발사업의 문제점을 체험하며 이에 대한 반대운동을 지속적으로 벌여 나갔다. 특히 생태적이고 문화적인 가치나 주민자치의 필요성을 인식하며 스스로의 삶을 만들어 나가고 있다.

우리는 한양주택의 문제를 통해서 도시공간의 문화·생태적 재생의 중요성을 새롭게 인식하는 계기가 되었다. 다시 말해 한양주택의 주택적, 건축적, 토목적, 정치적, 문화적 가치는 우리가 한양주택을 통해서 서울이라는 도시공간을 문화·생태적으로 재생할 수 있는 기회를 얻게 됨을 말해 준다.54) 결국 한양주택의 문제는 인권의 문제뿐만 아니라 거주권, 행복추구권, 문화권 등 미래지향적이고 생활친화적인 삶의 형태에 심대한 침해인 것이다.

---

53) 최준영, 「한양주택을 통해 상상하는 도시공간에서의 생태와 문화」, 『환경운동연합』, 2006년 5월호, 50-52쪽.
54) 같은 글, 252쪽.

4. 맺는 말

1982년 유엔총회에서 채택한 세계자연헌장의 이념은 1975년 자연 및 자연자원 보호를 위한 국제연맹(International Union for Conservation of Nature and Natural Resources, IUCN) 자이레 회의에서 작성한 초안에 근거한다. 이 헌장에서 담고 있는 특징은 다음의 두 가지이다.

첫째, 자연보호원칙으로 제시된 24개 항목은 인간의 도덕적 의무와 당위성에 호소한 것이다. 이 헌장은 인간이 자연의 한 부분임을 밝히고, 문명은 자연에 뿌리를 두고 있음을 선언하면서 인간 이외의 모든 형태의 생명은 독특하고 존중되어야 하며, 인간은 이러한 인식에 합당한 도덕적 행위규범에 의해 지도되어야 한다고 선언한다.

둘째, 이 선언문은 자연세계의 파괴 및 악화의 원인을 한편으로 지나친 소비와 자연자원의 오염에서, 다른 한편으로 합리적인 경제질서 수립의 실패에서 찾고 있다.

따라서 이 헌장은 자연에 영향을 미치는 인간의 행동이 지도되고 판단되는 근거로서 5개 보호원칙을 채택하였다. ① 자연존중, ② 지구상 모든 종들의 배타적 생존 가능성, ③ 이 두 원칙에서 배제되는 지역은 없어야 한다. ④ 생태계와 유기체들은 최적의 지탱 가능한 생산성을 유지하도록 관리되어야 한다. ⑤ 전쟁으로 인한 파괴로부터 자연은 보호되어야 한다.[55]

이것은 후에 지속 가능한 발전이란 개념으로 수렴되었다. 따라서 위의 생태문화운동에서 보았듯이, 개발계획을 세울 때는 '지속 가능한 개발'의 원칙을 지켜가야 한다. 새로운 환경 및 사회질서를 모색할 때는 생태환경 측면에서 건전하고 새로운 미래를 기약할 수 있는

---

55) 문순홍, 『정치생태학과 녹색국가』, 164쪽.

곳이 바로 제3세계라는 것을 인식해야 한다. 따라서 이러한 곳을 찾아낸 후에 농업과 산업, 주택, 급수와 위생, 의료, 문화 등의 토착적 시스템 속에 담겨 있는 기술적, 문화적 지혜를 다시 찾아내야 한다.[56]

우리의 현 상황과 미래에 대한 냉정한 평가는 유토피아주의자들의 낙천적인 미래상과 대립된다. 유토피아주의자들의 버팀목은 다음 둘 중 하나이다. 자연의 총아인 인간은 자연이 정해 놓은 법칙에 따라 가파르게 발전해 나갈 것이라는 믿음, 또는 인간 스스로 예상하지 못했던 자신의 종(種)으로 만들어나갈 것이라는 희망이다. 이러한 희망을 키우는 자양분은 "한편으로는 환경적 영향 즉 교육이며, 다른 한편으로는 유전자 조작을 통한 내부로부터의 변화 가능성이다."[57]

첫째, 인간 자신이 최대의 자연재앙이다. 지구가 인간의 손에 의해 비교적 짧은 시간 안에 매우 처참하게 변했기 때문이다. 무엇보다 인간 중심의 시대는 황폐화와 몰살의 시대를 의미한다. 둘째, 인간의 인식능력이 비교적 단시간에 개선된 사실은 부인할 수 없다. 하지만 인간은 이러한 인식능력을 주로 지구상에서 지배권을 획득하는 데 사용하였을 뿐만 아니라 그 과정에서 다른 종들은 전혀 배려하지 않았다. 혹시 비슷한 능력을 갖춘 종들이 인간에게 똑같은 행동을 하지 않을까 염려했던 것이다.[58] 현재 자연의 재앙은 자연이 직접 일으킨 것이든 인간이 불러일으킨 것이든 간에 문화적 현상에 기반한다. 여기서는 인류가 어떤 시대에 살고 있고 각 민족들이 자신의 정치지도자들에게 무엇을 기대하든 전혀 상관이 없다. 확실한 것은 정치지도자들이 최소한 우리 자신이 일으키는 재앙들로부터 지켜줄 수 있다

---

56) 헬레나 노르베리 호지 · 반다나 시바, 앞의 책, 67쪽.
57) 프린츠 브케티즈, 박종대 옮김, 『자연의 재앙, 인간』, 시아출판사, 2004, 210-211쪽.
58) 같은 책, 278쪽.

는 소박한 믿음이다. 하지만 정치지도자들은 그렇게 하지 않고 오히려 재앙을 가속화시켰다.

오늘날 동서를 막론하고 산업국가의 정치지도자들은 앞장서서 생태계를 보호하자고 부르짖고, 깨끗한 자연환경을 약속하며, 유해물질의 생산을 법으로 금지하자고 한다. 그러나 그렇게 한다고 해서 자연을 속일 수는 없다. 인간이 이미 자연에 돌이킬 수 없는 엄청난 손상과 위해(危害)를 가하였기 때문에, 그것이 장기적으로 어떤 결과를 불러올지 쉽게 예측할 수 없다. 이러한 현상은 정치인들만의 책임이 아니라 우리 모두의 책임인 것이다. 따라서 생태문화운동은 "단지 자연에 대한 인간의 관계를 새롭게 정의하자는 노력이 아니고 그러한 노력이 동시에 인간성을 지키고, 인권을 보호하는 데 가장 필수적인 일임을 인식하는 운동"[59]이어야 할 것이다.

---

59) 김종철, 앞의 책, 64쪽.

제 4 장

슈펭글러의 문화유기체론 *

괴테와 니체의 문화 영향사를 중심으로

1. 들어가는 말

슈펭글러(Oswald Spengler, 1880-1936)는 그의 주저『서구의 몰락』 (1918-1922)에서 통일적인 세계사의 개념을 부정하고 역사적인 상대주의의 입장을 취하였다. 그는 고대 그리스·로마의 고전문화를 아폴론적이라 일컫고, 거기에 대비된 서구의 근대문화를 파우스트적이라 불렀다. 그에 의하면, 각 문화는 살아 있는 생명체들처럼 출생, 성숙, 쇠퇴, 소멸이라는 일정한 과정을 밟는 유기체이다. 즉 역사는 봄, 여름, 가을, 겨울의 4단계를 거친다. 세계사에서 나타난 대표적 문화들은 이집트, 바빌로니아, 인도, 중국, 고대 그리스·로마, 아랍, 멕시코, 서구인데 이들 모두 약 1천 년 정도 지속되었다. 그는 역사의 발전과정을 문화(culture)와 문명(civilization)으로 구별하기도 했다. 슈펭글러는 지금까지 역사서술의 근본적 과오가 문화와 문명을 단순하게 동일시하는 데 있다고 생각하였다. 하지만 그러한 구분법은 그다지

---

* 이 글은『니체연구』제13집, 한국니체학회, 2008 봄, 67-94쪽에 실렸다.

옳지 않으며 오히려 문화와 문명은 삶과 죽음의 관계와 같다. 예술가의 도취는 문화이고 모방자의 복사는 문명이며, 지방의 소도시들은 문화이고 현대의 대도시들은 문명인 것이다. 문화는 민족영혼의 성숙한 표현이며, 식물과 같이 성장하고 발전한다. 문화는 꽃이 피고 열매를 맺으며 그리고 약 1천 년 이후에는 사멸한다. 따라서 각기 다른 문화의 기원은 서로 비교 가능하다. 예를 들어 그리스의 소피스트들은 서양의 계몽주의자들과 비교할 수 있다. 민족이란 문화 이전에는 근원민족이고 문화 내에서는 국민이며 문화 이후에는 토착농부이다. 실질적으로 역사는 오직 국민만이 가지며 그 밖의 것은 민족의 의미 없는 융성과 몰락일 따름이다.[1)

슈펭글러에 의하면, 역사란 그가 문화라고 부르는 자족적인 개별단위의 연속이다. 모든 문화는 그 자체의 특유한 성격을 지니고 있으며 생과 발전의 영역을 기술한다. 그러나 각각의 문화는 유기체와 유사한 순환관을 가졌다는 점에서 다른 문화도 이와 같다. 문화는 원시사회의 미개로부터 시작하여 정치제도, 예술, 과학 등을 점차 발전시키지만, 처음에는 거칠고 고대 풍으로 가며 그 다음에 고전시대로 개화되어 가고, 그 이후에는 퇴락으로 응결되며 마지막으로 상업화되고 세속화되는 새로운 유형의 미개상태에 빠지면서 생을 마감한다. 그리고 이러한 퇴폐된 상태에서 아무것도 새로운 사실은 나오지 않고 그 문화는 사멸하여 창조력은 점차 소진된다. 나아가 각 단계의 순환과 시간은 일정하게 진행된다. 이렇게 슈펭글러에게 있어서 문화는 오랜 기간에 걸쳐 생성소멸의 순환과정을 겪는다. 나는 이러한 슈펭글러의 문화유기체론에 근거하여 괴테와 니체의 문화 영향사를 중심으로 세분화하여 살펴보고, 슈펭글러의 문화유기체관이 현대사회에 어떤 의의를 갖고 있는지를 고찰하고자 한다.

---

1) 요하네스 피셜, 백승균 옮김, 『생철학』, 서광사, 1987, 38-39쪽.

2. 문화유기체론

1) 역사의 순환론

슈펭글러의 문화유기체론의 특징은 문화와 생물유기체의 발전과정이 아주 유사하다는 관점에서 역사의 순환론을 펼쳤다는 점이다. 이러한 순환론은 고대 그리스의 역사관이나 근대 이탈리아의 철학자인 비코(Vico Giovani Battista, 1668-1774)의 견해에서도 잘 드러나 있다. 비코에 의하면 역사는 각각의 사실에서 일정한 경향과 순환을 추측할 수 있다. 즉, 그는 발전과정을 통해서 역사의 주기적인 운동을 파악하고자 하였는데, 이러한 방법은 역사철학의 한 원리를 제공하였다. 특히 이러한 그의 역사철학의 방법은 토인비(Arnold J. Toynbee)의 비교문명론에서 두드러지게 나타난다. 슈펭글러가『서구의 몰락』에서 분석했던 것과는 달리 토인비는 문명이 반드시 사라지는 것은 아니라고 생각했다. 토인비는 경험적인 조사의 사료에 근거하여 순환과정을 제시하였다. 특히 토인비는 고대 그리스 시대 이후로 희석되었던 역사의 반복성에 근거한 순환사관을 다시 강조함으로써 고대와 현대 사이에 철학적 동시대성을 발견하고, 역사의 기초를 문명에 두었다. 즉 토인비는 문명을 유기체처럼 간주하면서 문명이란 발생, 성장, 소멸의 과정을 주기적으로 되풀이한다고 보았다.[2]

아울러 슈펭글러는 경험적인 역사가들이 주장했던, 고대-중세-근대라는 도식적인 시대분류와 한동안 유행하던 직선적인 역사해석에 이의를 제기했다. 왜냐하면 고대-중세-근대의 시대구분은 발전사관이 낳은 낡은 시대구분에 불과했기 때문이다. 이러한 시대구분은 서양의 역사를 기준으로 설정하면서 세계사 전체를 조망하고자 하는 의도에서 생겼다. 그것은 서구문화가 인류역사에서 최고로 발전한 단계이고

---

2) 안건훈,「슈펭글러 · 토인비의 문명사관」,『역사와 역사관』, 서광사, 2007, 167쪽.

비서구사회는 그보다 한참 뒤떨어진 미개한 단계에 있다는 서구중심의 발전사관이 낳은 시대구분이었다. 이러한 발전사관에 근거한 시대구분은 문화의 이질성을 무시하고 모든 문화는 동질적이라고 획일화시킨다. 슈펭글러는 이러한 문화의 획일화에 이의를 제기하면서 유럽중심주의 역사에서 벗어나 그 범위를 인류의 역사로 확대하고자 했다. 슈펭글러는 자신의 역사관을, 프톨레마이오스의 천동설에 대해 지동설을 주장한 코페르니쿠스에 비유하여 코페르니쿠스적 전회로 파악했다.[3] 이렇게 하여 슈펭글러의 새로운 방법은 본질적으로 고대-중세-근대라는 전통적인 시대구분의 역사를 배격하고 그 자리에 문화나 문명들의 비교연구를 대체하였다.

슈펭글러의 문화유기체론은 괴테와 니체의 사상을 연관시켰다. 슈펭글러의 핵심사상은 인류문명에 대한 침울한 비관적 운명이었다. 그에게 인류의 역사는 생물체로서의 의지나 목적이나 계획 없이 정해진 과정만을 그대로 밟지 않으면 안 되는 운명유기체였다. 인류의 문화들은 생물유기체들과 마찬가지로 유사성(homology)의 원칙에 따르기 때문이다. 그에 의하면, 종(種)이 서로 다른 생물체들은 그 개성이나 개체들이 제각기 다르더라도 그 기관들이 유사하듯이, 문화들도 그 특성들이 다를지라도 그 기본적인 생성노사(生成老死)는 같다는 것이다.

슈펭글러의 문화유기체론의 기원은 아주 오래되었다. 사회유기체론은 플라톤과 아리스토텔레스에게서 유래하였으나, 그것을 역사관에 적용한 것은 헤르더(Johann Gotfried Herder, 1744-1803)가 처음이다. 헤르더는 『인류역사의 철학에 대한 이념(*Ideen zur Philosophie der Geschichte der Menschheit*)』(1784-1791)에서 인류문화가 유기적 통일체임을 강조하고 각 문화의 정신은 인류의 전반적 발전을 위해

---

3) 같은 글, 165쪽.

독자적 공헌을 한다고 주장하였다. 슈펭글러는 『서구의 몰락』에서 단일한 직선적인 역사발전을 거부하고 여러 문화권이 마치 살아 있는 생물체의 진화와 같이 성장과 소멸의 길을 걸어가고 있으며 그에 대한 예측도 가능하다고 보았다. 독일이 제1차 세계대전에서 패망했던 1918년에 첫 권을 낸 슈펭글러는 역사관의 코페르니쿠스적인 혁명을 요구하면서 종래의 삼분법을 크게 비판하였다. 그의 역사철학은 문화의 '비교형태학'이며 그것은 문화의 생활형태, 리듬, 법칙 등을 탐구해야 한다는 주장이다.

슈펭글러에 의하면, 문화는 통일적 관념을 갖는 어떤 집단의 모든 활동이다. 즉, 문화는 예술, 종교, 정치, 군사 등을 알려주는 일종의 정신적 형성물이며 사람들이 생활하는 공간에 대한 독특한 관념으로 표현된다는 것이다. 예를 들어 세계문화 9개(혹은 10개) 중에서 고대인은 구체적이며, 현세적인 아폴론적 공간의 표현을 지니고 있으며, 현대 서구인은 무한히 뻗어 나가려는 확장에 대한 파우스트적인 공간 감각을 소유하고 있으며, 이집트인은 1차원적 공간 감각을, 러시아인은 평면적 감각을, 아랍인은 신비적 공간 감각을 각각 갖고 있다는 것이다. 특히 슈펭글러의 역사관의 특징은 역사를 생물학적으로 해석하고자 한 것이다. 문화는 생물체처럼 생활주기를 유지하고 있으며 나이를 먹어 가면서 질적 변화를 하게 된다. 이른바 문화는 춘하추동의 사계에 비유된다. 예를 들어 서구문명의 경우, 봄에 해당하는 중세기는 농업시대로서 강력한 신비적 종교가 나타나고, 여름의 르네상스기는 도시가 대두한 시기로서 개성적인 예술가들을 출현시키며, 가을의 18세기는 상공업의 전성과 중앙집권적 군주제의 시기로서 철학의 도전에 의한 종교의 후퇴를 보이고, 겨울로 넘어가는 제국주의 시대는 대도시, 프롤레타리아 계급, 정치적 탄압, 부단한 전쟁 등이 나타나는 시기로서 회의론과 물질주의의 팽배를 목격한다. 슈펭글러는 그의 문명형태론의 법칙을 탐구하면서 미래를 예측하는 기본이라고 믿고 있었으며 문화의 탄생에서 죽음에 이르는 기간을 약 1천 년으로 생각하여 각 문화의 역사적 생성을 예견하였던 것이다.[4]

그에게 있어서 역사형태학의 가치는 외적 분석, 일반법칙의 정립, 그리고 과학적인 원리에 따라 미래의 예언을 한 것이다. 특히 주변의 여러 사건들은 유기적으로 성장하는 것이 아니라 고립된 것으로서 종종 실증주의적인 관점에서 파악된다. 슈펭글러의 역사형태학은 거대한 사실의 다발, 서로 일정한 내부구조를 갖고 있지만, 비역사적이고 객관적 사실로써 규명된다. 그래서 그의 역사형태학은 ① 공간적, 시간적이며, ② 형태학적 즉, 구조의 동일성에 상호 관계한다. 슈펭글러의 비역사적이고 자연주의적 역사의 관념은 모든 문화의 내부의 과정을 인식하고자 한다. 한 문화에 있어서 여러 단계들의 계기는 도식적인 역사적인 전개과정이 아니라 촌충의 생명의 알, 유충, 번데기, 성충과 같은 각 단계를 거치는 계기와 다름없다. 그리하여 그의 역사관은 과거가 현재에 보존되는 정신적 과정으로서 역사과정의 관념을 모든 측면에서 부정한다. 문화의 모든 단계는 시간이 경과하면서 그 안에 살고 있는 개인들이 무엇을 하든지 전혀 상관없이 자동적으로 다음의 단계로 전환된다. 나아가 어느 문화가 다른 문화와 구별되고 내부의 모든 항목을 규정하는 고유한 특성들은 그리스 문화이건 서구문화이건 간에 정신적인 노력을 통해 성취한 생의 이념으로 파악하지 않는다. 예컨대 흑인들의 검은 피부 색소나 스칸디나비아인의 파란 눈과 마찬가지로 그 특성들은 자연적인 자산에 속해 있을 뿐이다. 슈펭글러 이론의 전반적인 기초는 이처럼 인위적으로 역사적인 것으로 만들고자 하는 시도를 배제하고 자연주의적 관점으로 전환하고자 하는 신중하고도 끈질긴 시도였다.[5] 따라서 슈펭글러의 관점에서 문화들은 생물학적 존재와 같이 생성(生成)과 노사(老死)를 되풀

---

4) 차하순 편, 『사관이란 무엇인가』, 청람, 1978, 20쪽.
5) R. G. 콜링우드, 김봉호 옮김, 『서양사학사』, 탐구당, 1984, 277-279쪽.

이할 뿐이고, 문화들 상호간에는 아무런 공통성이 존재하지 않으며 절대적이고 독자적인 고유성을 갖는다. 결국 슈펭글러에게 있어서 각 문화는 특유한 개성을 갖고 있을 뿐만 아니라 다른 문화의 영향을 받지 않으며, 비록 영향을 받는 일이 발생한다고 할지라도 결코 개성에 변화를 주지 않는다. 그래서 그의 문화이론에서는 문화의 이식이나 동화(同化)가 전적으로 배제되어 있다. 그러면 각 문화의 고유성은 어떻게 형성되며 그 고유성에는 구체적으로 어떠한 내용이 있는가?

2) 문화의 주요 상징

슈펭글러에 의하면, 각 문화에는 고유한 주요 상징(prime symbol) 이라는 것이 있으며, 이것이 각 문화의 구석구석에까지 철저히 뻗어 있어서 각 문화의 고유한 기본적이고 본질적인 특성을 만들어내고 있다. 여기서 주요 상징은 각 문화의 과학, 철학, 종교, 예술, 사고방식, 행태양식 등을 기본적으로 결정한다. 각 문화 안에는 일정한 기본적 태도가 생활과 사상의 모든 영역에 걸쳐 침투해 있다. 그 기본적인 태도를 가장 쉽게 확인할 수 있는 영역은 미학적 영역, 즉 조형예술과 음악, 건축 등이다. 그리고 경제, 군사, 정치의 행태에도 동일하게 깊은 영향을 미친다. 여기서 기본적 태도는 문화의 고유한 주요 상징을 나타낸다. 고대문화의 주요 상징은 넓이의 이상형으로서 감각적으로 표현된 개체의 아폴론형이며, 서양문화의 주요 상징은 순수하고 무한한 공간의 파우스트형이다.[6] 예를 들면, 나체 조각상은 아폴론적이고 푸가 기법[7]은 파우스트적이다. 아폴론형은 기계적인 정역

---

6) 노명식, 「슈펭글러의 사관」,『현대역사사상』, 정우사, 1978, 62쪽.
7) 푸가(영어 fugue, 독일어 fuga)는 음악형식의 하나를 일컫는 말로서, 돌림노래나 카논처럼 한 성부를 다른 성부가 뒤따라오면서 모방하여 곡을 전개시켜 나가는 것을 말한다. 푸가는 특히 바흐 음악의 기법에서 그 묘미를 느낄 수 있다.

학(statics), 올림피아 신들의 감각적 예배, 정치적으로는 개별적인 그리스의 도시국가들, 오이디푸스의 운명 및 남근상의 심벌 등을 나타낸다. 파우스트형은 갈릴레이의 동력학, 가톨릭과 프로테스탄트의 교의학(敎義學),[8] 바로크 시대의 절대왕조들, 리어 왕의 운명, 단테의 베아트리체에서 『파우스트(Faust)』 제2부의 끝줄에 이르는 마돈나의 이상(理想) 등을 보여준다.[9]

위에서 살펴보았듯이, 슈펭글러에 있어서 아폴론형의 주요 상징과 파우스트형의 주요 상징이 각각 고대문화와 서양문화의 예술, 과학, 종교, 정치, 문학 등 모든 분야에 걸쳐 기본적인 성격을 결정한다. 그리고 아폴론형의 고대문화와 파우스트형의 서구문화는 철저히 상호 배타적인 고유한 성격을 죽을 때까지 집착한다. 모름지기 슈펭글러에게 있어서 문명은 생물체이다. 일정한 단계를 밟고 나면 필연적으로 노쇠하여 수명을 다한다는 것이다. 즉 인류는 목적도 없고 이념도 없고 계획도 없다. 단지 인류는 어떠한 생물학적 표현이며 공허한 말에 불과하다. 따라서 슈펭글러는 하나의 직선적 역사의 허구 대신에 수 많은 힘찬 드라마를 주목한다. 문화는 제각기 자신의 이념, 감정, 생명, 의지와 죽음을 갖고 있으며, 자라고 늙어도 인류는 늙지 않는

---

8) 교의학이란 신학에 철학 내지는 인간학적인 기초를 부여하려는 경향이 남아 있음을 인정하고, 이것을 완전히 청산하기 위한 신학이다. 프로테스탄트 신학은 18세기 이후, 자유주의 신학의 진출과 더불어 교의학 자체의 해체의 징조가 짙었다. 특히 신학자 슐라이어마허 이후의 교의학은 신앙론에 길을 양보하는 듯이 보였으나 20세기의 신학자 칼 바르트는 이러한 동향을 뒤엎었다. 그래서 다시 교의학에의 길을 열고 그 웅대한 교의학 체계를 전개하기에 이르렀다. 이것은 기독교 신학사상의 위대한 업적이었다. 바르트는 그 때문에 근대 자유주의 신학에 근본적 비판을 가하였을 뿐만 아니라, 초기의 동료들인 브루너, 고가르텐, 불트만 등과도 결별해야 했다. 바르트의 영향은 현재 전 유럽의 프로테스탄트 신학계를 압도하고 미국 개혁파 장로교회에 큰 신학적 영향을 끼쳤으며 또 가톨릭권에도 강한 반향을 불러일으켰다.

9) Oswald Spengler, *Der Untergang des Abendlandes, I, -Umrisse einer Morphoologie der Weltgeschichte*, München, 1923, 235쪽.

다.[10] 문화는 꽃이 자라듯 아무런 목적 없이 자라난다. 문화는 유기체이다. 그래서 세계사는 생물학이다. 모든 문화는 소년기, 청년기, 장년기, 노년기를 거친다. 문화의 영혼 속에 타고 있는 불이 꺼지면, 그 문화는 마지막 단계인 문명단계에 이른다. 문화의 쇠퇴기는 곧 문명이며 문명기의 특징은 다음과 같다.

(1) 세계주의의 대도시가 민족, 혈족집단, 그리고 조국에 대립한다.
(2) 과학적인 무종교 또는 추상적인 죽은 형이상학이 종교를 대신한다.
(3) 냉혹한 사실주의가 권위 및 전통숭배와 대립한다.
(4) 국제사회(즉 세계)가 내 나라, 내 국가를 대신한다.
(5) 돈과 추상가치가 땅과 실질가치보다 높이 평가된다.
(6) 민족 대신 대중이, 그리고 모성애보다 이성애가 높이 평가된다.
(7) 제국주의와 도시화 현상이 일어난다.
(8) 문명인의 외향적 정력소모가 문화인의 내향적 정력소모에 대신한다.
(9) 대형숭배가 유행한다.
(10) 여러 학설의 혼합주의가 지배한다.
(11) 권력추구가 격렬해진다.
(12) 통합보다 계급투쟁이 격화된다.[11]

이러한 문명단계는 화석화된 상태로도 수백 년, 수천 년 동안 계속될 수 있는데, 그 실례는 중국, 인도, 이슬람 세계에서 찾아볼 수 있다. 문명의 단계에서 봄, 여름, 가을은 각각 출생, 성장, 성숙의 기간으로 창조적 활동기에 속하며, 문화의 시기이다. 반면에 겨울은 쇠퇴의 기간으로 거대도시(megalopolis)가 나타나서 창조성이 고갈되고 물질적인 안락과 황금만능주의가 판치는 문명의 시기이다.[12] 이 문명

---

10) 같은 책, 78쪽.
11) 같은 책, 77쪽.

시기의 전기에는 금권이, 후기에는 정권이 각각 사회를 지배한다. 그런데 정권만능은 전쟁을 유발하여 마침내는 군국주의와 독재주의를 통해 사회정의를 무너뜨린다.

3. 괴테와 니체

1) 보편적 상징주의

슈펭글러는 역사이해를 두 가지의 관점에서 바라본다. 하나는 광범위한 목표로서 새로운 역사방법론을 과거 다른 시대와 문명에도 적용하고자 하는 것이며, 다른 하나는 좁은 목표로서 1800-2000년에 걸친 서유럽과 미국의 상황을 조명해 보고자 하는 것이다. 그래서 그는 전 세계에 널리 확산된 서구문명의 몰락을 구체적으로 분석하였다. 그는 새로운 역사방법론을 형태론(morphological method)이라 불렀다. 물론 그 이전에도 이와 유사한 방법론은 많이 있었으나, 슈펭글러와 같이 뛰어난 영감을 보여준 방법론은 드물었다.

그가 1923년 『서구의 몰락』 수정판 서문에서도 밝히고 있듯이, 그의 사상은 괴테(Johann Wolfgang von Goethe, 1749-1832)와 니체(F. Nietzsche, 1844-1900)로부터 영향을 받았다.[13] 그는 괴테로부터는 주로 방법론적 측면을, 니체로부터는 총체적인 문제의식을 배웠다. 그는 괴테로부터 자연과학자로서의 사상과 철학자로서의 사상 모두를 물려받았는데, 그가 자연과학자로서의 괴테에게서 발견한 것은 바로 '형태학적인 방법'의 모형이었다. 그는 자연현상을 전체적인 구조에서 관찰하였던 괴테를 칭송하였다. 즉, 괴테는 전체 문명의 영적인 깊이를 나타내는 이른바 주요 현상(urphenomen)을 찾는 과제가 역사가의 주요한 임무라고 주장하였다. 그리고 슈펭글러는 철학자로서 괴

---

12) H. Stugart Hughes, *Oswald Spengler*, New Brunswick, 1992, 104-105쪽.

13) Oswald Spengler, *Der Untergang des Abendlandes*, IX,

테로부터 "일시적인 모든 것들은 단지 은유에 불과하다."는 이념을 물려받았다. 이것은 괴테의『파우스트』마지막 장면에 나오는 내용으로서 슈펭글러의『서구의 몰락』의 주된 주제가 되었다. 괴테에 의하면, 인간의 모든 것들, 그리고 역사의 모든 사건들은 거대한 숨겨진 진리를 반영하는 덧없는 것들에 지나지 않는다. 역사란 일종의 실체를 비추는 그림자놀이이다.14) 다시 말해 역사란 일종의 단편적이고 부분적인 형태로써 영원한 영적(靈的) 구조를 나타내고 있는 사건들과 이념들의 세계이다.

그는 문화가 지닌 보편적 상징주의(universal symbolism)를 내세우면서 그 기초를 이루는 주요 상징들을 제시했다. 슈펭글러의 보편적 상징주의에 의하면, 니체의 관점에 따라 고전문화는 아폴론적인 것, 아라비아 문화는 동방의 배화교의 현안들에 따라 마고스적인 것, 그리고 서양문화는 파우스트적이라고 각각 나누어 불렀다.15) 이렇듯 그는 세계문화의 형태를 크게 아폴론형, 파우스트형, 마고스형의 세 부류로 나누었다. 그리고 문화의 대표성을 지닌 것으로 각각 고대 그리스에서 나타나는 고대문화, 서구문화, 중세의 아랍문화를 제시했다. 이 가운데서 아폴론형은 감각적으로 표현된 개체를, 파우스트형은 순수하고 무한한 공간을, 마고스형은 선과 악 사이에 벌어지는 끊임없는 투쟁을 각각 이상적인 주요 상징들로 내세웠다. 먼저, 아폴론적인 것은 니체가 그리스 예술의 특성을 아폴론 신과 디오니소스 신에서 나온 것으로 추정한 데서 유래한다. 니체는 이들 신을 인간과 자연의 충동과 조화의 관계로서 연결시켰다. 천부적으로 음악가의 재능을 보였던 니체는 자신의 시대인 19세기를 거부하면서 지나간 고전시대에서 오히려 감미로운 멜로디와 음률을 직감하였다. 그것은 바로 음악을 통하여 반복적으로 들려오는 전체 역사에 대한 통찰력이었다.

---

14) H. Stugart Hughes, 앞의 책, 59-64쪽.

15) Oswald Spengler, *Der Untergang des Abendlandes*, 234쪽.

또한 파우스트적인 것은 괴테의 『파우스트』의 주인공 파우스트의 인성을 의미한다. 즉 인간이 우주의 진리와 인간의 행복을 얻기 위하여 수단방법을 가리지 않고 애쓰는 지식적, 합리적, 계산적, 개인적 추구뿐만이 아니라 신만이 가능한 보편으로 자아를 확장시키고자 하는 특징을 의미한다. 이 개념에는 운명적이라는 내용이 포함되어 있다. 마고스적인 것은 그리스어 마고스(Magos)에서 나온 말로서 마술사라는 뜻이다. 마고스적 문화는 신플라톤 철학이 일어나던 4세기경 지중해를 중심으로 한 새로운 문화로서 아폴론적인 것과는 다르게 비형체적, 대수적, 연금술적 문화를 뜻한다.16) 따라서 니체의 분류가 예술의 형식과 내용을 중심으로 구성된 것이라면 슈펭글러의 분류는 주로 시간과 공간을 중심으로 체계화되어 있다.

2) 아폴론적, 파우스트적, 마고스적 문화 유형

슈펭글러에 의하면, 아폴론적 고대문화에는 기계적인 정역학, 올림포스 신들에 대한 감각적인 예배, 정치적으로 개별적인 그리스의 독립국가들, 오이디푸스 운명 등이 기본적인 상징들로 등장하며, 파우스트적인 서구문화에는 『파우스트』 제2부 끝줄인 마돈나의 이상(理想) 등이 그러한 상징들로 나타난다고 한다. 한편, 마고스적인 아랍문화에는 대수학, 점성학, 연금술, 모자이크와 아라베스크, 칼리프 제도, 유대교, 조로아스터교, 기독교, 마니교, 탈고전시대의 종교 등이 출현한다. 아폴론인은 행동과 사색을 묶어 두려 했으며, 인간의 냉정성과 예견할 수 없는 운명을 조용히 받아들이는 고전적인 태도를 눈에 보이는 형태로서 상징화하고자 했다. 반면에 파우스트인은 고대의 획일적인 조각과 유형적인 상황의 비극에 반대하는 대신에 초상화나 개인의 발달에 관한 드라마를 중요시했다. 그들은 고대 아폴론인들이

---

16) 임희완, 『20세기의 역사철학자들』, 건국대 출판부, 2003, 120쪽.

정적인 상태에서 명상한 세계를 동적인 세계로 바라보았다. 한편, 마고스인은 아폴론인이나 파우스트인이 추구하는 합리성이나 논리적인 판단 대신에 논리를 넘어선 절대적인 일치를 중시한다. 만약 신이 한 분이라면 정치와 종교의 분리가 있을 수 없다. 이런 점에서 유대교, 마호메트교를 정교화하는 것은 모두 유사하다.[17] 슈펭글러의 관점에서 각각의 대우주적인 인물들은 공간과 시간의 형식에 대한 자기들의 특수한 표현방식을 지니고 있다. 즉 건축, 조각, 회화, 음악에 대한 자기 자신의 스타일과 문학, 철학, 그리고 정치학에 있어서 자기의 독특한 스타일을 갖고 있다.

그리스 고대문화는 아폴론 영혼의 육체로서 주로 감각적으로 나타난 개체를 이상적인 주요 상징으로서 추구하는 반면에, 서구문화는 파우스트 영혼의 육체로서 순수하고 무한한 공간을 그 주요 상징으로써 추구한다. 그리고 아랍문화는 마고스적 영혼의 육체로서 선악의 끊임없는 투쟁과 비형체적인 것을 주요 상징으로 추구한다. 그렇게 하여 아폴론 고대문화에는, 앞에서 개략적으로 언급했듯이, 기계적인 정역학, 올림포스 신들에 대한 감각적 숭배, 정치적으로 개별적인 폴리스, 오이디푸스의 운명 등이 등장하며, 가톨릭과 프로테스탄트의 도그마, 바로크 시대의 절대왕정, 리어왕의 운명 등이 등장한다. 그는 아폴론적인 것을 질서, 형식, 논리, 수학, 조화, 합법성 등으로 파악하고, 디오니소스적인 것을 변화, 도취, 리듬, 파괴와 창조, 일체성 등으로 파악한다. 전자가 질서와 조화를 통하여 조형적 예술(미술)[18]을

---

17) 같은 책, 117-123쪽; 노명식, 『현대역사사상』, 정우사, 1978; 정항희, 『서양 역사철학사상론』, 법경출판사, 1993, 552-553쪽.
18) 슈펭글러에게 있어서 예술의 표현은 모방이나 장식으로 분류된다. 모방은 시간과 방향 그리고 살아 있는 것에 속한다. 그것은 시, 무용, 음악에 있어서와 마찬가지로 자발적인 예술표현이며, 건축에서 문화의 최초 예술형식인 것이다. 예를 들어 가옥과 성은 자발적인 것이며, 계획된 것이 아니다. 장식이란 것은 일반화된 감정-이념의 한층 자기의식적이며 객관적인 상징이다. 그것은

만든다면, 후자는 리듬과 도취를 통하여 비조형적 예술(음악)을 만든다. 전자가 비극예술(인간의 생)의 수동적 힘이라면, 후자는 능동적 창조의 힘이 된다. 그러므로 인간은 전자 속에서 개별원리를 깨닫는 반면에, 후자 속에서 개별의 원리를 벗어나 생의 본질과 합류한다.[19]

아폴론인(고대인)은 그들의 행동과 사색을 시간적으로 여기저기에 묶어 두려고 하며, 규모라든지 거리와 같은 개념들을 혐오한다. 그들의 도시국가가 작은 범위로 견고하게 둘러싸여 있고, 사원이 주랑으로 둘러싸여 있으며, 기하학의 이상적 모양들, 더 나아가 인간의 냉정성과 예견할 수 없는 운명을 조용히 받아들인다. 그리고 이러한 기하학적 이상의 모양들은 고전적 태도를 눈에 보이는 형태로 상징화하여 조화로운 윤곽과 침착한 태도로 표현된 독자적으로 서 있는 유형적인 나체상을 나타내 보인다.

아폴론인의 나체상과는 대조적으로 파우스트인(서구인)을 상징하는 것은 둘 이상의 성부가 번갈아 연주되는 이른바 푸가 기법이다. 마우루스와 괴테의 영웅인 파우스트인은 관계 뒤에 숨어 있는 영원한 휴식과 획득할 수 없는 무한한 세계를 추구한다. 그들은 하늘을 향하고자 하는 중세의 사원으로부터 시작하여 르네상스와 17세기 미술의 원근법과 색채에서 그 탈출구를 찾았다. 드디어 영적 무한성을 추구하기 위한 추상적 언어로 구사하려는 음악에서 끝을 맺었다. 파우스트인은 최고 개인주의자로 군림하면서 고대의 획일적인 조각과 유형적인 상황의 비극에 반대하였으며, 대신 초상화와 개인의 발달의 드라마를 추켜세웠다. 그들은 고대인들이 정적인 상태에서 명상한 세계를 동적인 움직임으로 바라보았다. 그들은 거리를 극복하기 위하여

지식과 숙달을 필요로 한다. 즉 ① 파우스트적인 문화에서 로마네스크의 건축과 조각, ② 마고스적 문화에서 초대 기독교의 지하묘의 회화, ③ 애굽적 문화에서 제4왕조의 열주대청들이 그것이다.

19) Oswald Spengler, *Der Untergang des Abendlandes*, 239쪽.

가장 고상한 상징들(코페르니쿠스의 우주관, 개척자의 신앙)을 만들어냈다.[20]

마고스인(아랍인)은 인생을 빛이 스며드는 하나의 동굴로 간주한다. 그리하여 그들에게 가장 중요한 것은 빛과 암흑의 대조이다. 그들의 이와 같은 이원론은 끊임없는 선과 악의 투쟁을 중요하게 간주한다. 그리스인과 로마인들의 조직적인 합리성은 공허할 뿐이다. 그들은 고대와 서유럽의 인격적이며 논리적인 판단 대신에 논리를 넘어선 절대적인 일치를 내세운다. 만약 신이 한 분이라면, 정통적 집단 또한 정신과 신념이 일치해야 한다. 따라서 아랍세계에서 정치와 종교의 분리란 불가능하며 무의미한 일이다. 이러한 차원에서 로마와 유대교, 마호메트교, 정교회는 모두 유사하다.[21] 궁극적으로 슈펭글러는 각 문화에 주요 상징을 설정함으로써 그들 문화의 독자성과 독립성을 기초로 하여 역사의 비교연구를 가능하게 하였으며, 나아가 각 문화의 특징을 이해하는 데 많은 도움을 주었다.

3) 문화의 마스터 패턴

전체 문화의 고유성과 특성은 모든 생활과 사상에 스며들어 있는 기본적 태도에 깃들어 있다. 기본적 태도는 일종의 문화적 패러다임으로서 역사를 인식하게 한다. 슈펭글러에 의하면, 이러한 기본적 태도들은 미술, 음악, 수학, 건축 등에서 나타나며, 더 나아가 정치, 경제, 전쟁에서도 모습을 드러내게 된다. 이 태도들은 각각의 문화에서 수행된 인간정신의 특징을 의미하는 이른바 '마스터 패턴(master-pattern)'을 수행하게 된다. 여기서 마스터 패턴이란 각각의 문화 고유의 주요 상징을 가리키는 것으로서, 각 문화들은 생물유기체와 같이 생성노사(生成老死)의 과정을 밟지만, 그 나름대로의 변하지 않는 절대

---

20) 같은 책, 239쪽.
21) 임희완, 앞의 책, 122-123쪽.

적인 문화의 고유성을 갖고 있다는 뜻이다. 여기서 슈펭글러는 주요 상징을 괴테의 주요 상징에서 빌려왔으며, 철학, 과학, 종교, 예술, 사고방식 등을 기본적으로 결정해 준다고 보았다. 다시 말해 그의 역사해석은 이러한 보편적 상징주의에 기초해 있다.[22] 그래서 각 문화 상호간에는 본질적으로 어떤 공통성이나 근본적인 영향은 있을 수 없으며, 그들 사이의 문화이식이나 동화는 근본적으로 인정되지 않는다. 그리고 사건이나 사실들의 인과적 연결과 이념들 사이의 논리적 진화는 불가능하다.

각 문화에는 절대적 상징주의라는 것이 있다. 예를 들어 아랍인들은 대수학을 발명하였고, 고대인은 기하학을 만들었으며, 서구인은 계산법을 만들었으나, 그들 사이의 실질적인 연계는 없다. 비록 그들이 서로 영향을 주고받는 것처럼 보인다 할지라도, 그것은 부차적인 것에 불과하다는 것이다. 어디까지나 본질적으로 아랍문화는 아랍문화이고 고전문화는 고전문화에 불과하다. 왜냐하면 각 문화에는 보편적 상징주의가 각각 작용하기 때문이다. 동일하게 보이는 숫자라 할지라도 고대인에게는 양적 크기로 받아들여지는 반면에, 서구인에게는 단순한 관계로 받아들여진다. 이런 점에서 서유럽의 수학사는 양적 크기의 개념과의 기나긴 싸움의 과정이다.

슈펭글러가 니체의 주장들과 다른 관점을 보인 내용들도 많다. 그 가운데 주목할 만한 내용은 그의 국가관이다. 니체가 국가, 특히 신독일국가를 혐오한 반면에, 슈펭글러는 국가를 그의 역사구성의 중심에 두었다. 이러한 관점에서 개인의 역할을 역사과정에 묶어 두려는 슈펭글러의 주장은 개인의 최고 가치를 강조하려는 니체와 정면으로 맞서지만, 국가의 역할을 강조한 헤겔과는 매우 유사하다. 슈펭글러의 관점에서 니체는 문화의 보편성과 모든 도덕적 가치의 상대성을

---

22) 같은 책, 118쪽.

강조함으로써 새로운 역사전망을 열었다고 높이 평가된다. 하지만 슈펭글러의 관점에서 니체가 객관적 형태학의 개척자가 되지는 못했다는 것이다. 왜냐하면 니체는 서유럽의 군국주의와 제국주의 등 문명의 여러 가치 등을 파헤치기는 하였지만, 개인적 비판과 예단에 그쳤을 뿐 그것들을 뛰어넘는 새로운 지평선, 다시 말해 고대-중세-근대와 같은 시대구분을 뛰어넘는 선을 극복하지 못했기 때문이다. 슈펭글러에 의하면, 니체는 무엇을 부정해야 할지는 알았지만, 무엇을 긍정해야 할지는 제대로 인식하지 못했다는 것이다.[23] 따라서 슈펭글러의 입장에서는 니체의 보편적 상징주의에 의한 역사적 통찰력은 결여되었다고 보는 것이다.

4) 운명이념

니체의 예언자적 전망은 슈펭글러로 하여금 서유럽인의 운명을 전체적으로 바라보게 하였다. 슈펭글러는 철학의 핵심적 요소로서 운명이라는 이념(Destiny-idea)을 다음과 같이 내세운다.

> "운명이념의 고전적 형식을 나는 감히 유클리드적인 것이라 칭하고자 한다. 이런 까닭으로 하여 운명에 의하여 쫓기고 버림받는 것은 오이디푸스(Oedipus)라고 하는 감각적인 실제의 인격, 그의 경험적인 자아, 차라리 그의 육체인 것이다. … 그러나 리어(Lear)의 운명은— 역시 또한 대응하는 수의 세계에 의해서 암시된 용어를 사용하면— 분석적인 유형이며, 어두운 내면적인 관계에 있다. 리어는 결국 단순한 이름이며 속박받지 않은 어떤 것의 축이다. 이러한 운명의 개념은 무한소의 개념이다. 그것은 무한한 시간과 무한한 공간 속에로 뻗쳐 들어간다."[24]

---

23) 임희완, 앞의 책, 115쪽.
24) Oswald Spengler, *Der Untergang des Abendlandes*, 129쪽.

위 인용문에서 보듯이, 슈펭글러는 문화의 정신에 대한 내적 동기를 운명이념이라 부른다. 슈펭글러에 의하면, 삶의 순환에 있어서 문화의 각 단계는 없어서는 안 될 요소이다. 그리고 각각은 바로 개체, 즉 소우주가 누리는 삶의 순환에서와 마찬가지로 필연적, 연대기적인 순서를 쫓는다. 각각의 문화는 유기적인 대우주로서 자신의 뚜렷한 개성 혹은 스타일을 갖춘 최상급의 인간적인 유기체이다. 한 문화의 본능적인 목표는 문화유기체를 이루는 온갖 형식들 속에서 그의 정신이나 개성을 구체적으로 표현하는 것이다. 서양문화와 고전문화 그리고 아랍문화의 혼(魂)들은 이 명제에 대한 실례로서 충분히 비교되고 서술되었다. 그래서 각자 세 부류의 문화에 대해 중요한 명칭을 부여한다.25) 무엇보다 운명이라는 신비적인 용어는 쇼펜하우어의 철학에서 나타난다. 쇼펜하우어가 염세적 혹은 낭만적 세계관을 주장할 때 인간은 사랑의 힘으로 어찌할 수 없는 운명을 가정하게 된다. 하지만 니체 철학에서는 그 의미가 다르게 나타난다. 니체에게 있어서 운명애는 복종과 굴복을 의미하지 않고 미래에 대한 의지를 나타낸다. 여기서 슈펭글러는 니체의 운명애에서 출발한다.26) 그는 맹수의 윤리와 초식동물의 윤리를 대비시켜 니체의 운명애를 다음과 같이 해석한다.

"우리가 옳게 이해한다면, 맹수의 윤리와 초식동물의 윤리가 존재한다. 아무도 그것을 변화시킬 수 없다. 그것은 전체적인 삶의 내적 형식이고 의미이며 전술이다. 그것은 당연한 사실이다. 인간은 삶을 파괴할 수 있지만, 그 특성을 변화시킬 수 없다. 길들여지고 가두어진 맹수는 영혼이 조각났으며 병들었고 항상 몰락한다. … 초식동물이 가축이 된다고 해서 잃어버릴 것이 아무것도 없다. 그것이 초식동물과 맹수의

---

25) 그레이스 E. 케언즈, 이성기 옮김, 『동양과 서양의 만남: 역사철학』, 평단문화사, 1984, 341쪽.
26) 강대석, 「슈펭글러」, 『새로운 역사철학』, 한길사, 1991, 195쪽.

운명을 구분하는 것이다. 전자는 굴복하고 소심하고 비열해지나 후자
는 힘과 승리, 자만심과 증오를 통해서 상승한다. … 외적 자연에 대한
내적 자연의 투쟁을 비참으로 느끼지 않고 삶을 고귀하게 만드는 삶의
커다란 의미로 느끼는 것이 니체가 생각한 운명애이다."27)

위 인용문에서처럼, 슈펭글러는 맹수의 윤리와 초식동물의 윤리라
는 관점을 갖고 운명애에 접근한다. 다시 말해 맹수의 윤리는 힘과
승리, 자만심과 증오를 통해서 상승하고, 초식동물의 윤리는 굴복하
고 소심하고 비열해진다. 이러한 윤리적 관점에 의해 슈펭글러는 도
덕이라는 근본현상에 접근하고자 하였다. 그는 한편으로 각 문화권에
해당하는 다양한 도덕을 인정하지 않을 수 없었고, 다른 한편으로 니
체처럼 모든 민족과 문화권에서 두 가지 유형의 도덕, 즉 육식동물의
도덕과 초식동물의 도덕을 구별하였다. 이렇듯 슈펭글러에 있어서 도
덕은 생활양식의 표현이며, 삶의 자기해석이다. 따라서 슈펭글러가
자주 주장하였던 파우스트적인 인간의 생활양식을 나타내는 윤리는
힘에의 의지라는 결론에 이른다.28) 결국 서구의 도덕에서는 명령에
대한 복종이 요구되는데, 그것이 바로 도덕이다.

5) 역사로서의 세계, 자연으로서의 세계

슈펭글러에 의하면, 니체가 편견 없이 그리고 어떤 도덕적인 창조
라는 낭만적인 환상에서 벗어나 자기의 시대를 냉철하게 관찰하였다
면, 기독교적인 특성으로 생각되는 동정의 도덕이 결코 그가 생각한
것과는 다르게 서구에 존재하지 않았다는 사실을 간파했을 것이라는
것이다. 무엇보다 슈펭글러는 인간적인 표현형식의 어감 때문에 구체
적인 사실을 간과해서는 안 될 것이라 말한다.29) 슈펭글러가 진단한

---

27) Oswald Spengler, *Der Mensch und die Technik*, Berlin, 1932, 15쪽.
28) Oswald Spengler, *Der Untergang des Abendlandes*, 406쪽.

서구문화의 퇴폐상은 니체의 경우보다 더욱 암담하며 허무주의의 이념이 파우스트적인 삶의 모든 영역으로 침투해 들어온다. 그에게서 파우스트적인 영혼은 마지막 가능성을 예고하고 있으며 남은 것은 몰락의 냉기뿐이라고 다음과 같이 언급한다.

"모든 개인에, 모든 계층에, 모든 민족에 위험이 증대하여 이제 더 이상의 기만은 불가능하다. 시대를 거역할 수는 없다. 더 이상 현명한 전회나 약삭빠른 체념이 불가능하다. 몽상가들만이 돌파구를 생각한다. 낙천주의는 비겁함에 불과하다. 우리는 이러한 시대에 태어나서 우리에게 정해진 이 길을 용감하게 끝까지 걸어가야 한다. 다른 길은 없다. 희망이나 구원을 생각하지 말고 잃어버린 지위를 고수하는 것이 우리의 의무이다."[30]

이렇게 슈펭글러는 허무주의의 관점에서 이 시대를 보았고, 이 시대의 자연의 질서와 역사의 질서를 구분한다. 다시 말해 그는 세계를 자연으로서의 세계(world as nature)와 역사로서의 세계(world as history)로 분류한다.

존 재	
역사로서의 세계	자연으로서의 세계
운명이 지배한다. 시간의 논리에 따른다. 개체, 율동, 인상적, 일회적 사실을 갖는다. 운명인(destiny-men)	인과율이 지배한다. 공간의 논리에 따른다. 계량적, 무시간적, 기계적 보편성 그리고 일반법칙을 갖는다. 인과율인(causality-men)

---

29) 같은 책, 446쪽.

30) Oswald Spengler, *Der Mensche und die Technik*, 615쪽.

즉, 제1의 우주(first cosmos)인 자연은 인과율(causality)이 지배하고 있으며, 제2의 우주인 역사는 운명(destiny)이 지배한다. 따라서 전자와 후자는 각각 자연주의와 역사관상학에 의해 해석된다. 그런데 대체적으로 그의 저서의 흐름은 인류문명의 침울하면서도 비관적인 운명에 의해 이루어졌다.[31] 따라서 그는 역사체계의 관점에서 관상학을 구성하였고, 자연세계의 입장에서는 자연우주적 분류학을 체계화하였다. 이러한 역사의 정리를 슈펭글러는 "역사는 예술"이라고 선언한다. 하지만 그는 단순히 자연과 역사 자체를 구분한 것이 아니었으며, 자연과 역사를 파악하는 방식의 차이를 명확히 설명하고자 하였다. 그것은 곧 자연과학적 방식과 형태학적, 과정적 방식이다. 후자는 자연에 대한 방식에도 적용되는데 그것이 곧 자연에 대한 유기체적 파악이다. 생물체적 자연을 유기체적으로 파악하는 것은 당연하나, 유기체주의는 무생물적 자연에 대해서도 기계론적으로 보는 것에 대해 반대한다. 이와 같은 독일 낭만주의의 사상은 괴테에게서도 연유하여 오늘날까지 독일사상의 중요한 근거를 이룬다.

"나는 괴테를 생각한다. 그가 말하는 살아 있는 자연이란 바로 여기에서 가장 넓은 범위의 세계사, 즉 역사로서의 세계라고 이름 지어지는 것이다. … 여기에서 메커니즘으로서의 세계는 유기체로서의 세계에, 죽은 자연은 살아 있는 자연에 대립한다. 그가 자연 연구가로서 쓴 행은 이루어지는 것의 모습, 살아 있으면서 발전해 가는 인상지어진 형태를 눈앞에 생생하게 나타내는 것이었다. 공감, 직관, 비교, 직접적인 내적 확신, 정확한 감각적 상상, 이것이야말로 움직이고 있는 현상의 비밀에 다가가는 방법이었다. 그리고 이것이 역사연구 일반의 방법이다. 그 이외에는 방법이 없다."[32]

31) 임희완, 앞의 책, 115쪽.
32) Oswald Spengler, *Der Untergang des Abendlandes*, 35쪽.

이렇듯 슈펭글러는 괴테에게서 살아 있는 자연의 세계사, 유기체로서의 세계를 발견한다. 슈펭글러의 입장에서 괴테의 자연연구는 역사연구의 커다란 획을 그었다고 높이 평가한다. 다시 말해서 자연은 단지 생명이 없는 물질적이고 기계적인 것이 아니다. 자연은 태어나고 성장하고 죽는 유기체의 발전과정을 겪는다. 자연 자체가 발전이며, 과정이며, 변형이다. 이와 같이 문화도 하나의 유기체로서 자신의 생명력을 지닌 채 발전한다. 각 문화는 다양한 단계에서 그 형태를 다음과 같이 변형시킨다.

"여러 문화는 어머니인 땅의 품 안에서 원시적인 힘으로 꽃을 피우고 그 존재의 모든 것이 경과하는 동안 이 땅과 밀접하게 연관되어 있다. 이러한 문화는 제각기 그 재료인 인간에게 그 문화 특유의 형식을 부여하는 동시에 특유한 관념, 특유한 열정, 생활, 의욕, 감정, 죽음을 지니고 있다. 여기에는 젊고 늙은 떡갈나무와 소나무가 있고 꽃이나 나뭇가지나 나뭇잎이 있듯이 꽃을 피우고 죽어가는 문화, 민족, 언어, 진리, 신, 지방 등이 있다. 그러나 늙어가는 인류라는 것은 없다. 모든 문화는 생겨나서 성숙하다가 시들어버리는, 결코 반복하지 않는 나 자신의 고유한 표현 가능성을 지니고 있다. … 가장 높은 차원의 생물체인 이 문화들은 꽃이 들판에서 피어나듯 고귀한 목적성 속에서 성장한다. 문화들은 들판 위의 꽃처럼 괴테의 살아 있는 자연 속에서 속하지, 뉴턴의 죽은 자연에 속하지 않는다. 나는 세계사를 유기적인 형식과 변형의 모습으로 보고 놀라운 생성과 소멸의 모습으로 보는 것이다. 그러나 전문 역사가는 이것을 끊임없이 기원을 끼워 넣는 촌충의 형태로 보고 있다."[33]

위에서 인용한 것처럼, 슈펭글러는 자연의 변화과정처럼 문화 역시 생성과 성숙, 소멸의 변화과정 속에 존재하는 것으로 파악한다. 문화는 역사 속에서 한 민족의 전통으로 보존되기도 하지만, 타 문화와의

---

33) 같은 책, 29쪽.

상호관계 속에서 새로운 형태의 문화로 변화되기도 한다. 따라서 문화는 생성과 소멸의 과정을 겪으면서 끊임없이 고유의 기원을 찾고자 한다.

4. 맺는 말: 문화유기체론의 현대적 의미

위에서 살펴보았듯이, 슈펭글러의 이론은 서구의 역사 및 문화에 지대한 영향을 주었지만, 그의 이론을 극심하게 반대한 사람들은 학자들과 전문 역사가들이었다. 철학자들은 그를 천박하다고 꾸짖었으며, 역사가들은 그를 엉터리라고 나무랐다. 전문 역사가들은, 관념론자도 실증주의자도 각각 입장은 달랐지만, 슈펭글러의 이론을 반대하였다. 실증주의자들이 반대한 이유는, 슈펭글러가 역사를 운명의 영역으로, 자연을 인과율의 영역으로 분리한 데 있었다. 그들은 과학으로서 역사를 수호하기 위하여 슈펭글러의 직관의 방법을 거칠고 무모한 가설들의 구축 이상의 아무것도 아니라고 주장하였다. 그들은 직관을 과학보다 더 높은 지각기관으로 승인하는 슈펭글러의 회의론을 순전히 감정에서 나온 독단이라 결론지었다. 슈펭글러는 지적 능력에 한계가 있었으나, 동시에 그는 사물을 크게 보는 희귀한 능력을 지니고 있었다. 그의 지적 제한은 오히려 이 희귀한 능력을 발휘하는 데 도움이 되었다. 그는 높은 직관력을 가진 예언자였으며, 역사적 운동의 본질을 파악하고 그 운동을 자극적이고 시사적인 새 연관으로 묶어가는 재능을 가진 관찰자였다.[34] 그 당시 슈펭글러의 이론을 반대한 사람들은 『서구의 몰락』에 담겨 있는 진정한 가치를 제대로 읽지 못했다.

슈펭글러는 지금까지 서구중심의 일직선의 역사관에서 탈피하여

---

34) 노명식, 앞의 책, 68-69쪽.

문화의 고유성과 상호작용에 의해 역사가 반복하여 순환적으로 발전해 간다고 주장하며, 현대의 본질문제를 이해하는 데 뛰어난 직관력을 보여주었다. 즉 슈펭글러는 전문 역사가들의 문제의식 속에 들어오지 않은 현대의 본질에 대한 문제를 예리한 영감의 힘으로 파악하고자 하였다. 슈펭글러의 유기체적 문화관은 서양문화의 우월성을 부정하고 서양문화와 동등한 가치를 지니고 있는 비서구문화의 가치에 대한 탁월한 통찰이었다. 특히 토인비는 슈펭글러와 같은 맥락에 따라『역사연구』에서 21개의 문화권을 구별하여 주장하였다. 그는 문화의 적대적 고립이나 강제적 진행을 부정하고 있었으나,『결단의 길에 선 세계』(1949)와『세계와 서구인』(1963)이라는 저서에서 유럽의 미래를 상당히 염세적으로 그렸다. 슈펭글러와 토인비는 그 학문적 풍토와 개인적 기질이 서로 달랐지만, 토인비가 슈펭글러에게서 받은 학문적 영향은 실로 막대하였다. 제2차 세계대전 이후로 가장 커다란 학문적 논쟁의 대상이 된 것은 토인비의『역사연구』이다. 토인비의 역사논쟁은 필연적으로 1930년 이후 서구학계에서 잊혀 있던 슈펭글러의 붐을 다시 불러일으키는 계기를 마련하였다. 토인비가 슈펭글러의『서구의 몰락』에 관심을 보인 궁극적 이유는, 정치적 차원의 국가가 아니라 사회·문화적 통일체로서의 문명이라는 것, 여러 문명은 병행적이고 동시대적이라는 것, 즉 세계역사는 일직선적으로 발전하는 것이 아니고 각 문명마다 일정한 코스를 경험한다는 생각들을 이미 갖고 있었기 때문이었다. 이러한 두 가지의 생각은 슈펭글러-토인비 사관의 2대 원리가 되었고, 이 원리의 타당성을 보장해 주는 이유가 되기도 하였다. 즉 그의 2대 명제는 순환사관과 여러 문화의 비교연구를 적극적으로 수용하고 그것의 결함들을 극복하여 더 체계적으로 만드는 것이었다. 즉 문화의 비교연구 방법과 예술적 지도의 쇠망기로서의 현대관은 주목할 만한 것이었다. 앞 절에서 살펴보았듯이, 그에 의하면, 문화는 통일적 관념을 갖는 어떤 집단의 모든 활동, 즉 예술, 종교, 정치, 군사 등을 알려주는 일종의 정신적 형성물이라는 것이다.

슈펭글러의『서구의 몰락』은 여러 가지 독단적인 내용이 들어 있음에도 불구하고, 문화의 불가피한 이행의 붕괴는 문명으로의 이행이며, 그것이 서양사에서는 19세기에 수행되는 것으로서 서양의 몰락을 예언하였다는 점에서 많은 사람들에게 비상한 관심을 불러일으켰다. 그는 제1차 세계대전과 제2차 세계대전의 징조를 엿보았고, 나아가서는 제3차 세계대전의 가능성을 예측하였다. 서구중심의 세계사의 축이 현재 상당 부분 동양으로 변화해 온 상황으로 미루어볼 때, 이제까지의 서구중심의 세계사적 낙관주의가 점점 쇠퇴해 가고 있음을 예언한 사실은 21세기에 들어와서도 여전히 그의 뛰어난 가치를 인정할 수 있게 한다.

슈펭글러의『서구의 몰락』은 한 시대의 징후로서, 종합으로서, 심벌로서 20세기 최대 작품으로 평가받는다. 19세기의 낙관주의가 서구의 본고장에서 사라진 지 이미 오래되었고 비서구세계에서도 받아들여지지 않고 있는 오늘날, 그의 사상은 시간이 경과할수록 오히려 점점 더 빛을 더해 가고 있다. 이러한 그의 탁월한 문화이론의 붐은 일찍이 1930년대부터 현재에 이르기까지 각국에서 일어나고 있다. 특히 그의 순환사관은 제1차 세계대전 이후의 새로운 세대에게 기존의 역사관과는 다소 다른 시각에서 역사를 보는 안목을 길러 주었다. 슈펭글러처럼 비판이나 비난에서 벗어나 있는 사람도 거의 없었다. 두 차례에 걸친 세계대전의 발발, 문학과 음악에 있어서 정신문화의 퇴락, 스포츠의 기록갱신에의 몰두, 급증하는 대도시의 신체화, 참다운 질의 몰락과 거대한 양에 대한 자부, 인간의 동물적 잔인성의 재연, 그리고 그 밖의 모든 것이 슈펭글러에게 정당성을 부여하게 된다. 회의적이고 허무주의적인 철학의 검은 구름이 유럽 전역을 오늘날까지 덮고 있다.[35]

그 당시 그가 주장한 내용들이 파괴적이라 간주된 내용들은 다시 적극적으로 재검토되었으며, 그의 역사의 순환사관은 정착하기에 이르렀다. 소로킨(Pitirim A. Sorokin)에 의하면, "슈펭글러의 순환사관은 그 오류가 무엇이든 간에 순환론이 가지고 있는 진정으로 어려운 문제들을 회피하려고 하지 않는다. 바로 이 때문에 그 오류들이 오히려 오늘날 사회과학과 인문과학의 그 많은 연구들이 정확하기는 하나 진부한 것들보다 더 풍부한 결실을 맺고 있는 듯하다."[36]고 지적하고 있다. 따라서 슈펭글러가 『서구의 몰락』에서 전달하고자 하는 몰락이란 단지 오랜 전통의 서양문화의 몰락을 의미하는 것이 아니라 새로운 문화로 다시 이행해 나가는 과정인 것이다. 궁극적으로 슈펭글러의 후계자들은 그의 사상을 다음과 같은 관점에서 파악한다.

첫째, 각 문화를 비교연구하는 방법론을 구축하였다. 역사에 나타나는 각각의 문화는 생물유기체와 마찬가지로 시공간에 따라 다르게 보이지만, 그 본질적 바탕(주요 상징)은 동일하기에 상호비교연구가 가능하다는 것이다.

둘째, 역사의 순환론이다. 역사는 마치 생물유기체가 생성노사(生成老死)의 과정을 밟는 것처럼, 일직선으로 진행하는 것이 아니라 반복적으로 순환한다는 것이다. 그래서 이제까지의 고대-중세-근대-현재라는 도식적인 시대구분에서 벗어나야 한다는 것이다. 이와 같은 슈펭글러의 사상으로 나타난 가장 중요한 결실은 서유럽중심의 역사로부터 벗어나야 한다는 주장이다.

셋째, 사회와 문명에 대한 예리한 분석과 비판을 통해 미래를 예측하였다.

넷째, 쇠망해 가는 사회에 대해 종교의 역할에 중요한 의미를 부여하였다.

---

35) Oswald Spengler, *Der Untergang des Abendlandes*, 40쪽.
36) Pitirim Sorokin, *Social Philosophies of an Age of Crisis*, 1950, 321-322쪽.

위에서 언급한 바와 같이, 슈펭글러가 비록 독단과 가장, 역설, 추상, 단순화, 신비, 불합리성의 비판에서 쉽게 벗어날 수는 없지만, 그의 예술적 영감이나 직관력은 뛰어난 통찰력을 보여주었다. 다시 말해 각각의 문명은 유기체의 발전과정으로 진행된다는 것, 역사는 쇠퇴의 운명을 지닌다는 것, 서양은 말기적 위기에 있다는 것, 종교는 역사의 말기에 중요한 역할을 한다는 것 등은 그의 후계자들에게 "커다란 반응"[37)]을 불러일으켰다.

---

37) 클라게스는 정신을 사유와 의욕을 가지고 건전한 삶을 파괴하여 버리는 사탄으로 보았다. 레싱은 『정신에 있는 대지의 몰락』을 말하였고, 크라우스는 『인류의 마지막 날』을 서술하였으며, 호이징거는 『내일의 그림자』에서 고찰하였고, 가르디니는 『현대의 종말』이라는 책을 저술하였다. 그 이외에도 많은 후계자들에게 널리 퍼져 나갔는데, 베버, 소로킨, 크뢰버, 토인비 등이 그들이다.

제 2 부

몸의 철학과 예술

제 5 장

니체의 몸 철학 *

오해된 몸의 복권

1. 들어가는 말

서양철학사에서 몸1)은 아리스토텔레스 이래로 실체의 의미에서 무엇인가를 지시하는 자아의 포괄적인 덩어리로 보았다. 몸은 쇼펜하우어(A. Schopenhauer), 니체, 후설(E. Husserl), 셸러(M. Scheler), 겔렌(Gehlen), 플레스너(Plessner)를 비롯해 서양철학자들에게 분명한 주제로 다루어져 왔다.

먼저 쇼펜하우어에 따르면, 인간 의지의 세계는 몸을 통해서 파악된다. 쇼펜하우어는 몸을 다음과 같이 언급한다. "인식의 주관은 개

---

* 이 글은 『니체연구』 제8집, 한국니체학회, 2005 가을, 175-200쪽에 실렸던 내용을 부분적으로 수정·보완한 것이다.

1) 오늘날 우리는 몸과 정신의 두 가지 연결된 측면을 갖고 있다는 것을 철학을 통해서 항상 고찰해 왔다. 몸과 정신은 먹고 마시는 것을 통해 내용을 충족시켜 왔다. 특히 정신은 건강하고 명랑한 모든 인간이 지니는 것이다. 모든 인간은 몸과 활동을 조달할 수 있는 육체를 충족시킨다. 몸과 정신의 문제를 다룬 논문은 다음을 참조할 것. Thomas Buchheim, "Die Grundlagen der Freiheit, -Eine Einführung in das Leib-Seele-Problem", in: *Philosophische Jahrbuch*, 11. Jg. 2004, 1-15쪽.

별자로서의 몸과의 동일성을 통해서 드러난다. 이러한 몸은 두 방향으로 언급된다. 한편으로 지적인 직관 속에서의 표상으로 객관들의 객관으로서 객관들의 법칙에 놓여 있다. 다른 한편으로는 완전히 다른 방식으로, 우리가 의지라고 부르는 내적인 본질에 머물러 있다."[2] 따라서 쇼펜하우어의 몸은 의지의 세계로 나아가는 실마리이다. 니체는 "유래(Herkunft)는 육체에 부착된다."[3]고 주장함으로써 육체를 사건들이 각인된 표현으로 이해한다. 즉, 육체는 과거에 체험했던 사건을 기억하며, 욕망과 좌절 그리고 오해를 불러일으키기도 한다. 이들 요소들은 육체에서 결합되거나 사라지기도 한다. 이때 육체는 불가피한 투쟁의 장소이다. 육체는 "분열된 자아의 저장고이며 끊임없이 풍화되는 한 권의 책이다. 유래의 분석인 계보학은 육체와 역사의 분절점에 위치한다. 그리하여 계보학의 임무는 전적으로 역사에 의해 자취가 보존된 하나의 육체를 드러내는 일이며 육체에 대한 역사의 파괴과정을 폭로하는 것이다."[4]

현상학자 후설은 육체가 인간이 인간으로서 존재하기 위한 결정적인 단초(Anfang)라는 사실을 간과하지 않는다. "나는 나의 몸에 대해 힘을 갖고 있다." 이것은 그가 "정신적 자아를 유년기, 청년기, 장년기, 노년기의 정상적인 유형단계에서 지닌 전개과정을 능력의 유기체로서"[5] 파악하는 데서 입증된다. 셸러, 겔렌, 그리고 플레스너를 비

2) A. Schopenhauer, *Sämtliche Werk*, Bd. 1, von Löhneyen, Frankfurt a. M., 1986, 157쪽.

3) F. Nietzsche, *Sämtliche Werke. Kritische Studienausgabe*, hrsg. v. M. Nontinari, de Gruyter, Berlin/New York, 1980(이하 KSA로 약칭하여 표기함), Bd. 3, 49쪽.

4) M. Foucault, "Nietzsche, généalogie, historie". 홍은영, 『푸꼬와 몸에 대한 전략』, 철학과현실사, 2004, 56쪽 재인용.

5) E. Husserl, "Ideen zu einen reinen Phänomonologie und phänomenologschen Philosophie, II", in: *Husserliana*, Bd. IV, Haag Martinus Nijhoff, 1952, 254쪽.

롯한 독일의 철학적 인간학자들은 '물체로서의 몸'과 '느끼는 몸'을 구별한다. '물체로서의 몸'은 과학적으로 인체를 파악하는 객관적인 시선에 의해 관찰된 것이라면, '느끼는 몸'은 지각하고 경험하는 주체로서의 나이다. 이렇듯 쇼펜하우어, 니체, 후설을 비롯한 많은 서양 철학자들은 몸에 관한 심오한 통찰을 남겼다. 몸과 육체의 표현은 언어적인 장을 형성하지만, 우리가 몸을 생각할 때, 육체를 말하는 동안에도 그렇게 간단하게 언급될 수 있는 용어가 아니다. 몸이라는 단어는 이미 일상언어에서 만난다. 그것은 임의적으로 철학자들의 꾸며 낸 것이 아니다. 그렇기 때문에 이 낱말은 복잡하고 다소 어렵게 다가온다.[6]

주지하듯이, 니체의 몸 담론은 이제까지의 이성중심주의라는 서양의 근대적 사유를 넘어서 탈근대로 이행하는 대전환을 가져다주었다. 니체는 몸 안에서, 몸을 통해서, 그리고 몸과 더불어 사고하면서 몸에 관한 사회적, 정치적 이론을 제시한다. 그는 『힘에의 의지』에서 몸을 정치적 구조로서 묘사하고, 『선악의 저편』에서는 몸을 많은 영혼들의 집으로 표현한다. 즉 영혼은 저마다 사회적인 것의 각인이며, 그 영혼들로 하나의 몸이 구성된다.[7] 따라서 몸은 이원론적인 사유의 산물이 아니라 사회적 행위의 집합체이다.

"우리의 몸은 많은 영혼들의 집합체일 뿐이다. 그 결과 그것이 바로 나이다. 잘 형성되고 행복한 모든 공동체에서 일어나는 일이 여기에서도 일어난다. 즉 지배계급은 자신과 사회공동체의 성취를 동일시하는 것이다. 모든 의지작용에서 중요한 문제는 오로지 많은 영혼의 집합체를 바탕으로 한 명령과 복종이다."[8]

---

6) Bernhard Waldenfels, *Das leibliche Selbst*, Frankfurt a. M., 2000, 14쪽.
7) 정화열, 『몸의 정치와 예술 그리고 생태학』, 아카넷, 2005, 178-179쪽.
8) 프리드리히 니체, 김정현 옮김, 『선악의 저편 / 도덕의 계보』, 책세상, 2002, 39쪽.

니체는 하나의 몸이 많은 영혼으로 형성되어 있으며, 개별적인 각 영혼은 사회성이 기록된 것이라고 보았다. 즉 몸은 사회적인 효과의 결합체이다.[9] 특히 니체는 그의 저서 『차라투스트라는 이렇게 말했다』(1885)에서 육체의 존재가치와 육체의 사회적 현상을 고려하지 않는 자아와 이성중심적 이성론에 강한 비판을 가했다. 니체는 "나의 육체는 나의 전부이다. 나는 나의 육체 이외에는 아무것도 아니다. 정신이란 몸의 어떤 측면을 말해 주는 것에 불과하다."[10]고 주장했다. 즉 니체는 이성적 이론을 감성으로 대체하고, 마음의 눈에서 영원한 형상을 추구하고자 한 플라톤주의를 전복시키고자 했다. 이러한 의미는 플라톤의 관념론과 합리주의를 반전시킨 것이다. 그는 플라톤과는 다르게 천상의 이데아를 고집하기보다는 몸의 담론, 몸의 문제라는 현실의 동굴세계를 파내려 갔다.[11]

하버마스(J. Habermas)는 『현대성의 철학적 담론』(1985)에서 니체의 사상과 그의 프랑스 후예들의 사상, 특히 바타이유(G. Bataille)를 거세게 비판한다. 바타이유는 타자에 초점을 맞춘 신성함의 사회학으로부터 계몽을 기대하였지만, 궁극적으로는 세력들의 초월적 유희에 대한 어떠한 영향도 약속하지 않았다는 것이다. 사회성은 비육체적이며 비시각적인 정신 사이의 내밀한 관계가 아니라 구체적인 몸을 가진 주체들의 상호육체적인 대면이라 말한다.[12] 또한 니체주의자인 슬로터다이크(P. Sloterdijk)는 『냉소적 이성비판』(1999)에서 다음과 같이 몸과 사회와의 연관성에 대해 말한다.

---

9) 정화열, 앞의 책, 274쪽.
10) KSA, Bd. 4, 39쪽.
11) 정화열, 앞의 책, 295쪽.
12) 위르겐 하버마스, 이진우 옮김, 『현대성의 철학적 담론』, 문예출판사, 1994, 133쪽. Vgl. 정화열, 앞의 책, 289쪽.

"원래 삶에는 이름이 없다. 우리 안에 자의식을 가진 무명씨(nobody)는 사회적 탄생을 거치면서 비로소 이름과 정체성을 얻게 되고, 자유의 살아 있는 원천으로 남는다. 또한 사회화된 무명씨는 사회화의 공포에도 불구하고 인격 가운데 가장 힘이 충만한 낙원을 기억하는 장본인이다. 그의 삶의 토대는 정신이 살아 있는 육체이다. 그는 육체가 없는 무명씨가 아니라 육체를 긍정하는 사람으로 불려야 한다."13)

이렇듯 서양의 철학사에서 몸의 담론은, 몸과 사회와의 관계 속에서 쇼펜하우어, 니체, 후설, 메를로-퐁티를 비롯해 많은 근현대철학자들의 데카르트의 심신이원론을 극복하려는 시도가 끊임없이 있어 왔다. 따라서 나는 서양철학사에서 최근까지 전개되어 오고 있는 광범위한 몸의 담론을 니체의 몸 철학에 한정시켜 구체적으로 조명하고자 한다.

2. 오해된 몸의 복권

1) 작은 이성에서 큰 이성으로

니체는 존재론적인 몸의 개념을 명확하게 표현하면서 몸의 이성에 대한 형식적인 기준을 세우고자 했다. 몸의 유기체적인 사유는 항상 실제적인 몸에 대한 삶의 원리를 더 높게 서술하는 존재로서 말해 왔다. 니체는 이러한 의미에서 몸에 대한 합리성의 관계를 다음과 같이 말한다.

"객관적, 이상적, 순수정신적인 것의 외투 아래에서 생리학적인 욕구의 의식적인 허구가 위협으로까지 다가왔다. 그리고 종종 나에게 물어 왔다. 지금까지의 철학이 단지 몸을 해석만 해왔고 몸을 오해해 왔

---

13) 페터 슬로터다이크, 이진우 · 박미애 옮김, 『냉소적 이성비판』, 에코리브르, 2005, 160쪽.

는지를 묻는 것이다."14)

　니체의 몸에 대한 생각은 철학이 몸의 철학으로 점차적으로 접근
하면서 몸을 오해했다는 것이다. 먼저 니체는 『차라투스트라는 이렇
게 말했다』에서 지금까지 오해되어 왔던 몸에 대한 연구를 전개하였
다. 니체가 갈파하였듯이, 몸의 오해는 사물을 인식하는 것이 아니라
오해된 몸을 내적인 체계로서 규명해 내는 것이다. 첫 단계로서 이해
하고 원하는 몸은 자기가 오해한 몸이 아니라 오해된 몸을 가리키는
것이었다. 몸은 현실적으로 개별적인 위협에서 자아를 회피한 오해가
무엇인가를 구성하려는 지식에 근거를 제공한다. 이것은 단지 몸을
인식하는 데 있어서 살갗이나 동물적 육체로서 왜곡한 것이 아니라,
오히려 몸을 회피하였기 때문에 사물을 몸적인 의미에서 인식하지
않은 것이다. 니체는 '도덕과 생리학'이라는 부제에서 "우리에게 훨
씬 더 놀라운 것은 오히려 몸이다. 우리는 인간의 몸이 가능하게 성
장해 가는 것처럼, 인생에 종말을 고한다는 것에 놀라지 않는다."15)
라고 말한다.

　생리학적 존재개념은 몸을 근원으로 한다. 이러한 존재개념의 특징
은 자기의식의 성격을 갖고 있지 않은 반면에, 존재개념은 생성개념
이다. 무엇보다 니체에게 있어서 자기의식의 실재는 항상 고정된 것
들에 대한 자기분열로 나타난다. 자기분열은 동시에 인식개념이라는
애매한 형태로 표출된다. 자기 자신에 의해 드러나는 것은 오로지 상
기의 내용일 뿐이지 결코 확실성의 내용은 아니다. 존재론적 인식은
생리학적인 것과 대립되지는 않는다. 오히려 몸의 형태에 대한 생리
학적인 법칙들의 한 부분으로서 고려되어야 한다. 그러나 여기서 자
기 모습의 과정에 대한 생리학(Physiologie)은 쇼펜하우어의 경우에

---

14) KSA, Bd. 3, 348쪽.
15) KSA, Bd. 11, 576쪽.

서처럼 존재론적인 것으로 표현되지는 않는다. 특히 쇼펜하우어는 몸의 과정을 몸의 총체적 유기체(Gesamtorganismus des Leibs)에 기반을 두고 존재론적이고 목적론적인 해석을 제시한다. 그는 의지를 그 반대로 추리해 냈으며,16) 몸의 총체적 유기체의 존재를 의지에 대한 징표이자 실례로서 파악하였다.

니체의 몸과 몸의 연관된 유기체의 존재론적 표현들에 대한 비판은 점차 두 측면으로 전개된다. 하나는 존재론적인 측면이다. 여기서 그는 목적하는 사유에 불합리성을 드러내 보여준다. 이때 목적은 스스로를 통해서 표상된다. 다른 하나는 생리학적 관점에 관한 것이다. 여기서 목적은 몸의 형상에 합당한 대처방식으로 드러난다. 특히 후자의 관점은 니체의 후기 저서에서 찾아볼 수 있다. 여기에서 작은 이성의 비판은 목적 그 자체를 대상으로 삼으며 그것의 불합리성을 보여준다. 그러나 불합리성에 대한 이런 비판은 항상 목적을 통해서 확실성을 보장받으려는 작은 이성에 연루되어 있을 따름이지, 결코 큰 이성의 총체적 복합체와 연관되어 있는 것은 아니다. 그렇지만 거기서 이성이 목적으로 하는 사유는 쉽게 잘 파악되지 않을 뿐이고, 오히려 작은 이성이 큰 이성보다 앞설 따름이다. 즉, "목적은 우리를 뒤엉킴(Verwirrung) 속으로 밀어 넣는다."17) 몸은 생리-심리학(Physio-psychologie)의 현상일 뿐 아니라 사유하고, 느끼고, 욕구하는 역동적 복합체인 것이다. "사유하고 느끼며 욕구하고자 하는 것은 우리 몸의 통일적 역동성을 가능하게 한다. 곧 몸이란 존재론적 의미에서 삶의 기반이다. 또한 우리에게 살을 설명해 주는 입문서적 비문이요, 삶을 가능하게 해주는 기능적 해독체계이며, 삶의 수행에서 생기는 실천적 자명성이다."18) 이런 관점에서 니체의 철학은 생리학으로 이해할 수

---

16) G. Abel, *Die Dynamik der Willen zur Macht und die ewige Wiederkehr*, Berlin, 1984, 421쪽.
17) KSA, Bd. 7, Fr. 472쪽.

있으며, 몸에 관한 내면적인 삶의 운동구조를 분석하고 해명한다는 점에서 생리-심리학으로 부를 수 있다.19)

그러나 몸을 존중하려는 첫 번째의 원리는 그것들의 순수함을 사물에 받아들이려는 목적론적 원리이거나 목적론적 사유에 낯선 의미를 부과하는 것이다. 그것은 몸을 존중하는 자아로서 스스로 동기를 부여한다. 그 이후에 몸을 추상적이고 순수한 자아로서 파악한다. 니체는 의식보다 몸에서 새로운 주체의 양식을 선명하게 파악한다. 니체에게서 몸은 새로운 이성의 토대이자 시발점이다. 무엇보다 니체는 의식의 이성 혹은 정신의 이성을 '작은 이성(Kleine Vernunft)'이라 비판한다. 니체는 작은 이성을 다음과 같이 파악한다.

"감수성을 느끼고 정신을 인식한다는 것은 결코 그 자체로 목적을 갖고 있지 않다. 그러나 감수성과 정신은 너를 설득시키고 모든 사물의 목적임을 납득시키려고 한다. 그래서 감수성과 정신은 공허하다."20)

계속해서 니체는 "정신이라는 부르는 작은 이성도 육체의 도구이고 큰 이성의 작은 도구이며 장난감"21)이라고 말한다. 그는 작은 이성, 거짓된 합리성, 미학 및 윤리도덕에 대한 비판과 더불어 삶의 언어에 대한 연구도 '몸의 실마리'의 철학에서 찾아낸다. 작은 이성은 인식의 욕망 때문에 소유의 문제가 생겨난다. 즉 자아를 개선하고 몸을 기피하는 문제로 휘둘리게 된다. 그리고 강제성이라든지 제도와 규약, 운명, 결과, 목적, 선악 등에 의해 몸의 자아발현은 뒤덮인 채 정신의 은폐성 안에 놓이게 된다. 니체에게 이제 철학은 더 확장된

---

18) 김정현, 『몸의 철학』, 지성의 샘, 1995, 172쪽.
19) KSA, Bd. 12, 96쪽. Vgl. 이진우, 「욕망의 계보학: 니체와 들뢰즈를 중심으로」, 『니체연구』 제6집, 2004, 125쪽.
20) KSA, Bd. 4, 39쪽.
21) KSA, Bd. 4, 40쪽.

도구로 된다. 자기가 알고 있는 정신과 코기토의 공허함을 표상한다는 의미에서 공허함이라는 것은 자아로서 파악하거나 존재로서 설정한 목적과 함께 목적론적 사유를 영원히 하게 한다.[22] 즉, 니체의 몸 철학은 데카르트적인 코기토(Cogito)의 자기발현을 통해서 몸의 은폐성을 외부로 확실하게 드러내고, 몸을 철학적으로 자유롭고 더 확장된 도구로 등장시키게 된다.[23] 여기서 작은 이성은 힘에의 의지를 배제하고 순수사유를 본질로 하는 데카르트적인 이성을 지칭한다.[24] 데카르트의 코기토는 정신을 유독 강조하는 데서 인간의 실체를 찾았다. 데카르트에 의하면, 세계에 존재하는 모든 것은 '공간을 차지하는 것'과 '생각하는 것'의 두 가지의 실체로 귀결된다. 즉 물질의 본질은 공간을 차지하는 것이며, 마음의 본질은 생각하는 것이다. 여기서 데카르트는 인간의 본질을 육체보다 정신에 그 우위성을 두었다.

니체는 몸을 경멸하는 자들에게 "몸은 하나의 의미를 가진 다원성"[25]이라 천명한다. 몸은 하나의 큰 이성이다. 우리가 정신이라 부르는 것은 큰 이성의 도구로서 작은 이성인 것이다. 그래서 그는 다원성과 역동성을 통해 새로운 질서를 창조할 수 있는 몸의 이성을 큰 이성(Größe Vernunft)이라 규정한다. 육체는 하나의 큰 이성이며 의미를 지닌 다양성이고 전쟁이며 평화이고 짐승의 무리이며 목자이다.[26] 큰 이성으로서의 몸은 몸의 참된 본성에 대한 이론적인 응시일 뿐 아니라 전체적인 삶의 느낌의 표현을 함축한다. 우리가 일상적으로 이성이라고 불렀던 '작은 이성'으로서의 정신은 큰 이성으로서의

---

22) Friedrich Kaulbach, "Nietzsches Interpretation der Natur", in: *Nietzsche-Studien*, 10/11, 1981/1982, 456쪽.
23) F. Kaulbach, *Nietzsches Idee einer Exprimentalphilosophie*, Köln/Wien, 1980, 16쪽
24) 백승영, 『니체, 디오니소스적 긍정의 철학』, 책세상, 2005, 440쪽.
25) 이진우, 『이성은 죽었는가』, 문예출판사, 1998, 175쪽.
26) KSA, Bd. 4, 39쪽.

몸에 속한다.27) 즉, 니체에게서 정신은 몸을 매개로 한다는 것이다. "몸에 대한 믿음은 정신에 대한 믿음보다 더 확고하게 되었다."28)

니체는 생리학을 자신의 고유한 학문으로 승화시켜 감에 따라 작은 이성의 존재개념을 큰 이성의 존재개념으로 표현한다. 즉 작은 이성은 몸에 관한 표현으로 진전되었다. 작은 이성은 여기서도 여전히 몸의 자기표상(Selbstdarstellung)의 형태에 불과하다. 따라서 작은 이성은 큰 이성의 표상을 위한 도구가 되는 것이다. 니체에 의해 작은 이성은 존재의 개념 안에서 파괴될 뿐 아니라 자신의 자아의 형상으로서 의미를 갖게 된다. 그렇게 하여 자아의 변천의 역사는 몸에서 확인된다. 작은 이성은 목표를 설정하여 완전한 몸으로서 높은 형상을 향해 나아가는 것이지, 단지 뇌의 높은 수준의 형태는 아니다.29)

따라서 니체의 입장에서 작은 이성은 자아 스스로 전개해 나간다. 그리고 이러한 작은 이성의 상태를 전개함에 있어서 도약단계로서 받아들인다. 이런 양상으로부터 도덕성은 일종의 소아병으로서 나타나게 됨을 보게 된다. 퇴화를 통해 몸도 자신의 존재개념을 형성하면서 스스로 완성되어 나아간다. 따라서 작은 이성에 대한 이제까지의 평가를 다시 새롭게 해야 할 필요성이 생겨난다. 자기 스스로 깨닫게 된 도덕성은 이런 도덕성으로서의 자기의식이라는 척도에서가 아니라 몸의 자아의식으로서 파악하는 것이다. 단지 자아의식은 몸을 위한 형태(Gestalt)일 뿐이다. 작은 이성의 존재개념은 다만 육신이라는 참된 존재의 껍데기일 뿐이다. 따라서 니체에 의해서 작은 이성은 의식의 겸손함(Bescheidenheit des Bewußtseins)이라는 의미에서 긍정적으로 해석되고 있다.

---

27) 김정현, 앞의 책, 173쪽.
28) KSA, Bd. 11, 635쪽.
29) KSA, Bd. 10, 506쪽.

"쾌락과 고통은 무수하게 이루어지는 자극에 대해서 거의 희박한 현상이다. 자극은 물론 하나의 세포와 다른 세포와 연관된 신체의 기관 그리고 다른 신체기관에 가해진다. 그것은 의식의 겸손함의 한 단면이다. 결국 우리는 의식된 자아를 그 자체로서 더 높이 조망이 가능한 지성과 연계된 상태에서 하나의 도구로서 이해하게 된다. 그리고 우리는 다음과 같이 물음을 던질 수 있다: 모든 의식된 의도, 의식된 목적, 모든 가치평가는 혹시 수단이 아닌가? 의식적 존재 내부에서 벌어지고 있는 것으로서 이 수단과 함께 어떤 본질적인 차별성이 이루어진다."[30]

위의 인용문에서 보듯이, 니체에게서 작은 이성의 존재개념은 단지 스스로 완성해 나가는 몸의 수단일 뿐이다. 스스로 회복해 가는 이성이라는 존재개념은 자기 자신에게로 향하는 과정에서 몸의 비유기체적 및 유기체적 조직기관에 따라 조금 더 진전된 단계이다. 의식은 목적을 지향해 가면서 능력을 더 확장한다. 이렇게 의식이 확장함에 따라 몸은 스스로 존재개념을 인식하게 된다. 그렇게 함으로써 몸은 자기 스스로 주인임을 인식하게 된다. 니체는 『차라투스트라는 이렇게 말했다』에서 외쳤듯이, 큰 이성으로서의 몸을 형식화하고자 했다. 즉 이성은 정신의 고유한 영역 속에서 정착하여 몸의 저편에 있는 것이 아니라, 몸에 내재한 이성인 것이다. 그래서 우리는 육체의 지혜로부터 육체를 알아낸다. 따라서 우리는 이러한 이성/몸의 이원 분리를 지양하고 철학의 이론을 새롭게 정립시켜 나가야 한다.

2) 몸의 언어

위에서 고찰하였듯이, 니체는 큰 이성을 근거로 하여 그 시대의 생리학에 많은 관심을 갖게 된다. 니체의 몸 철학이 지향하는 바는 정신적인 것을 생리학에 도움을 받아 해석하는 것이다. 그렇게 함으로써 니체는 이원론을 극복하려고 한다. 니체가 표상하고자 하는 내용

---

30) KSA, Bd. 10, 654쪽.

은 순수함(Unschuld)의 정신, 즉 확실한 증거나 목적을 갖지 않는 그런 정신이라는 의미에서의 내용이어야 한다는 것이다. 이 내용은 자아로부터 자기 자신을 인식하며 몸을 표상하게 한다. 따라서 니체는 몸의 언어(Leibsprache)라는 표현을 종종 구사하게 된다. 몸의 언어는 몸의 자기존재에 대한 이해 가능한 표현이기 때문에 미학적 영역에서 표현된다. 이에 따라 예술에서 최고의 진가를 드러난다. 그의 미학적 진가는 '공동의 치유수단(Mittheilungmitteln)'을 제공하며 동시에 자극과 표현을 위해서 극단적으로 받아들이게 된다. 이러한 미학적 상태는 몸적인 존재들 사이의 공동치유성과 감응력의 정점에 서 있다. 곧 그것은 언어의 원천이다.[31] 니체의 자유정신은 미학적, 윤리적 및 철학적 영역에서 형식적인 정초작업의 우월함으로부터 자유롭게 함이다. 그런데 우리가 주의해야 할 것은 무엇인가에 대해 의문을 품고, 실체로서 어떤 대상에 반드시 근거를 두지 않으면서도, 어떻게 몸이라는 실체가 실제적으로 드러날 수 있는가 하는 점이다.[32] 우리에게 니체주의자로 잘 알려진 미셸 푸코는 그의 후기 인터뷰에서 다음과 같이 말한다.

"사유라는 것은 우리 자아에서 주어지는 것이 아니라 실천적 성과와 연관되어야 한다. 우리는 마치 예술작품처럼 기초를 세우고, 작품을 만들어내고 이를 체계화시켜야 한다."[33]

푸코는 이러한 요구와 함께 미학적 자기형성을 고양시켜 자기 스스로를 만들어 나간다. 푸코는 니체를 직접 불러내어 궁극적으로 세 가지의 다양한 측면을 개별적으로 수용한다. 즉, '삶의 예술철학', '실

---

31) KSA, Bd. 13, 296쪽.

32) G. Abel, 앞의 책, 421쪽.

33) Michel Foucault, "Sex als Moral. Gespräch mit Herbert Dreyfus und Paul Rainnow," in: ders, *Von der Freundschaft*, Frankfurt a. M., 1984, 69쪽.

존의 미학', '자기형성의 윤리'(매킨타이어, 게하르트, 슈미트) 혹은 '자기발견'(로티)으로 대표되면서 서로 다른 미학과 윤리의 방법을 연결하는 것이다.[34] 푸코가 니체를 불러들이면서 심미성을 대치시킨 것은 우연한 일이 아니다. 니체는 『비극의 탄생』(1871)에서 "오직 심미적 현상으로서만 존재와 세계가 영원히 정당화되며, 오직 음악만이 심미적 현상으로서의 세계를 정당화한다는 것이 과연 무슨 의미인지를 우리에게 가르쳐줄 수 있다."[35]고 말한다. 니체는 미에의 의지에서 미적인 정당화로서 두 개념을 이 세계의 추악함으로 대치시켰다. 니체는 후기 저서에서 영원한 창조적인 현상을 파괴로의 욕망으로, 그리고 어떤 사물이든 추함의 형식과 대비시켜 연관시켰다. 니체는 예술가들의 창조행위는 예술가들의 몸의 배열에서 힘의 몫을 향상시킬 수 있을 것이라 본다.[36] 즉, 세계는 "음악의 미학"[37]을 통해 측정될 수 있다고 본 것이다. 따라서 문제의 핵심은 몸의 언어를 담는 내용이 어떻게 합리적인 것으로 입증될 수 있는가이다. 언어의 원천, 즉 일반적으로 생동적인 존재들 사이의 의사소통의 근원은 '탈자아적

---

34) Claus Zittel, "Ästhetisch fundierte Ethiken und Nietzsches Philosophie", in: *Nietzsche-Studien*, Bd. 32, 2003, 103쪽.

35) KSA, Bd. 1, 47쪽.

36) Scott Lash, "Genealogy and the body: Foucault, Deleuze, Nietzsche", in: *The Body, Critical Concepts*, The Aberdeen(Hg.), New York: Routledge, 2004, 98쪽.

37) 니체의 음악관에 대한 자세한 내용은 다음을 참조할 것. 양해림, 「니체의 디오니소스적 예술관 (II): 비극의 탄생에서 드러난 음악관을 중심으로」, 『철학』 제60집, 1999 겨울, 147-167쪽. 양해림, 『디오니소스와 오디세우스의 변증법』, 철학과현실사, 2000, 68-90쪽에 재수록; Christoph Landerer, "Nietzsches Vorstudien zur Geburt der Trägodie in ihrer Beziehung zur Musikästhetik Eduard Hanslicks", in: *Nietzsche-Studien*, Bd. 31, 2002, 114-133쪽; Eli Ellon, "Nietzsche's principle of abundance as guiding aesthetic value", in: *Nietzsche-Studien*, Bd. 30, 2001, 201-221쪽; Udo Tietz, "Musik als symbolische Formen: Nietzsches ästhetische Intersunjektivität des Performativen", in: *Nietzsche-Studien*, Bd. 31, 2002, 75-89쪽.

존재(Aus-sich-sein)'의 몸적인 형식이다. 니체의 몸의 철학은 몸을 순수한 탈자아적 존재로서 표상하고자 한다. 이 탈자아적 존재는 목적, 성과, 유기체성에서 벗어나 있다. 즉, 탈자아적 존재는 쇼펜하우어가 규정하고 있는 의지(Wille)의 개념으로부터 다소 멀리 떨어져 있다. 무엇보다 쇼펜하우어에게 있어서 몸의 탈자아적 존재는 경험할 수 있는 토대를 통해서 형성된다. 그렇게 함으로써 쇼펜하우어는 의지를 표상하기에 이른다. 그럼에도 불구하고 그의 탈자아적 존재는 현상과 합리성이라는 해석의 맥락 안에서만 드러날 뿐이다. 이런 점에서 니체는 자신의 몸 철학에 새로운 내용을 담지 않을 수 없었다. 몸 철학은 단지 내용에 의해 확증하지 않고 존재의 자기표상에 의해 대상적 존재(Für-etwas-sich)라는 형태를 띠게 된다. 그리고 이런 구별과 증거제시에서 자기 자신뿐 아니라 다른 대상적 존재로서 드러나게 된다. 이 탈자아의 존재는 추상적이지 않으면서 개념의 형식으로 표현된다. 그리고 생동감 넘치는 타자의 탈자아적 존재에 대해서는 순수한 존재이다. 이것은 육체적인 것들을 근원적으로 결합하는 것이며 몸을 가진 존재들 간의 의사소통을 위한 근원적 표현양식이다. 니체는 이러한 의사소통을 다음과 같이 표현한다.

"여기서 언어는 다음과 같은 것들의 발생지이다: 음향의 언어들(Tonsprache), 몸짓언어와 눈짓언어에서도 역시 마찬가지이다. 더 완전한 현상은 언제나 처음이다: 우리들이 가진 문화적 인간으로서의 능력은 더 완전한 능력에서 지지를 받아낸다. 그러나 오늘날에도 우리는 여전히 근육을 지니고 귀로 들으며 또한 근육을 가지고 스스로 알아낸다."[38]

이렇게 근육을 가진 몸의 이해에 대해 뒤바뀐 형식은 기본적인 명

---

38) KSA, Bd. 13, 297쪽.

제를 이해하려는 것이다. 이러한 이해는 육체적 생성과정을 기본적 존재로서 이해되기를 원한다. 왜냐하면 탈자아적 존재는 육체적인 것에 대해 공동치유의 형식이거나, 육체에 대한 이런 방식의 이해를 치유하는 것으로서 드러나기 때문에, 모든 변화는 탈자아적 존재의 형식으로 표현된다. 그리하여 몸의 언어는 이른바 문법의 형식으로 규정되지 않는다. 오히려 이해는 몸의 강약(die Intensität des Leibs)에 의존해 있고, 그 표현의 대상이 되는 것은 바로 이 몸의 강약의 정도일 뿐이다.

이러한 몸의 강약의 정도는 니체가 생각하는 종류와 방식에서 보는 사랑(Liebe)의 개념을 몸의 모든 현상들에 대해 추론하고 해명해 나간다. 사랑은 몸의 형상의 자연스런 관심으로 접근해 가며 사랑의 의식적 존재에 부합하는 해석과는 무관하다. 사랑은 복수와 희생의 개념에 대립하는 개념의 쌍을 이룬다. 복수와 보답(Belohnung)은 의도가 들어간 생각을 추구한다. 사랑은 몸에 관한 표시의 자연스러운 파악이자 발현이다. 이와 더불어 언어는 몸적 이성의 자연스러운 표시이자 발현이다. 이러한 측면에서 언어는 스스로 기초를 가진 이성의 사랑과 혼동되지 않는다. 그러한 몸적 언어는 기반을 다지는 존재 형상의 개념으로서 목적을 추구한다. 그와 더불어 몸적 언어는 인과적이고 목적지향적인 존재를 경험할 수 있고 언제나 죄와 벌을 추구해 간다. 그렇게 하여 정신적 추동력의 관계라는 의미에서 몸적인 의사소통에 의해 교환이 이루어진다.

3) 몸의 변화유형

니체는 『차라투스트라는 이렇게 말했다』에서 낙타, 사자, 어린아이의 상징으로 세 가지의 변화유형을 표상한다. 여기서 니체는 정신이 겪는 세 번의 변화를 상징한다. 니체는 "어떻게 정신이 낙타가 되고, 낙타는 사자가 되고, 사자는 어린아이가 되는가?"[39]라고 묻는다. 니체가 구상하는 변화유형을 보면, 몸의 큰 이성은 스스로 표상하고 파악하고자 한다.

먼저 정신은 인내하며 옛 도덕의 짐을 짊어지고 가는 낙타의 형태로 변한다. 낙타는 그 이전의 지식과 가치를 느리게 획득하는 과정으로 대표된다. 낙타는 무거운 짐을 지고 가는 동물이다. 모든 것은 한순간에 발생한다.[40] 인내력 있는 정신은 모든 무거운 짐을 짊어지고, 짐을 싣고 사막을 달리는 낙타처럼 정신의 사막을 달린다.[41] 낙타는 곤경에 처한 정신을 담지하고 있어야 한다. 그렇지만 낙타는 사막을 서서히 지나간다. 그리고 거기에서는 형식적으로 근거를 삼은 공허함을 겪는다. 여전히 내용이 없는 곤경에 처한 정신이다. 여기서 자아는 일반적으로 자기근거에 있다는 점에서 형식적일 뿐이다. 외경심이 깃들어 있는 강하고 인내력 있는 정신은 무거운 짐을 가득 지고 있다. 정신의 억센 힘은 무거운 짐, 가장 무거운 짐을 요구한다.

좀더 나아간 형태는 사자로의 두 번째 변형이다. 사자형은 자기 내부에서 내용을 찾아 나간다. 사자는 의지에서 내용을 만들어 나간다. 이것은 "당신은 해야 한다."라는 수동성에 머물러 있지는 않다. 즉, 옛 가치를 상징하는 용에 대항하여 싸우는 사자가 된다. 이러한 변형은 코기토의 황무지에서 나타난다. 사자는 스스로 자아(Ich)를 알게 되지만, 여전히 경험되지 않은 정신의 황무지에서 나타난다. "그러나 고요한 사막에서는 두 번째 변화가 일어난다: 여기서 정신은 사자가 된다. 정신은 자유를 빼앗으려 하고, 정신의 사막을 지배하려고 한다."[42] 자유를 창조하고 의무 앞에서도 성스럽게 거부하는 것, 이를

39) KSA, Bd. 4, 29쪽.

40) Bernard Bischoff, "Nietzsche and the New", in: *Nietzsche-Studien*, Bd. 33, 2004, 156쪽.

41) KSA, Bd. 4, 29쪽.

42) KSA, Bd. 4, 30쪽.

위해서는 사자가 필요한 것이다. 이 사막에서 인과적 인식개념의 공
허함이 시들어 가고, 그 개념은 코기토 안에서 스스로 근거를 세운다.
그러나 여전히 자아는 내용을 나타내지 못한 상태이다. 그 개념은 내
용을 상실한 자아로서 드러날 수 있을 뿐이다. 이제 사자의 정신에서
는 자신의 자아가 나타난다. 몸은 이런 드러남에 따라 결국 하나의
분열된 성질을 지닌다. 궁극적으로 몸은 자기 자신의 본래의 존재로
서 아무런 근거지음도 없이 순수함의 정신 속에서 나타난다. 니체는
이것을 마지막 변형단계에서 상징으로 표현한다.

마지막 단계는 어린아이로의 변형이다. 정신과 육체의 진정한 자기
로서 통합된 마지막 단계는 어린아이로서 나타난다. 마지막 단계의
변형에 이르러서 비로소 몸은 자신의 고유한 자기발현을 드러낸다.
여기서 몸은 다양한 변형을 통해 존재하게 된다. 순수함은 창조적 정
신이며 계산되거나 예측이 허용되지 않는 정신이다. 어린아이는 가치
를 창조하고 정립하는 자기 스스로를 넘어서는 정신이다. 마침내 정
신은 창조의 유희를 하는 어린아이가 된다. 모든 가치는 창조되었고
창조된 가치는 바로 나이다. 따라서 어린아이는 순수함이며 망각이며
하나의 새로운 출발이며 유희이고, 스스로 굴러가는 수레바퀴이며,
최초의 운동이자, 신성한 긍정으로써 표현된다.43) 인간은 자기 스스
로 드러내기 어려운 존재이기 때문에 자기 스스로도 여전히 이해하
기 어려운 존재이다. 더군다나 종종 정신은 영혼(Seele)에 대해 거짓
말을 늘어놓는다. 그리하여 정신은 곤경에 처하게 된다. 즉 곤경에
처한 원천은 정신이다(der Geiste der Schwere).44) 니체는 곤경에 처
한 정신으로서 인과율의 정신을 제시한다.

"내가 나의 옛 악마와 극악무도한 악마를 다시 찾았다고 생각한 것

---

43) KSA, Bd. 4, 31쪽.
44) KSA, Bd. 4, 243쪽.

은, 곤경에 처한 정신과 모든 것을 창조해 냈다: 강제, 설정, 빈궁, 결과 목적, 의지, 선과 악."45)

곤경에 처한 정신은 그 스스로가 지식을 얻고자 하는 도구이다. 그리고 지식과 양심을 몸의 도구로서 설정한다. 이러한 방법으로 작은 이성은 자기의식의 공허감으로 인해 은폐성을 만들어내어 함께 숨는다. "인간은 그 스스로 곤경에 처한 것을 안다: 종종 영혼에 대해 정신을 속이고 있다. 또한 곤경에 처한 정신을 창조해 낸다."46) 작은 이성은 자기의식의 공허감, 그 스스로 지식을 원하는 것, 자아의 향상, 자아, 몸의 회피로 진행된다. 즉, 작은 이성은 강제, 규약, 빈궁, 결과, 목적, 의지, 선과 악 등을 통해 몸의 자기폭로를 벗겨내고 은폐성 안에서 지지를 선언한다.47) 이렇게 니체에게서 계속된 수단은 "코기토의 자기폭로를 통해 몸의 은폐성을 확고히 밝혀내고 이러한 방법으로 몸을 침묵의 철학"48)으로 근거 세우려는 것이다.

4) 순수의식의 전도

니체는 그의 후기 저서에서 인과성, 미학 및 도덕을 몸의 힘으로서 표상할 수 있다는 점을 보여주고 있다. 그리고 니체는 의식의 표현에서 근본토대를 형성한다. 즉 몸의 순수함은 현실적인 세계를 인식함으로써 자신이 자아에 대해 갖는 혐오 때문에 갖는 의식이다. 이러한 의식은 순수의식으로서 원하는 것이다.

"순수함에 대해 모든 것은 순수하다고 대중은 말한다. 그러나 나는

---

45) KSA, Bd. 4, 248쪽.
46) KSA, Bd. 4, 243쪽.
47) Stephan Grätzel, *Die philosophische Entdeckung des Leibes*, Stuttgart, 1989, 119쪽.
48) KSA, Bd. 4, 242쪽.

그들에게 말한다: 천한 것에 대해 모든 것은 천할 뿐이다. 이 점에 대해 몽상가들과 얼빠진 사람들은 훈계를 한다. 그들에게 가슴은 하류에 속할 뿐이다. 세계 자체는 하나의 불결한 괴물이다. 왜냐하면 이 모든 것은 더러운 정신이기 때문이다. 특히 은둔이 아니지만 여전히 휴식을 갖는 그런 것이 있을 수 있는데 이것들은 세계를 배후에서 본다. 즉 세계의 배후자들인 것이다."49)

이렇듯 니체에게 있어서 몸은 스스로 오해된 일종의 전도(Pervertierung)이다. 즉, 그 몸은 스스로 자신의 행위를 알려고 하지 않기 때문에 문제가 된 배경을 다시 파악하고자 한다. 이렇게 순수함을 다시 얻었다는 것은 자기혐오로 바뀌어버린 몸을 의미한다. 이 삶은 자기 자신을 인식하려고 하지 않으며 또한 자신의 자연스러움을 다시 복귀시키려는 것이다. 니체는 『차라투스트라는 이렇게 말했다』에서 곤경에 처한 정신은 우울함을 통해서 파멸에 이른다고 본다. 그리고 이렇게 황폐해 감에 따라 사자(Löwe)로 탈바꿈하게 된다.50) 용감한 자는 모든 명백한 존재들, 즉 궁극적 인과성(Finalkausalität)에 따라 성립하는 모든 존재들을 파괴한다. 물론 이 새로움은 스스로 순수함을 획득함으로서 변화된 "인과성"51)을 보여준다. 단지 순수함은 의도를 가진 목적, 즉 궁극적 인과성으로부터 벗어날 뿐만 아니라, 그의 허물이 자신의 원인에 필연적으로 얽매임에서 벗어나는 일이다. 여기서 허물의 원인은 낯선 것이며, 이 낯섦은 스스로를 자신에게 속하지 않는 것으로 규정한다. 인과성, 즉 행위자의 의도를 확실하게 인식한다

---

49) KSA, Bd. 4, 256쪽.

50) KSA, Bd. 4, 30쪽.

51) 여기서 인과성은 스피노자가 말한 의미로 볼 때 실재인과성(Wirkungskausalität)이다. 스피노자는 정신과 물체는 실체가 아니라 신의 무한한 속성의 두 가지라고 본다. 실체는 신이며 자연이며 정신이다. 신이라는 무한 속성은 유한한 신에서 만들어지지 않는다. 그것은 원인과 결과의 인과성처럼, 그 이전의 유한에서 유한이 만들어진다.

는 것은 지식을 구성하는 것이 아니라 오히려 단순히 사건의 진행과 정을 분리할 따름이다. 이것이 바로 몸이 나타내는 것에 대한 오해이다. 이 문법에서는 몸의 언어를 뒤바꾸어 놓는 것이다.

우리는 결코 근원에 대한 경험을 절대적으로 갖고 있지 않다. 우리는 행위자에 따라 제각기 사건들을 탐구할 따름이다: "우리는 대체 무엇을 생각하는가? 우리는 힘, 긴장(Anspannung), 저항(Widerstand), 근육감각(Muskelgefühl), 이러한 것들이 행동의 시초라고 생각하는데, 우리는 이런 것들로부터 잘못 오해된 원인으로서의 감각적 경험을 얻는다. 행동은 결과를 수반하기 때문에 행위하려는 의지를 갖는다. 원인은 원인으로서 이해한다. 즉 원인은 그 이전의 것으로부터 나오지 않는다. 우리에게 주어진 몇몇의 경우로부터, 사건의 상호소통을 투영시켜 온 것으로부터 자기기만을 증명해 보여 왔다."[52] 이제 니체에게서 인과성의 명제는 생리학적 혹은 심리학적인 목적에 의해 불변하는 새로운 사건의 흐름을 배제해 버린다. 그리고 인과성의 명제는 실재성의 원리라는 의미에서 파악한다.[53] 그렇게 하여 이러한 원리는 불완전한 제작과 동일한 수준의 원리가 된다. 그러나 이런 실재성의 원리가 지향하는 목적은 변함없는 새로움을 이미 알려진 것으로 환원시키고자 한다. 이제 몸의 실마리(Leitfade)는 오로지 몸의 표상만 가능하다. 몸과 유기체에 관한 다른 형태의 표상은 결코 성립할 수 없는 것이다.

결국 니체의 '몸의 철학'은 모든 현상들을 대상으로 한다. 즉, 지금까지 목적이라는 원리를 염두에 둔 현상들을 몸에 대한 표현으로 간주해야 한다는 것이다. 그렇게 함으로써 몸의 개념은 본질적으로 전도되었다. 지금까지 존재로서 설명되었던 그런 존재는 이제 몸에 관한 것으로 이해되어야 한다. 여기서 일어나는 현상은 몸이 자기 스스

---

52) KSA, Bd. 13, 274쪽.
53) G. Abel, 앞의 책, 412쪽.

로 설정하고, 스스로 표상하고, 스스로 자기 세계를 구성하는 것이다. 즉, 몸의 현상은 몸의 법칙(Leibgesetz)으로서 나타난다.[54] 세계가 스스로 포기하는 몸이라고 한다면, 목적을 가졌다는 사실은 몸의 법칙이라는 사실을 고려해야 하며, 그것은 수단이 되었든 이미 주어진 사실이 되었든 간에 상관없다. 그렇게 몸은 스스로 형성되는 것이다. 이러한 반성의 진행과정은 몸에 연루되어 있다. 사물은 그 스스로 근거를 세우거나 알려지게 할 수 없다. 또한 사물의 의미는 목적으로부터 의미의 근거를 완수하지 못한다. 그 대신에 몸의 존재 안에는 자기의 형상이 자리 잡고 있다. 몸은 자기 자신의 모습에 관한 추상적인 형식구조로서의 코기토를 자기 자신의 형상에 근거지를 둔다. 이와 같은 추상적 지식은 어떻게 몸이 스스로 표상하고 몸의 존재개념이 형성되는가에 대한 종류와 방법에 관련되어 있다: "창조적 자아는 존경과 경멸을 만들어내며 쾌락과 고통을 창조한다. 창조적인 몸은 스스로 지닌 의지의 손으로 정신을 창조한다. 그렇지만 그의 어리석음과 경멸함에 있어서, 몸을 경멸하는 자들은 그들의 자아에 기대고 있다. 나는 그들에게 이렇게 말해 주려고 한다: 당신들의 자아는 스스로 소멸해 가고 몸에서 멀어져 가고 있다."[55] 따라서 사건에 관련된 의식과 자아의식은 자기 자신의 관점에서 완성된 몸의 의식과 자아의식으로서 파악된다.

3. 맺는 말

앞 절에서 고찰한 바와 같이, 니체의 몸 철학은 몸적 존재로서의 인간에 대한 규명을 하는 것에서 출발한다. 즉 니체는 "인간이란 몸적 존재일 뿐이며 그 밖에는 아무것도 아니다."라고 선언한다. 우리

---

54) Stephan Grätzel, 앞의 책, 131쪽.
55) KSA, Bd. 4, 40쪽.

는 지금까지 고찰한 니체의 몸 철학의 의의를 다음과 같이 현대적 관점에서 찾을 수 있다.

첫째, 니체의 몸 철학은 데카르트적인 코기토적 회의를 철저히 극단화한 방법론적 개념을 몸으로부터 출발하여 몸을 실마리로 하여 새롭게 찾아냈다. 니체의 몸 철학의 등장은 그동안 근대 이후 서양철학사를 지배해 온 데카르트의 육체와 정신의 이원론적 대립구도에서 벗어나는 계기를 마련하였다.

둘째, 니체의 몸 철학은 주체를 새롭게 제시하였다. 이는 주체, 통일성에 관한 인식을 얻기 위한 것이었다. 그의 몸 철학은 주체의 통일성을 다양한 세력들의 지배관계로 파악하였다. 니체의 몸 철학은 "주체의 질서가 하나의 중심 없이 이루어질 수 있는 새로운 사유의 패러다임이다."라고 부를 수 있다.56) 주지하듯이, 우리를 복종하게 하면서 동시에 지배하는 것이 바로 몸이었다. 몸주체의 이성은 창조하고 해석하는 능력을 지닌다. 이성 및 인간에 대한 이러한 새로운 규정은 기존의 인간관과 이성에 대한 비판을 포함한다.57) 즉 니체의 몸 철학에 의하면, 다양한 세력들의 지배관계로서 파악하면서 복종하고 지배하는 것이 바로 몸이었다.

셋째, 니체는 몸과 연관된 유기체로서의 오해된 몸을 복권시켰다. 니체는 이제까지 서양철학사에서, 이성중심의 담론에서 큰 이성으로서의 몸에 대한 담론으로 논의의 방향을 바꾸었다. 즉 그는 작은 이성의 목적론적 사유의 불합리성을 보여주면서 몸에 관한 생리학적 관점을 표현하였다. 여기서 작은 이성의 비판은 목적 그 자체를 대상으로 삼음으로써 그것의 불합리성을 본질적으로 규명하는 것이었다. 이러한 작은 이성의 불합리성에 대한 비판은, 항상 목적을 통해 확실

---

56) 이진우, 『이성은 죽었는가』, 문예출판사, 177-178쪽.

57) 백승영, 「니체읽기의 방법과 역사」, 『니체가 뒤흔든 철학 100년』, 한길사, 2000, 51쪽.

성을 보장받으려는 작은 이성은 결코 큰 이성의 총체적 복합체와 연관되어 있지 않다는 점을 규명했다. 단지 작은 이성이 큰 이성보다 앞서 있을 뿐이라고 언급한 점에서 큰 이성의 존재론은 현대철학에 획기적인 패러다임의 전환점을 마련하였다.

넷째, 니체는 생리-심리학적 존재개념에서 몸을 주목하였다. 그의 생리-심리학적 존재개념의 특징은 자기의식의 성격을 지니고 있지 않은 반면에, 존재개념은 생성개념이다. 니체에게 있어서 자기의식의 실재는 언제나 고정된 것들에 대한 징표였기에 자기분열로 나타날 수 있다는 점을 우려한다. 니체의 생리학은 작은 이성의 존재개념을 큰 이성의 존재개념으로 바꾸어 부르기를 기꺼이 원했다. 그의 사유의 전환점은 이제까지 작은 이성, 즉 정신을 강조한 것에 비판을 가했다. 즉 몸의 다원성과 역동성에 의해 그동안 등한시해 왔던 육체에 하나의 큰 이성으로서 커다란 의미를 부여했다. 따라서 작은 이성으로서의 정신도 큰 이성의 하위부류에 속한다는 것이다. 이렇게 그는 몸의 형태를 생리학적인 법칙들의 한 부분으로 간주했다. 따라서 지금까지 니체는 몸 개념의 통찰을 통해서 철학적 기반을 구축한 셈이다. 종국적으로 니체의 몸 철학은 그의 철학에서 가장 뛰어나고 획기적인 성과를 남겼다고 평가할 만하다.

제 6 장
메를로-퐁티의 몸의 문화현상학 *

1. 들어가는 말: 문화현상으로서 몸의 담론

최근 몸의 이론에 관한 우리의 학문적 관심과 논란이 뜨거워지면서 우리 시대의 문화적 담론1)으로 자리 잡았다. 몸은 어디에서부터 시작하여 어디로 귀착하는 담론인가? 인간은 욕망하는 존재이기에 욕망은 인간의 몸에서 비롯된다. 무엇보다 인간의 몸은 욕망의 바탕이자 최초의 발현의 장소이다. 서양철학사에서 플라톤 이데아론의 이

---

* 이 글은 한국현상학회 편,『몸의 현상학』, 철학과현실사, 2000, 107-136쪽에 실렸다. 그 후『공연과 리뷰』, 현대미학사, 2004 여름, 25-42쪽에 재수록되었고, 이를 다시 부분적으로 수정 · 보완하였다.

1) 몸의 문화적 담론에 관해 몇몇 국내문헌은 다음과 같다. 김용호,『몸으로 생각한다』, 한길사, 1998; 김정현,『니체의 몸철학』, 지성의 샘, 1995; 김형효,『메를로-퐁티와 애매성의 철학』, 철학과현실사, 1997; 류의근,「메를로-퐁티에 있어서 신체와 인간」,『철학』제50집, 1997 봄, 261-291쪽; 박석준 외,『몸』, 산해, 2001; 이거룡 외,『몸 또는 욕망의 사다리』, 한길사, 1999; 정화열,『몸의 정치』, 민음사, 1999; 조광제,『몸의 세계, 세계의 몸: 메를로-퐁티의 지각의 현상학에 대한 강해』, 이학사, 2004; 조광제,『주름진 작은 몸들로 된 몸』, 철학과현실사, 2003.

원론적 철학과 육체를 죄악시하는 중세 기독교적 전통에서는 정신을 육체에서 분리해 냈다. 근대 서구철학에서 데카르트는 인간을 물리적 대상으로서 연장적 실체인 육체(물체)와 심리적 주체인 정신의 이원론으로 양분하면서 일반적인 인식론의 문제와 인간의 본질에서 육체보다 정신에 그 우위성을 두었다.[2]

인간에게서 정신과 육체는 어떻게 분리되고 결합되는가? 데카르트의 사유는 오랜 기간 동안 이러한 문제설정에 고민하여 왔으나 그의 코기토(Cogito)는 정신을 무엇보다 강조하는 데서 인간의 실체를 찾았다. 정신중심의 이원론적 세계관은 지난 수백 년간 서양문명을 떠받들어 온 기둥이었고, 이성의 들러리 노릇을 해왔던 몸이 그 위상을 찾기 시작한 것은 19세기 초 프랑스 철학자인 멘 드 비랑(Maine de Biran, 1766-1824)[3]부터였으며, 그 후 니체를 비롯한 현대철학자들이 몸에 대한 심오한 통찰을 남겼다. 니체는『차라투스트라는 이렇게 말했다』(1885),『권력에의 의지』(1886) 등의 저서에서 육체의 존재가치와 육체의 사회적 현상을 고려하지 않은 자아와 이성중심적인 이성론에 강한 비판을 가했다. "이제까지 철학은 몸을 주석하는 데 불과했으며 몸을 오해했다."[4]는 것이다. 니체는 "나의 육체는 나의 전부이다. 나는 나의 육체 이외에는 아무것도 아니다. 영혼이란 몸의 어떤 면을 말해 주는 것에 불과하다."[5]라는 파격적인 선언을 통해 육체

2) Vgl. Heiner Hastedt, "Neuerscheinungen zum Leib-Seele-Problem", in: *Philosophische Rundschau*, Bd. 42, 1995, 254쪽.

3) 멘 드 비랑은 데카르트의 "나는 생각한다. 고로 존재한다."라는 경구는 판단, 관념, 실물도 아니며, 현실적 존재의 직접적 지각은 운동이며, 의식은 그 운동에 의해 사물, 세계, 자기신체 등 모든 것을 밖으로 내쫓는다고 보고 있다 (A. 로비네, 류종렬 옮김,『프랑스철학사』, 서광사, 1987, 98쪽).

4) Werner Schneiders, *Deutsche Philosophie im 20. Jahrhundert*, München: Beck, 1988, 41쪽.

5) F. Nietzsche, *Sämtliche Werke. Kritische Studienausgabe*, hrsg. v. M. Nontinari, de Gruyter, Berlin/New York, 1980, Bd. 4, 39쪽. Vgl. *The*

속에 이미 정신의 지혜보다 더 많은 이성이 깃들어 있다고 주장했다.

몸을 억압하던 서양철학사에서 몸의 담론은 1960년대 전후 프랑스를 중심으로 하여 현저하게 주목받기 시작하였다. 이러한 정신 또는 이성의 패권에 대한 저항은 20세기 후반에 와서야 구체화되었으며, 정신 없는 육체나 육체 없는 정신이란 존재하지 않는다. 서구의 이원론은 남성과 여성, 인간과 자연, 서양과 동양 등으로 우월한 것과 열등한 것을 구분하려는 인식이 굳어져 왔다. 이러한 생각은 메를로-퐁티(Maurice Merleau-Ponty, 1908-1961) 및 마르셀(Gabriel Marcel, 1889-1973), 사르트르(Jean-Paul Sartre, 1905-1980), 하이데거(Martin Heidegger, 1889-1976); 푸코(Michel Foucault, 1926-1984) 등 현상학자와 실존주의자 및 구조주의자들이 등장하면서 심각한 도전에 직면하였다.

몸의 담론은 이른바 20세기 후반부터 후기자본주의 문화를 지배했던 포스트모더니즘의 발흥에서 좀더 구체적으로 찾을 수 있다. 근대성에 대한 비판적 성찰로서 포스트모더니즘의 도래는 그동안 철학의 주변부에 버려졌던 육체, 곧 몸을 일으켜 세워 사유의 중심부로 불러들였다. 21세기에 들어서도 새로운 최첨단 과학기술문명의 발달로 인해 인간의 몸에 대한 담론은 지속될 조짐을 보이고 있다. 그 이유는 정보통신의 눈부신 발전의 산물인 사이버스페이스와 가상인물인 사이버스타의 출현, 인간과 기계를 합친 사이보그의 출현 및 인공지능 컴퓨터 등을 위시한 인지과학의 비약적인 발전으로 신체의 위상이 흔들린다는 사실도 몸 담론의 배경6)이 되고 있기 때문이다. 몸(body)

Portable Nietzsche, ed. and trans. Walter Kaufmann, New York; Penguin Books, 1959, 146쪽.

6) 이에 대한 자세한 내용은 다음을 참조. 홍성욱, 「몸과 기술: 도구에서 사이버네틱스까지」, 『몸 또는 욕망의 사다리』, 한길사, 1999, 203쪽. 이 논문은 홍성욱, 『생산력과 문화로서의 과학 기술』, 문학과지성사, 1999, 284-308쪽에 재수록됨.

과 기술(technology)처럼 다른 것도 없다. 몸은 살아 있는 유기체이며, 기술은 그렇지 못하다. 몸은 자연적인 진화의 결과이며 지금 이 순간에도 변화하고 있지만 기술은 인간의 발명의 산물이며 인간 없이는 한 발짝도 앞으로 나아갈 수 없다. 몸은 외견상 약하고 몇 십 년 살다가 썩어 없어지지만, 기술은 외견상 강하고 신라시대의 첨성대나 조선시대의 남대문, 경복궁 등에서 알 수 있듯이 그 수명이 반영구적인 것과 같다.

20세기의 가장 의미 있고 설득력 있는 몸 철학의 대표자라 할 수 있는 사상가는 메를로-퐁티이다. 그는 『지각의 현상학』(1945)을 비롯한 여러 저서에서 몸적인 이성(Leiblichen Vernunft), 몸적인 주체, 몸적인 행위를 분류하여 말한다.[7] 그에게서 몸적인 행동은 육체적인 것만을 의미하는 것은 아니다. 모든 인식의 궁극적인 완성은 몸의 지각을 통해 이루어진다. 우리의 몸은 지각의 주체이며, 우리는 몸을 매개로 하여 자연이나 사물 및 문화적 사물과 함께 뒤섞여 살아간다. 흔히 육체란 정신을 표출하는 매개체라고 생각해 왔지만, 현상학자들은 몸 자체가 사회적 커뮤니케이션(kommunikation)을 하고 있다고 말한다. 특히 메를로-퐁티는 몸을 사회적 의사소통의 매체로서 여러 갈등을 극복해야 할 것으로 보고 있으며, 인간의 이성보다 몸을 중시하는 이론을 정립한다. 다시 말해 메를로-퐁티는 우리가 행동하고 생각하는 모든 것이 사회성에 의해 기호화된다고 본다. 즉 사회성은 인간의 존재라는 수수께끼를 푸는 열쇠이다. 사회성은 존재의 고주파 요법이며, 존재란 함께 존재하는 것이다.[8]

그는 한걸음 더 나아가 고독(Einsamkeit)과 의사소통은 그 선택을

---

7) Ch. Taylor, "Leibliches Handelns", in: B. Waldenfels(Hg.), *Leibhaftige Vernunft*, München, 1986, 194쪽.

8) 정화열, 이주환 외 옮김, 『몸의 정치와 예술, 그리고 생태학』, 아카넷, 2005, 48쪽.

대립시키는 것이 아니라 개별적인 현상에 대한 두 개의 계기가 존재하는 것이라고 본다. 왜냐하면 타자들은 실제로 나를 위해서 존재한다고 보기 때문이다. 우리가 다른 입장을 반성으로부터 어떻게 말할 것인지는 타자의 경험을 통해 말한다.9) 즉 타자는 나에 대해 실존하는 것이며, 실존한다는 것은 사회적 차원을 포함하는 세계 안에 실존함을 의미한다. 타자들에 대한 우리의 지식과 관련된 반성의 수준에서 발생될 수 있는 이론적 당혹감들은 다른 주체와의 관계 속에서 경험된 것이거나 체험된 의사소통을 전제로 한다. 여기서 메를로-퐁티는 혼란의 당혹감으로부터 명백한 해석을 피하는 애매성을 오히려 미덕으로 삼는다. 실존은 공동의 실존으로 자신을 확대해 가며, 모든 사회적인 형식으로도 모두 이룰 수 없는 익명적(匿名的)인 근거이다.10)

나는 나의 몸을 삶으로써, 나의 몸이거나 혹은 나의 몸으로 실존한다. 이러한 삶을 살아가는 몸은 체현된 자아라는 생각의 자아중심성으로써 익명성을 거부한다. 자아중심성과 익명성은 사회적인 것의 진정한 본성을 오해한다. 그것들은 사회적인 죽음을 가져온다.11)

나와 타자는 자연과 문화처럼 끊임없이 서로에게 스며든다. 따라서 실존은 지각에서 계속 작동할 뿐만 아니라 모든 동적, 정서적, 성적(性的), 언어적, 문화적 그리고 사회적 행위에서도 작용하는 지향성으로 바뀌어간다.12) 몸은 세계 안으로 우리를 안내해 주는 적극적인 매

---

9) Maurice Merleau-Ponty, *Phänomenlogie der Wahrnehmung*, überst. von Rudolf Boehn, Berlin, 1966, 411쪽(이하 Phw로 약칭하여 표기함).
10) 메를로-퐁티의 자아, 타아, 익명성 등의 표현은 레비나스의 사상과 밀접한 연관관계를 갖는다. 자세한 관계는 다음의 문헌을 참조. David Michael Levin, "Tracework: Myself and in the Moral Phenomenologie of Merleau-Ponty and Levinas", in: *International Journal of philosophical Studies*, Vol. 6, No. 3, 1988, 342-392쪽.
11) 정화열, 이주환 외 옮김, 『몸의 정치와 예술, 그리고 생태학』, 98쪽.
12) 발덴펠스, 최재식 옮김, 『현상학의 지평』, 울산대 출판부, 1998, 78-80쪽.

체이다. 지각과 몸은 상호불가분의 관계에 있으며, 상호주관성은 필연적으로 상호육체적이다. 여기서 메를로-퐁티의 상호주관성이란 나라고 하는 영웅주의에 사로잡혀 그 속에서 타자를 나에 대한 순수한 부정으로 보는 주체들의 다원성을 의미하는 것이 아니다. 상호육체성은 세계의 구도를 형성하는 것으로서 현상학적 몸, 즉 나의 몸과 너의 몸 그리고 그들의 몸이 함께 어우러져 사회세계의 '살(Fleisch)'을 붙여 나간다.13) "살이 의미하는 것"14)은 정신적인 것과 육체적인 것, 주체와 몸, 몸과 세계, 자아와 타자 등의 관계가 순환하여 존재하고 있다는 사실, 즉 상관적인 상호교호를 뜻한다. 이런 점에서 그의 몸 철학의 중심테마는 나아 타자 사이의 사회적 존재에서 드러난다. 우리는 나와 타자와의 연관 속에서 타자의 몸과 '타자의 살의 살(the flesh of his flesh)'과의 관계 속에서 존재하고 있다.

"세계의 살은 나의 살로 느껴지는 것이 아니다 그것은 감각될 수 있지만 감각하는 것은 아니다. 나는 그럼에도 불구하고 그것을 살이라 부른다(예를 들어 양각, 깊이, 경험에서의 삶). 그것이 기능적인 것의 프레낭스, 세계 가능성이라고 말하기 위해서 말이다(그런 세계의 다양한 기능적 세계들, 단수건 복수이건 이 편의 세계), 그리하여 그것은 절대적으로 대상이 아니며, 순수한 사태로 있는 양식은 단지 그러한 세계에 대한 편중되고 이차적인 표현에 지나지 않는다고 말하기 위해

---

13) 정화열, 『혁명의 변증법: 모택동과 메를로-퐁티』, 민음사, 1999, 154-155쪽.
14) 메를로-퐁티가 살의 개념을 구체적으로 기술한 저서는 『가시적과 비가시적인 것』이다. 첫째, 만짐(toucher)에서 몸의 주체와 객체의 이중성이 분명하게 드러난다. 둘째, 봄과 만짐은 하나로 통일되어 있다. 만짐에서 나타나는 몸의 주체/객체 이중성이 봄(vision)에도 확실하게 나타난다. 셋째, 봄에서 몸의 주체/객체의 이중성은 우주 전체에 존재하는 주객 이중성을 원리적으로 가능하게 한다. 넷째, 주객 이중성은 원리적으로 가능하게 요구된다. 즉 그 이전의 어떤 철학적 개념으로도 표현할 수 없고 단지 살이라는 새로운 개념으로 표현될 수 있다. 다섯째, 살은 존재의 원소이다(조광제, 『주름진 작은 몸들로 된 몸: 몸 철학의 원리와 전개』, 철학과현실사, 2003, 135쪽).

서 말이다. 그것은 물활론이 아니다. 거꾸로 물활론은 개념화이다. 설명에 의해— 존재자의 질서, 육적 현전성에 대한 우리의 경험의 질서 속에 있는 거짓된 주제화— 사람들이 생각한 끝에 고유한 몸을 이해할 수 있는 것은 세계의 살에 의해서이다."(Phw, 304)

위 인용문에서 보듯이, 메를로-퐁티에게서 살은 나의 살이 아니다. 나의 살이 있다 해도 나의 살은 다른 살들로 둘러싸인다. 특히 나의 살과 남의 살의 경계는 아메바 운동과 같이 새로운 의미경계를 산출하면서 사라져버린다. 무엇보다 우리의 몸은 구체화된 자아뿐만 아니라 우리가 존재하는 사회적, 역사적 세계 속에서 활짝 개방되어 있다.15) 여기서 그는 몸을 물리적 질서, 생명적 질서, 인간적 질서 등 세 가지 질서로 나눈다. 이 세 가지 질서가 변증법인 통일을 이루어 하나의 몸을 구성하고 있다. 특히 인간적 질서는 사회 · 문화적 질서16)를 가리키며 그의 모든 사상은 사회 · 문화적 현실로서 생활세계의 일부를 이룬다. 다시 말해서 "인간정신의 총화는 각각의 문화가 타문화와 나란히 관계를 가질 때 존재하는 것이며, 하나의 문화는 타문화 속에서 우리는 자신의 메아리를 들으며 스스로 깨어난다."17) 그렇게 하여 "타자와 인간적, 문화적 질서는 자연 및 우리의 지각의 상으로 통합된다. 왜냐하면 타자는 실제로 각 사물에 속하는 기능적인 시각구조의 어느 한 양식의 일부이기 때문이다."18) 인간존재가 문화

---

15) Jung Hwa Yol, "The Radical Humanization of Politics: Maurice Merleau-Ponty's Philosophy's of Politics", in: *Archive für Rechts- und Sozialphilosophie*, Vol. 53, 1967, 235쪽.

16) 조광제, 「모리스 메를로-퐁티」, 조광제 외, 『현대철학의 흐름』, 동녘, 1996, 91쪽.

17) Maurice Merleau-Ponty, *Signs*, trans. R. C. McCleary, Evanston: Northwestern University Press, 1964, 139쪽.

18) Herbert Spiegelberg, 김경호 옮김, 『현상학적 운동 II』, 이론과 실천, 1992, 149쪽.

적 질서의 세계 안에서 태어난다고 할지라도 그러한 세계로부터 타자들의 실존을 추론하는 데 그다지 문제될 것은 없다. 그런데 그러한 사실은 기껏해야 우리에게 익명성의 입장을 제공해 줄 뿐이다. 또한 문화적 질서 속에서 나는 익명성의 베일에 가려진 채 근접해 있는 타자의 실존을 경험한다.

메를로-퐁티는, 지각된 세계는 모두 문화 합리성의 전제가 되는 모체라 보고 있다. 즉 지각된 세계는 과학과 철학의 이론으로서 합리성일 뿐만 아니라 일상적 실천으로서의 합리성이기도 하다. 이는 침전된 의미의 저장고로서 지각은 하나의 기관(institution)이라는 것이다. 그는 『보이는 것과 보이지 않는 것』에서 지각과 문화의 나선형적 차원에 깊은 관심을 표명했다. 지각과 문화는 서로에 대해 완전히 독립적이지 않다. 지각 자체는 그 주변환경을 항상 이미 담고 있는 것일 수 있다. 침묵이 말해지지 않는 언어인 것처럼, 지각은 규명되지 않았지만 문화적으로 물려받은 각인된 지각이다. 즉 지각이란 문화적으로 알려진 행위인 것이다.[19]

이런 점에서 지나간 과거와 문명의 객관적이고 과학적인 의식은 사회적 문화세계 지평의 힘 속에서만 가능한 것이 아니라, 최소한 잠재적인 의사소통의 관계에서 가능한 것이다(Phw, 414). 따라서 메를로-퐁티의 몸 철학은 전체적으로 두 가지의 양상으로 파악할 수 있다. 하나는 지각의 세계를 복구하고자 하는 시도이며, 다른 하나는 타자들과의 의사소통과 사유행위가 어떻게 하여 진리의 발현지인 지각의 영역을 넘어서 가능하게 되는가를 보여주고자 하는 시도이다.[20]

위의 관점에서 살펴보았을 때, 메를로-퐁티에게서 몸은 더 이상 혼자 고독하게 내버려둘 존재가 아니며, 적극적으로 끌어들여 그 역사

---

19) 정화열, 『혁명의 변증법: 모택동과 메를로-퐁티』, 106쪽.

20) Maurice Merleau-Ponty, *The primacy of Perception and Other Essays*, ed. James M. Edie, Evanston: Northwestern University Press, 1964, 3쪽.

적, 사회적, 문화적 맥락을 진지하게 검토해야 할 대상이다. 그에게서 몸의 주체적 담론은 존재론적 문화 및 역사철학적 함축을 지니고 있다. 먼저 몸의 담론은 어떻게 주체가 자연세계에서 나타나서 동일한 행동으로 보일 수 있는가를 관찰하는 것이며, 둘째로 나와 타자의 주체 사이의 관계가 어떻게 역사적, 문화적 세계 및 자연적인 가시계(可視界)로 확장되는가를 파악하는 것이다.[21] 타자의 주체는 이미 세계에 존재하는 것이며, 타자는 나의 자리에서 동시에 나타난다. 이렇게 파악한 세계와 자연적인 정신이 바로 몸이다(Phw, 296). 우리가 공간적인 심연을 지각하는 것도 이러한 자연적인 정신과 문화적인 정신의 구별을 설명하여 변형하는 데서 나온다. 어떻게 우리는 문화적으로 변형된 이러한 지각에 도달할 수 있는가?

메를로-퐁티는 문화를 통해 지각을 형성하며, 문화도 지각된 것이라 말한다.[22] 우리에게 인간의 몸은 무엇을 의미하며, 그 몸은 무엇 때문에 세계에 존재하고 있는가? 몸의 자아와 타자는 어떤 관계를 맺고 있는가? 우리는 지각하는 세계의 개방성과 문화적 세계의 개방성 사이의 연속성을 어떻게 이해할 것인가? 이러한 몸의 물음들을 중심으로 나는 메를로-퐁티의 "애매성의 철학"[23]에서 드러난 『지각의 현

---

21) Samuel B. Mallin, *Merleau-Ponty's Philosophy*, New Haven/London, 1979, 250쪽.

22) Gérard Wormser, "Maurice Merleau-Ponty: Phänomenologie Leiblichkeit und Rehabilitation der Erscheinung", in: René Weiland(Hg.), *Philosophische Anthropologie der Moderne*, Weinheim, 1995, 137쪽.

23) 알퀴에(Feridinand Alquié)는 메를로-퐁티의 철학을 애매성의 철학이라 부른 첫 인물이다. 애매성은 경험주의와 관념론 사이를 오고가는 것이 아니라 이들 양자의 대립되는 상호 경험세계에 대한 실제적인 서술이다(앨버트 라빌 주니어, 김성동 옮김, 『메를로-퐁티: 사회철학과 예술철학』, 철학과현실사, 1996, 71-72쪽). 김형효 교수는 메를로-퐁티의 애매성의 철학을 두 가지 관점에서 파악한다. 첫째 애매성은 사회적, 문화적 구조에 의해 표현되며, 동시에 변증법적인 애매성을 지니며, 둘째로 애매성은 인간 활동으로서 스스로 사용대상과 문화대상들을 나타내면서 동시에 이것들을 부정하거나 극복하고

상학』을 중심으로 고찰해 보고자 한다.

2. 지각현상으로서 몸(Leib)의 개념

메를로-퐁티는 "지각의 문제"[24]를 지속적으로 파악해 왔다. 몸은 지각의 가능성의 조건이며 선험적 관점에서 파악되었다. 그의 현상학적 분석의 중심은 몸과 관련한 지각을 추구하는 것이다. 특히 그는 사물의 순수한 세계와 연관시켜 자아와 타자에게서 부여된 체계를 연구하는 데 중점을 두었다. 메를로-퐁티는 순수한 선험철학적 전통 속에서 질문을 설정하고, 과학의 비판을 통해 구체적인 현상학으로써 몸의 세계를 어떻게 적합하게 적용할 수 있는가에 관심을 집중하였다. 그런데 과학과 선험적 요구 및 지평 사이의 몸은 그렇게 반드시 명료하게 드러나는 것은 아니다.[25] 다시 말해서 근본적인 철학은 선험철학을 위한 것만은 아니다. 근본적인 철학은 절대적인 의식으로 옮겨놓은 것은 아니라는 것이다. 그의 철학은 어떤 것을 설명하려는 단계로 나아가려는 것이 아니라 자기의 문제를 자기가 일인칭의 주

자 하는 의미를 지닌다(김형효, 『메를로-퐁티와 애매성의 철학』, 62쪽. Vgl. S. de Walhens, *Une philosophie de l'Ambi- guïte L'Existentialisme de Maruice Merleu-Ponty*, Louvatin, 1951).

24) 김홍우 교수는 메를로-퐁티의 지각론을 '본다'의 의미를 중심으로 3단계로 나누어 설명하고 있다. 첫째, 본다는 것은 사유(또는 사유의 구성적 행위)와 구별된다. 둘째, 본다는 것은 세계-안에-존재하는 몰입의 한 형태이다. 셋째, 본다는 것은 사물 그 자체와의 직접적인 '접촉'이라는 것이다(김홍우, 「메를로-퐁티에서의 보는 것의 의미」, 『현상학과 정치철학』, 문학과지성사, 1999, 107쪽). 또한 메를로-퐁티의 시각론은 두 가지로 집약할 수 있다. 첫째, 시지각의 대상은 지각하는 주체, 즉 시선에 대하여 존재할 뿐이며, 사유하는 주체에 대해 존재하는 것은 아니다. 둘째, 대상을 본다는 것은 '대상에 매달림'이며, 대상을 구성하는 사유작용은 아니다(같은 책, 121쪽).

25) Rüdiger Bubner, "Kritische Fragen zum Ende des Französischen Existentialismus", in: *Philosophische Rundschau*, 14. Jg. 1967, 249쪽.

체가 되어 스스로 관찰하는 것이다. 이것은 지식의 전체적인 설명에 대한 요구를 방법으로 하는 것이 아니라 철학의 근본문제로써 이성을 전제로 한 인식을 통찰하는 것이다(Phw, 87). 즉 그는 칸트와 후설을 위시한 선험철학에만 머물러 있지 않았고, 모든 필연적인 가능성의 조건들을 검토하여 과학과 철학의 관계에서 그 연관성을 찾았다. 여기서 그는 인류학, 사회학, 자연과학 등의 결과들을 서로 불일치의 관계로 파악하지 않고, 오히려 개별과학을 차례로 보충하고 자신의 몸 철학의 이론적 토대로 삼았다. 이렇게 그는 개별과학과 함께 심리학에 상당 부분을 의존하여 자신의 몸 철학의 방법을 형성한다. 즉 그는 몸과 정신의 과학, 생리학과 심리학의 관계를 서로 연결시켜 추적해 나갔다. 이와 같이 그의 뛰어난 몸 철학의 저술들은 '현상학적-심리학적 연구'의 순서를 통해 점차적으로 자연과학, 사회학을 비롯한 과학과의 연관성으로 확대해 나갔다.

메를로-퐁티는 전승되어 온 공간, 시간, 사물, 주체, 역사, 사회, 인과율, 법칙과 같은 범주 및 개념을 철학과 과학의 논의로만 연결하지 않고, 주변의 경험을 주제화하여 세계와 인식을 요구하는 것에 대해 말하는 자와 말하고 있는 자를 결합시킨다.[26] 즉 그의『지각의 현상학』은 주로 모든 과학적인 해석에 앞서서 주어진 우리의 세계경험에 있어서의 기본적인 층을 탐구하려는 시도이다. 이러한 관점은 몸의 의미, 즉 명료성, 모호성, 익명성 등을 소홀히 다루지 않고 지각에 주어진 것을 보고하거나 기술하는 것이다. "지각은 단순하게 수용하는 작용도 창조적인 작용도 아니다. 지각은 세계와 우리의 근원적으로 모호한 관계를 표현한다."[27] 이러한 점에서『지각의 현상학』은 지각작용의 현상이기보다는 지각된 세계의 현상학이다. 그러므로 메를로-

---

26) Alexandre Metraux, "Zur Wahrnehmungstheoretie Merleau-Pontys", in: B. Waldenfels, *Leibhaftige Vernunft*, München, 1986, 218쪽.

27) Herbert Spiegelberg, 앞의 책, 150쪽.

퐁티의 가장 주목할 만한 측면은 지각된 대상에 대한 구체적인 연구이면서 직접적인 감각대상의 지각에만 몰두하지 않고 이를 훨씬 넘어서서 지각세계의 대부분의 영역을 포괄하고 있다는 점이다. 따라서 몸은 익명성 및 이중성과 확실한 명예를 회복시키는 역할을 한다.[28]

그의 이러한 지각의 문제는 첫 번째 저서인 『행동의 구조』(1942)의 여러 곳에서 구조, 형식, 형태 등의 중심개념으로 드러나면서 외부의 지각된 인간을 파악하고 있다. 특히 그의 대표적 저서인 『지각의 현상학』에서 몸을 지각의 중심개념으로서 상세히 기술하고 일반화시킨다. 위의 두 저서에서 중심주제인 몸의 개념은 구조와 의미의 개념을 상세하게 제시하여 이해하는 것이었다.[29] "우리가 실존에서 인식할 수 있는 지각을 행위에서 이해한다면, 우리가 관계하는 모든 문제는 지각의 문제로 환원된다. 이러한 문제는 구조와 의미개념의 이중성 안에 놓여 있다."[30] 또한 그가 "나의 몸은 나의 앞에 있는 것이 아니라 오히려 나는 나의 몸속에 있다(ich bin in meinem Leib)." 라든지, "나는 나의 몸"(Phw, 180)이라 언급한 것은, 동시에 나의 실존임을 우회적으로 암시하는 것으로 볼 수 있다. 다시 말하면 『지각의 현상학』이 낳은 실존 속에서 이미 본질이 함께 서식하고 있다는 것이다.[31]

이는 사르트르가 암시하는 바와 같이, 실존 속에 본질이 이미 내재하고 있다는 것이다. 몸속에 우리는 이미 실존과 본질을 연결하여 인식하면서 동시에 배우고 익힌다. 이렇게 해서 우리는 지각의 일반에서 몸을 다시 찾고 더 세련되게 기술하게 된다. 우리는 이러한 몸을

---

28) 같은 책, 148쪽.
29) Birgit Frostholm, *Leib und Unbewußtes. Freudes Begriff des Unbewußten interpreitiert durch den Leib-Begriff Merleau-Pontys*, Bonn, 1978, 35쪽.
30) Maurice Merleau-Ponty, *The Structureof Behavior*, Boston, 1963, 258쪽.
31) 김형효, 『메를로-퐁티와 애매성의 철학』, 124쪽.

순간마다 실존의 표현이라 말한다(Phw, 198).

이러한 관점에서 그는 『지각의 현상학』 제2부의 '지각된 것으로의 세계'라는 글에서 몸을 상세하게 표현하고 있다. "몸에 대한 이론은 이미 지각에 대한 이론이다." 이것은 다음을 의미한다. "모든 외적인 지각은 직접적으로 나의 몸의 어떤 하나의 지각과 동일한 것이며, 마찬가지로 나의 몸의 모든 지각은 외적 지각의 언어로 설명한다." (Phw, 242) 우리가 주목할 점은 그가 몸을 지각의 관점에서 지속적으로 파악하고 있다는 점이다. 내가 대상을 보고 지각하는 것이 아니라 내 속에 있는 타자가 대상을 보고 지각하는 것이다(Phw, 253). 우리의 지각은 대상에 다다른다. 한번은 지각에서부터 우리의 현실적이고 가능한 현상의 모든 근거로써 대상에 나타난다. 그래서 나는 일정한 시선을 갖고 저 너머에 있는 어떤 집을 본다. 우리는 프랑스 자이네의 오른쪽 강가를 주시하고 대상의 또 다른 측면을 보고, 다시 비행장을 응시한다. 집 자체는 이러한 현상에 있는 것이 아니라 비전망적(非展望的)인 모든 가능한 전망을 어디에서든지 보는 것이다(Phw, 91).

메를로-퐁티가 말했던 것처럼, 몸성은 현상학적 관점으로 파악된다. 우리의 몸은 투명성, 정체성, 지배성의 이념에 반대한다.[32] 나의 몸이 일반적인 기능에 관계하는 것처럼 몸은 모든 의미의 핵심이며, 몸속에는 질병도 추가적으로 존재한다. 그러나 몸속에서 우리는 본질과 실존을 배운다(Phw, 177). 그에게서 질병은 하나의 실존의 형식이다. 그런데 우리 몸에서 운동을 경험하는 것은 그렇게 특별한 인식은 아니다. 운동을 경험하는 것은 어느 면에서 세계와 대상에 접근하면서 시작되고, 어쩌면 독립적이거나 근원적인 것으로 인식하면서 시작한다(Phw, 170). 예를 들어, 의사가 자신과 마주보고 있는 환자에게

---

32) Käte Meyer-Drawe, "Merleau-Pontys Kritik an Husserls Konzeption des Bewußtsein", in: *Phänomenologische Forschungen*, Bd. 30, 1996, 214쪽.

자신의 행동을 구체적으로 따라하라는 주문을 하였을 때, 환자는 흉내 내는 것이 현실적으로 불완전한 것으로 되고 만다. 즉 의사가 오른쪽 손으로 자신의 오른쪽 귀를 만지고 왼쪽 손으로 자신의 코를 만지는 행동을 하면, 환자는 그것이 오른쪽 손이건 왼쪽 손이건 상관없이 그것으로 귀를 만졌다가 코를 만졌다가 한다(Phw, 130, 170). 이러한 몸짓의 흉내 내기는 언어적인 설명을 통해서 전달된다. 최소한 언어의 상징적 입장에서 언어의 일반적인 상징기능은 전이(轉移)의 능력으로 수행되는데, 특히 흉내 내기를 적용하는 것은 지각이나 객관적 사유에서 수행될 수 있다. 그런데 이러한 일반적인 기능은 행위가 성공적으로 이루어졌다고 설명할 수 없다. 왜냐하면 환자는 운동을 따라하거나 그 동작을 변형시킬 수 없는 것이 아니라 오히려 그것을 표상으로 해야 하기 때문이다. 이러한 흉내 내기는 일종의 반사적인 익명적인 운동이라는 사실을 주목할 수 있다. 흉내는 익명의 몸이 먼저 수행한다. 이런 행위를 수행하는 것이 정신이 아니라 몸이라고 간주한다면, 환자에게 결핍된 것은 정신의 범주가 아니라 몸의 어떤 능력인 것이다.[33)

위에서 예를 들었듯이, 메를로-퐁티에게서 운동, 느낌, 의미의 경험과 사물들을 지각한다는 것은 "지향성의 언어"[34)이다. 후설에게서 지

---

33) 장문정, 「메를로-퐁티의 데카르트적 성찰」, 『철학연구』 제21집, 고려대학교 철학연구소, 1988, 227쪽.

34) 지향성의 언어, 즉 의식의 지향성은 브렌타노(Franz Brentano)로부터 시작된다. 그는 지향성을 물리적 현상 안에서 발생하는 자연적 과정 및 실체적 사건으로서 혹은 심리적 현상으로 파악하였다. 이에 비해 후설은 지향적 행위의 언어는 '선험적 자아'의 수단에 의한 것이라고 파악한다. 후설은 브렌타노의 자연적(심리주의적) 지향성의 개념을 그의 선험적 구성주의의 모델로 대치한다. 메를로-퐁티는 위의 두 사람의 영향을 받고 있으나, 특히 거위스(A. Gurwith), 코프카(K. Koffka), 골드슈타인(K. Goldstein), 보이텐디크(Buytendigk) 등을 비롯한 전통적인 형태이론(형태심리학)가들의 노선에 영향을 받고 있다. 메를로-퐁티의 의식의 지향성에 대한 자세한 문헌은 다음을

향성의 개념은 "모든 의식은 무엇에 대한 의식"으로 표현되지만 전혀 새로운 말은 아니다. 칸트 역시 관념론을 거부하면서, 내적 지각은 외적 지각 없이는 불가능하며, 상호연결된 현상으로서 세계는 나의 통일성의 의식 속에 예정되어 있고, 따라서 세계는 내가 의식하는 것으로 실현시킬 수 있는 수단임을 보여준다(Phw, 14). 즉 메를로-퐁티가 강조하고 있는 몸의 지각은 지향성이라는 것이다. 메를로-퐁티는 후설의 표현을 빌려 몸의 지각은 지향성이라는 사실을 강조한다. 왜냐하면 몸은 지향성, 경험, 행동의 양태, 투명성 등의 개념에서 분리된 주관적인 인식도 아니며, 객관적 인식과정으로 정의할 수 있는 것도 아니기 때문이다. 주관과 객관, 내부와 외부는 최소한 근본적인 것이다. 내부와 외부는 분리될 수 없다. 세계는 전체적으로 내부에 있으며, 나는 전체적으로 나를 외부에 존재하게 한다(Phw, 464).

우리가 지각 속에서 사물을 본다는 것은 "그 스스로 주어진 것, 몸적으로 주어진 것"이다. 이미 타자는 사물을 '표현의 놀라움'으로 현실화시킨다. 외부적인 것은 내부적으로 개방되고 세계로 내려오는 것을 의미한다. 몸은 세계 속에 존재하지만, 그 속에서 모든 것을 이해하는 것은 아니다. 따라서 사물은 나의 몸과 나의 실존에 상관관계를 맺고 있으며 건강한 몸의 구조에서만 존재한다(Phw, 370).

메를로-퐁티에 있어서 몸화된 의식의 지향성, 즉, "의식은 근원적으로 내가 생각하는 데 있는 것이 아니라 내가 무엇을 할 수 있다." (Phw, 10, 166, 364)고 하는 언급에서 찾을 수 있다. 다시 말해 "그의 몸은 한 세계의 힘이다."라고 표현한다. 이러한 현상학적 몸의 고유 운동성은 "나는 할 수 있다."로 말할 수 있는데 이는 바로 후설이 말하고자 했던 지향성이다. 이러한 문제에 대해 메를로-퐁티는 몸적인 존재의 익명성과 동시에 상호공존을 표명하는 것이다.[35] 그는 데카르

참조. M. C. Dillon, "Gestalt Theory and Merleau-Ponty's Concept of Intentionality", in: *Man and World*, Vol. 4, 1971, 436-459쪽.

트가 코기토36)라고 부르는 "나는 생각한다."와 구별하여 육체의 지향성으로서 코기토, 즉 "나는 할 수 있다."로 표현한다. 단지 의식 속에서 현상이 존재하는 것이 아니라 현상의 의식으로서 새로운 개념의 코기토가 등장한 것이다. 새로운 코기토는 무엇인가의 의식이며, 무엇인가를 제시하는 현상이다(Phw, 344). 코기토는 의식의 존재가 존재의 의식과 동일하게 나타난다. 데카르트의 "나는 생각한다. 고로 존재한다."라는 말은 선후관계에서 유추되는 것이 아니라 서로 동격이다. 다시 말해서 메를로-퐁티가 "나는 할 수 있다."37)로 언표한 것은 한정된 언어를 갖고 변형시키지 않는다거나 의식에 방해를 받고 있는 것에 더 분명한 이론으로 제시하고자 하는 것이다. 그래서 이러한 예는 몸적인 지향성, 의식의 지향성, 몸적인 운동의 경험인 것이다. 이러한 점에서 의식은 육체의 수단을 통해 존재하게 되며(Phw, 170), 또한 사물과 세계는 근본적으로 현재의 개방된 존재인 한에서 나인 것이다(Phw, 384). 따라서 사물과 세계는 나로부터 혹은 나와 동일한 주체로부터 체험되었을 때 존재한다(Phw, 385). 결국 몸은 나의 몸이기 때문에 나의 사물과 행동이나 세계에서 벗어나서 생각할 수 없다. 그런데 이 나의 몸, 주체로서의 몸은 세계의 지평이나 현상학적 장과 독립된 것이며, 평행한 상태로 나란히 마주 본 그러한 육체인 존재가 아니기에, 나의 몸은 곧 세계와의 애매한 상태에서 교통하고 있다. 그래서 나의 몸이 느끼는 감각은 문자 그대로 하나의 공

---

35) Bernhard Waldenfels, *Phänomenologie in Frankreich*, Frankfurt a. M., 1983, 169쪽.

36) 메를로-퐁티는 코기토를 세 가지의 의미, 즉 데카르트적인 것, 후설적인 것, 그리고 자신의 것으로 나누어 차별화하였다(장문정, 『메를로-퐁티의 살의 기호학』, 한국학술정보(주), 2005, 192쪽).

37) Vgl. Maurice Merleau-Ponty, *Sign*, 111, 210쪽. 또한 메를로-퐁티는 『지각의 우월성과 타자의 에세이』에서 "내가 기본적으로 보려는 모든 것은 나의 범위에서, 최소한 내 시야의 범주에서 내가 할 수 있다."는 증표를 골라내는 것이라 말한다.

동체이다(Phw, 252).

메를로-퐁티에게서 몸의 개념은 기존의 데카르트적인 육체와 정신의 이원론의 문제를 해결하고 지양하는 데 있다. 메를로-퐁티는 몸의 개념을 "전체적으로 나는 나의 외부에 존재해 있고, 세계는 전체적으로 내부에 존재한다."고 본다. 이러한 의미는 인간의 행태 및 사물의 지각 등은 동일한 주제를 다룬다는 것이다. 즉 몸의 개념은 생리학과 심리학 사이의 이율배반, 설명과 이해의 방법을 극복하고자 한다. 그는 코파(K. Koffa)에 의존하여 "설명과 이해는 인식의 대상으로 파악된 그렇게 다양한 방법이 아니라 그 근거는 동일한 것"(Vgl. Phw, 22, 45)이라고 기술한다. 따라서 심리학과 생리학은 두 개의 평행적인 과학이 아니라 추상적이고 구체적인 두 가지 행태를 규정하는 방식이다(Phw, 28). 그러므로 메를로-퐁티는 몸의 개념을 통해서 사르트르가 언급한 즉자존재와 대자존재의 평행선을 그 대안으로 파악한다. 이러한 몸의 개념은 육체와 의식의 이율배반적인 요소를 지양하는 것이다. 메를로-퐁티가 말하고 있듯이, "몸은 나의 내부에 있는 표상도 아니며, 나의 외부에 있는 사물도 아니다. 몸은 결코 대상이 아닌 것이다. 그러나 동일한 근거로 나의 몸을 의식하는 것도 아니다. 나의 몸의 분명한 표상으로 드러난 것을 극복하기 위하여 분해하는 것이 아니라 다시 합치시키는 것이다."(Phw, 234) 이러한 의미에서 몸은 더 이상 주체와 객체를 따로 관찰하지 않는다. 왜냐하면 몸은 주체와 객체를 동시에 갖고 있기 때문이다.[38] 몸은 세계를 소유하고 있는 우리의 수단이다. 곧 몸은 삶을 유지하기 위해 필요한 몸짓을 제한하고 우리 주변에 있는 생물학적 세계와 관계한다. 곧장 몸은 이러한 첫 번째 몸짓에서 역할을 하고 자기가 직접적으로 전달한다는 의미로 넘어간다. 따라서 몸을 통해서 새로운 의미의 핵심을 알게 된

---

38) Willi Maier, *Das Problem der Leiblichkeit bei Jean-Paul Satre und Maurie Merleau-Ponty*, Tübingen, 1964, 45쪽.

다. 궁극적으로 그러한 종류를 생각하는 의미가 몸의 자연적 수단으로 당도할 수 있는 것은 아니다. 이에 따라 몸은 공구를 창조하고 주변의 문화세계를 계획한다(Phw, 176). 이러한 맥락에서 메를로-퐁티는 후설을 위시한 전통적인 사상의 노선에 따라 몸의 개념을 분석하고 몸의 역동적인 지향성을 종합하는 것이다. 그는『지각의 현상학』에서 우리의 전통적인 철학의 개념, 즉 내부와 외부, 자아와 타자, 의식과 존재, 대자존재와 세계-로의-존재의 관계 등 중요한 의미의 장을 구성한다. 이러한 관계는 모두 자아를 통합하기 위한 문화적인 경계를 구축하는 것이다. 몸의 문화세계에는 동시에 타자가 등장하며 여기서 상호문화성의 관계가 설정된다.

3. 몸의 지식: 세계-로의-존재

메를로-퐁티에게서 몸의 지식은 "세계-로의-존재(être-au-monde, Zur-Welt-Sein)"[39)]로 표현된다. 이러한 몸의 지식은 세계-로의-존재라는 두 가지 방법으로 전개되는데, 하나는 세계로 동화(Einverleibung)되는 것이며, 다른 하나는 몸의 세계로 되는 것이다.[40)] 그런데 이 둘의 과정은 전체적으로 몸을 경험하고 의식하는 데서 서로 보충하여 만들어진다. 이러한 방법이 없다면, 몸은 지각 속에서 무(無)로 사라

---

39) 메를로-퐁티에게서 'être au monde'의 개념은 번역하는 데 어려움이 뒤따른다. 왜냐하면 이 개념은 언어적으로나 사실적으로 함축성이 있는 개념이 아니기 때문이다. 이 개념은 빈번하게 하이데거의 '세계-내-존재(In-der Welt-Sein)', '세계 존재의 곁에(bei-der-Welt-Sein)', '세계를 소유한(Welt-Haben) 것' 등으로 혼용하여 쓰인다. 그러나 이 개념은 단지 하이데거적인 의미로 이해할 수 있는 것이 아니라 메를로-퐁티의 전체적인 철학체계 속에서 이해해야 한다. 여기서는 독일어 번역본에 따라 'Zur-Welt-Sein(세계-로의-존재)'으로 표현한다.

40) Stephan Grätzel, *Die philosophische Entdeckung des Leibs*, Stuttgart, 1989, 203쪽.

지거나 외적인 것을 이해하는 것으로 단지 알려진 기계에 머물러 있을 뿐이다.

그의 현상학은 『지각의 현상학』이라는 제목에서 알 수 있듯이, 경험의 일차적 형태인 지각의 체험을 인식의 근원으로서 상정해 놓고, 이에 근거하여 인간과 세계, 의식과 대상과의 관계 등을 새롭게 설명하고 있다. 그리고 이러한 지각의 현상으로부터 언어와 문화, 이성 그리고 예술적, 윤리적, 종교적 체험에 대한 탐구로 확대되고 있다. 메를로-퐁티의 『지각의 현상학』은 존재라는 말 대신에 실존이라는 용어를 자주 사용한다. 실존의 토대는 주체로서의 몸이다. 몸과 세계의 상호교환성을 말한다고 하더라도 그 중심은 언제나 몸에 맞추어져 있다. 그는 무엇보다 그의 전기 철학에서 몸을 주체적인 위치에 올려놓는다. 그 과정에서 중요하게 등장하는 개념들은 세계에의 존재, 몸 자신, 지향성, 몸의 도식, 몸의 공간성, 몸의 시간성 등이다.[41] 메를로-퐁티의 몸의 현상학을 이루는 핵심개념은 몸, 지각, 세계이다.

> "우리는 우리에 대해 존재하고 공간, 대상 혹은 도구를 맡아서 다룬다. 이러한 일은 원초적인 기능에 의해서 가능하다. 그리고 원초적인 기능을 독점하여 수행하는 장소가 몸이다. 내가 항상 견지하는 목표는 이 언초적인 기능을 밝히고 이 몸을 기술하는 것이다."(Phw, 176)

원초적인 기능을 수행하는 몸을 서술한다는 점에서 메를로-퐁티의 현상학은 몸의 현상학이라 불린다. 원초적인 기능을 수행하는 것은 바로 지각에 의해서이다. 몸, 지각, 세계, 이것이 메를로-퐁티의 현상학이 순환하는 원초적인 영역이다.

타자의 보이는 것은 나의 안 보이는 것이고, 나의 보이는 것은 타

---

41) 조광제, 「메를로-퐁티의 후기 철학에서의 살과 색」, 한국현상학회 편, 『예술과 현상학』, 철학과현실사, 2001, 116쪽.

자의 안 보이는 것이다. 이러한 메를로-퐁티의 표현은 타자와 내가 서로 안 보이는 생각과 감정을 주고받는 상관적 관계의 매듭과 같음을 알리고 있다.42) 그러는 동안에 우리가 경험하는 세계는 내적으로 애매하게 구성되어 있다. 그렇지만 몸의 주체는 분리된 것이 아니라 서로 지각의 장을 공유하면서 사회적인 의사소통을 하는 상호문화적 관계이다.

무엇보다 메를로-퐁티 자신에게 현상학의 중심인물은 언제나 후설이었다. 그는 위의 저서에서 후설 현상학의 환원을 재해석하는데, 특히 후설의 생활세계(Lebenswelt)의 개념을 발전시킨다. 후설이 선험적 이성의 현상학을 확립하고자 하여 지각된 의식을 단지 경험의 한 양상으로 보았다면, 메를로-퐁티는 합리성의 현상학을 지각의 토대에 기초하고 있다. 그는 하이데거의『존재와 시간』(1929)의 실존적 요소와 세계-내-존재의 개념에 많은 영향을 받고 자신의 이론에 박차를 가한다. 하이데거에 있어서 기본적 실재는 이 세계가 아니라 존재에 있으며 지각적인 것을 포함한 모든 인간체험의 분석은 오직 존재에의 근본적인 물음을 제기하기 위한 수단이다. 메를로-퐁티는 인간의 실재성의 특징을 지향성으로서 파악하고, 그 체험 속에서 세계는 인간의 생활세계로서 구성된다고 본다. 특히 그는 지각된 세계를 기본적인 실재로서 간주한다.

메를로-퐁티는 후설의 현상학적 환원을 자신의 해석을 통해 하이데거의 세계-내-존재의 개념을 위한 필수불가결한 기초로 제시하고 있으며, 하이데거의 실존철학이 후설 현상학의 정당한 연장선임을 암시한다. 몸은 '세계-로의-존재의 수레바퀴(Vehikel)'의 역할을 하며, 거기서 그 몸은 살아 있는 것이라 부른다. 몸은 주변환경과 하나가 되어 일정한 계획을 설계하는 것과 동일시되며, 그 속에서 꾸준히 관

---

42) 김형효,「동서 사상에 대한 어떤 철학적 독법」,『철학연구』제47집, 철학연구회, 1999 가을, 22쪽.

계를 맺는다(Phw, 106). 그런데 세계-로의-존재는 그 자체로 애매성을 지니고 있다. 즉 그것은 몸의 애매성으로 표현되며 시간의 애매성으로도 이해된다(Phw, 110). 내 몸의 경험은 이미 타자의 몸성을 전제로 한다. 여기서 세계는 더 이상 순수의식의 구성물이 아니다. 세계는 나와 타자 사이에 나누어지는 것도 아니며, 지각된 자아 사이에서 불가능한 과정도 아니다. 오히려 세계를 뛰어넘는 몸의 본질을 추구한다(Phw, 404). 따라서 몸은 세계-로의-존재로 향해 갈 때, 생생하게 살아 있다.

메를로-퐁티는 첫 번째 저서인『행동의 구조』(1942) 및『지각의 현상학』43)에서부터 마지막 저서인『보이는 것과 보이지 않는 것』(1964)에 이르기까지 자신의 중심주제는 데카르트 이후로 방법론적 회의를 통해, 진리의 문제에 관한 한, 의식의 문제로 되돌아가는 것이라고 말한다. 이러한 의식의 문제는 인간의 주체가 어디서나 가능하게 존재하고 있는 한, 몸이 세계-로의-존재로 향하는 근원지에 방해되는 장애물을 제거하는 것이었다.44) 여기서 그는 외부세계와 인간을 연결하는 몸의 개념을 도입한다. 메를로-퐁티는 위의 저서들을 통해서 줄곧 데카르트 이후로 "의식의 문제"45)에 관심을 보여 왔던 사

---

43) 메를로-퐁티는 현상학은 코기토(Cogito) 중심의 의식 현상학임을 인식하였고, 이를 비판한『지각의 현상학』을 발표하였다. 즉 이 저작에서 메를로-퐁티는 '객관적 지각과 구분되는' 독특한 '형태의 지각'을, '이지적 의미'와 구분되는 독특한 '유형의 의미'를 , 그리고 '순수한 그 무엇의 앎이 아닌 지향성 등을 강조'한다(김홍우, 앞의 글, 105쪽). 우리가 경험하고 있는 한에서 모든 세계가 똑같은 확실성을 지닌 채 코기토 속에 회부되어 동일한 확실성을 연결시킨다. 세계는 단지 '무엇의 사고'라고 이해하는 한, 데카르트의 방법론적인 회의 때문에 우리가 손해 볼 것은 없다. 왜냐하면 세계는 아주 최소한 우리가 경험한 코기토에서 통합되기 때문이다. 또한 주관과 세계와의 관계는 엄격히 말해서 양면적으로 구성된 것이 아니다(Phw, 5).

44) Gérard Wormser, 앞의 글, 130쪽.

45) 사르트르의 의식의 문제는 다음을 참조. 강충권,「존재와 무에 관한 고찰」, 한국사르트르연구회 편,『사르트르와 20세기』, 문학과지성사, 1999, 131-137

르트르의 사상을 비판하면서 자신의 몸의 체계를 형성하였다. 무엇보다 그의 몸 철학은 사르트르를 계속 발전시켜 나갔다는 데 중요한 의의를 지니고 있다.[46] 즉, 메를로-퐁티에 의하면, 대자(對自)와 즉자(即自) 사이에는 서로 차단되지 않는 변증법적인 상호작용이 있으며 우리가 몸을 지니고 있는 한, 노동하고 조작하는 동물인 한에서 우리의 존재를 자연으로부터 격리시킬 수 없다는 것이다.[47] 그는 사르트르에 대해 실재를 즉자와 대자로 나누고 있는데, 이러한 이분법은 의식과 세계, 의식과 신체 간의 변증법적 상호관계를 설명하는 데 있어서 결정적인 난점을 갖는다. 이런 점에서 사르트르는 후설 이상으로 의식을 절대적으로 자유로운 순수의식으로서 간주하고 있다고 비판한다. 이에 반해 메를로-퐁티는 '육화된 코기토(incarnate cogito)'의 개념을 주장함으로써 근본적인 행위로서 세계에 대한 지각의 구성을 언급한다. 그는 데카르트적인 이원론을 극복하면서 사르트르가 『존재와 무』(1943)에서 보인 즉자와 대자의 증후군을 또한 비판하고 더 나아가 넘어서고자 한다(Vgl. Phw, 240).[48] 즉 "인간이 정신이기 때문에 본다든지 또한 그가 보기 때문에 정신이라고 말할 수 없다. 오히려 인간이 보는 것과 같은 방식으로 보는 것과 정신으로 존재한다는 것은 동의어"(Phw, 166)라는 것이다. 또한 구체적으로 파악한 인간은 유기체에서 부가된 정신심리현상이 아니라 가끔은 육체적으로 존재하기도 하고 때로는 개인적 행위에 연관되기도 하는 실존의 왕

쪽; 신오현, 『자유와 비극: 사르트르의 인간존재론』, 문학과지성사, 1986.

46) 사르트르와 메를로-퐁티의 몸에 관해 비교한 문헌은 Willi Maier, 앞의 책 참조.

47) 정화열, 『몸의 정치』, 민음사 1999, 143쪽. Vgl. Mary Rose Barral, *Merlau-Ponty: The Role of the Body-subjekt Interpersonal Relations*, Doqesne University Press, 1965, 227쪽.

48) Vgl. Bernhard Waldenfels, "Das Problem der Leiblichkeit bei Merleau-Pony", ders, *Der Spielraum des Verhaltens*, Frankfurt a. M., 1980, 31쪽.

복인 것이다(Phw, 108).

그는 『지각의 현상학』 제3부(Phw, 419-465)에서 '대자존재'와 '세계-로의-존재'라는 제목 하에 데카르트적 코기토와 사르트르의 의식의 문제를 "세계로의 현전"[49]이라는 진정한 코기토로 대체할 것을 상세하게 서술하고 계획한다.[50] 메를로-퐁티는 존재의 개념에 주목하여 현존재는 세계를 자기 품 안에 품으면서 또는 세계를 여는 풍만함 속에서 확고하게 자리 잡고 있다고 말한다. "몸은 공간 속에서 그냥 존재하는 것이 아니다. 몸은 공간 속에 들어가 사는 것이다."(Phw, 169) 그는 이 책의 서문에서 코기토를 다음과 같이 수정할 것을 제의한다.

"이제까지 언급해 왔던 코기토인 자아는 나 자신에게만 접근할 수 있는 것을 가르쳐 온 결과로 인해 타자들에 대한 지각을 평가절하해 왔다. 왜냐하면 그것은 나를 내가 나 자신의 것으로 갖고 있는 사유로서, 그리고 적어도 이러한 궁극적인 의미에서는 나만이 수행할 수 있는 것으로 정의해 왔기 때문이다. 그러나 한낱 공허한 어휘로 머물러 있지 않기 위해서라면, 나의 존재는 존재하고 있음에 대해 순전히 나만의 의식으로 환원해서는 안 된다. 이러한 나의 존재는 또한 의식을 파악해야만 하며, 따라서 육화를 어떤 자연이나 최소한 어떠한 역사적 상황의 가능성 속에 포함시켜야 하는 일이 필요하다. 즉 코기토는 내가 상황 속에 있음을 밝혀내야 하며 후설이 언급한 선험적 주관성으로 될 수 있는 것은 바로 이러한 조건에서 뿐이다."(Phw, 10)

다시 말해서 메를로-퐁티의 코기토는 주로 데카르트가 확신하고

---

49) 메를로-퐁티는 주관과 객관을 현전(presence)이라 불리는 하나의 단일한 구조의 두 추상적인 요소라고 부르고, 이 구조 속에서 주관은 본질적으로 세계로 현존되고 세계는 주관적이 된다(Phw, 491; Herbert Spielgelberg, 앞의 책, 154쪽).

50) Herbert Spielgelberg, 앞의 책, 150, 152쪽.

있었던 내적 지각의 확실성을 파괴하는 데 그 주안점을 두고 있다. 데카르트에게 코기토는 '나'라는 실체가 존재하기 위해서 어떠한 장소도 필요로 하지 않으며, 어떠한 물질적인 것에도 의존하지 않는다.

나를 존재하게 하는 정신은 육체와는 완전히 구별되며, 육체가 없다고 해도 그대로 존재한다. 세계 안의 모든 물체들은 완전한 자에 의해 의지하고 있고 이것이 없이는 한 순간도 존재할 수 없다.[51] 그런데 메를로-퐁티에게 진정한 코기토는 주체의 존재를 그 주체에 대해 사유하고 있는 입장으로 규정하지 않으며, 세계의 확실성도 세계를 표상하는 확실성에 대한 사유를 의미하지도 않는다. 진정한 코기토는 나의 사유 그 자체를 양도할 수 없는 하나의 사실로서 인정하며, 세계-로의-존재 나를 드러내주고 있는 일체의 관념론을 배제한다 (Phw, 10). 여기서 세계에 관한 존재의 실천적인 구조들은 타자들과의 상호관계 속에서의 사회적 구조들로서 증명된다. 내 몸의 경험은 이미 타자의 몸성(Leiblichkeit)을 전제로 한다. 여기서 세계는 더 이상 순수의식의 소유물이나 구성물이 아니며, 세계는 나의 지각의 세계가 아니라 우리들의 지각의 세계이다. 세계는 나와 타자 사이에 나누어지는 것도 아니고, 지각된 자아에서 불가능한 과정도 아니며 오히려 세계를 뛰어넘는 몸의 본질을 추구한다. 따라서 우리들의 지각은 개별적인 세계에서 서로 합쳐져 하나의 공동체를 이룬다. 우리 모두는 지각된 익명적인 주체로서 세계에 참여한다(Phw, 404).[52] 나의 세계의 상관관계에 뿌리를 두고 있는 이 객체 이전의 몸은 비개인적인 요소인 익명성의 요소를 지닌다. 그것은 탄생하고 죽음에 이르는 것과 똑같다. 왜냐하면 우리는 나의 출생과 죽음을 나의 것으로 진정

---

51) Descartes, *Discourse de la Methode*, IV, 2. Oeuvres de Descartes, ed. Ch. Adsm, P. Tannert, 1. 32쪽.

52) Vgl. 최재식, 「메를로-퐁티 현상학에 있어 형태 개념에 의거한 사회성 이론 (I)」, 한국현상학회 편, 『현상학과 실천철학』, 철학과현실사, 1993, 261쪽.

으로 잘 알지 못하고 있기 때문이다. 그래서 나는 항상 이미 출생했고 또한 살아 있는 것으로 파악하고 있으며, 나의 출생과 죽음은 항상 개인 이전의 지평으로 파악할 수 있다(Phw, 253). 나의 개인적인 삶과 개인으로서의 결정은 이러한 바탕 위에서 성장한다. 그에게서 이러한 타자를 지각하는 것은 주변세계를 아직 정확하게 구별할 수 없는 "익명적인 집단 및 무차별적인 집단생활" 속에서 드러난다.[53] 왜냐하면 타자의 익명성은 선이론적(vortheoretisch)으로 이미 우리 속에 내재해 있기 때문이다. 메를로-퐁티는 "제3의 선이론적, 근원적 존재방식을 세계-로의-존재라고 불렀고, 이는 육체적 행위로서의 근원적인 지각의 존재방식"[54]이라 명명했다. 모든 외부의 지각은 직접 나를 분명하게 지각하는 익명적인 것이다. 이것은 마치 나의 몸이 모든 것을 지각하듯이, 외부에서 지각하는 언어로 해석한다(Phw, 242). 다시 말해 일반에 관한 우리의 관계들처럼, 사회적인 것에 관한 우리의 관계는 개별적인 것을 분명하게 지각하거나 판단하는 것보다도 훨씬 심오하다(Phw, 414). 따라서 우리의 몸의 본질은 근원적으로 익명적인 것이 숨겨져 있는 것이다.

그는 『지각의 현상학』에서 육체적 도식(Körperschma)의 개념을 몸의 세계-로의-존재 방식으로 소개한다. 육체적 도식은 나의 몸의 세계-로의-존재라는 또 다른 표현이다(Phw, 126). 육체적 도식으로서의 현상적 몸은 사물도 의식도 아니다. 그는 그 주변의 관계를 일반적인 지향성, 사물의 입장을 공간성과 대비한[55] 상황의 공간성으로 제시한

---

53) Maurice Merleau-Ponty, *The Primacy of Perception*, 119쪽.

54) 한자경, 「메를로-퐁티: 신체성의 자아」, 『자아의 연구』, 서광사, 1977, 263쪽.

55) 플레게(Herbert Plügger)는 메를로-퐁티의 이러한 몸의 놀이공간으로서 육체적 도식 개념 및 현상학적 몸의 지각의 공간성을 상세하게 제시하였다. 자세한 내용은 다음을 참조. Herbert Plügger, *Vom Spielraum des Leibes, klinisch-phänomenologische Erwägungen über Köperschma und Phantomgild*, Salzburg, 1970, 7-22쪽. 73-92쪽.

다. 이러한 일반적인 지향성 및 지향적인 토대는 의식을 전제로 하고 있기 때문에 선-자아(Vor-Ich) 혹은 자연적인 자아로서 역동적인 도식으로 파악하는 것이다. 나의 몸은 의미의 이중성으로서 기존의 자아가 갖고 있었던 특권을 떨어뜨려 놓는다. 이처럼 육체적인 도식은 몸의 한계 안에서만 표현되는 것이 아니라, 본질적인 사물의 몸적인 선험성(Apriori)에서 나타난다.

"그러나 몸적인 도식의 개념을 통하여 새로운 방법에 대해 몸의 통일성으로만 규정하는 것이 아니라 육체적인 도식을 통하여 의미의 통일성과 대상의 통일성을 규정한다. 나의 몸은 표현을 현상하는 장소이거나 현실 그 자체이다."(Phw, 274)

세계-로의-존재는 존재를 형성하고 세계를 실체적으로 보며, 인과율 및 합리적 지식으로 체계화시킨다. 그렇게 되었을 때 몸은 세계-로의-존재로서 구체화되고 육체적인 도식을 형성한다. 이러한 맥락은 동시에 몸 그 자체의 과정을 구성하며 몸으로 표현한다.[56]

"그 의미는 마치 보는 것이 두 눈으로 함께 작용하듯이, 서로 지각 속에서 의사소통을 한다. 음향을 듣고 색깔을 보는 것은 두 눈의 통일된 관점에서 나타난다. 따라서 몸은 나란히 설정된 기관이 아니라 협동의 체계와 총체적으로 연관되어 있다. 몸은 이러한 전체적인 기능 속에서 받아들이며, 세계-로의-존재라는 광범위한 운동 속에 존재한다. 그렇게 하여 몸은 실존 그 자체의 체계적인 형태를 지닌다."(Phw, 273)

육체적인 도식은 몸적인 의미를 형성하며, 육체적인 도식에서 몸의 존재개념이 형성된다. 존재는 항상 세계-로의-존재이며, 마치 몸이 세계를 형성하고 통합하고 있는 방법과 같다. 이러한 것은 몸적인 존재

---

56) Stephan Grätzel, *Die philosophische Entdeckung des Leibes*, 205쪽.

의 객관적인 표현이며 동시에 내면성으로 체험된다.57) 메를로-퐁티에게서 우리 주변의 사물, 인간, 나의 몸을 지각하는 것은 서로 의존하는 관계만이 아니라 오히려 두 측면 중 하나이거나 동일한 행위이다. 육체적인 도식의 이론은 이미 지각의 이론을 내포하고 있거나 변형된 것이다. 모든 외부의 지각은 직접적으로 내 몸의 지각과 동의어이다. 이것은 마치 내 몸의 모든 지각을 외부지각의 언어로 설명하는 것과 같다. 몸은 더 이상 투명한 대상이 아니다. 우리는 자신의 몸에서 지각하는 것을 새롭게 배워서 객관적이고 분화된 몸의 지식을 통해 다른 지식을 발견한다(Phw, 242). 이렇게 하여 몸의 현상과 함께 육체의 개념은 육체적인 자아와 세계를 함유한 몸을 동시에 체험하여 서로 몸의 존재를 새롭게 전환시킨다.58) 따라서 몸의 지각개념은 우리가 주변의 육체적 도식이 존재하는 데 많은 것들을 긍정적으로 수용하게 한다.

그는 나의 몸과의 관계 속에서 세계의 구성을 다음과 같이 말한다. "세계는 내가 소유하는 것을 전제로 하는 구성의 법칙을 찾으려는 대상은 결코 아니며, 내가 사유하고 있는 모든 주변환경과 자연적인 틀(Feld)을 분명하게 지각한다."(Phw, 7)59) 나는 나의 몸을 세계의 과정을 통해 의식하며 세계의 중심에서 파악한다. 나의 몸은 세계의 관점 속에 있지만, 동일한 근거로 존재하는 것은 아니다. 나는 많은 관점의 대상들을 알고 있지만, 몸의 수단을 통해 세계를 의식한다(Phw, 106). 몸에서 모든 사물의 생성을 발견하고, 나의 대상적 세계는 나의 몸성이 생성될 것을 요구한다. 나는 나의 몸을 통하여 세계에 뿌리를 두며 세계를 통해서 내가 생성된다(Phw, 198). 이와 같이 몸과 세계가 교환하려는 의도는 순환론적인 규정으로 드러난다. 이러한 방

---

57) 같은 책, 205-206쪽.
58) Stephan Grätzel, *Der Mensch und Sein Leib*, Tübingen, 1967, 67쪽.
59) Vgl. Jean François Lyotard, *Die Phänomenologie*, Hamburg, 1993, 80쪽.

식은 이중적인 관점으로 머물러 있다. "우리가 우리의 세계를 선택하고 세계는 우리를 선택한다."(Phw, 515) 이러한 고찰은 나와 몸성 간의 인간적 영역, 몸적인 것과 세계, 지각된 것과 행위 사이의 인간적인 영역을 어떠한 구분의 노선 없이 이끌어내려는 것이다.[60) 메를로-퐁티는 후에 자아와 타자, 우리와 세계, 유한성과 보편성, 내면과 외부가 뒤섞임으로써 우리가 지각하고 있는 것은 애매성을 요구하고 있다고 말한다.[61)

그에게서 몸의 세계는 생활세계를 지각의 세계라고 보는 관점에서 출발한다. 생활세계는 우리의 직접적인 지각을 통한 역동적으로 주어진 세계이다.[62) 이러한 생활세계는 우리의 기능화된 몸속에서 존재한다. 몸의 세계는 후설의 후기 저서 『유럽학문의 위기와 선험현상학』(1936)에서 생활세계의 개념을 착안한다. 생활세계는 정해지지 않은 시각의 세계이며, 더 나아가 지각의 세계를 특징짓는 두드러진 현상이다(Phw, 6, 12). 여기서 그는 후설의 자아의 몸성을 주의 깊게 관찰하고 몸의 선험적 자아를 후설과는 역으로 그의 이론을 구성한다. 또한 두 번째 환원에서 보편적 구성의 선험적인 흐름은 생활세계의 구조를 바꾸어놓는다. 세계의 모든 어두움 속에 있는 계몽을 찾아내는 것이다. 그러는 동안에 분명하게 두 개(반성과 환원) 중 하나는 가능하게 만들어낸다. 반성 및 환원은 구성을 통해 그 이전의 세계를 투명하게 하지만, 선험적 반성에서처럼 생활세계에 둘러싸여서 관찰하려는 것은 더 이상 아니다. 후설의 사유는 다양한 그의 논리적인 회상(回想)에 의해 전개된다(Phw, 417). 이와 관련하여 메를로-퐁티의 생활세계는 우리의 선과학적인 세계의 경험을 타당한 의미로 구성하

---

60) Herbert Plügge, *Der Mensch und Sein Leib*, 37쪽.

61) Bernhard Waldenfels, *In den Netzen der Lebenswelt*, Frankfurt a. M., 1994, 64-65쪽.

62) 김홍우, 앞의 글, 103쪽.

도록 촉진시킨다(Phw, 491).

메를로-퐁티의 몸의 코페르니쿠스적 전회는 선험적 의식으로부터 몸으로 이행하는 과정에서 근본적인 출발점을 삼는다. 그의 생활세계는 의식을 담지하고 있지만, 단지 불투명한 관점을 기술하는 것이 아니라 그 구성을 투명하고 타당하게 만드는 것이다. 먼저 객관적 세계에서 생활세계를 해석하는 것은 더 나아가 현상학적 장(場) 및 선험적 장에 방해되는 요소를 제거시키는 것이다(Phw, 4). 궁극적으로 메를로-퐁티가 생활세계에서 말하려는 일반적 상식은 육체가 그 토대 위에서 상호교호의 가능성을 상호주관적인 세계경험의 개방성으로 표방하는 것이며, 몸의 사회적 의사소통은 내외적인 존재차원으로 형상화되는 것을 전제로 하는 것이다(Phw, 400-405, 414-416).

4. 맺는 말: 문화세계의 상호교호성

우리는 지금까지 메를로-퐁티의 『지각의 현상학』에서 드러난 몸철학을 중심으로 하여 지각이론을 고찰하였다. 위에서 살펴본 바와 같이, 메를로-퐁티가 중요한 관심을 보인 것은 근본적으로 우리의 생생한 경험의 현상을 왜곡하는 것에 객관적 사상을 인정하여 우리가 살고 있는 자아와 타자가 상호교호(相好交互) 작용을 하고 있다는 사실을 보여주는 것이다. 여기서 그가 말하는 객관적 사상은 육체적으로 지각된 세계, 즉 구체화된 상호육체성을 새롭게 구성해 보이는 것이었다. 그의 상호교호성은 "타자의 보이는 것은 나의 안 보이는 것이고, 나의 보이는 것은 타자의 안 보이는 것이다." 이러한 그의 언표는 타자와 내가 서로 안 보이는 생각과 감정을 주고받는 상관적(相關的) 관계의 매듭과 같음을 알리고 있다.[63]

---

63) 김형효, 「동서 사상에 대한 어떤 철학적 독법」, 『철학연구』 제47집, 22쪽.

그러는 동안에 우리가 경험하는 세계는 내적으로 애매하게 구성되어 있다. 그렇지만 몸과 주체는 분리된 것이 아니라 서로 지각의 장을 공유하면서 사회적인 의사소통을 하는 상호문화적 관계이다. 이러한 맥락에서 그는 후설을 위시한 전통적인 사상의 노선에 따라 몸의 개념을 분석하고 몸의 역동적인 지향성을 종합한다. 그는 위의 저서에서 우리의 전통적인 철학의 개념, 즉 우리의 일상적인 범주 및 예증적, 확증적으로 개념화된 구조 틀을 문화의 상호소통으로 연결시켰던 것이다.64)

그에게서 몸의 개념은 내부와 외부, 체험과 행위, 관념론과 실재론, 자아와 타자, 의식과 존재, 대자존재와 세계-로의-존재의 관계 등을 중요한 의미의 장으로 구성하고 있다. 이러한 관계도 모두 자아를 통합하기 위한 문화적인 경계를 구축하는 것이었다. 그는 몸의 문화세계를 다음과 말한다.

"문화세계는 이중적이지만, 현재적이다. 명백하게 문화세계는 사회의 현존재를 인식하는 것이다. 나는 '문화의 대상'65)을 타자에 대한 익명의 베일 속에서 현재를 경험한다. 예를 들어 우리는 파이프로 흡연을 하고 숟가락으로 식사를 하며, 초인종으로 사람을 부른다. 이것은 문화세계의 지각대상을 인간의 행위와 타자의 지각으로 분명하게 하는 것이다. 나는 일정한 문화세계와 결정적인 형태의 경험을 말한다. 내가 고유한 문화세계를 경험하고 나의 고유한 문명을 갖고 있는가를 이해한다."(Phw, 398)

문화세계는 동시에 타자가 등장하며, 여기서 상호문화성의 문제가

---

64) Monika M. Langer, *Merleau-Ponty's Phenomenologie of Perception*, London, 1989, 149-156쪽.

65) 몸은 단지 자연의 대상일 뿐 아니라 문화의 대상이다(Phw, 275). 특히 문화대상은 타자를 지각하는 데 근본적인 역할을 한다. 그것은 곧 언어이다(Phw, 406).

설정된다. 메를로-퐁티는 이러한 문제를 몸적인 존재의 익명성과 동시에 상호공존을 표명하는 것으로 받아들인다.[66] 나는 사이의 존재 속에 살아가고 있으며, 그 속에서 또한 나와 타자의 갈등이 드러난다(Phw, 408). 그러나 이러한 갈등은 완전히 해소되는 것이 아니지만, 의사소통의 방법에서 찾는다(Phw, 413).

몸은 자연에 뿌리를 두고 문화를 변경시킨다. 타자의 몸과 내 자신의 몸, 그리고 인간의 몸을 인식하여 다루고자 하는 것은 결코 어떠한 다른 길을 체험하여 수행하고자 하는 것이 아니다(Phw, 234). 그에게서 나와 타자는 서로에 의해 희생되지 않으면서 만나게 되는 그런 의미에서 두 개의 문화가 서로 교차하는 것이다. 즉 타자가 우리의 논리에 의해 희생되지 않고 우리의 논리가 타자에 의해 희생되지 않는 것이다. 그런데 이러한 문화는 우리가 끊임없이 타자에 의해 자아를, 자아에 의해서 타자를 시험해서 알아보는 것이다.[67]

정리하자면, 메를로-퐁티에게서 철학적 문제란 그 시대의 비이성 국면을 탐구하여 그것을 확대된 이성의 개념으로 통합하는 것이었다. 이러한 관계에서 그는 데카르트 이후의 중요한 철학적 물음인 의식과 대상의 관계에 주목하고, 인간과 세계, 타인과 상호소통의 관계 속에서 현상학적인 고찰을 보여주었다. 결론적으로 메를로-퐁티가 파악하고자 하는 세계는 인간의 몸을 중심으로 하여 자아와 타자, 우리와 세계, 생리학과 심리학, 육체와 의식, 지각된 것과 행위 등 서로 분리되었던 세계가 하나로 통일·통합되어 상관적인 사유의 교호작용을 통해 서로 주고받는 또 하나의 거대한 몸인 것이다.

---

66) Bernhard Waldenfels, *Phänomenologie in Frankreich*, Frankfurt a. M., 1989, 149-156쪽.

67) Maurice Merleau-Ponty, *Die Abenteur der Dialektik*, Frankfurt a. M., 20쪽. Vgl. 최재식, 「아방성(Eigenheit), 이방성(Fremdheit), 상호문화성」, 『이땅에서 철학하기』, 솔, 1999, 257, 264쪽.

제 7 장
푸코의 남성주체에 관한 몸과 성의 담론 *
『성의 역사』를 중심으로

1. 들어가는 말

프랑스 철학자 보드리야르(Jean Baudrillard, 1929-2007)는 자본주의의 "소비사회"[1]에서 가장 아름다운 기호는 몸이라고 말한다. 소비사회에서 몸은 경제적인 측면에서 사유재산의 중요한 일부가 된다. 현재의 자본주의 사회에서 개인은 자기의 몸을 재산으로 관리하고 조직하기도 하며 투자를 극대화한다. 또한 몸은 심리적인 측면에서도 사회의 지위를 나타내는 중요한 기호이기 때문에 자기도취의 숭배대상이 된다.

소비사회에서 내 몸에 대한 나르시시즘은 거의 만연해 있다고 해도 과언이 아니다. 사람들은 꾸준한 운동과 다이어트를 통해서 몸의 균형을 유지해야 하며, 특히 여성들은 날씬한 몸매를 유지하도록 사회 곳곳에서 알게 모르게 강요받는다. 그래서 가장 아름다운 소비의 기호로서 나르시시즘의 대상이 된 여성의 몸은 이윤추구의 대상이

---

* 이 글은 『범한철학』제31집, 범한철학회, 2003 겨울, 149-177쪽에 실렸다.
1) 장 보드리야르, 이상률 옮김, 『소비의 사회』, 문예출판사, 1999.

된다. 소비사회에서 수많은 상품은 고객을 얻기 위해 이 시대 최고의 유행의상이 될 적나라한 나체를 이용한다.

21세기에 들어와 몸은 그 어느 때보다도 중요한 화두로 부각되었다. 우리 사회에서도 몸의 담론은 1970년대 이후로 본격적으로 소개되어 온 페미니즘의 영향으로 크게 확산되었다. 점점 고령화되는 사회에서 과학과 산업의 발달은 우리의 삶에 관한 기회와 통제를 동시에 가능하게 하였다. 물질과 자본, 그리고 몸은 우리 자아감의 신뢰할 만한 토대를 형성해 주었다.[2] 따라서 우리는 이제 전례가 없을 정도로 몸을 통제할 수 있는 수단을 갖게 되었다. 그러나 몸의 통제방식은 예전에 갖고 있던 지식과는 근본적으로 다른 시대에 살아가고 있다. 이러한 몸의 다양한 프로그램은 사회의 범주에 따라 각기 달리 표현될 수 있지만 사회적, 문화적 성은 최근 들어 크게 부각되었다. 따라서 최근의 경향은 여성과 남성을 막론하고 몸을 계발하려는 방식이 사회적으로 급격히 증가하는 양상을 보이고 있다. 특히 20세기 후반부터 몸의 담론은 지금까지의 남성중심의 가부장제를 극복하려는 페미니스트들의 실천적 활동을 통해 학문적으로 많은 진전을 보았다. 페미니스트들은 이제까지 가부장제 사회에서 지배/종속 체제의 몸의 연관성들을 사회적 성의 젠더(gender)[3]라는 관점으로 크게 부각시켰다. 페미니스트들의 이러한 사회구성주의적 입장에서 몸과 성의

---

2) 이은선, 「유교적 몸의 수행과 페미니즘」, 한국유교학회 편, 『유교와 페미니즘』, 철학과현실사, 2001, 93쪽.

3) 젠더는 사회적으로 구성되는 남녀의 정체성을 의미한다. 특히 젠더라는 개념은 생물학적 성이 여성의 정체성을 결정하는 것이 아님을 강조하기 위해 나타난 것이다. 생물학적 성과 사회적 성별은 필연적인 관계가 아니라 단지 우연히 연관되어 있을 뿐이다. 다시 말해서 남성성과 여성성이라는 성별의 구별은 생물학적 차이에 의해 결정되는 것이 아니라 남성중심의 사회에서 권력을 가진 남성들이 여성들에게 사회적으로 부과한 것이라는 사실이다. 자세한 내용은 다음을 참조. 양해림, 「젠더란 무엇인가」, 양해림 외, 『성과 사랑의 철학』, 철학과현실사, 2001, 24-28쪽.

담론은 미셸 푸코(Michel Foucault, 1926-1984)와 같은 철학자의 이야기와 합류하면서 더욱 진전을 보이고 있다.

푸코는『성의 역사』(1, 2, 3권)에서 몸을 중요한 요소로서 간주한다. 그에 의하면, 몸은 단순한 담론에 한정된 것이 아니라 일상적인 관습들과 남성들의 대규모 권력조직을 연결하고 있다. 이것은 몸의 생물학적 구조가 단순히 인간주체의 능력을 결정하고 제한하지 않는다는 것을 의미한다. 이는 후에 페미니스트들의 커다란 호응을 받았다. 페미니스트들은 푸코의 연구에 힘입어서 자연적인 몸이 개인의 정체성과 사회적 불평등을 결정짓는다는 전통적인 견해를 반박하였다. 즉 성의 정체성은 고정되고 확정된 것이 아니라 특정한 주체에 의해 분열되고 불안정하게 될 수 있다고 주장한다. 남녀가 갖고 있는 생물학적 특징 자체도 선천적으로 주어진 것이 아니라 사회적으로 부여받은 것이다.

지금까지 일반적인 서구의 남성 철학자들과는 다르게 푸코는 인간의 성과 몸에 특히 관심을 보이면서, 성과 몸이 사회적 담론으로 전개되어 왔음을 밝혔다. 이러한 작업을 통해 전통적인 이성적 주체의 해체를 급진적으로 불러일으켰던 푸코의 해체주의는 바로 페미니즘의 출발 선언이었던 시몬 드 보부아르(Simone de Beauvoir, 1908-1986)의 "여성은 만들어지는 것이지 태어나는 것이 아니다(Women is made, not born)."라는 명제를 더욱 강화시킨 것으로 평가된다. 보부아르의『제2의 성』(1949)[4]을 통해 나타난 생각은 그 후 1970년대부터 본격적으로 등장한 페미니즘 이론가들에게 골고루 영향을 미쳤다. 페미니스트들은 푸코의 주장에 대해 지금까지 남성중심의 몸을 다른 시각으로 받아들이기 시작하였다. 보부아르의『제2의 성』을 관통하고 있던 기본통찰은 제2기 여성주의의 정신을 출발시키면서 이

---

4) 시몬 드 보부아르, 조홍식 옮김,『제2의 성』, 을유문화사, 2000.

를 대변하였다. 이것은 여성과 남성의 생물학적 차이로 인해서 서로 다른 성의 역할을 하게 된다는 기본적인 기존관념에 대한 근본적인 도전을 하지 않았던 제1의 여성주의와 구별되는 대목이다.

보부아르의 『제2의 성』은 여성을 생물학적 몸, 역사, 신화의 측면에서 조명했을 뿐만 아니라 유년기, 성적 입문기, 레즈비언 문제 등의 여성의 성적 형성기까지를 자세하게 다루었다. 그녀는 결혼, 모성, 사회 내의 여성, 제도화된 창녀, 노년 문제 등을 섭렵하여 여성문제에 관해서 거의 백과사전적인 지식을 제공하였다. 남성이 주체가 되는 가부장적 사회에서 남성의 타자로 머물게 되는 여성은 생물학적 성이기 이전에 사회·문화적으로 매개하고 열등하고 종속적인 2등의 신분이라는 그녀의 분석이 그 후 1960-1970년대의 사회적으로 구성된 젠더를 여성억압의 주된 원인으로 보는 제2기 여성주의자들의 기본인식을 그대로 예고하고 있었기 때문이다.

푸코는 이성중심의 주체를 부인하고 몸의 근대적 담론에 초점을 맞추어 이성적 주체중심의 상황을 반전시키는 효과를 가져왔다. 푸코는 신이나 이성의 근대적 대상물인 초월적 주체를 부인하고 몸을 사회이론의 통제본부로 만드는 것을 주저하지 않았다.[5] 푸코는 "우선 몸에 관해 질문하고, 몸에 대한 권력의 효과를 연구하는 것이 더 유물론자다울 것이다."[6]라고 말한다. 푸코가 성의 역사를 서술하고자 하는 목적은 사람들이 몸에 대해 느끼고 그것에 대한 가치와 의미를 부여하는 방식에 의해 몸을 고찰하는 정신의 역사를 쓰려는 것이 아니다. 따라서 나는 이 장(章)에서 이제껏 서구의 남성중심의 역사가 어떻게 전개되어 왔는가를 미셸 푸코라는 철학자의 눈을 통해서 연대기적으로 살펴보고, 이에 대한 성적인 주체로서 몸의 현대적 의미를 고찰하고자 한다.

---

5) 브라이언 터너, 임인숙 옮김, 『몸과 사회』, 몸과 마음, 2002, 152쪽.
6) 이광래, 「신체의 정치학: 성의 역사」, 『미셸 푸코』, 민음사, 1989, 243쪽.

2. 푸코의 남성주체에 대한 성의 역사적 담론

1) 성적 욕망의 주체: 권력

남성주체에 대한 성의 역사는 누구를 위한 역사였는가? 우리는 이에 알맞은 주제를 쉽게 찾을 수 있다. 왜냐하면 이제까지 동서양을 막론하고 인류사에서 성의 역사는 남성이 여성을 오랫동안 지배해온 역사였기 때문이다. 그렇지만 성의 주체는 어느 시기를 막론하고 '끊임없이 유동'하는 가변적인 주체이다. 성은 우리가 어떻게 살아야 하는지, 또한 우리 자신의 육체를 어떻게 즐기고 거절해야 하는지를 둘러싸고 끊임없이 변화하는 자신의 관점의 역사이기도 하다. 우리가 자신의 성을 기술하는 방식 속에는 먼 과거에 대해서 만큼이나 현재에 대한 관심이 항상 스며들어 있다.

무엇보다 남성의 성에 관한 역사는 다양한 담론들이 존재하지만, 20세기 중반 이후에 푸코에 의해 체계적으로 정리되었다. 푸코는『성의 역사』의 1, 2, 3권, 즉『앎의 의지』(1976),『쾌락의 활용』(1984),『자기에의 배려』(1984)를 통해 성의 담론을 촉발시키는 계기를 마련하였다. 푸코는 자신의 연구를 몸의 역사로서 파악하고 몸을 중요한 부분으로 간주하였다. 따라서 그에게 있어서 몸의 역사는 몸에 행사되는 권력과의 영향관계를 밝혀내는 작업이었다. 대부분의 전통철학과 사회이론에서 권력이 욕망을 억압한다고 보았다면, 푸코는 권력을 남성적인 관점에서 구성적이고 생산적인 것을 다루는 특성을 보였다. 푸코에게 있어서 욕망이란 권력과 지식에 의해서 유발된 것이다. 근대사회는 성적으로 억압적인 특성을 띤 것처럼 보이지만, 실제로 섹슈얼리티7)라는 당대의 담론들에 의해서 끊임없이 생산되고 검토된

---

7) 섹슈얼리티(sexuality)라는 낱말은 우리가 흔히 사용하는 섹스라는 말보다 넓은 의미를 지닌다. 섹스가 흔히 생물학적 성의 구별이나 직접적인 성행위를 뜻하는 데 반해서, 섹슈얼리티는 '성적인 것의 전체'를 가리킨다. 즉 성적인

다. 그에게서 성적 억압은 신화이다. 왜냐하면 실제로 성은 섹슈얼리티를 통제하고 정상화하려는 목적을 가진 무한히 많은 과학적 담론들의 대상이며 산물이기 때문이다.8) 푸코는 권력을 인간일반의 관점에서 파악하고 있지만, 이는 이제껏 남성들이 사회의 주도권을 행사한 시대적 상황으로 보아서 남성들의 권력을 의미할 수 있다. 여기서 푸코의 몸은 단순한 권력담론에 초점이 맞추어져 있는 것이 아니라 일상의 관습들과 대규모 권력조직의 연결고리로써 맺어져 있다. 따라서 푸코의 관점에서 몸은 남성적 권력의 상관개념으로서 새롭게 부각되었다.9)

먼저 성 담론의 대상은 육체로서의 몸이 정신에 초점을 맞추면서 변화하기 시작한다. 육체로서의 몸에서 정신적인 몸으로 전환되는 담론현상은 대조적인 체벌체계들에 관한 연구에서 뚜렷하게 나타난다.10) 푸코는 법 앞에서 어떠한 형식이든 간에 남녀를 구분하는 몸은 존재하지 않으며, 어떠한 섹스도 권력과의 관계에서 자유롭지 못하다고 말한다. 그에게서 몸은 권력담론이나 문화의 특별한 그물망 안에 구성되어 있다.11) 푸코는 『성의 역사』에서 상세하게 여성과 남성, 허락되는 성과 금지된 성, 정상적인 성과 비정상적인 성 등에 관한 여러 가지의 이항 대립적인 사실들을 문제시하고, 성에 관한 보고서를 제출하였다.12) 이런 점에서 푸코가 관심을 기울인 『성의 역사』는 단

욕망이나 심리적 실천들, 정체성, 이데올로기 제도나 관습에 의해 규정되는 사회적인 요소들까지도 포함하는 것이다. 때로는 여성, 남성으로서의 우리 자신에 대한 의식을 포함하기도 한다.

8) 브라이언 터너, 앞의 책, 151쪽.
9) Mark Philp, "Foucault on Power", in: *Political Theory*, Vol. 11, No. 31, 1983, 31쪽.
10) 크리스 쉴링, 임인숙 옮김, 『몸의 사회학』, 나남출판, 1999, 17쪽.
11) Ladelle Mcwhorter, "Foucault and the Paradox of Bodily Inscriptions", in: *The Journal of Philosophy*, No. 11, 1989, 602쪽.
12) 오생근, 「성의 역사와 성, 권력, 주체」, 『성과 사회』, 나남출판, 1998, 101쪽.

지 생물학적 사실로서의 성도 아니고 문화적 현상으로서의 한정된 성도 아니었다.

그는 『성의 역사』의 제1권에서 현대인들이 성의 욕망의 주체로서 만드는 권력의 기제와 담론의 장치를 분석하였다. 그는 근대사회 이후의 권력과 지식의 연계 속에서 성 담론이 확산되는 사회를 그린다. 그래서 그는 성에 관해 남성으로 상징되는 권력의 문제를 강조함으로써 자신이 오랫동안 관심을 가져왔던 사회제도의 체제를 통제하는 전략들을 만들어내는 방법에 관심을 확장시킨다. 그의 앎의 의지는 프로이트/마르크스적인 기원의 억압가설에 대한 정면공격으로부터 시작한다. 근대에 있어서 권력은 언제나 많은 사람들에게 억압적인 기제로서만 작용하였는가? 성에 대해서 많은 사람들이 늘 억압받았다고 말하고 있는데 그러한 주장들이 과연 진실된 것일까? 이러한 물음 속에서 푸코의 권력의 계보학이나 근대적 주체의 분석은 근대사회의 기원에 대해 설명을 하기 위한 권력의 기본적인 관계를 철학적으로 개념화하였다. 그래서 푸코에게서 억압가설은 권력의 철학과 근대 사회제도에 관한 기원의 역사이다.[13]

푸코의 성에 관한 담론은 엄격하게 통제하던 권력의 장치가 오히려 성의 발언을 무성하게 진행시킨 원인이라고 말한다. 푸코에게 있어서 성에 대한 억압은 성을 죄악시하는 태도가 아니라 성에 대한 본질적인 오해에서 비롯되었다. 그는 억압가설이라는 것과 관련하여 세 가지의 의문을 제시한다. 첫째, 성의 억압이 정말 자명한 역사적 사실인가? 이것이 정말로 17세기 이래로 성에 작용해 온 억압체제의 두드러짐인가, 아니면 그에 대한 성립인가? 단적으로 이것은 본질적으로 역사적인 물음들이다. 둘째, 자본주의 사회에서 작용하는 권력의 메커니즘, 특히 우리 사회 안에서 작용하는 메커니즘은 본격적으

---

13) Ciaran Cronin, "Broudieu and Foucault on modernity", in: *Philosophy & Social Criticism*, Vol. 22, No. 6, 1996, 57쪽.

로 억압적 차원의 것인가? 셋째, 억압의 가설을 비판하는 담론은 이제까지 아무 이견 없이 기능해 왔던 권력의 기제를 가로질러 억압의 통로를 차단할 것인가? 성의 담론이 성의 억압이라고 부르면서 비난하는 것과 똑같은 역사적 문맥에 따른 것은 아닌가? 성에 대한 해방운동, 즉 남성에 대한 여성의 성 해방운동은 권력과 억압의 메커니즘에 대항하여 이루어질 수 있는가?[14)

푸코는 간단하게 이러한 물음들이 이론적, 역사적이고, 이를 정치적 관계 속에서 해결해야 한다는 것이다. 다시 말해 푸코는 근대사회에서 성은 억압받고, 감추어지고, 비밀스러운 것이 아니었다고 말한다. 오히려 근대사회는 예전부터 상대방에게 고해성사를 하는 의무처럼 성을 고백하여 왔다. 이미 중세시대의 기독교 성직자들은 성이 모든 개인에게 보고되었던 것이다.[15) 푸코는 과거 백 년 동안 그렇게 관심의 대상이 되어 왔던 성이 어떻게 사회질서를 규제해 왔는지에 대해 주목한다. 그리고 그는 성에 대해 상당한 영향력을 행사해 왔던 권력이 어떻게 강력한 전달체로서 집중되어 왔는지를 따져보아야 한다고 생각하였다. 여기서 푸코는 서양의 근대역사에 관해 성 담론의 거꾸로 거스르기, 은폐된 그림 찾기의 작업을 찾아 나선다. 그 속에서 그는 성의 담론과 관련하여 고해성사, 성적 담론이 무성한 이유에 대해 재미있는 내용들을 발견해 낸다. 예를 들어 수도원에 신자들이 들어가서 남성인 신부들에게 자신들의 은밀한 체험을 고백하러 가는 경우가 많았는데, 이러한 고해성사가 오히려 성적 담론을 더 무성하게 난무하는 결과를 낳았다는 것이다. 수도원의 고해성사, 정신과 의

---

14) 미셸 푸코, 이규현 옮김, 『성의 역사 제1권: 앎의 의지』, 나남출판, 1996, 30-31쪽.

15) Hinrich Fink-Eitel, "Zwischen Nietzsche und Heidegger. Michel Foucaults Sexualitäy im neuerer Sekundärliteratur", in: *Philosophische Jahrbuch*, 97. Jg. 1990, 367쪽.

사들에게 자신의 심정을 허심탄회하게 고백하는 개인의 성적 체험들은 이미 사소하고 은밀한 장소를 넘어 공공연하게 알려져서 공적 담론화로 진행된다는 것이다.[16] 이러한 관점에서 푸코는 근대사회에서 새로운 권력의 유형을 두 가지의 관점으로 파악한다. 하나는 기계로 간주된 각 개개인의 몸을 훈련하고 그 능력을 최대한 이끌어내는 것이다. 이를 통해서 효율적이고 경제적인 통제 시스템을 통합하는 규율권력을 만들어낸다. 다른 하나는 섹스, 인구, 수명과 같은 사람들의 몸의 집합적 총체에 작동하는 생물학적 권력(bio-power)이 그것이다.[17] 요컨대 푸코의 권력은 지식을 산출하고 서로 직접적으로 관여한다. 또한 어떤 지식의 영역과의 상관관계가 구성되지 않으면 권력의 관계는 존재하지 않으며 동시에 권력의 관계를 구성하지 않은 지식은 존재하지 않는다. 권력은 우리의 삶에 가장 깊숙한 곳까지 개입하여 지식과 결탁하여 우리의 몸을 순응적인 형태로 간주한다.

2) 인간주체로서의 성의 실천적 양식들

푸코는 역사가들의 주의를 끌 만큼 성의 역사에 대해 개괄적인 작업을 시작한다. 여기서 그는 성을 두 단계로 발견한다. 17세기 이전 시대의 대부분의 남성들의 경우, 성직자는 일반사람들이 행하는 사적인 일과 사회적인 업무에 깊은 관련을 맺는다. 신자들은 그들의 성행위에 대해 상세한 질문을 받고 있고, 이 시기의 성은 육체와 밀접하게 연관되어 있다. 또한 어떠한 성에 대한 입장은 허락되기도 하고 거부되기도 하는 이중성을 보인다. 그 당시 성에 대한 담론은 초보적이었고 어설프게 구성되기도 하는 이중성을 보인다. 성의 담론은 종

---

16) 연효숙, 「포스트모던 시대의 페미니즘의 여성주체성」, 김성민 외, 『철학의 눈으로 읽는 여성』, 철학과현실사, 2001, 140쪽.

17) 홍성욱, 「푸코의 새로운 지식비판: 시선과 권력」, 『파놉티콘: 정보사회 정보감옥』, 책세상, 2002, 21쪽.

교개혁 내지 반종교개혁과 더불어 아주 나쁜 형태를 취해 나간다. 고해성사에서 성직자는 성 행위뿐만 아니라 자신이 품고 있는 성의 의도에 대해 묻기 시작한다. 성을 육체의 관점에서 뿐만 아니라 정신의 관점에서 규명하기 시작한다. 즉 성의 범위가 아주 사소한 부분에서부터 점차 사회적인 것으로 확장되어 나아간다. 즉 이 시기에 성에 대한 무성한 말의 성찬이 다음과 같이 나타나기 시작한다.

"성적 욕망은 남자와 여자, 젊은이와 노인, 부모와 자녀, 교사와 학생, 성직자와 세속인, 공무원과 주민 사이의 권력관계에서 유별나게 밀도 높은 통과점으로 나타난다. 권력관계에서 성적 욕망은 가장 눈에 안 띄는 요소가 아니라 가장 많은 술책에 이용될 수 있고, 가장 다양한 전략들을 위해 거점 또는 연결점의 구실을 할 수 있는 까닭에 오히려 도구로 이용될 가능성이 가장 큰 요소들 가운데 하나이다."[18]

푸코의 이러한 발언은 성 담론과 권력의 밀착관계를 제시하면서 성이 권력의 그물망에 다가서는 것이라 보았다. 무엇보다 그의 궁극적인 관심은 단지 남성과 여성 사이에 이루어지는 섹스의 관계가 아니라 한 인간존재를 주체로 만드는 실천의 양식들에 주목하는 것이다. 여기서 그는 섹스보다는 자기 기술에 관한 물음을 던질 뿐이며, 섹스는 어쩌면 지루할 뿐이라고 고백한다. 그래서 푸코는 성 담론의 미세한 그물망의 권력들 제도 속에서 드러난 여성의 모습에 대해 '여성의 몸을 히스테리화'로서 그리고 있다. 프로이트의 정신분석학의 성과를 근거로 하여 성의 문제는 연구소나 병원 안으로 제도화되기에 이른다.

첫째, 여성의 몸은 히스테리로 가득 차 있는 것으로 규정되었다. 여성의 몸은 성으로 가득 찬 것으로 여겨졌고, 그 육체의 고유한 병

---

18) 미셸 푸코, 『성의 역사 제1권: 앎의 의지』, 114쪽.

리학의 영향으로 의학적 실천의 영역으로 통합되었고, 사회나 가족의 생활과 긴밀한 유기적 교섭관계를 가진다.

둘째, 성의 장치는 어린이의 성을 교육의 영역에 끌어들임으로써 문제화한다. 모든 어린이들이 성충동에 빠질 수 있다는 것은 자연스러운 동시에 자연을 거스르는 현상으로 일반적으로 밝혀지게 되면서 어린이의 수음방지에 전력을 기울이게 되었다. 그래서 그러한 성적 활동을 부당하다고 생각하고 부모, 교사, 의사, 심리학자가 적극적으로 개입한다.

셋째, 여성의 출산행위를 사회화함으로써 부부 간의 성행위를 합법화한다. 여기서 여성의 출산행위는 산아제한의 효과를 거둘 수 있었다. 경제적 측면에서 부부의 생식력을 격려하거나 사회화하고, 정치적 측면에서는 사회체제에 대한 부부의 책임을 명시하는 사회화, 의학적 측면에서는 병원의 효과를 산아제한으로 설명하는 사회화 등이 있다.

넷째, 성의 장치는 도덕적 쾌락을 정신의학에 편입한다. 여기서 성적 본능을 분석하고 모든 행동을 정상화와 병리학에 편입한다. 성적으로 낯선 양상들을 비정상의 범주에 넣고 교정기술 체계를 작동시킨다. 특히 잘못된 행태의 성적인 쾌락을 추구하는 모든 변태적인 행위를 정신의학적으로 감시 보호하는 체제를 확립하였다.[19]

여기서 우리가 프로이트의 이론에서 주목할 만한 관점은 남성이든 여성이든 간에 인간의 모든 성적인 경험이다. 그래서 성이 자기정체성과 밀접한 연관관계가 있다는 사실을 인식한다. 푸코의 성에 관한 담론은 성적인 충동에서만 있는 것이 아니라, 성의 욕망을 억제하거나 자유롭게 하는가에 주시한다. 이런 점에서 푸코에게서 성적인 욕망은 권력의 조직화된 수단 때문이라는 것이다. 첫째 여성의 몸은 앎

---

19) 홍은영, 『푸꼬와 몸에 대한 전략』, 철학과현실사, 2004, 124-125쪽.

과 권력의 특수한 장치 속에서 온통 성적 욕망으로 가득 채워진 몸으로 분석되면서 몸에 관한 자격을 얻거나 박탈당했다. 둘째, 특정 병리학에 의해 여성의 몸은 의학의 한 부분으로 통합되었다. 셋째, 여성의 몸은 정기적으로 아이를 낳아서 공급해야 하는 사회와 가정 사이의 관계에서 어린아이의 인생과 더욱 유기적인 연관을 갖게 되었다. 이렇게 하여 어머니는 '신경질적인 여자'라는 부정적인 이미지로서 히스테리화 작업의 가장 돋보이는 형태를 이루게 되었다. 이러한 여성의 몸의 히스테리화는 다양한 형태로서 나타나고 있지만, 서로 유기적으로 연관된 기능을 수행하였다.[20] 즉 성은 사회체제, 가족 그리고 아이들과 유기적인 교섭관계를 갖게 되었다. 여성의 몸은 자신들의 영역을 유지하기 위한 것이었다. 따라서 여성의 재생산 능력, 아내로서의 적합성, 어머니로서의 건강함을 지키기 위해 주의 깊게 감시되었다.

3) 고대 그리스 시대의 성적 욕망들

푸코는 『성의 역사』 제1권을 출판한 이후 8년 만에 선보인 『성의 역사』 제2권에서 자신의 목표가 인간들의 주체를 통해 변화해 가는 몸을 묘사하는 것이라고 밝힌다. 푸코는 이러한 성의 실천양식들로서 제2권에서 쾌락의 양생술, 가정관리기술, 사랑의 기술 같은 개념들을 제시하고 있다. 이러한 행동양식은 스스로의 삶을 완성하기 위하여 일반적으로 인정된 규율체제와 연결되어 있다. 그리스 시대의 이러한 세 가지의 중요한 행동양식들은 법적인 의무감에서 나타난 것이 아니라 존재의 기술로서 개인들의 선택에 맡겨진 것들이었다고 해석하는 것이 옳다.[21]

---

20) 미셸 푸코, 『성의 역사 제1권: 앎의 의지』, 118쪽.
21) 홍성민, 「부르디외와 푸코의 권력개념비교: 새로운 주체화의 전략」, 『문화와 권력』, 나남출판, 1998, 232쪽.

먼저 쾌락의 양생술이란, 자유로운 인간이 자신의 신체를 적극적으로 관리할 수 있을 만큼 자기를 절제하는 능력이다. 즉 운동, 음식, 음료, 수면, 식이요법, 성관계 등 이러한 모든 것들은 절제가 있어야 한다. 각자가 스스로 관찰하고 어떤 음식, 음료, 운동이 자신에게 적합한지, 그리고 가장 완벽한 건강을 유지하기 위하여 그것을 어떻게 활용해야 하는지를 적어두는 것이다. 그것은 스스로를 자신의 몸에 대해 적당하고 필요하며 충분한 배려를 하는 주체로 세우는 방식이다. 가정관리기술은 남성이 한 가정의 책임자로서 배우자와 아이들을 잘 관리할 수 있도록 자기를 절제하는 태도이다. 인간에게서 남자와 여자를 결합시키는 궁극적인 목적은 생존만이 아니라 행복에 있다. 부부의 관계는 그들의 삶 전체를 통해서 상호보조와 상호구원을 가능하게 하는 것이다. 단지 후손은 종족의 보존만을 확보하는 것이 아니라 부모 자신의 이익을 가져다주기도 한다. 부모가 건강할 때 약한 아이에게 베풀었던 보살핌을, 그들이 나이가 들어 쇠약해지면 강하게 된 아이들로부터 되돌려 받는다. 자연이 두 개의 성을 만든 것은 공동생활을 하기 위해서이다. 남성은 강하고, 여성은 공포심으로 인해 조심스럽다. 남성은 활동 속에서 건강을 찾는 데 비해서, 여성은 한 곳에서 고정된 생활을 하려고 든다. 남성은 집 안에 재물을 들여오는 반면에, 여성은 가정에 있는 것을 관리한다. 남성은 자식을 부양하고 여성은 그들을 교육시킨다. 말하자면 자연은 한 가정의 관리와 부부가 각각 담당해야 할 역할에 대해 계획을 세워둔 것이다. 사랑의 기술이란, 사랑하는 남녀가 서로 취해야 할 방법과 태도를 말하는 것이다. 이것은 사랑하는 남녀의 자제를 포함하고 있으며, 사랑하는 사람도 자기 자신에 대한 지배의 관계를 확립할 수 있어야 한다는 것을 함축한다.[22] 이러한 관점에서 푸코는 그리스인의 자기수련을 예로 들

---

22) 미셸 푸코, 문경자 외 옮김, 『성의 역사 제2권: 쾌락의 활용』, 나남출판, 1996, 2-4장 참조.

어 설명하면서 성생활과 쾌락이 결국은 자아실현과 주체의 관리라는 문제와 연결되어 있음을 강조하고 있다.

푸코가 『성의 역사』 제2권에서 '쾌락의 활용'을 연구한 주된 목적은 성의 욕망에 대한 초기 기독교 사회의 고해성사의 실제들을 분석하려는 것이었다. 즉, 현대적인 성의 욕망과 기독교적인 성욕에 대한 대립개념을 해소하기 위해서였다. 푸코는 근대적인 성의 장치로는 그리스인들과 로마인들의 성생활을 설명할 수 없다고 주장한다. 그는 고대 그리스와 로마 시대에서의 가르침은 20세기 전반에 걸쳐 성을 규제하였던 법률만능의 금지에 도전한다고 믿었다. 그래서 그는 새로운 기독교적인 구조 안에서 부분적으로 은폐된 윤리체계들을 발굴해 내는 데 초점을 맞추어, 그리스 시대 성윤리에 대한 체계적인 관점을 제시한다. 푸코에게 있어서 고대사회의 성윤리의 역사적 대상영역은 거의 초기 그리스·로마에 대한 연구라고 할 수 있다. 이러한 경향은 근대 유럽의 지식과 힘을 형성하는 과정과 밀접히 연결되어 있다. 그런데 푸코는 단지 지식과 힘을 받아들이는 데 있었던 것이 아니라 성에 대한 새로운 문제를 제기하는 데 있었다.[23] 즉 어떻게 성인 남성들이 성의 주체로서 되었는가? 어떻게 남녀 사이에서 성의 관계를 문제 삼았고, 어떻게 그에 대해 진리놀이를 행하였는가?

무엇보다 푸코는 고대 그리스 시대에서 남자 시민들과 소년들, 여성 그리고 노예들 사이의 성관계에서 제기되었던 윤리적 문제들을 상당 부분에 걸쳐 서술하고 있다. 비록 자유인에 속하는 성인남자는 열등한 집단에 속해 있는 누구에게나 접근할 권리가 있었지만, 자아를 윤리적으로 성숙시킨다는 명분으로 건강한 성생활이 되도록 용의주도하게 힘써야 했다. 그런데 이러한 윤리적인 강인함의 개념이 질

---

23) Clmens Kammler und Gerhard Plumpe, "Antikes Ethos und Postmoderne Lebenskunst. Michel Foucault Studien zur Geschichte der Sextalität", in: *Philosophischen Runschau*, 34, 1987, 187쪽.

병의 퇴치나 예방과 같은 건강에 대한 근대적인 협소한 개념과 혼동되어서는 안 된다고 보았다. 고대 그리스 시대의 성적 욕망은 자유인의 성인남자에게 힘겹고 건강한 권력행사를 필요로 하는 것에 의해 조직되었다고 푸코는 말한다. 자유인의 남자시민은 자신보다 낮은 지위의 사람에게 접근할 수 있는 권리를 신중하게 판단함으로써 자존심과 사회적 권력을 유지했다. 여기서 푸코는, 고대 그리스인들의 정상적 행위와 비정상적인 병적인 행동 사이의 근본적인 구별을 하지 않았음을 강조한다.

푸코는 그리스 사회에서 보여주는 부부의 친밀한 상호이해의 관계를 서술하면서, 그 이전 사회와의 변별성을 강조한다. 그러나 친밀한 부부관계라 할지라도 아크로폴리스 광장에 모일 수 있는 사람은 자유인이었던 남성에 제한되었다. 그 당시에 여성은 자유인이 아니었고, 정치적 문제와 같은 거시적인 사건들에 자신의 의견을 말할 자격도 없었다. 그래서 부부의 친밀한 관계도 단지 사적으로 가정에서만 인정되었을 뿐이지, 가정을 벗어나서 남성과 동등한 입장에서 사회적 역할을 수행할 수 있는 상황은 아니었다.[24]

그렇지만 성인남녀 사이에 좋은 성행위와 나쁜 성행위에 대한 가치평가는 중요한 문제로 생각하였다. 이 사회는 "자기의 몸을 돌보는 특정한 방식에 따라 쾌락을 활용하는 것"을 강조하였고, 특히 자유인이었던 남성에게는 "건강을 위해 중요하다고 알려진 규칙적인 활동을 목표로 하는 관리법"을 따르라고 충고하였다. 실제로 고대에서는 성적 욕망, 죄의 근원으로서의 육욕(肉慾)과 같은 개념은 존재하지 않았다. 성애와 관련되었던 아프로디지아(aphrodisia: 육체의 쾌락)라는 개념은 오늘날과는 전혀 다른 의미로서 쾌락을 제공하는 행위, 즉 몸짓, 접촉, 감각적 쾌락, 성교행위를 지칭하였다. 그런데 아프로디지

---

24) 이정은, 「남녀 불평등의 철학적 기원」, 연효숙 외, 『철학의 눈으로 읽는 여성』, 철학과현실사, 2001, 43-44쪽.

아에 대한 분석들은 죽음, 불멸 그리고 생식 등의 관계들에 대한 오래된 주체들이 내부에 깊숙이 자리 잡고 있다. 고대 그리스인들에게 있어서 육체의 쾌락에 대한 관심은 그저 단순한 관심사였을 뿐이지, 식이요법을 하거나 가정관계에서 일어나는 범위를 넘어서 몰두해야 할 문제는 아니었다. 따라서 푸코는 그리스 사상에서 아프로디지아의 형태를 취하는 윤리적 실천의 영역으로서 다루기 힘든 투쟁의 영역에 쾌락의 행위들이 구성되어 있다고 보았다. 이러한 쾌락의 행위는 합리적이거나 도덕적으로 받아들일 수 있는 행동양식을 갖기 위해 전략으로 요구된다.[25] 프로이트는 이러한 관점에 대해 "고대의 성애적 삶을 가장 두드러진 본능"이라 강조한다. 더더욱 오늘날 우리들은 본능의 대상에 주안점을 둔다는 것이다. 고대인들이 성의 무절제함 혹은 과잉탐닉이나 능동성과 수동성의 문제에 관심을 기울였던 것에 반해서, 오늘날 우리는 누구와 섹스를 할 것인지의 문제에 더 몰두한다.[26] 여기서 푸코의 관심은 프로이트적인 성의 관점에서 성의 역사를 다룬 것이 아니라 단지 역사의 일부분으로 취급했다는 것이다. 푸코의 입장에서 남녀 사이의 성 본능에 관한 프로이트의 개념은 성을 통제하고 구체화하기 위한 또 다른 기제로서 작용한다. 성 본능의 개념은 의학적 고백에 의한 권력의 장치전략이다. 동시에 이러한 의학적 고백은 성을 본능으로서 간주하고, 그리고 언어치료의 방식으로서 탐구한다. 프로이트의 성 본능에 관한 견해는 지배계급에 저항하는 저장고의 구실을 제공하지는 못했고 어떠한 성의 혁명도 기약하지 않는다. 더욱이 푸코에게 있어서 성은 억압하는 계층에게서 갑자기 모습을 나타나기를 기다리는 어떤 외부적인 대상이 아니다. 그렇지만 프로이트는 성적 본능을 제시하면서 성에 대한 과학적 지배의 새 영

---

25) 미셸 푸코, 『성의 역사 제2권: 쾌락의 활용』, 50-54쪽 참조.

26) 제프리 윅스, 서동진 외 옮김, 『섹슈얼리티: 성의 정치』, 현실문화연구, 1999, 42쪽.

역을 활짝 열어놓았다.[27]

기원전 고대 그리스나 기원후 1-2세기에 제시되었던 규범은 매우 엄격하였다. 1-2세기의 도덕적 분위기는 쾌락을 찬양하지 않았으며, 남성들의 무절제가 몸과 정신에 해롭다는 것을 강조한다. 이 당시에는 결혼과 부부관계에 더 큰 가치를 부여하고, 더 이상 동성연애와 같은 관계에서 과거의 긍정적 의미만을 말하지 않게 된다. 다시 말해서 1-2세기의 고대인들에게 성행위는 그것을 전개하는 여러 요인들, 즉 개인의 기질, 기후, 하루의 일상적 시간, 섭취한 음식의 질 등에 영향을 받을 수 있다고 생각되었다.[28] 성인남성들의 성적인 활동은 병리학적 결과의 근원인 동시에 치료학적인 효과를 낳는 원동력이라 말한다. 성교(性交)는 점액에서 나타나는 병들을 이겨내는 데 뛰어나다. 병 때문에 야위었던 수많은 사람들이 성행위를 함으로써 회복되었다. 어떤 사람들은 성행위를 함으로써 곤란했던 호흡을 더 쉽게 할 수 있게 되었으며, 다른 사람들은 잃었던 식욕을 되찾았고, 또 다른 사람들은 해로운 몽정을 그만두게 되었다.[29] 성교는 강박관념을 없애 주고 극도의 분노를 가라앉혀 준다. 그렇기 때문에 우울증과 비관주의에 성행위보다 더 유용한 치료책은 없다. 따라서 푸코는 고대 그리스 시대의 갈레노스가 "사람들에게 성관계를 전적으로 금하지 말 것"이라고 말한 대목을 적극적으로 받아들인다. 여기서 푸코는 성적 활동은 이를 통해 일어나는 쾌락에 대한 활용을 어떻게 조절할 수 있는가를 파악하는 것이라고 말한다. 즉 쾌락의 활용은 성적 활동을 무한정 추구하거나 완전히 배제하는 것을 의미하는 것이 아니라 그것을

---

27) 마크 포스트, 이정우 옮김, 『푸꼬, 마르크시즘, 역사』, 인간사랑, 1990, 150 쪽.
28) 미셸 푸코, 이혜숙 외 옮김, 『성의 역사 제3권: 자기에의 배려』, 나남출판, 1996, 135쪽.
29) 같은 책, 136쪽.

억제하고 제한하면서 적절히 활용하는 것을 뜻한다.

인류는 오래 전부터 성을 위험하고 제어하기 힘든 부담스러운 것으로 간주하여 왔으며, 몸과 건강에 대한 배려, 결혼관계, 그리고 소년들의 관계에서 일어날 수 있는 행위에 대해 엄격한 도덕의 잣대를 들이대고 그 이론들을 체계화하였다.

푸코는 남성중심의 이교도적인 문화와 기독교적인 문화 사이의 관습적인 지혜에 많은 관심을 기울여 왔다. 남성중심의 이교도와 기독교의 성윤리 사이의 중요한 차이는 무엇인가? 많은 사람들은 고대의 성이 긍정적인 의미를 갖고 있다고 대답하는 대신에, 기독교는 성을 원죄와 악, 타락, 죽음과 결부시키고 있다고 말한다. 기독교인들에게는 그리스나 로마 사회와는 다르게 합법적 성행위의 동반자는 오직 일부일처제의 부부들뿐이지만, 고대는 훨씬 더 관용적이고 자유로운 관점을 취하고 있으며, 남자들 사이의 동성연애의 관계도 허용한다고 말한다. 그러나 고대의 성윤리는 겉으로 보기보다 훨씬 더 관용적이지도 않고 그리스 신화에 등장하는 디오니소스처럼 격동적이지도 않다. 기독교 이전에도 성의 방종에 대해서는 말할 것도 없고 일반적인 성에 대한 부정적인 가치부여의 현상은 훨씬 많았다. 그리스인과 기독교인들은 일부일처나 이성애, 동성애, 금욕의 찬양, 출산에 관해서 표면적으로는 비슷한 태도를 취한다. 하지만 그리스인들에게 동성연애, 즉 성인남자들과 소년들 사이의 관계는 욕망의 영역이 아니라 자유의 영역에서 포착될 수 있다는 점이 흥미롭다. 그리스 사회의 가정에서 여성의 지위30)는 아주 복잡하게 전개되는데 남편에게 아내는

---

30) 그리스인들은 최초로 일부일처제를 발전시켰다. 그렇지만 그들은 자식을 낳는다는 의미에서만 유일한 목적이라고 공적으로 인정했을 뿐이다. 그래서 그리스인들은 일부일처제를 남녀의 화해의 결과라든가 결혼의 최고의 형태라고 생각하지도 않았다. 어느 시대를 보더라도 남자에게 남의 아내를 유혹해도 좋다는 확실한 권리를 부여한 법률이 없었음에도 불구하고 많은 남자들은 모든 시대를 통하여 여자들을 열심히 유혹하고 이러한 권리를 열심히 추

선택의 대상이지만, 아내에게 남편은 하나밖에 없는 필수적 대상이었다. 아내는 결혼관계를 통해서만 성을 경험할 수 있는데, 그 성마저도 합법적인 출산을 위한 성뿐이었다. 남자에게는 부부 간의 정절에 대한 의무가 뒤따르지 않았기 때문에 결혼한 여자에게 부여했던 간통죄가 적용되지 않았다. 즉 법질서 내에서의 간통은 부부 중 한 사람으로 인해 발생할 수도 있는 혼인관계의 파기는 아니었다. 간통은 기혼여성이 그녀의 남편이 아닌 남자와 관계를 가진 경우에만 범법 행위가 되었다. 어떤 성적인 관계를 간통으로 규정한 것은 여성이 결혼한 상황에서 종종 적용되었지만, 남성의 경우는 예외였다. 그렇지만 그리스 사회에서는 여러 가지 다른 성의 제도가 뒤섞여 있었고, 한 집안의 성이란 것도 본처의 경우와 첩의 경우와는 차이가 있었다. 어떤 의미에서 그것은 일부일처제와 일부다처제가 복합적으로 뒤섞인 독특한 형태라고 볼 수 있다. 또한 부부 사이에도 여자에게는 남편과의 성관계만 허용하고 남자에게는 여러 관계를 허용했던 불평등에도 불구하고, 결혼이 공평한 관계처럼 평온하게 유지되었던 것은 그 어느 편에 서서 자유의 방종을 허용하지 않았기 때문이다. 따라서 그리스·로마 시대의 윤리에서 그 당시 자유롭지 못했던 여성의 모습을 읽어내는 것은 그리 어려운 작업이 아니었다. 그리스·로마 시대에 있어서 남성의 경우에는 자신의 삶에 주체가 되고 자기를 스스로 지배하는 것이 가능하였지만, 여성의 경우는 거의 불가능하였다고 볼 수 있다.

푸코는 아리스토텔레스의 『니코마코스 윤리학』에서 인간이 공동으로 추구하고자 하는 쾌락을 남성중심의 관점에서 밝혀낸다. 즉 먹는 것과 마시는 것의 쾌락, 그리고 젊은이와 한창 나이의 남자들의 잠자

구하였다. 또한 어떠한 시대의 사회도덕은 한 아름다운 아내가 남편에 대한 정절을 내세워 다른 남자의 요구를 단호하게 거절해도 그것은 그 여자에게 은밀한 결함이 있기 때문이고 제멋대로 결정해 버렸다.

리에 관한 쾌락이다. 음식, 술, 여자 및 소녀들과 관계를 맺었을 때, 그러한 쾌락들은 자연스러운 것 같지만 과도해지는 경향을 지니고 있으며 언제나 자제해야 한다고 말한다. 그리고 다양한 쾌락들은 똑같은 의문을 제기할 수 있다. 아리스토텔레스가 언급한 바와 같이 "모든 사람은 어느 정도는 음식과 술, 사랑에서 쾌락을 이끌어낸다. 그러나 모든 사람들이 이러한 쾌락을 적절하게 조절하는 것은 아니다."[31] 운동, 음식, 마실 것, 수면, 성적인 관계와 같은 것들은 반드시 절도가 있어야 한다. 그리스 시대의 양생술적인 고찰은 이러한 열거를 발전시켰다.

4) 17-19세기 자본주의 시대의 성에 대한 담론

17세기 초에는 성의 솔직함이 널리 퍼져 있었다. 남녀의 성적 관행이 비밀스럽게 추구되지는 않았으며, 언어로 표현하는 것을 지나치게 망설이거나 어떤 상황을 유난스럽게 꾸며대는 일도 없었다. 그렇기 때문에 남성의 부정(不貞)에 대한 어떤 관용적인 태도가 유지되고 있었다. 상스러운 것, 음탕한 것, 뻔뻔스러운 담론, 뚜렷이 눈에 보이는 위반, 노골적으로 노출되고 쉽게 뒤섞이는 몸, 큰소리로 웃으며 즐길 뿐 아무도 겸연쩍어하거나 부끄러워하지 않는 어른들의 주위를 어슬렁거리는 영악한 어린이들, 한마디로 육체들이 공작새처럼 "날개를 활짝 펴고 있었다."

그러나 성의 침묵을 강요하였던 17세기의 성에 관한 담론은 한편으로는 엄격하게 검열되었다. 언제, 어디에서, 어떤 상황에서, 어떤 대화 상대자와 성에 관해 말할 수 있는지가 국가에 의해 엄격하게 규정되었다. 특히 17세기는 자본주의 시대가 개막되었다. 이때부터 섹스는 부부의 침실에서만 허용되어 은폐되기 시작한다. 일상적인 언어

---

31) 미셸 푸코, 『성의 역사 제2권: 쾌락의 활용』, 64-65쪽.

속에서 성에 대한 직설적인 표현은 사라지기 시작하였고 동시에 금기시되었다. 빅토리아 시대를 살아가는 사람들에게 청교도 정신은 확실하게 성적인 정신을 차단하였다.

18세기에 성에 관한 담론이 폭발적으로 팽창한 것은 성에 관한 새로운 감수성 또는 호기심 때문이 아니라 근본적으로 노동력이라는 공익의 관점에서 힘을 입었기 때문이었다. 성은 근본적으로 인구의 경제적, 정치적 문제의 핵심을 이룬다는 점에서 경찰과 통치의 업무였다. 그러나 푸코에 의하면, 18세기 이후로 성인남녀들의 성은 일종의 일반화된 담론을 끊임없이 야기하였다는 것이다.[32] 그래서 성에 관한 담론들은 권력의 밖에서 대항하기 위해서가 아니라 남성적인 권력행사의 수단으로서 더욱 증폭되었다는 것이다. 우리는 흔히 성에 대한 지혜로운 규제를 통해 국가의 내적인 역량을 굳건히 하고 증대시켜야 한다고 말한다. 그리고 그러한 역량은 국가와 그 구성원들뿐만 아니라 국가에 속하는 모든 이들의 자질과 재능으로 성립하기 때문에 당연히 국가는 그러한 수단들을 떠맡아서 구성원들의 공공의 행복에 이바지하도록 해야 한다. 그러기 위해 국가는 여러 가지 장점들에 대한 지식을 수용했을 때, 이러한 목적을 이룰 수 있다. 성인남녀 사이에서 성을 대상으로 한 통치행위는 금지를 엄격하게 하는 것이 능사가 아니라 유용성 있게 공적인 담론들에 의해 성을 규제해야 할 필요가 있는 것이다.[33] 푸코에게 있어서 18세기 이래로 통치자들의 지배행위가 성에 관한 진실된 이야기를 담는 데 얼마만큼 기여했는지는 그다지 중요한 문제가 아니다. 푸코의 성의 주된 관심사는 역사적으로 제한된 지역에서 발생한 성에 관한 담론을 전면에 부각시키는 것이었다.

---

32) 이진우, 「감성, 욕망, 그리고 실존의 미학: 미셸 푸꼬의 성의 역사를 중심으로」, 『성의 철학』, 민음사, 1996, 299쪽.
33) 미셸 푸코, 『성의 역사 제2권: 쾌락의 활용』, 43쪽.

18세기 이래로 개인의 성은 국가의 인구관리와 연결된 담론으로 부각되면서 점차 많은 사람들의 관심을 끌었다. 즉 어린의 성 문제, 여자의 성적 히스테리의 문제, 산아제한과 관련된 인구의 문제들이 그 당시 관심사였다. 이러한 담론들이 지배적이었다는 사실은 합법적인 이성애 커플이 규범으로 가능하게 되면서 다른 사람들에 관한 성애라는 것도 남성중심에서 벗어나 일탈적인 것으로 분류되는 경향이 있었음을 의미한다. 특히 근대사회에서 권력은 남성 간의 정치적 권력관계의 산물이었던 몸에 초점을 맞춘다. 권력의 대상이 된 몸은 통제되고 구분되고 사회에 재생산되기 위해 만들어진다. 몸의 물질성으로서 남성으로 상징되는 권력은 '몸의 훈육과 규제'라는 서로 다르면서도 연관된 두 가지 쟁점들로 나누어진다. 사회문화적 구조들과 관련된 몸과 인구의 문제들은 모두 역사적인 대상이다. 몸의 역사성에 대한 이러한 통찰은 인간의 역사를 과학의 대상으로 접근했던 푸코의 중요한 작업이었다. 18세기에 접어들면서 인구의 증가로 인해 많은 과학적 기술들과 그 대상들을 발전시켰다.[34]

여기서 푸코는 성의 진실을 낳는 두 가지 방법에 대해 말한다. 하나는 동양적인 사랑의 기술이고, 다른 하나는 서양적인 성의 과학이다. 사랑의 기술에서 진리는 실천으로 간주되고 경험으로 축적되는 쾌락 자체는 뒤로 밀려난다.[35] 동양에서 통용되었다던 사랑의 기술에 관한 지식은 공개적인 것이 아니라 비밀스러운 내용으로서 스승으로부터 제자에게 전수되었다. 그러나 서양은 이러한 기술을 갖고 있지 못하였고, 비법전수의 방법과는 서로 다른 성인남녀의 성에 대한 고백을 주로 하는 '성의 과학'을 갖고 있었다. 그것은 권력과 앎의 형태였던 고백에 기대어 성의 진실을 말할 수 있는 모든 방법의 절차이다. 지금까지 서구사회는 고백을 진실을 말하는 주요한 의식행위로

---

34) 브라이언 터너, 앞의 책, 132-133쪽.
35) 미셸 푸코, 『성의 역사 제2권: 쾌락의 활용』, 74쪽.

여겨 왔다. 구체적으로 1215년 라테란 종교회의에서 있었던 고해성사의 법제화, 연이은 고해기술의 진전, 형사재판에서의 기소절차의 퇴보, 유죄시험(맹세, 결투, 신의 심판)의 소멸과 심문, 조사방법의 발전, 범법자들에 대한 소추에서 왕의 행정권이 차지하는 몫의 증대, 종교재판소의 설치 등 이러한 모든 내용들이 세속과 종교를 막론하고 권력의 영역에서 고백을 하는 데 중심적인 역할을 해왔다.[36] 그러나 동양과 서양의 이러한 방법들은 모두 남성적 권력구조의 지원을 받아 만들어진 것이었다.

19세기 후반까지 인구의 대부분은 문맹에서 벗어나지 못했다. 성을 기술적인 영역의 토론으로 제한한 것은 사실상 일종의 검열이었다. 이 문헌들 속에서 성은 남성의 지식층은 물론이거니와 대다수의 일반사람들에게 쉽게 활용될 수 없었다. 그러한 성에 대한 검열은 남성들보다도 여성들에게 뚜렷한 영향을 미쳤다. 많은 기혼여성들에게는 성이 그리 탐탁치는 않지만 남성들이 재촉하기 때문에 참고 견디는 것이었다. 이외에도 여성들은 실제적으로 성에 대한 지식이 거의 전무할 정도로 사회와 차단되어 있었다.[37] 한 어머니가 딸에게 했다는 유명한 말이 다음과 같이 전해 온다.

"사랑스런 딸아, 네가 결혼한 뒤에는 불행한 일들이 일어날 것이지만, 그런 것에 개의치 말거라. 나도 그랬단다."

19세기에 풍미했던 성의 담론들은 남성적인 권력/지식의 관계를 점차 발전시켰다. 그 가운데 하나는, 남성들의 여성지배와 언제나 관련되어 있었다. 여성의 성은 많은 부분들에 있어서 알게 모르게 억압

---

36) 같은 책, 75쪽.

37) 앤서니 기든스, 배은경 외 옮김, 「푸코와 섹슈얼리티」, 『현대사회의 성 · 사랑 · 에로티시즘』, 새물결, 1996, 62쪽.

되어 있었으며, 히스테리적이고 병리학적 근원의 대상으로 취급되었다. 다른 하나는 어린이와 관련된 것이었다. 어린이가 성적으로 활성화되었다는 사실은 많은 어린이의 성들이 '자연에 반하는 것'이라는 선언과 직결된다. 또 다른 관계는 결혼과 가정에 관한 것이다. 혼인관계의 성은 책임 있고 자기규제적인 것이어야 했다. 그러한 관계는 부부 사이에만 제한된 것은 아니었지만, 분명하고 특정한 방식의 질서를 유지해야 했다. 피임은 그렇게 적극적으로 상려되지도 않았으며, 가족의 규모는 자율화시켜 쾌락을 추구하기 때문에 자발적으로 통제된다고 생각되었다.[38]

5) 그리스 · 로마 시대의 성윤리: 자아의 테크닉

푸코는 『성의 역사』 제3권인 『자기에의 배려』에서 고대 그리스 · 로마 시대의 성윤리를 다룬다. 그는 제2권 『쾌락의 활용』에서 고대 이교도의 자아의 테크닉에 관한 다양한 양상들을 서술한다. 그러면 고대 그리스와 로마 시대의 성윤리를 다루는 데 있어서 자아의 테크닉에 관한 연구는 왜 필요한가? 푸코는 그 시대에 자아의 테크닉을 연관시키지 않고는 그 당시의 성윤리를 이해하는 데 어려움을 겪기 때문이라고 말한다. 고대 그리스 시대의 남성적인 자기함양은 욕망을 차단할 수 있는 제도를 강화시킨 것이 아니라 윤리적인 주관성을 구성하는 요소들에 몇 가지 변화를 일으킨 데 불과하다고 강조한다.

푸코는 남녀의 윤리적인 주관성의 모델이 외적인 법칙에 지배되지 않고 다양한 형태의 성적 쾌락을 즐길 수 있는 가능성을 제시한다. 특히 제3권에서 그가 언급하고 있는 성은 이제 더 이상 남성적으로 대변되는 권력과 연관지어 논의할 대상이 아니라는 것이다. 성은 일종의 존재의 기술, 혹은 『자기에의 배려』 제1장의 고대 그리스의 아

---

38) 같은 책, 59쪽.

르테미도르라는 꿈 해몽가를 통해서 성차별을 넘어 이미 사회제도에 깊숙이 연관되어 있음을 보여주고 있다. 성은 그 자체에서 꿈을 드러내고 있는 성적 이미지들의 최종적인 부호로 해석하는 것이 아니라 꿈꾸는 주체의 사회·정치적 삶의 운명을 보여준다. 여기서 자아의 테크닉의 주된 관심은 남성들이 자제하는 원칙들을 제시한다. 푸코는 자제의 윤리학을 크게 세 가지 관점에서 파악한다. 첫째, 남성들이 자기 자신에 대한 완전한 지배력을 행사함으로써 자신에 대한 우월함을 나타내는 것이고, 둘째, 가정 내에서 아내 및 집안사람들에게 행하는 우월함이며, 셋째, 남성중심의 투쟁적인 사회에서 다른 구성들이 사회의 다른 구성원들에게 행하는 우월감 등이다. 이러한 푸코의 자기의 테크닉에서의 윤리학은 남성중심적인 자기에의 관심 및 배려에의 덕목으로 구체화된다. 다시 말해서 푸코는『성의 역사』에서 오염되지 않은 고대 그리스·로마 시대로 거슬러 올라가 그 당시 주체들을 탐구하면서 남성들의 새로운 주체, 새로운 자기에의 배려에 대한 윤리적 탐색을 시작한다. 즉 남성들은 근대적 규율 속에서 살았던 규범적 주체와는 사뭇 다르게 자기반성적이고, 자기배려적인 윤리적 주체를 찾아 나간다.

'자기에의 배려'란 수많은 철학적 교의들 속에서 찾을 수 있는 명령으로서 플라톤 학파에 접근하여 추적해 나가는 것이다. 자기배려는 자기 자신을 돌아보고, 또한 자기를 돌아보기 위하여 자신이 배려해야 할 대상을 알기 위한 것이다. 즉 젊다고 해서 철학하는 것을 망설여서도, 늙었다고 해서 철학에 싫증을 내어서도 안 된다. 왜냐하면 정신건강을 지키는 데 너무 이르거나 너무 늦은 사람은 아무도 없기 때문이다. 이러한 푸코의 고대 그리스·로마 시대의 성인남녀들의 성에 관한 담론들은 다음과 같이 정리할 수 있다.

첫째, 고대 그리스·로마인들은 쾌락의 활용에 대한 성찰 속에서 도덕적 주체로서의 자기와 자기와의 관계를 적극적으로 정립해 나갔다는 것이다.

둘째, 이 시대를 일관되게 관통하고 있는 것은 성적 자제, 즉 성적 엄격함이 그 주제라는 것이다.

셋째, 고대인들의 성적 엄격성에 대한 주장은 기독교와는 다르게 모든 사람들에게 적용될 수 있는 통일된 도덕규약을 마련하지 않았다는 것이다. 이러한 점에서 그리스 · 로마의 성윤리는 어디까지나 그를 통해서 사람들이 그 스스로를 자기 행위의 주체로 세우게 되는 주체의 계보학이다.

3. 맺는 말

우리의 몸은 이제껏 객관주의라는 관점의 잣대에 의해서 무시되어 왔다. 왜냐하면 몸의 의미를 객관적 본질에 의한 무관한 것으로 간주하여 주관적 요소들을 끌어들인다고 생각해 왔기 때문이다. 또한 몸이 무시되어 온 이유는, 이성은 추상적이고 사변적인 것이기에 인간을 이해하는 데 신체적 측면들과 그다지 상관없다고 생각되었기 때문이다. 이러한 측면에서 푸코의 몸 담론은 전통적으로 내려온 정신/몸의 이원론을 극복한 것이 아니라 이제까지 과소평가하였던 몸 담론을 공론의 영역으로 끌어들인 것으로 보아야 한다.

지금까지 살펴보았듯이, 푸코의 계보학적인 몸의 통찰은 몸을 문화적 각인의 표면이자 무대로 그린다. 그는 성의 계보학의 과제를 "역사에 의해 몸이 완전히 새겨졌음을 폭로"[39]하는 것이라 주장한다. 이것은 성의 사안(事案)들에 관한 우리의 생각 속에 아무런 역할도 하지 못한 것처럼 보이기 때문이다.[40] 특히 우리는 푸코의『성의 역사』1, 2, 3권을 통하여 서양문명의 기원 안에서 주체로 편입되면서 어떠

---

39) Juduth Butler, *Gender Trouble*, Routledge, 1990, 114-115쪽.
40) M. 존슨, 노양진 옮김,『마음 속의 몸』, 철학과현실사, 1999, 28-29쪽.

한 위치를 차지하는가를 탐색하였다. 비록 그의 연구작업이 남성중심의 그리스와 로마 시대의 문명에 한정되어 있다고 하지만, 이를 통해서 우리는 현대의 성에 대한 주체화 과정을 유추해 볼 수 있다.[41]

위의 저서에서 푸코가 탐구한 아내들, 소년들에 대한 탐구는 남성에 의한 여성의, 성인남성에 의한 미성년의 태도를 밝힌 것이다. 이러한 점에서 푸코는 성의 변화된 주체의 모습 속에서 남성들은 자율적이고 자기배려적인 것에 비해서, 여성들은 자율적으로 살 수 없었던 역사를 계보학적으로 추적하였다. 여성의 미덕은 순종적인 행동방식이자 상관물인 반면에, 남성의 엄격함은 자기 자신을 제어하는 지배의 윤리에 속했다.[42] 다시 말해 그가 말하는 성의 역사는 "극소수 자유로운 남성들의 특권이었고, 여성에게는 전혀 해당되지 않았던 것이다."[43] 따라서 푸코의 윤리적 주체는 자기배려적이고 자기의 삶을 반성하는 주체를 남성중심적인 모습으로 묘사하고 있다.

지금까지 살펴본 것처럼, 푸코의 『성의 역사』는 서구문화가 남성과 여성 사이에 집요하게 만들어낸 구조적 불평등을 거의 알 수 없게 만든 그러한 보편적인 서술방식으로 몸과 성에 대해 기술하였다. 그는 사회의 제도적 권력으로서 남성과 여성의 몸을 서로 다른 역사적 맥락에 따라 조명하였다. 물론 그의 『성의 역사』는 최근 성의 담론대상인 남성성과 여성성의 문화적 구성물이라 간주하는 젠더(gender)에 초점을 맞추어 조명한 것은 아니다. 그가 『성의 역사』에서 고대 그리스와 로마 시대의 성윤리에 기울인 관심은 현저히 남성중심적인 역사이다. 하지만 푸코는 여성이 태어날 때부터 중요한 윤리적 주체로서 배제되어 버린, 가부장적이고 귀족적인 사회윤리에 대해 비판적인

---

41) 홍성민, 「부르디외와 푸코의 권력개념비교: 새로운 주체화 전략」, 『문화와 권력』, 나남출판, 1998, 222쪽.

42) 미셸 푸코, 『성의 역사 제2권: 쾌락의 활용』, 202쪽.

43) J. 그림쇼, 이희원 옮김, 『푸코와 페미니즘』, 동문선, 1997, 84쪽.

관점을 제시하였다. 그렇지만 푸코의 성윤리의 계보학은 엘리트 남자 시민의 욕망과 행동에 대해 많은 관심을 기울였다. 해석학적 관점에서 이해하였을 때, 푸코라는 관념의 계보학자는 남녀의 성에서 남성 중심적인 엘리트 집단의 사회적 우위를 반영하였다는 것이다. 어쨌든 푸코가 진단한 바와 같이 이 시대 남성중심의 가부장적 지배문화에서 나타난 성의 왜곡현상은 남성들이 책임져야 할 몫으로 되었다. 이제 푸코의 『성의 역사』는 현대판 고전이 되면서 그의 성에 대한 이론을 추종하는 사람이 있는가 하면, 페미니스트들을 비롯하여 많은 비판자들도 동시에 양산하였다. 고대사회이든 아니면 우리가 살아가고 있는 현대사회이든 간에 남성과 여성은 첨예하게 대립하는 존재가 더 이상 아니다. 남성은 여성의 사고, 여성의 문화, 여성의 의식양태를 지니고 있어야 하며, 남성들은 여성들을 사회적 주체로서 동등하게 인정해야만 한다. 또한 여성만의 사고와 문화의식을 기준으로 여성의 경험을 정치적으로 해석하고 투쟁하려는 듯한 태도도 올바른 젠더를 이해하는 방식이 아니다.

푸코는 1984년 동성애를 통한 에이즈로 때 이른 죽음을 맞기 전까지 『성의 역사』 세 권을 완성하여 학계 및 대중문화계 등에서 광범위하게 맹위를 떨쳤다. 그의 성 과학과 그 뒤를 이은 정신분석학은 이제까지 단절되었던 비판적인 성의 패러다임을 제시하였다. 궁극적으로 그의 독창적인 통찰은 모든 영역에 걸쳐 영향을 받지 않는 분야가 거의 없을 정도로 확산되었다. 이렇게 그의 성 이론은 남성중심의 성만을 강조한 것이 아니라 남녀 모두가 참여할 수 있는 생산적인 공공 의견의 장을 마련하였다는 데서 성의 역사적 패러다임의 의의를 찾을 수 있을 것이다.

제 8 장
예술, 과학 그리고 창의성 *

1. 들어가는 말

예술(art)이란 말은 원래 고대 그리스어의 "테크네(techne)"[1]에서
나와 라틴어의 아르스(ars)로 번역되었다. 또한 오늘날 우리가 기술이
라고 번역하는 테크닉(technique)이나 테크놀로지(technology)라는 개
념 역시 테크네에서 나왔다. 테크네는 "법칙에 입각한 합리적인 제작
활동"을 의미하는 일반적인 용어로써 일부 과학까지 포괄하는 개념

---

* 이 글은 「제1회 과학문화심포지엄: 과학과 창의성」이라는 주제 하에 발표(포
  항공대 과학문화연구센터, 2006. 7. 14, 31-48쪽)하였고, 부분적으로 수정·
  보완하였다.

1) 테크네라는 개념은 회화, 건축, 조각뿐만 아니라 집, 선박, 침대, 그릇, 옷가
  지를 만드는 데 요구되는 솜씨를 포함했으며 더 나아가 토지를 측량하고, 전
  쟁을 수행하며, 특히 항해를 하는 데 필요한 솜씨를 뜻했다. 이러한 솜씨는
  자연의 법칙과 사회·문화적 규칙에 대한 지식이 있어야 발휘될 수 있는 것
  이었다. 즉 테크네는 전문지식을 바탕으로 사물에 대한 일반적 규칙과 대상
  에 대한 정확한 인식이 있어야 했다(블라디슬로프 타타르키비츠, 손효주 옮
  김, 『미학의 기본 개념사』, 미진사, 1999, 26쪽. Vgl. 김용석, 「예술과 과학」,
  홍성욱 외, 『예술, 과학과 만나다』, 이학사, 2007, 51쪽).

이었다. 특히 테크네는 인간의 존재이해와 세계인식의 한 양태를 의미하였다. 그러나 오늘날 우리가 같은 예술의 범주에 넣고 있는 시와 음악은 "예술의 신인 뮤즈(Muse)"[2]에 의한 비이성적(신적)인 활동을 뜻하였으며 테크네와는 전혀 상관없는 것이었다.

예술과 과학(science)은 어떻게 만날까? 이제껏 예술과 과학은 서로 상충된다고 많은 사람들은 믿어 왔다. 예술은 누구나 감상할 수 있지만, 과학은 소수의 재능 있는 사람만이 접근할 수 있다는 것이 일반적인 생각이다. 또한 보통 예술가와 과학자들은 서로 많은 부분에 있어서 다르다고 생각한다. 최근의 '왼쪽 뇌, 오른쪽 뇌' 가설이 이러한 생각을 강화시키고 있다. 이 가설에 의하면, 과학자들은 논리적, 분석적이기 때문에 뇌의 왼쪽을 주로 사용하고, 직관과 상상력의 자리인 오른쪽은 예술가에게 더욱 발달한다는 것이다. 즉 과학은 인간의 합리적인 활동의 전형이라고 보는 반면에, 예술은 정서와 연관된 것으로서 개인적이거나 상호주관적인 느낌에 근거한 것으로 본다.[3] 이러한 설명은 예술과 과학 사이의 지속성보다는 차이를 부각시키는 것이다. 흔히 예술에 있어서는 정서적이고 감정적인 측면에서 의미를 부여할 수 있으나, 예술이 진리와 연관되는 것은 우연적이거나 부수적인 것으로 생각되기 때문이다.

예술의 과학화는 미적 요소의 일상화를 가속화시켰다. 과학이 예술에 선물한 복제성의 능력은 정확성과 정밀성을 바탕으로 하는 것이었다. 여기서 복제성이란 기존작품의 단순한 복제뿐만 아니라, 더 나아가 사진이나 영화같이 일정대상에 대한 기술적 복제능력이 창작(창의)의 본질을 구성하는 예술장르까지도 의미한다. 예술의 과학화는 사진과 영화뿐만 아니라, 일반회화나 조각의 테크닉, 그리고 음의 복

---

2) 시가 광기를 담고 있다는 이야기는 플라톤과 아리스토텔레스로 거슬러 올라간다. 플라톤은 참된 시가 뮤즈의 광기를 담은 것이라 했다.
3) 엘리안 스트로스베르, 김승윤 옮김, 『예술과 과학』, 을유문화사, 2002, 19쪽.

제, 즉 음반의 생산 등 수많은 현대예술에서 기술적 패러다임이 되었다. 이러한 경향은 현대인에게 '미학혁명'에 커다란 변화를 주었다.[4] 실례로 벤야민은 『기술복제시대의 예술작품』[5]에서 지난 세기 이후 예술의 기능과 의미의 변화에 대해 역사철학적인 성찰을 전개하면서 가상과 유희를 복제기술의 발달로 파악한다. 즉 그는 복제기술의 발달로 인해 인간의 유희가 인간생활의 중요한 비중을 차지하고 있다고 본다. 그에게 있어서 역사철학의 구상은 '마술의 극복' 내지 '신화의 극복'이다. 또한 그는 "예술은 대중을 동원할 수 있는 바로 그곳에서 예술의 가장 어렵고 중요한 과제를 해결하려고 노력한다."고 하였다. 여기서 대중이란 말은 예술을 받아들이고 의미를 해석하여 자기 것으로 전유해 내는 물질적, 비물질적 맥락과 제도이다.

일상적인 이해에 따르면 과학과 예술은 서로 다르다고 말할 수 있다. 과학은 진리를 추구하고 예술은 미를 추구한다는 점에서 과학과 예술은 분명히 다르다. 예술은 과학처럼 객관적이지도 합리적이지도 않으며, 단적으로 비과학적이다. 따라서 최소한 현재 논의되는 예술과 과학을 어떤 방식으로든지 동일한 선상으로 놓는다는 것은 그리 수월한 것만은 아니다. 과학은 철저히 과학적이어야 하고, 예술은 이른바 예술적이어야 한다. 그러면 과학과 예술 그리고 "창의성"[6]은 어떻게 만날 수 있을까? 특히 예술과 과학은 왜 만나야 하는가? 이것은 예술과 과학이 한참 동떨어져 있다는 반증인가? 이러한 물음을 통해 예술과 과학, 그리고 창의성과의 대화를 시도해 보고자 한다.

---

4) 김용석, 『문화적인 것과 인간적인 것』, 푸른숲, 2000, 90쪽.

5) W. Benjamin, *Das kunstwerk im Zeitalter seiner technischen Reproduzierbarkeit*, Frankfurt a. M.: Suhrkamp, 1955.

6) 독창성(originality)은 새로운 것, 과거에는 없던 것을 만드는 능력이라면, 창조(창의)성(creativity)은 새롭고 가치 있으며, 과거의 전통을 수정, 대체, 극복하는 것을 일컬을 수 있다(홍성욱, 「과학적 창조성, 천재를 어떻게 이해할 것인가」, 『과학사상』, 2003 여름, 175쪽).

2. 예술과 과학의 패러다임

과학과 예술의 1차적 결합은 근대 이전에 진행되었다. 근대 이전 중세의 대학에서는 기초학문을 "7자유학예"[7]라 불렀고, 일곱 가지 학문은 문법, 수사학, 논리학, 산술, 기하학, 음악, 천문학 등으로 당시만 해도 예술은 학문에 포함되어 있었다. 근대 이전의 과학과 예술은 하나였지만, 르네상스 이후 자연과학의 점차적인 발달로 인해 예술과 과학이 갈라지는 분기점을 형성하기도 하였다. 케플러의 작품은 훗날 뉴턴에 의해 과학적으로 판명되었고 케플러는 과학자로 자리매김하였다. 반면에 레오나르도 다 빈치나 브루넬레스키와 같은 과학자들은 그들의 결과물들 중에서 과학적으로 설명되지 않는 것 때문에 예술가로서 미술사에 길이 남게 되었다.[8]

근대 이후로 과학이 객관적이고 합리적이라 생각했던 것과는 다르게 지난 세기 후반에 보여주었던 여러 논의는 과학이 더 이상 객관적이지도 않으며 심지어 과학이 비합리적일 수 있음을 보여주었다. 심지어는 자연과학조차도 그렇다는 것이다. 그렇다고 과학의 비과학적 모습과 예술의 비과학적 성격만 가지고는 과학과 예술의 유사성이나 또 그 둘 사이의 어떠한 밀접한 관계를 단정지을 수 없다. 근대 과학

---

7) 바로(Marcus Terentius Varro, 기원전 116-27)는 문법, 논리학, 수사학, 기하학, 산수, 천문학, 음악, 의술, 건축 등 아홉 가지를 교양과목으로 분류했다. 후에 건축과 의술이 빠지고 남은 일곱 가지가 7교양과목으로 불리게 되었으며, 이것은 3학(문법, 논리학, 수사학)과 4과(기하학, 산수, 천문학, 음악)로 나뉘었다. 로마시대에는 이미 이 7분야의 공부가 철학, 의학, 법학 등 전문분야를 위한 준비단계로서 간주되었다. 중세 초기의 교부들도 이 같은 생각을 받아들였다(김영식, 『과학, 인문학 그리고 대학』, 생각의 나무, 2007, 49쪽. Vgl. 양해림, 「미와 예술은 어떻게 만날까」, 『미의 퓨전시대: 미·예술·대중문화의 만남』, 철학과현실사, 2000, 25쪽).

8) 원광연·김숙진, 「과학과 예술 헤어짐 그리고 반복」, 『과학사상』 제42호, 범양사, 2002, 5쪽.

혁명을 특징짓는 것들 가운데 하나는 피타고라스-플라톤주의 전통이다. 특히 피타고라스(Pythagoras, 기원전 580-500년경)는 '미'라는 것은 형식에 있어서의 균형조화로서 실현된다고 파악하였다. 즉 그에 따르면 세계질서의 본질은 수와의 관계에 의한 것으로서 일정한 수의 관계와 조화가 곧 세계의 법칙이다. 그의 수학적 특성은 우주의 조화와 질서를 숫자로 표시한 것이다. 따라서 그는 미에 대해서도 수의 관계야말로 미의 비밀이라 보았다. 예를 들어 음악에 있어서의 음의 고도는 악의 현(絃)의 장도에 비례하는 것이며, 고저의 여러 음의 조화도 수관계에서 이루어지는 것이며, 음악미의 본질도 그러하다는 것이다. 밤하늘의 장엄한 미라든지, 산과 들에 피는 화초의 가련한 미라든지, 인체의 미 등 할 것 없이 거의 모든 것이 일정한 수적 관계의 조화에 기인한다고 보았다. 플라톤도 수학을 가장 확실한 지식으로 여겼으며, 조물주가 세계를 만들 때 질서 있는 조화로운 체계에 근거하였다고 보았다. 따라서 그것이 수학적으로 설명될 수 있으리라 굳게 믿었다.9) 플라톤은 선한 것은 아름다우며, 아름다운 것은 모두 기하학적 비례를 갖고 있다고 했다.10)

근대과학은 자연과 세계를 양으로 측정해 내는 수학화 과정이었다. 그 당시에는 예술이 과학의 수학화를 이끌었다. 르네상스 시대에는 공간의 용적을 자로 잰 듯이 평면 위에 옮겨서 실제처럼 보이게 하는 방법이 처음으로 발명되는 등 원근법과 기하학이 발달하였다. 그 당시 회화에서 현상법칙의 탐구는 중요한 구실을 하였다. 이 탐구는 원근법에 관한 앎으로 정의될 수 있으며 이것이 새로운 것이었다. 왜냐하면 중세예술은 사물이 실제로 드러나는 방식 같은 것에는 별 주의를 기울이지 않았기 때문이다. 그림 속에서 무엇이 크게 혹은 작게 묘사되었는가의 여부는 그것이 가진 종교적-형이상학적인 절대적 의

---

9) 김영식, 『과학, 인문학 그리고 대학』, 생각의 나무, 2007, 58-59쪽.
10) Platon, *Timaios*, 31c.

미에 달려 있지, 감상자 입지와 관계하여 멀리 있느냐 가까이 있느냐에 달려 있지 않았다.[11] 당시 진정한 화가가 되기 위해 가장 먼저 배운 것은 데생이 아니라 기하학이었다. 선 원근법은 회화의 수학화로 이끌었다. 이는 뒷날 갈릴레오 갈릴레이(1564-1642)의 '자연의 기하학화'를 세우며 과학의 수학화를 이끈 동인이 되었다.

갈릴레이는 근대과학을 자연의 수학화로 보았으며 자연의 수학화는 수학적 자연과학의 이념을 새롭게 산출하는 것이었다. 근대과학의 엄청난 충격은 갈릴레이를 선두로 시작하면서 과학의 객관성으로부터 참되고 타당한 보편성을 전제조건으로 하고 있다는 데 기인한다. 따라서 갈릴레이는 자연과학을 최초로 수학적으로 객관화하였으며, 객관화된 세계는 근원적으로 자연적이며 세속적인 세계 위에 서 있다. 잘 알려져 있듯이, 갈릴레이는 근대과학 발전에 결정적인 공헌을 한 17세기 초의 수학자, 물리학자 및 천문학자였다. 그는 "자연은 수학적 언어로 쓰인다."고 주장할 정도로 수학을 중요시하였다. 중력과 운동에 관한 연구에서 정교한 실험과 수리해석을 아울러 사용한 그는 근대 역학과 물리학의 창시자로 여겨진다. 갈릴레이의 눈길은 눈앞의 자연에만 머물지 않고 저 하늘 너머의 무한한 우주로 뻗어갔으며, 자신이 개발한 천체망원경으로 수많은 발견을 이루어냈다. 갈릴레이가 망원경으로 달 표면의 명암의 경계선이 반듯하지 않다는 것을 관찰하면서 달 표면에 산과 계곡이 있기 때문이라고 해석할 수 있었던 것은 미술아카데미에서 원근법, 명암법, 스케치를 배웠기 때문이었다.[12] "은하수는 우윳빛 흐름이 아닌 수많은 별들이 떼로 모여 있는 것이며, 목성에도 위성이 있으며 달 표면은 평평한 게 아니라

---

11) 미카엘 하우스켈러, 이영경 옮김, 『예술이란 무엇인가?』, 철학과현실사, 2004, 49쪽.

12) 홍성욱, 「과학과 예술」, 홍성욱 외, 『예술, 과학과 만나다』, 이학사, 2007, 33쪽.

울퉁불퉁하다는 것을 알아냈다. 그리고 태양의 흑점도 처음으로 알아냈다."13) 그는 태양흑점의 관찰을 통해 코페르니쿠스의 지동설을 확인했다고 선언했다.

거대한 기계로 파악하려는 역학적 철학의 시도와 함께 자연과 우주에 대한 수학적 기술은 근대과학을 특징짓는 한 부분이다. 이것은 수학을 이용해서 자연과 세계를 기술하려는 시도였다. 근대 이래의 자연과학에서 보듯이, 수학화란 근대적 성격을 가르는 중요한 요소이다. 그렇다고 이것이 자연과학의 영역에서만 일어난 것은 아니었다. 어떤 의미에서 오늘날 우리가 예술이라고 부르는 영역에서 훨씬 더 적극적으로 일어나기도 했다. 그렇다면 우리는 자연과학에서만이 아니라 예술에서도 근대적 성격을 찾을 수 있을 것이다. 근대 이후로 과학은 과학의 근대적 이념을 확장해 왔다면, 예술의 발전은 과학의 성격을 벗어나는 과정이기도 했다. 예술은 고유한 예술만의 정체성을 확보하고자 했다. 과학과 예술은 자연과 세계를 각자의 방식에 따라 질서 있고 조화롭게 표현하고자 했다. 즉 그 대상이 겉으로는 혼란스러운 모습으로 드러나기 때문에, 과학과 예술은 혼란스러운 겉모습에서 그 속에 감추어진 질서 있고 조화로운 모습을 찾고자 했다. 역사적으로 보자면, 과학이 오늘날의 모습을 갖추어 나갈 무렵, 예술은 이미 과학적 성격을 갖추고 있었다. 특히 근대과학을 그 이전의 과학과 나누는 중요한 특징의 하나는 자연과 세계에 대한 논의의 수학화였다. 이는 예술이 과학보다 앞서는 부분이기도 하다.

중세예술에서 그림이 조각을 포함하여 공식적으로 허용된 이후로 지오토(Giotto di Bondone, 1267-1377)는 처음으로 제대로 그린 풍경화, 특히 1305년 성 프란체스코의 일대기를 그린 프레스코화를 그릴 수 있었다. 여기서 풍경화는 의미심장한데, 삼차원의 세계를 이차원

---

13) 『한겨레신문』, 2000년 12월 6일자.

의 평면에 그리는 것이다. 즉 지오토는 예술적인 또는 회화적인 의미에서 자연주의를 주장한다. 그는 세부적인 것으로서 양(量)에 종속되는 제대로 된 공간적 세계를 체계화하였다. 이와 더불어 건축을 포함한 예술상의 공간적 인식이 공간에 대한 구체적 인식으로 발전하였다. 첨두형 고딕양식이 반원형의 건축양식으로 바뀌면서 이탈리아를 중심으로 한 르네상스의 건축양식은 새로운 기준으로 무엇보다도 규칙성과 대칭성과 비례를 중요시하였다.

르네상스의 흥미로운 현상으로 신학과 철학, 정치학과 경제학이 아니라 미술이 시대의 발걸음을 선도하는 낯선 일이 이탈리아에서 일어났다. 화가, 조각가, 건축가들이 선진학문을 가장 예민하게 수용하고 인문학과 자연과학을 한발 앞서서 이끌었다. 천재들의 빛나는 성운이 토스카나의 하늘을 뒤덮고, 예술의 보배로운 향기가 피렌체의 황금시대를 선언하였다. 원근법 그림을 최초로 그린 화가는 마사초이다. 피렌체의 도미니크 수도원 산타 마리아 노벨라 교회에 그린 프레스코화 「성 삼위일체」가 공개되자 피렌체 시민들은 크게 놀랐다고 한다. 벽면에 커다란 그림이 뚫린 것처럼 보였기 때문이다. 그림의 높이는 30엘레인데, 노아가 만든 방주나 솔로몬이 지은 성전과 그 높이가 같다. 십자가에 달린 알몸의 예수가 그림 복판에 자리 잡았다. 성부는 붉은 반암 석판 위에 발을 딛고 십자가의 뒤에 섰다. 성부와 성자 가운데 성령의 흰 비둘기가 날아든다. 하나가 셋이 되는 성 삼위일체의 전형적인 도상인 것이다. 마리아와 어린 요한이 수난의 현장을 지키고, 이들은 보는 이를 그림 안 사건으로 안내하고 사망의 문에서 구원을 매개한다. 여기까지가 벽을 파낸 안쪽의 공간이다. 세로 홈이 파인 황금빛 사각 벽주가 교회벽면을 경계 짓는다. 그 밖으로 돌출한 계단 위에 봉헌자 둘이 무릎을 꿇었다. 그림 맨 아래 석관 뚜껑에는 해골이 누웠다. 붓으로 그렸다지만 벽면 바깥으로 성큼 나와 보인다. 등장인물 여섯을 모두 연결하면 뒤로 기운 삼각형 구성이

226

된다. 인물구성은 개선문처럼 생긴 안쪽 예배소 깊은 곳에서 그림 바깥 현실공간까지 걸쳤다. 피렌체 시민들은 말로만 듣던 원근법의 기적을 목격하고 자기의 눈을 의심하지 않을 수 없었다. 회화의 평면 위에다 수학의 눈금자와 기하학의 먹줄을 퉁겨서 지어낸 공간이었다. 마사초는 젖은 화벽에 물감을 먹여 회화와 건축을 지었다. 종교주제를 내세워 미술의 과학을 실험하였다. 환영과 현실의 문턱이 사라졌다. 이러한 그림 위에서는 보는 이도 화가가 쳐든 원근법의 그물에 포박되지 않을 수 없었다. 원근법 세상에서는 보는 이가 그림 속에 뛰어 들어가 그날의 사건을 증언하고 성서의 인물들이 현실의 문턱을 넘어 유유히 걸어 나온다.[14)]

르네상스의 건축양식은 수와 정확한 척도를 이용한 조화의 원칙에 의존하였다. 아마도 이에 대한 증거는 브루넬레스키(P. Brunelleski, 1377-1446)에게서 찾을 수 있을 것이다. 그는 공간의 용적을 자로 잰 듯이 평면 위에 옮겨서 실제처럼 보이게 하는 방법을 처음 발명하였으며 자신의 새로운 발명을 실제로 시연해 보였다. 즉 브루넬레스키는 건물의 크기를 자로 정확히 측정한 다음, 비례를 축소시켜서 원근법적 방법으로 나무판 위에 옮겨 그렸다. 이 원근법에는 소실점이 있으며, 소실점을 중심으로 바라보는 세계가 펼쳐진다. 원근법으로 그림을 그린 화가는 자기의 시선이 소실점에 집중되면서 자기의 시선을 중심으로 장면, 또는 세계가 펼쳐지는 것을 목격했다. 그 이전의 병렬적인 평면이 사라지고 그 대신 깊이가 형성되면서 삼차원의 공간을 만들어낼 수 있었던 것이다.

르네상스 건축의 아버지인 브루넬레스키가 취한 첫 번째 행동은 고대로 돌아가는 것이었다. 브루넬레스키는 1421년부터 피렌체의 오스페달레 델리 인노첸티에 원주가 달린 입구를 설치하기 시작했다.

---

14) 노성두, 『유혹하는 모나리자』, 한길아트, 2001, 156쪽.

그는 중세의 방법에 따라 원주가 아치를 떠받치도록 했다. 이러한 작업과 더불어 그는 입구를 세로 골이 있는 거대한 벽기둥으로 감싸는 작업을 병행하여 이 벽기둥들로 연속적인 엔타블레처가 지지되도록 했다. 이러한 것들의 결정적인 요소가 되어 그의 방식은 명성을 얻기 시작했다. 그는 산로렌초와 파치 예배당의 제의실 안쪽에 있는 벽기둥 위에 엔타블레처를 만들었다. 산로렌초와 산토 스피리토의 중앙홀의 경우, 고대의 원칙과 중세의 방법을 결합하여 엔타블레처의 한 부분을 주 아케이트와 중앙홀의 원주 사이에 놓았다. 이후 고대의 방법이 다시 사용되었다. 그래서 보통 원주 위에 아치를 얹을 경우 브루넬레스키가 만든 엔타블레처의 일부는 통상적인 것으로 남아 있다. 엔타블레처는 르네상스 양식에서 결정적인 부분이다. 이리하여 아케이트의 세로 면에 고유한 꽃줄 장식의 효과는 기하학의 엄밀성과 수평적인 연속성, 엄격한 규칙으로 대체되었다.[15)]

브루넬레스키가 공간에 대한 구체적이고 과학적인 인식을 제시했다면, 르네상스 시기에 알베르티(Leon Battista Alberti, 1404-1472)는 공간에 대한 수학적 인식, 즉 유클리드 원리에 꼭 들어맞는 원근법을 확립했다. 그러나 원근법은 수학과는 구분된다. 즉 "수학자들은 사물의 형태를 측정할 때 물질적 상태에는 관심이 없고 오직 이성적 능력만 중요시한다. 그러나 우리들(화가들)은 사물을 보이는 대로 놓고 본다는 점이 다르다. 말하자면 수학자들보다 훨씬 기름진 지혜를 사용하는 격이다."[16)] 알베르티는 그의 『회화론』(1436)에서 "가장 아름

---

15) 베르트랑 제타, 김택 옮김, 『건축의 르네상스』, 시공사, 1999, 41쪽.
16) 알베르티, 노성두 옮김, 『알베르티의 회화론』, 사계절, 2002, 2장 참조. 알베르티에 의해 예술은 종교, 과학과 나란히 독자적인 고급한 정신영역으로 확보해야 한다는 과제가 등장하였다. 그는 1746년에 『하나의 원리로 통일된 여러 예술들』이란 저작을 통해서 시, 회화, 음악, 조각, 무용을 아름다운 기술들, 즉 예술이라 칭했다. 그러면서 그는 예술이 과학과 종교 못지않게 보편적이고 본질적인 정신적 가치를 구현하고, 또한 예술을 통해서 이러한 정

답고 멋진 사물에 있어 우리를 즐겁게 해주는 것은 정신의 영감에서 나 예술가의 손에서 나오는 자연의 물질적 재료에서 나온다. 정신이 할 일은 선택하고 분류하며 정리하는 따위의 작품에 품위를 주는 그런 종류의 일이다. 사람의 손이 할 일은 수집하고 덧붙이며 빼내고 윤곽을 잡아주며 꼼꼼하게 제작하는 것 등 작품에 우아함을 주는 그런 종류의 일이다."17)라고 말한다. 알베르티에 의해 예술은 종교와 과학을 나란히 독자적인 고급한 정신 영역으로 확보해야 한다는 과제가 등장했다. 르네상스의 화가들은 인체의 신비가 우주의 기하학적, 수학적 질서와 일치하는 것으로 보았다. 원근법은 인간의 시각으로 세계의 비례를 측정하기 위한 방법으로 발견되었다. 하나의 통일된 중심, 하나의 원리 아래에 모든 공간을 중심으로부터의 공간적 위계에 따라 균질 분등하고자 하는 욕구의 표현이 원근법이었다. 이것은 개인적 차원에서 볼 때 한 개인의 눈높이와 욕구가 세계를 자신의

신적 가치를 향유할 수 있다는 것을 선언한 셈이다. 제1부의 수학적 원리에서 눈을 꼭짓점으로 경험세계에 있는 대상/사물의 윤곽에서 모양을 파악하며(경계 광선), 경계 광선 안에서 얻어지는 것으로 대상/사물의 질, 색, 밝기를 알 수 있으며(중앙 광선), 중앙 광선의 한가운데에 있는 시선과 눈을 연결한다. 이 논의는 시각에 대한 논의이기도 하다. 이 시각 이론을 통해서 알베르티는 새로운 미술이론을 완성했다. 회화적 원근법은 원근법의 과학과 관련되며, 중세 후반까지 학술영역이었고 또 광학이라 불렀던 것이기도 하다. 여기서 알베르티는 고대에 정립된 조화로운 비례이론을 종합한 인물로서, 또한 수학적 원근법을 완성한 사람으로 평가받는다. 그의 미론은 단순하며 간결하게 묘사되고 있다. 그는 어떠한 변화가 있기만 하면 훼손된 부분들의 조화라는 입장에서 미를 정의한다. 이 정의는 조화가 미의 조건이라기보다는 미가 어느 정도는 조화와 동일하다는 뜻을 수반하는 것으로 보인다. 원근법의 개념은 '투시하다'라는 낱말에서 나왔다. 마사초의 친구이기도 한 알베르티는 1436년 『회화론』에서 회화를 투명한 유리창에다 비유한다. 그림이란 단순히 평면에다 색과 형태를 발라놓은 것이 아니라 세상과 소통하는 열린 문이라고 생각하였다. 이로써 시각주체인 화가가 재현행위의 주인자리를 되찾았다. 즉 보이는 세상을 그리지 않고 내가 보는 세상을 그린다는 것이다.
17) 강성원, 『미학이란 무엇인가』, 사계절, 2000, 23쪽.

시각에서 통제하고자 하면서 나타나는 근대적 의지의 표현이자, 하나의 권력중심이 세계를 자신의 시각적 전망에 따라 지배하고자 하는 욕구의 표현이라 할 수 있다. 확인할 수 있는 것과 확인할 수 없는 것을 통틀어 중앙집중의 권력구조 안에 무차별적으로 통어하면서 조화롭게 부분들을 전체의 전망 아래 지배할 수 있게 하는 방법이 원근법적인 비례구성 방식이다.[18]

르네상스 시대에는 회화론이나 건축론과 같은 더 구체적이고 특수한 문제들에 대해서도 지대한 관심을 갖고 있었다. 알베르티의 작업은 더 경험적이고 정위된 이러한 활동의 좋은 보기이다. 그의 미론은 단순하며 간결하다. 그는 미에는 변화가 있지만 미의 훼손된 부분들의 조화라는 입장에서 미를 정의하고 있다. 이 정의는 조화가 미의 조건이라기보다 미가 어느 만큼은 조화와 동일하다는 뜻을 수반하는 것으로 보인다. 이와 같은 그의 정의는 다만 대상들의 성질들에 관계할 뿐이지만, 사람들의 어떠한 심적 상태와도 전혀 무관한 객관적인 정의가 되고 있다. 그는 미를 지각할 수 있게 해주는 하나의 특수한 미의 감관이 사람들에게 갖추어져 있음을 가정한다. 미의 감관이란 이와 같은 발상에서 다양한 명칭으로 18세기의 미학을 통해서 유행했던 개념이다.[19] 실제적으로 예술과 과학의 차이에 대한 논의는 일반적인 생각보다 아주 늦게 18세기 중반부터 생겨났다. 특히 '순수예술' 또는 '미감적 예술(fine arts)'이 확립되면서 예술은 '미'를 목적으로 하기 시작하였다. 이때부터 순수예술은 기능술과 구분될 수 있었다. 미를 목적으로 하지 않는 예술은 분명 미를 목적으로 하는 예술과 다르다. 전통적으로 미란 예술이 아닌 자연의 여러 가지 특징들 가운데 하나이다. 미에 대한 이러한 견해는 비례나 수적 질서를 통해

---

18) 강성원,「서양미술사: 육체 · 권력 · 이미지의 역사」, 이거룡 외,『몸 또는 욕망의 사다리』, 한길사, 1999, 273-274쪽.

19) 조지 딕키, 오병남 외 옮김,『미학입문』, 서광사, 1980, 21쪽.

서 자연을 보려는 견해와 크게 다르지 않다. 그렇다면 차라리 미를 목적으로 하지 않던 예술은 차라리 과학에 더 가까울 수 있었다.

"회화는 과학인가 아닌가?" 이러한 물음은 레오나르도 다 빈치 (Leonardo da Vinci, 1452-1519)[20]가 던졌다. 물론 그의 대답은 회화는 과학이며 그것도 참된 과학이라는 것이다. 그에게서 참된 과학이란 경험과 수학적 논증에 의해 뒷받침되어야 한다. 즉 경험적으로 확립된 결과는 수학적 논증을 통과해야만 한다. 여기서 과학과 마찬가지로 예술도 경험적으로 확립된 결과이며, 자연의 대상들은 시각에 의존하여 점, 선, 면으로 시작된다. 진정한 화가가 되기 위해서는 무엇보다도 기하학을 배워야 했다. 이렇게 기하학적 원리에 충실했던 선 원근법은 예술, 좁은 의미로는 회화의 수학화를 가능하게 했다. 그는 초심자에게 "우선 과학을 배우고, 다음에 과학에서 생긴 실천에 따라야 한다."고 말한다. 원근법이 최초의 교과목이다. 그 후에 학생은 비례이론과 그것의 실습을 지도받고, 계속해서 교사의 소묘를 다시 소묘하는 일, 부조의 소묘, 자연물의 소묘로 옮겨 점차적으로 자기의 미술제작에 들어가야 한다고 그는 말한다. 또한 다 빈치는 "인간은 외모라기보다는 개암열매자루이며, 근육질의 나체라기보다는 무다발이라 해야 하겠다."고 언급한다. 말하자면 다 빈치를 비롯하여 르네상스 예술가들은 예술을 응용학문으로 이해하였다.[21]

그런데 갈릴레이가 '자연의 기하학화'를 내세우면서 과학의 수학화를 이끌었던 것은 한참 나중의 일이다.[22] 그는 과학자이자 미술가로서 기하학, 회화, 건축 등 당대의 학문과 예술의 전통적인 분야 이외에도 도시설계, 무대장식, 공연기획, 의상 디자인 등의 분야에서 탁월

---

20) 주지하듯이, 레오나르도 다 빈치는 과학, 기술, 의학, 예술 등을 포함한 모든 분야에 뛰어난 르네상스의 천재였다.

21) 미카엘 하우스켈러, 앞의 책, 47쪽.

22) 김은진, 앞의 책, 24-29쪽.

한 능력을 발휘하였다. 그는 자연에 대한 철학적 통찰력을 가지고 해부학에서의 괄목할 만한 성과를 이루어냈으며, 발명가로서 각종 문명의 도구, 미래의 상상력의 소산인 비행기와 낙하산 등의 첨단기계와 장비들에 대한 구상을 하였다.23) 그의 창조(창의)행위의 성과는 오늘날 모더니티 문화의 추이를 결정했으며 지금까지도 많은 영향을 끼치고 있다.

20세기에 들어와 많은 예술가들은 예술과 과학의 결합을 시도하였다. 프랑스의 작가 폴 발레리(P. Valéry)는 "과학과 예술은 거칠게 반대되는 개념이다. 그러나 실제로 과학과 예술은 떨어질 수 없다."고 언급한다. 또한 디지털 혁명을 선언한 네그로폰테(N. Negroponte)는 『디지털이다(Being Digital)』에서 "싹터 오르는 멀티미디어는 기술과 인간성, 과학과 예술 사이의 격차를 메우는 분야 가운데 하나가 될 것이다. 인간과 컴퓨터 간의 인터페이스가 사람과 이야기하는 것만큼이나 쉬워질 경우에만 디지털 시장은 열릴 것이다."라고 선언한다. 21세기 과학기술의 예언자인 맥루한(H. M. McLuhan)은 이를 일컬어 "미디어는 메시지이다."라는 유명한 말을 남겼다.

한국이 낳은 세계적인 예술가 백남준은 과학과 예술을 결합시킨 대표적인 인물이다. 그는 새로운 테크놀로지와 커뮤니케이션이 결합한 비디오 아트의 영역을 개척해 냈다. 비디오 아트는 기존의 영상형식의 구조를 깨는 새로운 형식을 지녔다. 그는 테크놀로지를 활용하여 텔레비전과 동영상 이미지에 대한 미학적 논의를 이끌었다. 그는 TV 정원, 비디오 물고기, 비디오 부처, 로봇가족 등 TV와 연결하여 작품의 소재를 찾았다. 그리고 2000년 이후에는 레이저로 작품을 만들었다. 2000년부터 서울시가 매년 벌이는 '미디어-시티 서울'은 디지털 혁명과 정보통신기술의 발전에 부응하고자 하는 새로운 예술장

---

23) 김용석, 앞의 책, 184쪽.

치로서 시민들의 미디어에 대한 복합적인 이해와 직접적인 참여를 유도하고 있다. 2002년 이 모임의 심포지엄에 참석한 장 보드리야르는 "21세기는 이미지(감성 + 이성)가 현실을 대체할 것"이라 예언했다. 즉 근거 없는 이미지가 현실을 대체한다는 보드리야르의 『시뮬라시옹』[24]의 이론은 포스트모더니즘의 흘러간 내용이 아니라 향후 21세기 가상시대를 미리 예상해 볼 수 있는 이론이다. 21세기의 오늘날, 비디오, 애니메이션, 컴퓨터 게임, TV는 점점 사람들을 영상 이미지의 세계로 끌어 모으고 있다. 이제 안방, 거리, 직장, 학교 등 어디에서나 문화산업의 영역에서 우리의 삶은 어느 부분에서도 이미지를 피할 수 없게 되었다.

3. 예술과 과학의 차이 그리고 만남

과학은 대부분 논리적 및 분석적 사고에 기초하고, 예술은 주로 상상적 및 종합적 사고에 기초한다는 구별이 널리 통용되고 있지만, 이러한 구별은 인위적이고 지나친 단순화일 수 있다. 예술가들과 과학자들은 그들이 하고자 한 것을 완성시키기 위해 두 종류의 사고 모두에 의존할 수 있다. 다르게 표현하여 예술이 감각지각들의 잠재의식적 영역으로부터 유래한다면, 과학적 창조도 예술적 창조(창의)와 마찬가지로 무의식적인 것에 의해 촉발된다. 또한 예술작품도 궁극적으로는 과학자가 과학적 연구에서 채용하는 합리화에 이르는 방법으로 객관화된다. 물론 예술과 과학이 동일하지 않다는 것은 분명하다. 그것들은 방법에서, 결과에서 그리고 개인적 참여에서 차이가 난다. 그러나 둘의 관계를 통일하고자 하는 것은 인간존재에서 샘솟고 인간존재에 전달되는 정신이다.[25] 과학과 예술은 스펙트럼의 반대편에 위

24) 장 보드리야르, 하태환 옮김, 『시뮬라시옹』, 2003, 민음사.
25) 김문환, 「과학과 예술의 비교」, 『과학사상』 제13호, 1995 여름, 14쪽.

치한 것처럼 보이지만 그 둘은 무질서한 것처럼 보이는 자연의 세계와 인간의 내면세계로부터 질서와 아름다움을 발견하고자 하는 공통의 목표를 추구한다는 점에서 상이점보다 유사점이 더 많다. 예술과 과학의 관계는 여러 가지 관점에서 고찰할 수 있다.

첫째로 예술과 과학의 창조적(창의적) 과정의 유사성과 차이성에 주목하면서 분석하고 비교하는 것이 가능하다. 여기서 예술에 적용한 것으로서의 창조의 개념과 과학에 적용한 것으로서의 발명의 개념은 그렇게 직접적으로 관련성이 분명하지 않다. 예를 들어 과학은 콜럼버스가 미국을 발견했다고 말했을 때처럼 '있는 것'을 발견해 내는 것은 아니다. 과학은 구성이며, 다른 말로 하면 창조이다. 같은 방식으로 뉴턴의 만유인력의 법칙도 작위적인 것은 아니지만, 인간정신의 피조물인 개념들을 연결한 것이다. 예술 역시 구성 및 창조(창의)일 뿐 아니라 발견이기도 하다. 서로 다른 시대의 예술물 사이에 발견되는 유사성들은 비슷한 원형을 보여주며, 적어도 인간의 마음과 손이 이루어낸 공동의 작업인 것이다. 형태들과 색채들의 어떤 상상적인 배열들을 다른 배열들과는 다르게 '옳다'고 보는 보통의 경험의 감정은 작위적이지 않고 발견될 수 있는 무엇인가에 상응하는 것임을 보여준다. 예술가들이 상상해 내고 '옳다'고 느껴질 때까지 작품들을 수정해 나가는 절차는 상징적인 실험들과 비슷하다. 왜냐하면 모든 과학자들은 그들의 사고가 가장 깊은 수준들에서는 비언어적임을 알고 있을 것이기 때문이다.[26] 예술가들과 과학자들은 '고전적' 또는 '아폴론적', 아니면 '낭만적' 또는 '디오니소스적'으로 구별될 수 있다. 과학자들은 의식적인 사고에 이끌리는 한편, 예술가들은 잠재의식인 것으로부터 나오는 직관에 의해 주도된다. 그러나 예술가들과 과학자들에게서 잠재의식에 내재된 창조성은 저절로 가르쳐주지 않

---

26) 박이문, 「예술과 과학」, 『이성은 죽지 않았다』, 당대, 1996, 76-77쪽.

는다. 그것은 새로운 세계를 전망하고 형성된 새로운 예술적 이념들 안에서, 그리고 자연 또는 우주의 특정한 국면들에 관한 과학적 이념들 속에서 드러난다.

둘째로, 과학적 개념들에 비추어 예술을 점검하거나, 과학자들의 눈을 통해서 예술과 과학이 대조될 수 있다. 그뿐만 아니라 예술이 어떻게 과학적 속성들의 직관적 이미지를 전달할 수 있는지를 보일 수 있다. 예술사에서 예술이 과학적 이념을 따른 적도 있었지만, 지금은 상이한 양상으로 변화하였다.

셋째로 과학적 개념들이 예술을 촉발하거나 예술을 위해 필요한 구조를 제공할 수 있는 방법이 제시될 수 있다. 그 반대로 예술이 과학적 탐구에 박차를 가할 수 있는 방법이 예시될 수 있다.[27] 예술과 과학은 멀리 떨어져 있는 것이 아니라 상호보완적이다. 우리가 역사로서의 미적 가치를 올바로 알기 위해서는 논리적이며 과학적인 방법으로 이해해야 하며, 전체성을 파악하기 위하여 직관적이며 미적인 방법을 택해야 한다.[28]

과학과 예술은 스펙트럼의 반대편에 위치한 것처럼 보이지만, 양자는 무질서한 것처럼 보이는 자연의 세계와 인간의 내면세계로부터 질서와 아름다움을 발견하고자 하는 공통의 목표를 추구한다는 점에서 상이점보다 유사점이 더 많다고 할 수 있다. 과학이 예술에 대해 새로운 요소를 제공하듯이, 예술도 과학에 ① 새로운 재현 기법, ② 과학적 세계관의 정당화, ③ 과학의 대중화, ④ 세상에 대한 새로운 경험을 제공한다.[29] 예술과 과학의 만남을 위해 국제적 협력 네트워크를 구성하고 있는 스트로스베르(E. Strosberg)는 "예술과 과학은 동일한 도구와 재료를 사용한다. 그들을 이어주는 주요 연결점은 기술

---

27) 김문환, 앞의 글, 9쪽.
28) 김영기, 『한국의 미의 이해』, 이화여대 출판부, 1998, 15쪽.
29) 홍성욱, 「과학과 예술」, 홍성욱 외, 『예술, 과학과 만나다』, 36쪽.

(technique)이다.”라고 강조한다.[30]

21세기 현재, 컴퓨터가 도구로서 미디어로서 예술 행위자로서 영상예술에 어떻게 기여하고 있는가를 이해해야 한다. 시간과 공간을 초월한 인터넷은 과학과 예술의 결합을 이루어내고 있다. 2000년 3월 23일 미국 뉴욕에서 개막한 휘트니 비엔날레는 인터넷 예술 부분을 하나의 장르로 인정하고 9개 사이트를 전시장으로 선정하여 화제를 모은 바 있다. 6세기 전 레오나르도 다 빈치가 던진 “회화는 과학인가 아닌가?”라는 물음에 현대의 과학기술자와 예술가는 역할공유로 그렇다는 답변을 하고 있는 셈이다. 예술과 연관된 상식적인 사고방식은 예술은 인간의 다른 활동들, 특히 과학과는 다르다는 견해이다. 왜냐하면 과학은 인간의 합리적 활동의 전형으로 보는 반면에 예술은 정서와 연관된 것으로서 개인적이거나 상호주관적인 느낌에 근거한 것으로 보기 때문이다. 이러한 설명은 예술과 과학 사이의 지속성보다는 차이를 부각시키는 것이다. 예술에 있어서는 감정적인 점에서 의미부여를 할 수 있으나, 예술이 진리와 연관되는 것은 우연적이거나 부수적인 것으로 생각되기 때문이다.[31] 예술의 목적은 인식 그 자체일 수 있다는 견해이다. 우리는 과학에서와 마찬가지로 예술에서도 이해를 얻을 수 있다. 예술작품의 감상은 작품의 정서적 내용을 감성적으로 느끼는 것에 제한되지 않는다. 과학과 예술에는 인식과 정서가 모두 개입하며 예술도 과학과 마찬가지로 세계를 구성하는 작업에 참여한다. 예술과 과학의 차이는 어떤 것이 더 나은 이해를 제공하는가에 의해서 위계적으로 파악하는 것이 아니라 기호체계의 차이라고 설명할 수 있을 것이다.

---

30) 엘리안 스트로스베르, 앞의 책, 32쪽.
31) 박은진, 「예술과 생명(체)에 대한 탐구」, 『과학사상』 제36호, 2001, 125쪽.

4. 예술과 과학의 접맥 그리고 창의성

1) 백남준과 비디오 아트

백남준(1932-2006)[32]은 비디오 아트의 모든 기초를 마련했고 그 발전의 전 과정에서 최고의 예술가이자 교육자, 후원자 역할을 담당해 왔다. 그래서 백남준은 비디오 아트의 역사를 쓸 때마다 그 첫머리에서 항상 거론되는 인물이다. 특히 한국 문화계에서 그의 이름은 '한국이 낳은 세계적인 예술가', '비디오 예술의 아버지', '행위예술가', '테크놀로지의 사상가', '비디오의 포스트모더니스트' 등의 수사와 함께 언제나 현대미술의 대표자로서 인식되고 있다. 백남준은 이런 찬사들로 이미 익숙해진 이름이지만 정말 그가 어떤 인물인지, 어떤 생각에서 기행처럼 보이는 퍼포먼스를 벌이고 있는지에 대해서는 잘 알려져 있지 않다. 더더욱 우리가 알고 있는 백남준의 예술세계는 그의 신화화된 명성으로 인해 오히려 피상적인 수준에 머물러 있을 수도 있다.[33] 그것은 그의 작품세계가 한국에 본격적으로 알려지기 시작한 것이 1980년 중반 이후의 일이기 때문이다. 1960-1970년대를 통해 그의 예술세계가 형성되고 발전되는 과정에서 중요한 환경이 되었던 당시 서구사회의 문화적 풍토와 이때 제시된 퍼포먼스와 비디오 작업의 기술공학적, 사회학적 의미에 대한 이해가 전제되지 않은 채 백남준의 예술세계는 장르화된 비디오 조각과 설치작업을 중심으로 한국에 소개되었다.

그는 1981년에 이미 뉴욕의 휘트니미술관에서 『백남준 회고전』을 가진 경험이 있다. 「굿모닝 미스터 오웰」(1984)에서 정보통신사회의 도래를 전망하기도 하고, 1995년 이미 지금의 인터넷과 같은 정보초

---

32) 백남준의 생애에 대한 내용은 다음을 참조. 이경희, 『백남준 이야기』, 열화당, 2000.

33) 이용우, 『백남준 그 치열한 삶과 예술』, 열음사, 2000.

고속도로를 이야기한 예언자이기도 하다. 그는 "하이테크가 만병통치약은 아니지만, 필요한 것은 분명하다."고 말했다. 그는 「TV 부처」, 「TV 로댕」 등 TV를 통해 사유하는 매체로서 인간화된 미디어의 특성을 드러내는 작업을 계속하였으며, 「TV 정원」, 「TV 물고기」 등은 대자연의 일부로 환원된 미디어 아트의 이상적인 대안이다. 그는 21세기를 여는 화두로 '포스트 비디오'라는 새로운 세계를 선보였다. 그는 대가의 반열에 오른 지 오래되었지만, 그가 바이올린을 끌고 뉴욕거리를 걸어가거나 해변에서 해프닝을 벌일 당시만 해도 일부 평론가들은 미치광이 취급을 하기도 했다.

주지하다시피, 백남준의 비디오 아트는 기존의 영상형식 구조를 깨는 새로운 형식을 지니고 있다. 백남준의 작품은 자본주의의 꽃이라고 불리는 광고와 결합한다. 자본주의의 꽃인 광고에 의해 백남준의 비디오 아트가 지니고 있는 비판정신은 흡수되어 버린다. 그의 특유의 직관과 도발성, 그리고 탐구정신이 드러나는 작곡과 행위 작업에는 당시 자본주의와 과학기술의 영향력 확대를 우려하는 반문화 사상이나 대중매체에 대한 동시대 지식인들의 태도가 반영되어 있다. "모든 기술이 인간화하지 못하면 기술종속에서 벗어나지 못하듯이, 예술도 인간화하지 못하면 예술을 위한 예술로 전락한다."는 선언적 경구는 백남준의 예술을 잘 대변한다. 1969년 미국 뉴욕에서 발표 당시 매스컴의 시선을 집중시킨 백남준의 이 선언, 즉 인간화한 예술론은 '삶과 예술의 괴리', '예술과 관객의 비소통적 체계'를 특징으로 하는 20세기 주류에 대한 공격이자 투쟁 포고문이었다. 또한 참여와 소통은 그가 지속적으로 해온 예술대중주의 철학의 핵심을 차지하고 있다. 비디오 예술의 시조로서 그가 보여 온 예술의 실천도 바로 '관객과의 소통'을 향한 예술의 대중화 노력의 일환이다. 다시 말해서 비디오 예술은 자연정보를 무참히 편집, 가공하는 인공적 텔레비전과는 다르게 관객과의 비판적이고 실체적인 교감을 전제로 하는 '자연

238

TV'를 지향하는 것이다. 그의 비디오 예술은 예술이 고급화되던 당시의 정서에 반하여 만인이 즐겨보던 TV라는 대중매체를 예술형식으로 선택한 일종의 예술의 깡패였다. 그는 대중을 포용하되 대중에게 아부하지 않는다고 말했다. 그는 TV를 통해 재미만을 찾으려는 사람들에게 부처의 모습과 닭, 물고기, 컴퓨터 그래픽 등을 넣은 TV를 보여줌으로써 재미를 방해했다고 말한다.

텔레비전에 대한 백남준의 탐구는 1963년 독일 부퍼탈의 갤러리 파르나스에서 열린 첫 개인전『음악 전람회 – 전자 텔레비전』에서 처음으로 제시되었다. 여기에는 기계적으로 조작한 TV와 관객이 상호작용에 의해 조작할 수 있는 TV가 총 13대 전시되어 있었는데, 이는 TV를 예술의 재료로 사용한 최초의 전시이기도 했다. 대중매체에 의해 일방적으로 전달되는 정보의 방향이 작가나 관객에 의해 선회할 수 있음을 보여준 이 전시는 궁극적으로는 비디오 아트의 도래를 예견하는 것이었다.

1964년에 뉴욕으로 이주한 백남준은 텔레비전과 비디오에 대한 탐구를 지속적으로 하였고 1969년에는 일본인 기술자 슈야 아베(Shuya Abe)와 함께 비디오 합성기를 개발하여 바야흐로 텔레비전 브라운관이 캔버스와 물감을 대체할 수 있는 방법론을 제시하였다. 1970년대와 1980년대에 걸쳐 그는 비디오 아트의 잠재력을 현실화하고 다른 작가들을 지원하면서 텔레비전과 동영상 이미지에 대한 미학적 논의를 이끌었다. 그는 테크놀로지를 활용하면서 자칫 빠지기 쉬운 기술중심주의의 함정을 경계하고 테크놀로지를 철저히 인간중심주의의 도구로 활용하려고 노력하였다. 그의 대표적인 작품인「TV 정원」(1974),「비디오 물고기」(1975),「TV 부처」(1976-1978),「로봇가족」(1986),「촛불 프로젝션」(1988) 등은 기술을 유기체와 결합하여 우리의 친숙한 삶의 환경으로 만든 걸작들이다. 또한 정보매체에 의해 동양과 서양의 문화가 만나고 전 세계가 지구촌의 개념으로 하나로 될 수 있는 기술이상주의는 「글로벌 그루브」(1973)와 전 세계적으로 위성중계된 「굿모닝 미스터 오웰」(1984)과 「바이 바이 키플링」(1986), 「백남준- 일렉트로닉 슈퍼하이웨이」(1993) 등 방송 및 위성 프로젝트에 의해 시각화되었다.

백남준은 타계하기 전까지도 과학을 예술에 활용하는 새로운 방법들을 꾸준히 찾았다. 그 일환으로 2000년대부터는 레이저로 작품을 만들었다. 레이저 광선은 매우 선명할 뿐 아니라 먼 거리를 통과해도 흐려지지 않는 특성을 갖고 있다. 백남준은 이러한 레이저의 특성을 활용해서 넓은 공간에 떠 있는 듯한 기하학적 모양의 작품들을 제작하였다. 지난 2000년의 전시에서 백남준은 로댕 갤러리의 투명유리 공간을 우주와도 같은 암흑의 공간으로 변형시켜 레이저 프로젝트라 불리는 작업을 시도하였다. 지상에서 천상에 이르는 구원의 상징인 「야곱의 사다리」와 우주의 운동감을 주역의 궤도로 상징화하여 그래픽으로 표현한 「동시 변조: 감미로움과 숭고함」 및 「삼원소」 등이 그것이다. 전자미디어를 통해 소통을 추구해 온 백남준은 인간사회로부터 전 지구, 더 나아가 우주와의 소통을 추구하는 거시적 비전을 제시했다. 그는 이미 2000년 2월 뉴욕 구겐하임 미술관에서 열린 『백남준의 세계전』을 통하여 이제 전자의 시대는 가고 광자(光子)의 시대가 왔음을 선언하였다. 특히 「동시 변조」에서 그는 시대의 변화와 공간을 뛰어넘는 정보의 동시적 공유라는 메시지를 담고 있다.

미국 해군이 개발한 레이저까지 동원하여 24미터 높이의 폭포가 떨어지게 만든 최근의 신작은 기발한 상상력을 자극시켜 관람객들로 성황을 이루었다. 이 전시의 주제는 '천(天), 지(地), 인(人)'이었는데, 미술관 천장에 있는 레이저 작품이 천(天)이라면, 1층 플로어의 100개의 TV 모니터는 지(地)이고, 7층까지 복도에 전시된 과거의 작품들은 인(人)이다. 겉으로는 서양적인 기술로 보이지만 실제로는 한국적인 철학을 담으려 한 전시회였다. 그는 이 전시에서 한국적 화면을 많이 삽입하였는데, 88 올림픽 같은 기록들은 아직도 참 좋고 굿이나 민속놀이 같은 퍼포먼스와 어울리고 외국인들도 한국적 정경을 싫어하지 않는다고 설명한다. 2000년 삼성미술관이 뉴욕 구겐하임 미술관과 공동으로 기획하여 선보였던『백남준의 세계전』(7월 21일-10월 29일)은 비디오 아트를 정점으로 하는 그의 예술세계가 형성되기까지 작품세계의 사상적 근간이 되는 초기 퍼포먼스 기록물들과 비디오 이후의 예술세계를 열어 가는 최근 레이저 설치작업을 포괄하여 소개함으로써 전자 동영상 미술을 개척한 백남준의 업적을 재평가하는 기회로 삼았다.

그는 이미 20세기에 비디오는 '현대의 종이'라며 비디오 예술을 창시하여 너무나 앞서가는 파격성으로 사람들을 놀라게 하였다. 비디오 아트는 시작된 지 35년이 지난 지금에 이르기까지 미술영역에 광범위한 주제를 제시하며 새로운 충격을 주고 있다.

2) 백남준의 플럭서스 운동

오늘날의 현대예술은 이미 미술관 바깥으로 뛰쳐나온 지 오래이다. 20세기 초에 아방가르드라는 이름의 각종 실험이 진행되면서 미술은 그 스스로가 지닌 상품성을 극복해야 하는 과제를 이미 인식하고 있었다. 종래의 고정된 하나의 장소를 점유하는 물질적인 덩어리가 아니라 시간 속에서 흘러 지나가면서 의미를 전달하는 예술이어야 한다는 이념을 표현하기 시작한 것이다. 1959년 백남준은 자신이 비명을 지르는 모습을 테이프에 담고 깡통, 유리, 달걀, 장난감, 피아노 등을 등장시킨 작품을 선보였다. 1960년에 백남준은 쇼팽을 연주하다가 갑자기 무대에서 내려와 관람하던 사람의 넥타이를 자르고 그 옆 사람의 머리 위에 샴푸를 퍼부었으며, 그리고 연주장을 뛰쳐나가 전화를 통해서 연주회가 끝났음을 알리는 퍼포먼스를 연출하였다. 백남준은 한 독일 평론가로부터 "세계에서 가장 최악의 피아니스트"라는 평가를 받기도 하였고, 1960년대 초 유럽 여러 도시를 돌면서 네오 다다이스트 그룹인 플럭서스와 같이 해프닝을 벌이는 행위음악 또는 행위연주에 몰두하였다. 플럭서스라는 그룹은 행위예술 위주의 성향으로 나타났고 거기에 삶과 예술의 경계를 허물어버리자는 요셉 보이스의 저항적 예술사조의 주장이 더해지면서 삶에 적극적으로 개입하여 행동하는 방식으로 자신의 면모를 구축하였다.

　백남준은 요셉 보이스를 비롯한 동료들과 플럭서스 운동(Fluxus-bewegung)에 뛰어 들었다. 플럭서스란 라틴어로 '흐름'을 의미하며 헤라클레이토스의 "만물은 유전한다."는 말에서 유래했다. 미국의 건축가 조지 마치우나스(George Maciunas)가 발행한 잡지 『플럭서스』로부터 이름이 차용되었으며, 1962년 창설 이후 '플럭서스 그룹' 또는 '플럭서스 예술가', '플럭서스 운동' 등으로 묘사되었다. 또한 이는 형식을 싫어하고 개성을 존중하는 예술 게릴라들에 의해 주도되었다.34) 백남준은 '바이올린 독주'라는 퍼포먼스에서 바이올린을 천천히 들어올렸다가 순식간에 내리쳐 박살낸다. 그의 좀처럼 이해하기 힘든 행동은 동양에서 온 '문화 테러리스트'라는 별명을 얻으면서 주목을 받기 시작한다. 특히 1960년대 백남준을 과격한 전위예술가로 묘사할 때마다 플럭서스라는 말이 심심찮게 등장하였다. 1960년 독일에서 백남준을 '미치광이 작곡가', '과격한 전위예술가'로 묘사할 때마다 등장했던 개념이 플럭서스이다. 플럭서스는 과거로부터 현재까지 백남준의 예술을 가꾸어준 정신적 지주이면서 그의 저항적 예술행위를 체질화시켰던 저력의 근원이었다. 백남준 예술철학의 중심에 언제나 자리 잡고 있는 플럭서스를 이해하지 않고서는 백남준의 비디오 예술이나 행위예술, 행위음악 등은 관객들에게 한낱 유희나

---

34) R. Brace, *Offene Musik -Vom Klang zum Ritus. In Juergen Becker und Wolf Vostell: Happenings, Fluxus, Pop Art, Nouveu Realisme*, Hamburg, 1965, 143쪽.

충동, 또는 쇼맨십 정도로 보이게 되는 것이다. 플럭서스는 그만큼 백남준 예술의 핵심이며 또 비디오 예술의 탄생과도 밀접한 관계가 있다.

그의 작업은 규정된 틀로부터의 이탈, 예술과 예술이 아닌 것의 구분 해체, 자유에 대한 갈망, 전위적이고 실험적인 예술로 계속 이어진다. 이것은 하나의 고정적이고 완결된 예술이 아니라 과정으로서의 예술을 의미한다. 다시 말해 백남준의 예술은 반문명·반예술의 전위 그룹인 플럭서스로 출발하고 있다는 것이다. 그는 현재 대중의 우상으로 급부상한 TV를 미술의 도구로 끌어오고 임의적인 조작을 가해 그 지배력을 파괴하던 시기, 새로 개발된 비디오 매체를 통해 정보소통의 쌍방향성을 모색하던 시기, 테크놀로지를 철저히 인간중심의 도구로 활용해 가는 시기로 발전해 갔다. 그리고 순수한 빛 자체인 레이저 작품을 차용하여 좀더 확장된 미디어 문화의 미래를 예견하는 단계까지 이른 것으로 보인다. 백남준은 1996년 뇌졸중으로 쓰러진 뒤에도 반신불수의 몸으로 휠체어에 의지한 채 예술의 정열을 불태웠다.

플럭서스 예술가들은 이름만 들어도 그 집단의 개성을 금방 이해할 만큼 독특한 성격의 소유자들이다. 만능 예술가로 불려온 요셉 보이스가 그러하고 플럭서스의 창시자인 조지 마치우나스, 앨런 카프로우, 앨런 긴즈버그가 그러하다. 그리고 역사상 최초의 극작가 대통령으로 불리는 체코의 바츨라프 하벨과 구소련으로부터의 독립 이후 리투아니아의 초대 대통령이 된 비타우타스 란스베르기스가 플럭서스 멤버였다는 것은 잘 알려져 있지 않다. 플럭서스는 20세기 초 다다운동처럼 기이하고 우발적으로 나타났기 때문에 이해하기가 매우 난해하다. 다다운동과 1960년대의 플럭서스 사이의 유사한 관계는 미국의 건축가인 조지 마치우나스가 플럭서스를 '네오다다'라고 언급한 데서부터 잘 나타난다. 플럭서스가 다다이즘의 철학을 받아들였다는 주장을 뒷받침하는 것이다. 그렇다면 플럭서스란 무엇인가?

마치우나스는 플럭서스의 존재이유에 대해 "고급예술이 지나치게 많다. 그래서 우리는 플럭서스를 한다."로 설명한다. 이 말 속에는 플럭서스가 반고급예술을 위한 실천집단처럼 묘사되고 있다. 적어도 플럭서스는 고급예술을 지양하고 대중적 예술행동과 강령을 유지하고 있는 것처럼 보인다. 플럭서스는 형식을 싫어하고 개성을 존중하는 예술형식이며 이를 추구하는 일군의 무리들이다. 고급예술을 경멸하고, 대중적 예술형식을 강령처럼 받들고 있다. "우리가 예술을 한답시고 사회·정치적 문제로부터 이탈한다면, 우리의 행동은 모든 의미를 잃게 될 것이다. 플럭서스는 이 사회에 기능하지 않는 상품으로서의 예술품을 명백히 반대한다." 그런가 하면 플럭서스의 대표적인 이론가인 토마스 켈라인은 "플럭서스는 도대체 예술인가, 아니면 수수께끼인가?", "플럭서스는 포스트모더니즘인가?"라고 반문하면서 플럭서스의 정체에 관한 본질적인 질문을 던지기도 했다.

20세기 다다 예술가들이 마치 미치광이 집단으로 인식되었던 것처럼 플럭서스도 그 정체에 관한 논란이 적지 않다. 그럼에도 플럭서스 없는 백남준은 생각할 수도 없는 것이다. 플럭서스 운동은 의외성을 수반하는 다양한 퍼포먼스와 함께 플럭서스식의 글쓰기, 그리고 예술의 상품성을 거부하기 위하여 작품에 사인을 거부하는 행동 등으로 유명하다. 백남준의 격렬하고도 전위적인 행위예술은 거의가 플럭서스 퍼포먼스였다. 또 플럭서스 예술가들의 사인 없는 장난감 같은 오브제들은 예술의 상품화를 철저히 배격하기 위하여 재미로 손쉽게 만들어 전시하였는데 이는 거창한 의미를 담고 있는 듯이 보이는 엄청난 가격의 미술품들을 조롱하기 위한 것이었다. 여기서 백남준은 자신의 플럭서스식 글쓰기를 다음과 같이 말한다. "내가 만든 텔레비전은 항상 재미있는 것도 아니지만, 항상 재미없는 것도 아니다. 자연이 아름다운 것은 자연이 항상 아름답게 변해서가 아니라 단순히 변하기 때문인 것처럼 내 텔레비전에서 질이란 말은 가치를 나타내는 것이 아니라 개성을 의미한다. A와 B가 다르다는 것이 A가 B보다 낫다는 뜻은 아니다. 나는 빨간 사과가 필요하지만, 가끔 빨간 입술도 필요하다."

그렇다면 플럭서스가 추구하던 본질적인 미학은 무엇이었을까? 플럭서스 창시자인 조지 마치우나스는 독일의 시인이며 플럭서스 예술가인 토마스 슈미트에게 보내는 글에서 "우리가 예술을 한답시고 사회적, 정치적 문제들로부터 이탈한다면 우리의 혈통은 모든 의미를 잃게 될 것"이라고 말한다. 그리고 우리 스스로가 이 사회와 혈통을 같이하여 새로운 물결이 될 것이다. 다른 다다클럽이 나타나고 사라지는 것처럼, 플럭서스는 인간의 정신을 현혹시키고 소비하는 것에 중지신호를 보낸다. 이를테면 반미학적인 것이 그것이다. 따라서 플럭서스는 이 사회에 가능하지 않은 상품으로서의 예술품을 명백히 반대한다. 플럭서스는 "예술가의 에고를 촉진시키는 수단으로서의 예술에 반대하며 에고를 촉진시키는 전문집단이 아닌 반전문집단"이라 할 수 있다. 마치우나스의 플럭서스 철학이 더욱 명백하게 나타나는 것은 프랑스의 플럭서스 작가 벤 보티에에게 보낸 편지에서 고조에 달한다. "그대의 에고를 가능한 억제하지 말라. 아무것도 그대의 탓으로 돌리지 말라. 탈개성화하라. 그대를 탈유럽화하라." 이러한 강령들 때문에 플럭서스 자체 내에서도 반발이 뒤따랐지만, 궁극적으로 이들은 무정부적이고 탈자본주의적 속성을 유지한 플럭서스의 철학에 따라 마치우나스의 의견을 수용하였다.

플럭서스 예술가들은 화가, 음악가, 무용가, 시인, 건축가, 영화제작가, 행위예술가 등 다양한 예술영역에 참여했기 때문에 플럭서스를 특정 예술의 경향으로 분류하는 것은 불가능하다. 그럼에도 불구하고 플럭서스는 특유의 자유로운 표현과 행동주의로 예술의 속성을 한층 다양하고 재미있게 유도한 예술형식이다. 특히 비디오 예술의 초기

선구자인 백남준을 비롯하여 볼프 포스텔, 조지 브레히트가 모두 플럭서스 초기 멤버였다는 사실은 비디오가 가지고 있는 반제도권적이고 반모더니즘적인 속성을 플럭서스에서 이식해 온 증거이다.

5. 맺는 말

위에서 살펴보았듯이, 선의 원근법은 회화의 수학화를 이끌었고 훗날 갈릴레이는 자연의 기하학화를 내세우며 과학의 수학화를 이끈 원동력이 되었다. 17세기의 뉴턴, 케플러, 갈릴레이, 미켈란젤로 등에 의한 과학혁명은 19세기 전반까지 인간 삶의 정치적, 경제적, 사회적 차원에서 변혁을 가속화했다. 19세기 후반에는 예술과 과학의 만남이라는 획기적인 사건이 현실화되었다. 특히 현대과학은 예술의 형태와 개념까지도 변화시킬 수 있게 되었다. 예술과 과학의 차이는 어떠한 것이 더 나은 이해를 제공하는가에 의해서 위계적으로 파악하는 것이 아니라 기호체계의 차이일 뿐이다. 이러한 설명에도 불구하고 여전히 예술가들은 정서를 자극시키려고 노력하지만, 과학자들은 논리적으로 납득시켜야 하는 부담감을 안고 있다. 궁극적으로 예술은 '왜?'를 탐구하지만, 과학은 '어떻게?'라는 질문도 함께 던져야 한다.

최근의 예술형식은 새로운 인간상과 세계관에 의해서 계속 변화하고 있다. 20세기 미술과 과학, 철학의 담론사에서 제시되었듯이, 건축 디자인의 패러다임은 더욱더 다양한 학문들이 섞이고 매체사용과 방법에 있어서도 점점 혼성화(hybridization)가 가속화될 것으로 전망된다. 또한 고도의 테크놀로지가 지배적인 미래사회에서 제기되는 환경의 문제, 정신적 위기는 예술의 사회적 기능과 역할을 더욱더 요구하게 될 것이다. 이제 예술과 과학은 서로 떼려야 뗄 수 없는 존재가 되었다. 예술과 과학은 동일한 도구와 재료를 사용하지만, 그것들을 이어주는 주요한 매개체는 기술(technique)이다. 최근 SF 영화는 예

술과 과학의 조화를 이룬다. 예를 들어『블레이드 러너』,『매트릭스』,
『토탈 리콜』,『터미네이터』,『아이로봇』,『AI』등의 영화는 미래의
시대를 반영하고 예견한 예술의 종합형식이라 할 수 있다. 많은 예술
가들은 새로운 기술을 이용하여 인간과 기계를 결합하여 새로운 예
술을 만들어낸다. 반대로 어떤 예술가들은 기술을 회피하기도 한다.
그 이유는 너무 비싸거나 너무 복잡하여 접근하기가 쉽지 않기 때문
이다. 과학의 응용은 빠르게 진화하는 기술을 비용 효과적으로 통합
하는 능력과 직접 연관되어 있다. 하이테크 미디어는 과학자들의 손
에 달려 있으나 예술가들은 그 기술을 나름대로 예술에 이용하면 된
다. 영상은 전 지구적인 규모에서 즉각적으로 조작될 수 있기 때문이
다. 그러나 예술과 과학에서 창조(창의)성은 더 이상 전문가들의 영
역만은 아니다.[35] 일반인들이 예술가가 되는 동시에 예술가는 예술환
경과 재료의 법칙을 제공하는 메타 아티스트로 승격되는 것이다. 창
조(창의)적인 예술과 과학을 만드는 데는 동기(motivation), 오랜 기
간에 걸친 훈련, 추진력, 정신적 에너지가 필요하며 그 과정에서 강
도 높은 긴장과 실패에 대한 불안이 수반된다. 즉 과학적 창조(창의)
와 예술적 창조(창의)는 동일한 과정이나 항상 동일한 능력에 기반
하지는 않지만, 서로 배타적인 것은 아니다. 자신이 위치해 있는 전
통을 충분히 습득하고 오랜 기간 동안 노력하고 훈련하고 동료들과
의 교류를 통해 새롭고 과감한 시도를 두려워하지 않는다. 따라서 새
로운 단서를 계속 발전시키는 것은 예술과 과학 모두에게 공통적이
다. 또한 예술이 내면의 세계만을 성찰하는 것이 아니듯이, 과학도
외부의 자연을 거울처럼 반영하는 것도 아니다.[36]
　21세기 들어 가장 도전적인 경쟁자는 인터넷을 서핑하는 청소년을

---

35) 엘리안 스트로스베르, 앞의 책, 269쪽.
36) 홍성욱,「과학적 창조성, 천재를 어떻게 이해할 것인가」,『과학사상』, 2003
　　여름, 175쪽.

비롯한 20, 30대 젊은 층이다. 지금 그들에게 누가 예술가이고 과학자인지는 그다지 중요한 것이 아니다. 현재 과학과 예술의 엄청난 정보의 홍수는 뇌의 양쪽에 똑같이 자극을 주고 있다. 논리에 훨씬 더 관여하는 왼쪽 뇌의 사용은 유연하고 단편적인 사고양식 때문에 다소 쇠퇴할지 모른다. 반면에 상상력의 근원인 오른쪽 뇌는 다가올 사회에 더욱 발달될 것이다.

제 3 부

인문학의 위기와 극복
그리고 차별화 전략으로서의 철학

제 9 장

인문학의 이해와 설명의 방법 *
딜타이와 베버의 수단/목적 행위이론 고찰

1. 들어가는 말

우리는 철학사를 통하여 수단과 목적의 개념 쌍을 종종 친숙하게 접할 수 있다. 이미 아리스토텔레스가 그의『니코마코스 윤리학』에서 수단/목적의 개념을 구분하면서 처음으로 선을 보인 이후로 지금까지 많은 사회과학자들의 주요 관심사가 되어 왔다. 무엇보다 근대에 들어와 수단/목적의 개념을 체계적인 이론을 마련하여 관심을 고조시킨 철학자는 칸트였다. 우리는 칸트의『판단력비판』에서 '목적론적인 판단력의 비판'을,『도덕 형이상학을 위한 기초』에서는 흔히 말하는 '목적의 왕국'이라는 표현을 만날 수 있다. 칸트의 수단/목적의 관계[1]는 그 후 많은 철학자들에게 영향을 미쳤다.

---

* 이 글은 한국해석학회 편,『낭만주의 해석학』, 철학과현실사, 2003, 156-197쪽에 수록되었고, 부분적으로 수정하였다.

1) Vgl. Theodor Ebert, "Zweck und Mittel Zur Klarung einiger Grundbegriffe der Handlungstheorie", in: *Allgemeine Zietschrift für Philosophie*, 2, 1977, 21-39쪽.

먼저 딜타이(Wilhelm Dilthey, 1833-1910)는 자신의 논문 「정신과학의 역사적 세계 구성」(1910)[2]에서 이해의 종류를 삶의 표현(Lebensäußerung)의 등급으로 나눈다. 여기서 그는 다양한 삶의 등급 중에서 행위이론을 전개한다. 그 행위이론은 수단/목적의 관계로 파악되었고, 이것은 베버(Max Weber, 1864-1920)의 사회과학의 핵심적 이론이라고 할 수 있는 합리화론과 밀접한 연관성을 갖고 있다. 특히 베버의 수단/목적 관계에 대한 합리화 이론은 호르크하이머와 아도르노의 『계몽의 변증법』이나 하버마스의 『의사소통 행위이론』 또한 루만의 『목적 개념과 체계 합리성』 등에서 중요한 부분을 차지하고 있으며, 현재 서구에서 활발히 진행되고 있는 응용윤리학의 생태윤리, 생명윤리, 기술철학을 비롯한 정치철학 등의 학문 분과에도 중요한 개념으로 적용되고 있다. 한 실례로서 생명윤리의 철학자 요나스(Hans Jonas, 1903-1993)의 『책임의 원칙』[3]은 칸트와 베버의 수단/목적의 관계를 잘 계승한 대표적인 경우이다.[4] 또한 근대의 독일 자유민주주의에 대해 활발한 논쟁의 씨앗을 제공하였던 슈미트(Carl Schmitt, 1888-1985)의 정치철학이론도 역시 베버의 수단/목적의 관계에 많은 영향을 받은 동일한 경우이다.[5] 따라서 이 글의 목적은 딜타이의 정신과학을 구성하는 데서 드러난 이해이론을 수단/목적의 관계를 중심으로 검토하여, 이것이 베버의 사회과학과 어떤 연관을 맺

---

2) Wilhelm Dilthey, *Der Aufbau der geschichtlichen Welt in den Geistes-wissenschaften*, Einleitung von Manfred Riedel, Frankfurt a. M., 1993. Vgl. ders, *Gesammelte Schriften*, VII(이하 G.S로 약칭하여 표기함).

3) Hans Jonas, *Das Prinzip Verantwortung*, Frankfurt a. M., 1984. (이진우 옮김, 『책임의 원칙: 기술 시대의 생태학적 윤리』, 서광사, 1994)

4) Vgl. Lathar Waas, *Max Weber und die Falgen Die Krise der Moderne und der moralisch-politische Dualismus des 20. Jahrhundert*, Frankfurt a. M./ New York, 1995, 113-134쪽, 178-221쪽.

5) Vgl. Karl Löwith, "Max Weber und seine Nachfolger", in: ders, *Sämtliche Schriften*, Bd. 5, Stuttgart, 1988, 414-418쪽.

고 있는가를 살펴보는 데 있다. 이러한 맥락에 따라 나는 베버의 사회과학이론이 딜타이의 정신과학이론에 사상사적으로 어떻게 영향을 받았고, 딜타이와 베버의 수단/목적의 개념들이 어떤 상이점들을 갖고 있는가를 고찰하고자 한다.

2. 딜타이의 정신과학의 방법론

1) 이해와 설명

딜타이는 역사의 영역에서 낭만주의적 자의성(恣意性)과 사변적인 주관주의의 상황을 개선하기 위하여 해석의 보편타당성을 이론적으로 입증하고 제시하고자 한다(G.S, V, 331). 딜타이는 이 문제를 해결하기 위하여 자신의 『역사이성비판』을 칸트의 3대 비판서에 비유한다. 그는 삶의 철학에 바탕을 두고 사회적 행위자들의 상호해석을 가능하게 해주는 기본적인 틀을 마련한다. 딜타이의 상호주관적인 해석학적 이해는 사회적-역사적 맥락에 따라 16-17세기에 널리 퍼졌던 후기 낭만주의적 요소를 나타내 보인다.6) 그런데 각 개별적인 주관적 요소들은 객관성을 제시해야 하는 어려움에 항상 부딪힌다.

딜타이의 정신과학의 방법론은 사회적-역사적 현실 속에서 학문의 대상을 구성하는 것이었고, 후학자들에게 사회학 및 사회과학을 연구하는 데 많은 영향을 끼쳤다. 요하흐(Helmut Johach)가 제시한 것처럼, 딜타이의 독일 사회학의 입장은 그 당시 그 이론이 충분히 그 타당성을 검증하지 못하였다고 비판7)하면서 현재의 사회학은 물론 전

---

6) Josef Bleicher, *The hermeneutic Imagination*, Routledge/Kegan Paul, 1982, 63쪽.

7) Helmut Johach, *Handelner Mensch und objektiver Geist, Zur Theorie der Geistes- und Sozialwissenschaften bei Wilhelm Dithey*, Meisenheim am Glan, 1974, 38쪽. 딜타이의 사회과학에 대한 비교는 다음의 논문을 참조할 것. Karl Acham, "Dilthey Beitrang zur Theorie- und Sozialwissenschaften",

개될 사회학의 연구에도 많은 관심을 보였다. 딜타이는 특히 콩트(Auguste Comte), 스펜서(Herbert Spencer), 샤플레(Schaffle), 릴리언펠트(Lilienfeld), 짐멜(Georg Simmel)[8] 등의 많은 사회학자들과의 사회학 논쟁(G.S, I, 420-421)을 통해 그의 입장을 강화시켰다. 딜타이의 관점에서 그들이 주장하는 사회학은 어떠한 현실적 과학이 될 수 없었다. 그 이유는, 위에서 열거한 사회학자들은 사회를 인간의 역사적-정신저 세계의 전체로 파악하고 있으나, 사회는 국가의 한 부분을 이루고 있으면서 하나의 전제조건으로서 나타나는 외부의 공동체 속에 있는 삶의 조직이기 때문이다. 다시 말하면 사회학에 대한 딜타이의 반대 입장은 현실적으로 인간 사회에서 일어나는 모든 현상을 하나의 학문으로 포괄하려는 시도에 이의를 제기한 것이다. 딜타이에 의하면 콩트와 스펜서와 같은 사회학자들이 주장하는 사회학은, 전체 사회의 관점에서 종교, 윤리, 예술, 법 등을 설명하고 있으나, 사회에서 이루어지는 분화와 통합, 이해관계의 결속, 공동체의 질서 등을 전체 사회로 보는 관점에서 형이상학적이라는 것이다. 따라서 딜타이는 전체성으로 인위적으로 분리되었던 사회적-역사적 현실의 여러 단편들을 다른 정신과학에 부여하는 것이라고 파악한다. 이러한 관점

---

in: *Dilthey-Jahrbuch*, 3. Bd. 1985, 9-51쪽.

8) 짐멜은 특히 개인과 사회의 상호작용에 관해 딜타이의 저서에서 많은 영향을 받고 그의 형식사회학을 체계화시켰다. 이에 관해서는 다음을 참조할 것. Georg Simmel, *Soziologie, Untersuchungen über die Formen der Vergesellschaftung*, München/Leipzig, 1923, 305-344쪽; ders, *Religion*, Frankfurt a. M., 1906, 17쪽; Uta Gerhardt, "Die Konzeption des Verstehens und der Begriff der Gesellschaft bei Georg Simmel im Verhältnis zu Wilhelm Dilthey", in: *Annali Di Sociologia*, 8. 1992-I. 221-270쪽; ders, "Immanenz und Wiederspruch, Die philosophischen Grundlage der Soziologie Georg Simmel und ihr Verhältnis zur Lebensphilosophie Wilhelm Dithey", in: *Zeitschrift für philosophische Forschung*, 25. Bd. 1971, 29-30쪽; G.S, V, 60, 63.

속에서 딜타이는 사회학 연구를 통해 개인과 사회의 상호작용이론을 다음과 같이 형식화하였다.

"개인은 동시에 사회의 상호작용의 요소이며, 이러한 상호작용의 다양한 체계의 교차점은 의식적으로 의지의 방향과 행위의 동일한 영향에 작용한다. 한편으로 개인은 이런 모든 과정을 관찰하고 탐구하는 지성적 태도를 취한다. 여기서 맹목적인 작용인들의 상호작용은 관념, 감정, 동기(動機)들 사이의 상호작용으로 대체된다."(G.S, V, 37, 63)

위에서 인용한 개인과 사회의 상호작용은 행위와 그 영향이 미칠 때 목적에 도달된다는 것을 알 수 있다. 여기서 딜타이는 자연과학과는 다르게 정신과학의 대상인 인간은 스스로가 연구하는 주체이면서 동시에 연구의 대상이 되어야 한다는 관점이다. 또한 인간은 자신의 정신세계를 창조하면서 그 세계에 영향을 받는다. 그렇기 때문에 사회는 사람들 사이의 상호작용이 지속되는 과정으로 이해할 수 있다. 단지 인간들 사이의 상호작용은 기계적으로 인과법칙에 얽매여서 연쇄반응으로 일어나는 것은 아니다. 인간의 행위는 기계적으로 구성된 것이 아니기 때문에 개인의 특수한 상황에 따라 예측할 수 없는 일이 종종 발생한다. 인간은 상대방의 반응 여하에 따라 움직이기 때문에 항상 상호작용의 관계에 있는 것이다. 우리가 광범위한 의미에서 이러한 딜타이의 상호작용의 개념을 베버의 사회적 행위와 연관시킬 때, 딜타이가 의도하는 것과 여러 부분에 걸쳐 일치한다. 영미권에서의 'interaction'은 딜타이의 상호작용과 같은 뜻으로 이해할 수 있다. 그런데 이러한 정신과학에서 상호작용의 표현은 인과성의 한 측면이라고 할 수 있는 자연에 의해 사유를 확정할 수 있는 그런 관계가 아니다. 자연에 의거해 확정되는 인과성은 항상 그 안에서 "원인은 결과를 충족시킨다."(G.S, VII, 228) 이러한 맥락에서 정신과학은 자연과학처럼 인과관계에 한정되어 있는 것이 아니라 사회의 현실적 요구들, 즉 역사학, 정치학, 정치경제학, 신학, 문학, 예술, 법학 등의 연구자들이 채워주었던 시대적 조류를 잘 반영해야 한다.

딜타이에게 이해는 사회과학의 맥락에 따라 일반적으로 문화 대상, 객관적 정신, 삶의 객관성, 역사적-사회적 현실을 해명하려는 것 등을 말한다. 흔히 이해란 너 안에서 나를 재발견하는 것이다. 정신은 점점 높은 단계들의 연관에서 자신을 다시 발견한다. 나 안에서, 니 안에서, 한 공동체의 모든 주관 안에서, 문화의 모든 체계 안에서, 종국적으로는 정신의 총체성과 보편사 안에서 정신과학의 다양한 기능들의 협력을 가능하게 해준다(G.S, VII, 191). 무엇보다 딜타이의 이해의 개념은 그의 논문 「해석학의 발생」에서 다음과 같이 분명하게 나타난다.

"이해는 인식이라는 보편개념에 속한다. 이 경우 인식이란 아주 광범위한 의미에서 보편타당한 지식을 추구하는 과학이다. 우리는 심적인 삶(Seelenleben)의 외부에서 감성적으로 주어진 삶의 표현에서부터 인식에 이르는 과정을 이해라고 말한다. 따라서 감성적으로 파악할 수 있는 정신적 삶의 표현이 아무리 다양하다 해도 이해는 이러한 인식으로 기술된 조건을 통해 주어진 동일하거나 공통적인 특징을 갖고 있어야 한다."(G.S, V, 332; Vgl. G.S, V, 319)[9]

---

9) 이해의 개념은 다음의 문헌과 비교할 것. Christorfer Zöckler, *Dilthey und Hermeneutik*, Stuttgart, 1975, 7, 9쪽; Hans Herbert Deissler, *Die Geschichtlich-keit bei Wilhelm Dilthey*, Diss. Phil. Freiburg, 1949, 61쪽; John C. Maraldo, *Der hemeneutische zirkel*, Freiburg/München, 1974, 70쪽; Karl Helfrich, *Die Bedeutung des Typusbegriff im Denken der Geisteswissenschaften*, Diss. Phil. Gießen, 1918, 25쪽; Karl-Otto Apel, "Das Verstehen(Eine Problemgeschichte als Begriffsgeschichte)", in: *Archiw für Begriffsgeschichte*, I, 1955, 142-143쪽, 174-176쪽; Ludwig Landgrebe, "Vom Geisteswissenschaften Verstehen", in: *Zeitschrift für philsophische Forschung*, 6. Jg. 1951, 4쪽; Rudolf Makkreel, *Dilthey, Philsophie der*

또한 딜타이는 「정신과학에 있어서 역사적 세계의 구성」이라는 논문에서 "우리는 외부에서 주어진 것이거나 내부에서 인식한 부호 속에 있는 과정을 이해라고 부른다."(G.S, V, 309)라고 하였다. 여기서 심적(Seelenleben) 현상의 연관은 내적인 생동성에서 나오며 그 출발점은 체험(Erlebnis)이다. 체험은 외적인 지각(äußere Wahrnehmung)과는 다소 다르게 내적인 지각(innere Wahrnehmung)에서 직접적으로 주어진다(G.S, V, 170). 이러한 체험은 전체적인 연관에서 나타나며 심적인 삶에서 주어진다. 단지 감각에서는 개체들의 집합이 제공된다. 특별한 사건이 일어났을 때, 심적인 삶이 성립되는 연관은 체험에 속한다. 이 연관이 이미 우리 자신과 타인에 대한 이해의 성격을 결정하게 된다(G.S, V, 144). 여기서 우리는 이해를 넓게 보아 세 가지의 관점으로 다음과 같이 나누어 말할 수 있다.

(1) 이해는 직접적으로 체험에 근거하고 체험에서 나온다(G.S, VII, 25). 체험은 그 자체로 확실하게 내적인 반복을 하며, 이해의 가능성에 토대를 두고 있다.

내적인 연관을 맺고 있는 체험은 생애의 다양한 부분들 속에서 진행된다. 개별적인 체험들은 모두 자기와 관련을 맺고 있으며, 바로 자기의 한 부분을 체험하는 것이다. 즉, 체험은 다른 부분들과의 구조를 통해서 심적인 것과 연관된다(G.S, V, 195). 하지만 딜타이에게서 체험은 선험적인 것은 아니다. 그는 의식의 내면성에서만 정신과학의 고유한 인식의 가능성을 찾는다. 자연과학은 경험에서 우리와 독립된 물질적 세계의 현상에만 관여한다. 반면에 정신과학은 내적 체험에서 부여된 체험의 현상에 관여한다. 여기서 우리는 체험된 대상만을 생각한다(G.S, VII, 123). 따라서 체험은 우리에게 실재하는 원초적인 방식이다. 그렇게 하여 체험은 역사 인식의 궁극적인 전제

Geisteswissenschaften, Frankfurt a. M., 1991, 303쪽.

가 된다. 즉, 체험은 역사적 세계의 원세포(Urzell der geschichtlichen Welt)이며, 정신과학의 기본적인 경험 자료이다(G.S, VII, 161). 따라서 정신과학이 경험과학을 보증한다는 것은 이러한 체험에서 나타난다(G.S, VII, 304).

(2) 이해는 삶의 표현으로서 표현의 이해이다(G.S, VII, 205, 207). 즉, "나는 삶의 표현이 단지 무엇인가 생각하거나 의도하는 데 있는 것만이 아니고, 우리에게 이해할 수 있는 정신의 표현이며, 어떤 의도된 것이 없는 것으로서 분명히 표현하고자 한다."(G.S, VII, 205) 정신과학의 대상으로서 이해는 인간의 상황을 체험하고, 삶의 표현을 표출하거나 이러한 표현을 이해하고자 한다.

(3) 이해는 개별적인 것의 이해이다(G.S, VII, 207). 이것은 타자와의 낯선 삶의 표현의 가능성과 서로 불균등하게 나타날 수 있는 각기 다른 삶의 연관성 사이의 이해에서 나타난다. 무릇 삶은 체험을 통해 주어진다. 여기서 체험은 현실 속에서 우리에게 나타나는 개별적인 특수한 방식이다. 즉, "체험은 실재가 나에게 나타나는 특수한 방식이다. 체험의 내용은 지각의 내용이나 표상의 내용처럼 나에게 대립하여 드러나지 않는다. 그것은 외부로부터 우리에게 주어지는 것이 아니라 내면적으로 지각함으로써 우리에게 나타나며, 사유 속에서 비로소 대상화된다."(G.S, VII, 313)

딜타이는 이해의 개념은 정신과학의 인식으로서, 설명의 개념은 자연과학의 인식으로서 각각 대비시켜 기술하였다. 딜타이가 제시한 것처럼, 자연과학과 정신과학 사이에 대립된 개념은 과학 유형을 방법론의 구분으로 설명하거나 이해시키는 데 있었다. 딜타이는 정신과학을 이해대상으로서 이해 심리학의 결과에서 찾았다. 정신과학의 대상은 신체적인 것을 바탕으로 심적인 삶을 강조한다. 여기서 우리는 딜타이의 철학이 심적인 삶의 심리학적 분석으로부터 출발한다는 것을 알 수 있다. "심적인 삶은 지상에서 최고의 단계로 분류된다. 삶이 출현할 수 있게 해주는 조건들이 자연과학을 발전시킨다. 왜냐하면 자연과학은 물리적 현상들에서 법칙에 따른 질서를 발견하기 때문이다."(G.S, VII, 196) 그러나 딜타이의 심리학적인 요소가 특별한 부류로 취급되어 자연과학적인 문제설정에 의존하는 것만은 아니다. 오히려 그는 심적인 요소, 즉 심적인 의지, 이해, 감정의 철학적-인간학적 학설에 따라 연결시킨다(G.S, VII, 93). 자연과 정신의 대립관계는 삶의 연관에 기반을 둔 체험이다. "인간은 자연으로 들어가 자기 자신의 삶으로 향한다. 인간은 체험을 통해서 자연 속에 존재하게 되는 것이다. 따라서 인간의 체험은 의미, 가치, 목적"(G.S, VII, 93)에 의해 학문을 수행하게 된다. 그래서 그는 종종 "자연은 설명하고 정신은 이해하며, 마찬가지로 우리는 사회적-역사적 삶을 이해한다."(G.S, V, 44)고 언급한다.

"먼저 정신과학은 자연과학으로부터 구분된다. 자연과학이 대상의 외부로부터 또는 현상으로서 의식 속에 개별적으로 주어져 나타나는 사실을 갖고 있는 반면에, 정신과학은 내부의 의식 속에 살아 있는 관계로서 독창적으로 나타난다. 여기서 자연과학은 자연의 관계에 주어진 가설의 결합을 매개로 하여 보충적인 추론을 통해서만 나타난다. 반대로 정신과학은 원초적으로 주어지는 것으로서 어디에서나 내부에 있는 심적인 삶(Seelenleben)의 연관에 토대를 두고 나타난다. 왜냐하면 내부의 경험에서 정신의 개별적인 부분이 전체적인 것으로 그 기능을 결합하거나 성취하려고 하기 때문이다."(G.S, V, 143-144)[10]

위 인용문에서 보듯이, 자연과학에 대한 딜타이의 입장은 항상 자

---

10) Vgl. Herbert Heicke, *Der Strukturbegriff als methodischer Grundbegriff einer geistewissenschaftlicher Psychologie bei Dilthey und Spranger und Bedeutung für die Paedagogik*, Diss. Phil. Halle, 1928, 16쪽; Karl-Otto Apel, "Das Verstehen(Eine Problemgeschichte als Begriffsgeschichte)", in: *Archiw für Begriffsgeschichte*, I, 143, 173쪽.

연과학과 정신과학이 대립하는 가운데서 드러난다. 딜타이는 잘 알려진 논문인 「기술적, 분석적 심리학의 이념」(G.S, V, 139-240)에서 자연과학과 정신과학 간의 구분을 이해와 설명의 대립으로 전개시킨다. 이러한 이해와 설명의 구분은 그렇게 간단히 형식화되는 것은 아니다. "왜냐하면 정신과학과 자연과학은 그것을 구성하는 두 개의 사실 영역에 의해 논리적으로 정확히 구분할 수 없기 때문이다. 생리학도 인간의 한 측면을 다루고 있고 그것은 자연과학의 영역이다. 사실 상태에서는 두 분류 근거를 정확히 설명할 수 없다."(G.S, VII, 82) 여기서 이해는 현실에서 적용되는 일정한 방법론적 형식이고, 이에 반해 설명은 보충적인 다른 형식이다. 이렇게 이해와 설명의 대립은 그 배후에서 내적인 지각 내지 외적인 지각의 구분을 통해 전개되는 것이다. 특히 딜타이가 대립의 쌍으로 선보이는 자연과학과 정신과학의 관계는 역사적 생성을 갖고 있다. 즉, 딜타이의 자연과 정신의 관계는 근원적으로 존재한 것이 아니라 역사적으로 생성된 이원론이다. 딜타이는 거듭 "정신과학은 자연과학적 지식의 체계화를 모방한 논리적 구성에 의해 하나의 전체적 체계를 세울 수 없으며, 정신과학의 각 분야들은 서로 다르게 전개되어 왔기 때문에 역사적 차원에서 접근해야만 올바르게 이해할 수 있다."(G.S, V, 24)고 하는 것이다.

"동일한 사유방식과 그것에 부차적인 사유행위의 등급은 자연과학과 정신과학 속에서 과학적 관계를 가능하게 한다. 그래서 이해와 설명의 구분은 대상을 두 개의 등급으로 근거짓는 것은 아니다. 자연 대상과 정신 대상이 따로 존재하는 것은 아니다. 대상의 개념은 그 자체의 차이로부터 감각 인상의 관계를 통하여 그리고 이러한 인상이 전체적인 결합으로 조건화된다. 따라서 그 스스로는 서로 맞대어 독립적으로 놓여 있다."(G.S, V, 93)

이른바 자연과학적인 힘은 하나의 가설적인 개념이라고 말한다. 자연과학에서 그 개념의 타당성이 수용될 경우, 그것은 인과성의 원리를 통해 규정된다. 정신과학에서 그것은 체험 가능한 것을 지칭하는 범주이다(G.S, VII, 202). 다시 말해서 자연은 우리에게 무관한 힘으로 나타나지만, 이에 반해 정신은 우리의 존재 전체를 통해 경험된다. 그러나 실재적인 범주는 자연과학의 그것과 결코 같지 않다. 딜타이는 이런 범주들의 성립과 관련된 문제에 발을 들여놓지 않을 것이라고 말한다. 여기서는 그런 범주가 자연과학에서 타당하다고 해서 정신과학에서도 타당하다고 볼 수 없다. 자연과학에서 추상적으로 표현된 절차들이 그대로 정신과학에 옮겨질 경우 자연과학적 사고의 월권이 생겨나게 된다(G.S, VII, 197). 향후 자연과학은 일어난 일의 담지자로서의 실체나 사건을 일으키는 작용인으로서의 힘과 같은 개념을 새로운 개념으로 발전시킬지도 모른다. 그러나 자연과학적 인식의 이 같은 개념 형성은 정신과학과는 무관하다. 개개인의 생애에서 인류에 이르기까지 역사적 세계에 관한 진술들은 기껏해야 일정한 방식의 연관이 상당히 제한된 범위에서 그려지는 데 그칠 뿐이다(G.S, VII, 198).

2) 수단/목적의 관계

딜타이의 이해이론[11]은 근본적으로 수단/목적의 양식과 연관되어 있다. 여기서 딜타이는 감정적 삶(Gefühlslebens)의 목적론에 관해 주목한다. 수단/목적의 관계는 미학적인 감정상태와 그렇게 낯설지 않다. 이러한 관계는 단지 가치 있는 목적을 위한 무관심적인 수단으로 나타나지 않는다. 목적은 구조화된 전체이다. 그러나 이러한 전체는

---

11) 19세기부터 20세기의 전환기에 이르는 독일에서의 지성적 논쟁은 자연과학과 정신과학 간 이해의 개념을 둘러싼 차이 노선의 논점으로 딜타이, 리케르트, 빈델반트 같은 사상가에게 고양되었다(Dirk Käsler, Max Weber, in: ders, *Klassiker des soziologischen Denken*, 2. Bd. München, 1978, 496쪽).

추상적인 개념, 괴리된 요소의 범주화된 형식화가 아니라 체험 속에서 전체화된 것이다(G.S, VII, 59). 자아와 세계는 삶의 통일체에 주어져 있고, 환경에 의해 조건지어지는데, 그 속에서 환경에 반응하는 나 자신을 발견하게 된다. 이때 삶의 내적인 상태가 분절되어 나타나는데 이것을 심적인 삶의 구조라고 부른다. 심적인 삶의 "구조 연관"[12])에는 합목적성의 특성이 근원적으로 담겨 있다. 예를 들어 우리가 유기체나 세계에 합목적성이 있다고 생각한다면, 이러한 관념은 내적인 체험으로부터 나온다. 왜냐하면 체험의 부분과 전체의 관계는 실현된 가치로부터 합목적성의 특성을 포함하고 있으며, 이러한 가치는 감정의 삶과 충동적인 삶에서 경험되기 때문이다(G.S, V, 207). 이러한 관점에서 합목적성은 이성의 선천적인 원리에서 나오는 것이 아니라 내적 체험에서 유래한다. 따라서 딜타이에게서 합목적성과 목적론의 개념은 삶의 연관에서 경험한 것만을 표현한다. 때문에 합목적성은 객관적인 자연의 개념이 아니라 인간적인 충동, 쾌락과 고통에서 경험하는 삶의 연관의 방식을 일컫는다. 즉, 합목적성은 자연 안에 있는 것이 아니라 우리의 삶 속에 내재해 있다(G.S, V, 210). 딜타이는, 우리가 정신구조의 연관 속에서 삶의 충족, 충동의 쾌감과 기쁨 등을 성취하려는 경향은 목적연관의 의도를 갖고 있을 경우라고 말한다(G.S, VII, 176, 207, 215, 218). 즉, 딜타이는 삶의 전체성을 설명하기 위해 삶의 구조에서 삶의 충만함, 충동의 충족감, 행복의 성취감 등을 목적연관(G.S, V, 207)에서 찾는다. 즉, 합목적성은 심적인 연관의 체험 속에 포함된 것을 서술한다. 그러나 합목적성은 체험을 통해서 인식할 수 있는 것이지 논리적인 개념을 통해서 알 수 있는 것이 아니다(G.S, V, 213). 딜타이는 이러한 심적 구조의 합목

---

12) 구조에 관한 자세한 내용은 다음을 참조할 것. 양해림, 「구조의 독해: 딜타이와 푸코의 연속과 불연속의 역사상」, 『철학연구』 제84집, 대한철학회, 2002, 353-379쪽.

적성을 다음과 같이 언급한다.

  "합목적성은 체험되고 내적인 경험 속에서 주어지기 때문에 주관적
  이다. 또한 이 합목적성은 내적인 경험의 외부에 있는 어떠한 목적성
  에도 근거하지 않기 때문에 내재적이다."(G.S, V, 217)

이렇게 심적인 삶의 구조 연관 속에서 합목적성은 주관적이고 내
재적인 개념을 표현한다. 다시 말해 합목적성은 자기 자신을 넘어선
외부의 목적을 향해서 전개되는 것이 아니라 내부의 독자적인 가치
를 지니는 것이다(G.S, V, 218). 그런데 딜타이는 이해하는 것의 어
려움을 다음과 같이 말한다.

  "가장 어려운 경우는 행위와 목적 설정의 영역에서 구성된다. 목적
  설정의 관계와 수단과 행위를 찾아냈던 것은 합리적이고 분명한 것일
  지라도, 몇몇의 다른 경우는 목적을 설정하여 명백하게 규정하려는 동
  기이다. 그러나 이러한 동기들은 목적체계나 외부 제도에서 제시한 실
  제적인 필요에 의해 명백한 관계 속에서 설정된다."(G.S, VII, 260)[13]

이렇듯 딜타이는 행위와 목적 설정 및 그 동기를 밝혀내려는 것에
어려움을 토로한다. 인간의 행위 속에서 목적 설정의 동기를 어떻게
찾아낼 수 있을 것인지가 관건이라는 것이다. 이해하는 데 어려움이
있다 할지라도, 딜타이는 이해의 종류를 다양한 삶의 표현의 등급으
로 나누었다. 삶의 표현의 세 등급은 넓은 의미에서 ① 명제(개념, 판
단, 위대한 사유 형성), ② 행위, ③ 체험 표현이다. 여기서 우리는
수단/목적의 관계를 살펴보기 위해 삶의 두 번째 등급인 행위에 대해
서만 고찰해 보자.
  딜타이는 행위의 본질을 목적 달성의 수단으로 파악하고, 그의 이

---

13) 딜타이의 수단/목적은 다음을 더 참조할 것. G.S, VII, 206, 321.

론을 구체적으로 전개한다. 행위는 일상생활적인 도구 사용에서부터 사회활동의 모든 영역에 걸쳐 광범위하게 퍼져 있다. 행위는 표현의 부류이기는 하지만, 단지 전달의 의지에서가 아니라 무엇인가를 획득하려는 의지에서 비롯되기 때문에, 우리는 행위에서 목적과 목표를 이해한다. 여기서 행위는 목적이나 의도의 실현인 것이다(G.S, VII, 320). 딜타이에 따르면, 행위와 그 행위의 지속적인 외부의 영향은 행위에서 발생한 내부를 재구성하려는 것으로 나타난다(G.S, VII, 320).[14] 딜타이는 그러한 행위의 예로서 수공업자의 행위를 든다. 그는 대상의 지양(Aufheben), 망치의 낙하 상태(Niederfallenlassen), 톱을 통한 목재의 절단 등을 말한다. 수공업은 여러 나라에서 목표 달성을 위해 하나의 일정한 절차와 도구들을 발전시켰다. 그러나 절차와 도구를 통해 우리는 어떠한 수공업자가 망치나 톱을 사용했을 때, 그의 목적을 이해하게 된다. 여기서 목적으로 엮어낸 질서를 통해 삶의 표현과 정신적인 것의 관계가 확정된다(G.S, VII, 320). 또한 가장 간단한 경우는 공구(Werkzeug)의 사용을 들 수 있다. 우리는 어떤 사람이 공구를 사용하는 것을 볼 때, 단순히 지각하는 것과는 다른 어떤 목적이나 의도가 있음을 파악할 수 있다. 행위는 내면적인 것이 실현됨으로써 가시적인 세계로 나타난다. 여기서 우리는 보이는 것에서 보이지 않는 내면적인 의미를 추구해 간다. 따라서 우리가 행위를 이해 가능한 것으로 만드는 것은 행위 속에 내재해 있는 목표나 목적 때문이다. 행위는 단지 전달의 의도에서 나타나는 것만은 아니다. 그렇기 때문에 행위는 목적을 이루려는 관계에 따라 다르게 나타난다. 이러한 관계에 따라 인간의 행위에 내재한 것과는 다른 행위가 외부

---

14) Ansgar Bechermann(Hg.), *Analytische Handlungstheorie, Handlungser-klaerungen*, Bd. 2, Frankfurt a. M., 1985, 7쪽; Carl Theodor Glock, *Wilhelm Diltheys Grundlegung einer wissenschaftlichen Lebensphilosophie*, Berlin, 1939, 115쪽; Herbert Schnädelbach, *Philosophie in Deutschland 1831-1933*, Frankfurt a. M., 1991, 154-155쪽.

로 나타나는 결과가 생길 수 있다. 종종 행위는 행위하는 사람에 따라 활발하게 움직이는 총체성과 깊은 관계 속에 있다. 여기서 목적의 설정은 일정한 조건 속에서 존재한다(G.S, V, 321). 이러한 행위의 전달에 대해 딜타이는 다음과 같은 표현의 형식을 전한다.

"행위는 동시대나 후세대에게 무엇인가 전달하려는 것이 아니고 무엇인가를 얻기 위한 의도의 충동에서 나타난다."(G.S, VII, 320; Vgl. G.S, VII, 206)[15]

딜타이는 여기서 지향적인 행위를 고려하고 있다. 즉 행위는 행위자가 일정한 방향을 향해 나아가고자 하는 규범 속에서 존재한다. 우리가 그 속에서 행위를 어떻게 이해할 수 있을 것인지의 문제는 지향하고자 하는 목적에서 나타난다. 의지에 관한 이론들은 "어떤 목적을 향한 지향, 그러나 현실 속에 아직 존재하지 않는 어떤 것을 실현하겠다는 의도의 성립, 많은 가능성 하나를 선택하는 것과 특정한 목표의 표상을 실현하겠다는 의도, 그러한 것을 수행하기 위해 수단의 선택과 수행을 삶의 연관에서 행하는 것이다."(G.S, VII, 203) 우리의 행위는 항상 상호연관된 행위 속에서 아주 복잡하게 얽혀 있지만, 이것은 어떠한 목적을 향해 나아가기 위한 것이다. 이러한 목적은, 우리에게 행위가 무엇인지 이해할 수 있다거나, 함축성을 갖고 있다는 것을 암시해 준다. 그러나 우리는 행위를 세심하게 관찰해야만 한다. 왜냐하면 행위에서 표현된 정신적인 행위의 관계는 규칙적인 것이든

---

15) Otto-Friedrich Bollnow, *Dilthey, Eine Einführung in seine Philsophie*, Stuttgart, 1967, 183쪽. 의도(Wollen)에 관해서는 다음의 문헌을 참조할 것. Dimiter Jwantscheff, *Die ethischen Auffassungen W. Dilthey*, Diss. Phil. Tübingen, 1942, 71-75쪽; Michael Heinen, *Die Konstitution der Aesthik in Wilhelm Diltheys Philsophie*, Bonn, 1974, 23-24쪽; Rudolf Dietrich, *Die Ethik Wilhelm Diltheys*, Duesseldorf, 1937, 53-76쪽; Walter Heynen, *Dilthey Psychologie des dichterischen Schaffens*, Halle, 1916, 24-29쪽.

추측할 수 있는 것이든 간에 모두 받아들일 수 있기 때문이다. 행위가 어떻게 고려되든지 간에 그것은 우리들의 본질의 한 부분만을 표현해 준다. 이러한 행위의 본질 속에 잠재해 있던 가능성은 어떤 행위를 통해서 사라지게 된다(G.S, VII, 206). 딜타이는, 이러한 행위 가능성의 한계가 어떻게 행위의 상태나 수단/목적 그리고 삶의 연관의 해명 없이는, 우리가 행위에서 발생하는 내부의 그 어떤 종류의 규정도 받아들일 수 없다는 것(G.S, VII, 206, 321)을 암시한다.

따라서 딜타이는 이해를 궁극적으로 행위의 목적을 설정하고 수용하려는 목적론적 재구성이 아니라, 오히려 동기를 재구성하는 것으로 파악한다. 이것은 행위의 행태에서 나타나는 행위의 원인과 규칙에 관련되어 있다. 결과적으로 딜타이의 수단/목적의 관계는 그의 사회과학이론에 중요한 영향을 미쳤다.

3. 베버의 사회과학 방법론

1) 이해와 설명

베버의 사회이론은 헤겔, 콩트, 마르크스(Marx), 딜타이, 밀(Mill), 빈델반트, 리케르트, 드로이젠(Droysen), 짐멜, 분트(Wundt) 등 다양한 학자들의 이론체계와 비교·분류되는 경향이 종종 있어 왔다. 우리가 베버의 사회학 및 사회과학의 방법론적 연구를 이해하기 위하여 위 학자들의 저작을 이해하는 것은 불가피하다. 예를 들어 베버는 드로이젠의『역사 연구』(1868), 딜타이의『정신과학 입문』(1883), 빈델반트의『역사와 자연과학』(1894), 리케르트의『자연과학적 개념형성의 한계』(1901) 등에서 많은 영향을 받고 그의 사회과학이론으로 수용한다. 먼저 베버의 사회적 행위는 인과적으로 설명하려는 데 초점을 맞춘다. 사회과학의 확립을 위해 먼저 딜타이와 짐멜이 그 단서를 열었고, 베버는 국민경제학과 역사학에 본격적인 해석의 이론을 발전시켰다. 딜타이 이후 사회과학 방법론에서 전개된 이해와 설명의 논쟁사를 아펠(K.-O. Apel)은 다음과 같이 말한다. 첫 번째 단계는 딜타이의 구분 원칙에 따르는 방법론자들이다. 신칸트학파의 빈델반트, 리케르트, 베버 등은 정신과학과 문화과학의 기초를 딜타이 측면의 이해 개념에서 파악하고 있다.16) 이러한 측면에서 베버는 그 당시 딜타이의 정신과학이론과 신칸트학파였던 리케르트의 사상체계에 영향을 받고 자신의 입장을 전개시켰다. 딜타이의 '역사이성비판'은 삶을 학적인 개념에 대한 전체로서 규정한다. 그러나 여기서 딜타이의 정신과학과 베버의 사회과학의 정립을 위한 시도는 생활세계를 명확히 규정하지 않은 채 남아 있다.17)

딜타이가 칸트의 『순수이성비판』을 '역사이성비판'으로 확충하여 정신과학의 철학으로 발전시킨 이후로 베버는 딜타이의 정신과학의 방법론을 사회현실에 실천적으로 적용하기 위해 필요한 부분만 도구적 수단으로 받아들였다. 다시 말해서 베버는 사회적 행위의 구조를 언급할 때, 그의 목적론적인 설명을 하기 위한 수단으로 이론을 전개하였다.18) 여기서 베버는 그의 사회과학의 방법론적인 수용을 단순히 이해의 학으로서가 아니라 이해와 설명의 결합으로 분명하게 제시하였다. 베버가 이러한 시도를 하려는 이유는, 인과관계나 의미를 연결

---

16) Karl-Otto Apel, *Die Erklären: Verstehen-Kontrovers*, Frankfurt a. M., 1979, 18쪽. 아펠이 구분하는 사회과학의 방법론의 나머지 두 단계는 다음과 같다. 하나는 20세기에 접어들면서 나타난 신실증주의의 시기이다. 여기에 헴펠(K. G. Hempel), 오펜하임(Offenheim), 포퍼(K. Popper) 등이 해당된다. 다른 하나는 이해론의 입장과 인과설명의 방법을 서로 접근시켜 주는 후기 비트겐슈타인(L. Wittgenstein)의 언어이론에서 시도한 경향이다. 이 단계에서는 폰 라이트(G. H. Wright)의 방법론이 중심논제가 된다.

17) Kurt Wuchterl, *Bausteine zu einer Geschichte der Philosophie des 20. Jahrhunderts. von Husserl zu Heidegger*, Stuttgart, 1995, 65쪽.

18) Johannes Weiss, *Max Webers Grundlegung der Soziologie*, München, 1975, 47쪽.

하여 전달하고자 하는 방법을 더 명확하게 제시하려는 것이다. 베버는 체계적으로 그리고 아주 분명하게 경험사회학의 이해와 설명의 방법을 연관시켰다. 주지하듯이, 베버에게 과학으로서 경험사회학은 "사회적 행위를 분명히 해석하고 이해하면서 사회적 행위의 과정과 결과를 인과적으로 설명하는 학문이다."[19] 사회적 행위는 우리에게 항상 객관적 상황에 처해 있는 행위라는 사실을 알려준다. 여기서 이해사회학은 인간의 행위를 역사적 상황에 처해 있는 인간의 주체와 관련짓는다. 다시 말하면 경험사회학이 의미/이해의 사회학으로 정의할 때, 그 이론은 지속적인 가능성을 갖고 있으며, 사회적 행위는 주관적인 동시에 객관적이어야 하며, 그 행위에 포함된 주관적 의미가 다른 개인이나 집단과 관련을 맺어야 한다. 이해와 설명의 구분은 두 개의 다양한 과학의 표상으로 연결된다. 즉, 자연과학은 설명과 함께 정신과학은 이해와 함께 연결된다. 특히 딜타이와 리케르트는 다양한 방법으로 이러한 구분을 수행하였다. 이 양자는 베버의 이해와 설명의 독창적인 학설에 많은 영향을 주었다.[20] 특히 베버는 초기 저서인

---

19) Max Weber, *Wirtschaft und Gesellschaft*, Tübingen, 1947, 1쪽; ders, *Soziaologische Grundbegriffe, Mit einer Eirführung von Johannes Winkelmann*, Tübingen, 1984, 19쪽. 위 인용문은 많은 사회과학 저서에서 자주 등장하는 문구이다. 이는 다음의 문헌과 비교할 것. Alfred Schuetz, *Der sinnhaft Aufbau der sozialen Welt, Eine Einleitung in die verstehende Soziologie*, Wien, 1932, 12쪽; Dirk Kläsler, *Einführung in das Studium Max Weber*, München, 1979, 175쪽; Emil Angehrem, "Handlungserklaerung und Rationalität", in: *Zeitschaft für philosophiische Forschung*, 37. Bd. 1983, 343쪽; Johannes Weiss, *Max Webers Grundlegung der Soziologie*, 45 쪽; Johannes Winckelmann, *Gesellschaft und Staat in der verstehenden Soziologie Max Webers*, Berlin, 1957, 22쪽; Karl-Heinz Nusser, "Verstehen und Erklären bei Max Weber", in: *Philosophisches Jahrbuch*, 93. Jg. 1986, 143쪽.

20) Karl-Heinz Nusser, "Verstehen und Erklären bei Max Weber", in: *Philosophisches Jahrbuch*, 93. Jg. 1986, 142쪽.

『문화과학과 사회과학의 학문』에서 딜타이의 여러 저서를 참고로 하여 많은 사상적 영향을 받는다.[21]

이러한 영향 속에서 베버는 설명과 이해의 관계를 분석하였다. 물론 이해와 설명의 결합은 다양한 규칙을 포함하고 있기 때문에, 베버의 근본적인 입장을 인식하기 위해서는 반드시 알아야 할 작업이다. 그러기 위해서 우리는 베버의 이해와 설명의 방법론적인 결합을 내용적으로 규정해야 한다. 이는 종종 사회학이 사회과학의 목적을 위해 이해와 설명의 관계에 도움을 받고 있다고 이야기된다. 주지하듯이, 베버는 사회과학의 목적을 위해 설명과 이해의 방법으로 분리시키지 않고 통합을 시도한다. 오늘날 이러한 이해와 설명의 결합은 사회과학의 철학을 고양시키는 데 한몫을 담당해 왔다. 따라서 베버와 딜타이에게서 이해의 이론은 근본적으로 수단/목적의 양태에 연결되어 왔다. 베버는 그의 『경제와 사회』에서 리케르트의 문화과학 속에 나타난 이해의 문제에 관해 관심을 가지면서, 그의 이론의 상당 부분을 수용하였다. 리케르트에게서 문화과학은 반드시 정신과학을 규정

21) Max Weber, *Gesammelte Aufsätze zur Wissenschaftslehre*, Tübingen, 1968, 12, 91, 93쪽. 베버는 많은 그의 저서에서 딜타이의 흔적을 상세히 밝히고 있지는 않지만, 후세의 학자들에 의해 밝혀졌다. 즉, 클라슬러, 바이스, 텐브루크, 반스트라트, 몸젠, 하인리히 등은 베버의 딜타이의 영향에 대해 규명해 냈다. 딜타이가 베버에게 미친 영향에 관해서는 다음의 문헌을 더 참조할 것. Amold Bergstraesser, "Wilhelm Dilthey and Max Weber: An empirical approach to historical to Synthesis", in: *Ethics,* Vol. LVII, 1946-1947, 93-110쪽; Dirk Kläsler, *Max Weber*, in: ders(Hg.), *Klassiker des soziologischen Denkens*, 2. Bd. München, 1978, 149쪽; Johannes Weiss, "Das Verstehen des Lebens und die verstehende Soziologie(Dilthey und Weber)", in: *Anali di Sociologia/Soziologisches Jahrbuch*, 8. 1992-I, 353쪽; Schelting von Alexander, "Die logische Theorie der historischen Kulturwissenschaft von Max Weber und im besonderem sein Begriff des Idealtypus", in: *Archiv Sozialwissenschaft und Sozialpolitik*, 49. Bd. Tübingen, 1922, 631쪽; Wener Gephart, "Max Weber als Philosoph?", in: *Philosophische Rundschau*, Jg. 40. Heft.1-2. 1993, 148쪽.

하기 위한 이해의 개념에서 출발한 것이 아니라, 자연과 정신의 구분을 다시 새롭게 제시하려는 데 있었다. 자연을 단지 물질적 세계 (Körperwelt)로 이해하고, 정신을 개인의 심적인 삶으로 이해하는 것은 아니다. 정신은 기본적으로 심리적 존재와는 다르며, 비정신적인 심적인 삶을 자연으로 간주한다.[22] 베버는 자연과학과 문화과학의 방법론적인 차이를 리케르트로부터 수용하였다. 리케르트는 자연과학과 문화과학의 방법론의 과제로서 개별 연구자들 사이의 공통된 명칭이 필요하다고 본다. 무엇보다 리케르트는 문화과학과 자연과학의 관계를 밝히는 데 그 초점을 맞춘다. 흔히 우리는 자연과학은 보편적인 법칙을 다루고, 문화과학은 역사적 과학을 다루는 것으로 이해한다. 그렇지만 이것은 절대적으로 대립되어 있는 것이 아니며 상대적인 구분일 뿐이다.[23] 역사과학은 풍부한 데이터에서 나오는 것이 아니라 사실 속에서 나타난 가치관계에서 파악된다. 이러한 가치의 학설은 "베버를 역사적 관심"[24]으로 고양시키는 데 중요한 역할을 한다. 그래서 이렇게 베버는 리케르트와 밀접한 연관 속에서 사회과학의 방법론을 전개하였다. 베버는 리케르트의 방대한 저서인 『자연과학적 개념 형성의 한계』[25]가 그 자신의 사상과 맥락을 공유하고 있다고 말한다. 그러나 베버에 따르면, 리케르트의 이론은 현재 전개하고 있는 사회학의 방법론에서 많은 부분이 검토되어야 한다.[26] 베버

22) Heinrich Rickert, *Kulturwissenschaft und Naturwissenschaft*, Stuttgart, 1986, 10-11쪽.

23) Heinrich Rickert, *Kulturwissenschaft und Naturwissenschaft*, 7-17쪽.

24) Fritz Loos, *Zur Wert- und Rechtslehre*, Tübingen, 1970, 9쪽; Vgl. Johannes Weiss, *Max Webers Grundlegung der Soziologie*, 33-44쪽.

25) Heinrich Rickert, *Die Grenzen naturwissenschaftlichen Begriffsbildung*, Tübingen/Liepzig, 1902.

26) Max Weber, *Gesammelte Aufsätze zur Wissenschaftslehre*, 7쪽. 막스 베버가 리케르트에게서 받은 사상적 영향에 관해서는 다음의 문헌을 참조할 것. Alxander von Scelting, *Max Webers Wissenschaftslehre*, Tübingen, 1934,

는 이러한 입장을 자신의 논문 「사회과학적, 사회정책적 인식의 객관성」에서 문화과학을 이중적 과제로서 정의하면서 다음과 같이 분명하게 제시한다.

"우리가 수행하려는 사회과학은 하나의 현실과학이다. 우리가 속해 있는 삶의 현실을 그 특이성의 관점에서 이해하고자 하는 것이다. 다시 말해서 한편으로 우리가 오늘날 현실과학을 구성하고 있는 개별적인 현상들 간의 문화 의미와 관계를 현실과학의 특성에 맞게 이해하려는 것이며, 다른 한편으로는 이 현실과학이 역사적으로 다른 모습이 아니라 바로 현재와 같은 모습을 취하게 된 과정을 이해하고자 하는 것이다."[27]

위에서 인용하였듯이, 베버는 문화의 의미를 인식하는 과제를 문화과학에 부여하였다. 베버의 과학론은 자연과학과 문화과학을 논리적으로 구분하는 데서 시작한다. 그에게 사회과학은 문화과학에 속한다. 왜냐하면 사회과학은 문화적으로 의미 있는 인간 행동의 일정한 측면을 대상으로 하기 때문이다. 그리고 그 인식목표는 보편적 개념 법칙의 체계가 구체적 현상 및 관련된 특성으로서 이 경우에 발생하는 사상(事象)의 개념, 질서 등을 수단으로 이용하게 된다.[28] 또한 베

364-373쪽; Heinrich Rickert, "Max Weber und seine Stellung zur Wissenschaft", in: *Logos*, Bd. XV, 1926, 222-237쪽; Gehard Wagner, *Geltung und normativer Zwang, Eine Untersuchung zu den neukantianischen Grundlagen der Wissenschaftslehre Max Webers*, Freiburg/München, 1987, 201-202쪽; Wolfgang Schluchter, *Die Entwicklung des okzidentalen Rationalismus, Eine Analyse von Max Webers Gesellschaftsgeschichte*, Tübingen, 1979, 23-37쪽.

27) Max Weber, *Gesammelte Aufsätz zur Wissenschaftslehre*, 170쪽. (전성우 옮김,『막스 베버의 사회과학 방법론』, 사회비평사, 1997, 65쪽.)
28) 이병혁,「막스 베버의 '이해' 사회학 대한 기호학적 해석」,『막스 베버의 사회학의 쟁점들』, 민음사, 1995, 107쪽.

버의 사회학은 그가 "문화과학은 문화적 의의에 비추어 삶의 현상을 분석한다."[29]고 언급한 점을 고려해 볼 때, 딜타이의 관심사를 어느 정도 공유하고 있다. 인간이 만든 것들은 양적 측면만을 포착할 수 있는 자연과학의 범위 안에서는 제대로 연구될 수 없다. 왜냐하면 인간의 창조물은 심리적이고 지적인 현상이기 때문이다. 베버에 의하면 사회학은 사회적 사실을 문화적인 의미로 이해하는 것이고 동시에 문화적 조건 속에서 설명하는 것이다. 여기서 설명과 이해의 연관은 사회과학의 목적과 밀접한 관계를 맺는다.[30] 이러한 관점 속에서 베버가 주장하는 사회적 행위에는 개인들의 의미 있는 행태로서만 존재하고, 주관적으로 의도된 의미라는 측면에서 이해하고 다루어져야 한다는 뜻이 포함되어 있다. 다시 말해서 베버의 사회학은 다차원적 규정성에서 출발한다. 그는 인간의 활동형태를 '주관적 의미'에 부여되는 의식에 따라 '행태'와 '행위'로 구분한다. 이 구분을 통해 인간 행위의 주관성, 즉 가치 및 의미 지향적인 기본적 성격을 말한다. 그 다음 단계에서 베버는 이러한 주관적 행위를 사회적 행위와 구분하고 있는데, 이러한 분류의 기준은 상호주관적이다. 이러한 의미에서 베버 사회학의 출발점을 유의미하고 상호주관적인 사회적 행위 또는 사회적 관계라고 규정한다.

베버는 합리화의 구성요소를 사회행위의 효율적 수단으로 발전시킨다. 목표, 즉 효율성을 달성하기 위한 수단의 합리적인 선택이라는 관점에서 합리성을 추구한다. 이를 가리켜 베버는 형식적 합리성이라고 했다. 그러나 베버는 이러한 개념의 합리성은 두 가지 가능한 개념들 중 하나일 뿐이라고 주장하였다. 그는 합리성의 개념을 목표의 합리적인 선택 개념과 비교하면서 이것을 실질 합리성 혹은 내용 합

---

29) Max Weber, *The Methodology of the Social Sciences*, Oxford University Press, 1949, 75쪽.

30) Max Weber, *Aufsätze zur Wissenschaftslehre*, Tübingen, 1922, 193쪽.

리성이라고 간주했다. 그런데 실질적 합리성은 그 근거의 가치에 따라 변한다. "형식 합리성은 주로 수단과 절차의 계산 가능성을 말하는 것이며, 실질 합리성은 주로 목표나 결과의 가치를 말한다."[31] 우리가 베버에게 무엇 때문에 이해사회학을 알려고 하는가 하는 물음을 던질 때, 주된 관심은 목적/수단의 관계 속에서 합리적이고 일반화된 원인의 고찰[32]을 통해 현실을 더 객관적으로 파악하고자 하는 데 있다.

베버에 의하면 무엇 때문에 한 행위가 일어났는가에 관한 고찰은 행위의 행태에서 나타난 행위의 근거와 그에 대한 규칙과 연관되어 있다. 즉 행위의 목적에 관한 것, 그 행위의 목적과 행위의 근거를 규정짓는 것, 실제적으로 행위의 원인과 관련시키는 것 등이다.[33] 이러한 관점에서 베버는 현실적 이해와 설명적 이해의 두 부류로 구분한다. 먼저 현실적 이해에서 그 경우가 무엇 때문에 발생하게 되었는가를 설명적 이해의 영역 내에서 밝혀내고자 했다. 현실적 이해는 행위를 이해하는 것이며, 그 개념은 이해의 주관적인 근거를 포함하고 있다. 여기서 현실적 이해는 주어진 행위에 의해서 의도된 의미를 파악하는 것이다.[34] 베버는 현실적 이해를, 표현이해 및 행위이해로 나타난다고 하더라도, 단지 지향적인 이해를 기술하는 것으로 보았다.

---

31) Rogers Brubaker, *The Limits of Rationality: An Essay on the Social and Moral Thought of Max Weber*, London, 1984, 36쪽.

32) Max Weber, *Gesammelte Aufsätze zur Wissenschaftslehre*, 127쪽.

33) Max Weber, *Gesammelte Aufsätze zur Wissenschaftslehre*, 546-551쪽; Vgl. Emil Angehren, "Handlungserklärung und Rationalität. Zur Methodologie Max Weber", in: *Zeitschrift für philosophische Forschung*, 37. Bd. 346쪽; Karl Acham, "Diltheys Beitrag zur Theorie der Kultur- und Sozialwissenschaften", in: *Dilthey-Jahrbuch*, Bd. 1985, 24쪽.

34) Max Weber, *Wirtschaft und Gesellschaft*, 4쪽; ders, *Soziologische Grundbegriffe*, 25쪽; Vgl. Alfred Schütz, *Der sinnhafte Aufbau der sozialen Welt, Eine Einleitung in die verstehende Soziologie*, Wien, 1932, 25쪽.

설명적 이해(동기적 이해)는 현실적으로 이해된 행위에서 드러난 주관적으로 의도된 의미에 따른 의미관계(Sinnzusammenhang)를 파악하는 것이다. 즉 행위자가 자신의 행동에 대해 어떠한 의미를 부여하고 있는가를 이해하는 것이다. 베버는 이것을 동기관계의 이해 내지 의미관계의 이해라고 설명하였다. 여기서 설명함이란 의미관계를 파악하는 것과 같은 뜻이다. 이것은 사회학을 경험의 규칙에 적용할 때 중요한 의미를 갖는다. 그에게서 의미관계라는 것은 행위 그 자체이거나 행태의 중요한 근거가 되는 관찰에 의한 동기를 통해서 이해하는 것이다.[35] 다시 말해서 의미연관은 행위의 주관적 의미 사이에 나타난 대립을 어떠한 의미에 관계없이 행위의 동기로 이해하려는 것이다. 그러나 우리가 행위의 주관적 의미를 쉽게 파악할 수 있는 것은 아니다. 왜냐하면 행위의 외적인 경과를 관찰하면서도 현실적 이해는 행위자가 실제로 어떤 의미를 그 행위에 부여하고 있는지를 알 수 없기 때문이다. 이러한 점에서 베버는 현실적 이해에서 파악한 행위자의 외적 행위과정에서 파악하는 의미연관을 주관적 의미연관에 대립시켜 객관적 의미연관이라 불렀다.[36]

2) 수단/목적의 관계

위에서 살펴보았듯이, 인간적 행태는 "의미연관의 기능적인 부분으로서 직접적으로 이해된 의미내용에 따라 증명해 보이는 것"[37]이다. 주지하듯이, 베버는 행위를 설명하기 위해 개별적 행위를 구분하면서 행위 유형의 순서를 제시하였다. 여기서 베버의 행위의 유형은 우리가 현실적 이해와 설명적 이해를 더 알기 쉽게 하거나, 행위의 목적

---

35) Max Weber, *Wirtschaft und Gesellschaft*, 5쪽.
36) Alfred Schütz, *Der sinnhafte Aufbau der sozialen Welt. Eine Einleitung in die verstehende Soziologie*, 25쪽.
37) Max Weber, *Wirtschaft und Gesellschaft*, 3-4쪽.

과 그 근거를 파악하는 중요한 단서가 된다. 즉, 그것은 목적/수단과의 인과론 문제를 푸는 주된 열쇠이다. 베버는 행위의 유형을 네 가지로 구분하는데, 그것은 목적 합리적 행위, 가치 합리적 행위, 정서적 행위, 전통적 행위이다.[38] 여기서 행위의 구성요소는 행위의 수단, 목적, 가치, 결과의 네 가지이다. 이 중에서 어느 것이 합리적 통제의 대상이 되느냐에 따라 합리성의 수준이 결정되고 이것은 행위의 유형화와 연결된다. 그래서 베버는 그의 유형론을 위한 중요한 요소로서 목적 합리적 행위를 선택하였다.

(1) 목적 합리적 행위 : 외부세계의 대상이나 다른 사람 사이의 관계에 대한 기대를 통해서 합리적인 것을 위한 수단으로 추구하고 저울질하는 자기의 목적의 결과로서 나타난다.

(2) 가치 합리적 행위 : 윤리적, 미학적, 종교적 혹은 그 밖의 것이 의미하는 것처럼 순수하게 분명한 사태의 무조건적인 고유가치나 결과로부터 독립된 의식적인 믿음을 통해서 규정된다.

(3) 정서적, 특히 감정적 행위 : 현실적 행위와 감정의 상태 (Gefühlslagen)로 나타난다. 수단과 목적만이 조정의 대상이 되면 그것은 감성적 행위이다.

(4) 전통적 행위 : 익숙해진 습관을 통하여 결정된다.[39]

베버는 이러한 분류와 함께 단지 사회적 행위의 이념형을 생각한 것에 강조점을 둔다. 즉, 구체적인 행위는 항상 행위 유형의 혼합된 형식으로 나타난다.[40] 수단, 목적, 가치, 결과 등 네 가지 모두가 의식적인 체계적 자기조정의 대상이 될 경우, 그것은 목적 합리적 행위이다. 다시 말해서 베버는 목적 합리적 행위를 수단에 목적을 대립시키고, 목적을 부차적인 결과로 이것을 서로 다양한 가능한 목적을 대

---

38) 같은 책, 6쪽.

39) 같은 책, 12쪽.

40) Johannes Rohbeck, *Technologische Urteilskraft*, Frankfurt a. M., 1993, 127쪽.

립에 저울질하는 것으로 정의하였다. 이러한 의미에서 합리적으로 완전히 조절된 행위는 목적 합리적으로 된다.[41] 목적 합리적 행위에는 행위의 모든 자율적 선택권이 주어진다. 인간 행위의 주된 동기인 이해 추구가 어떠한 절대적인 성질의 가치 규범적 제한도 받지 않는 경우이다. 목적 합리적 행위는 행위자들의 대등한 관계를 전제로 한다. 왜냐하면 어떠한 가치도 그 자체로 절대적일 수 없고, 이성적 토론과 설득을 통해서 그 타당성을 인정받을 수 있기 때문이다.[42] 개인은 행위의 가능한 결과가 목적을 위한 수단의 계산에 따라 좌우된다. 주어진 목표를 달성하기 위한 많은 대안들이 그 수단으로 존재하는데, 이 대안들의 해결을 위해 개인들은 목적 달성의 가능한 수단들을 각자의 상대적 효율성에 비추어 저울질한다. 목적 합리적 행위에서는 객관적으로 미리 주어진 내부의 결과 속에서 행위 영역에 도달하기 위해서, 행위하는 개인이 자기의 목적에 따라 방향을 정한다.[43] 따라서 목적 합리적 행위는 방법론적인 합목적성의 근거 중의 하나로 이해 사회학의 출발점이 된다. 요컨대 베버의 목적 합리성은 개인의 능력과 목적 그 자체를 설정하거나 수단의 합목적적인 동원을 통해 그때마다 가능성의 영역으로 현실화시키려는 것으로 설명하였다.

수단, 목적, 가치 이 세 가지만이 자기조정이 될 때, 그것은 가치

---

41) Max Weber, *Wirtschaft und Gesellschaft*, 13쪽. Vgl. Gero Lanbardt, "Theorie der Rationalisierung und Sozialismuskritik bei Max Weber", in: *Leviathan*, 9. Jg. 1980, 297쪽; Jürgen Habermas, *Theorie des kommunikativen Handeln, Verhalten und Verstehen, Eine Kritik der verstehenden Soziologie Max Weber und Alfred Schütz*, Königstein, 1985, 56쪽; Ulrike Vogel, "Eine Überlegungen zum Begriff der Rationalität bei Max Weber", in: *Kölner Zeitschrift für Soziologie und Sozialpsychologie*, 25. Jg. 1973, 535쪽; Wolfgang Schluchter, *Die Entwicklung des okzidentalen Rationalismus, Eine Analyse von Max Webers Gesellschaftsgeschichte*, 191쪽.

42) 전성우, 『막스 베버의 역사사회학 연구』, 사회비평사, 1996, 185쪽.

43) Max Weber, *Gesammelte Aufsatze zur Wissenschaftslehre*, 565쪽.

합리적이다. 가치 합리적 행위에서 행위자는 외부의 결과를 고려하는 것이 아니라 윤리적, 종교적 명령 등의 절대 명령을 따른다. 그런데 가치 합리적 행위는 목적 설정의 상대주의에는 낯설게 나타난다. 왜냐하면 순수한 가치 합리적 행위는 어떤 사람이 전제된 결과에 개의치 않고 그것을 그의 신념에 대한 봉사로 생각하고, 의무, 존엄, 아름다움, 종교적 훈령, 경건 또는 사태의 중요성 등이 어떤 방법으로 그에게 요청하여 나타나는가를 다루고 있기 때문이다.44) 한 예로 기독교인은 올바르게 행할 뿐이며 결과는 신의 뜻에 맡긴다. 또한 가치 합리적 행위는 어떤 사람이 위와 같은 행위를 통해 힘들게 얻은 기준점(Richtpunkt)을 갖고서, 거기서 철저하게 통제된 방향에 의해서 기운을 고조시키는 데 있다. 서로 경쟁적인 목적을 두고 결정을 하는 것은 가치 합리적인 방향으로 나아갈 수 있고, 행위는 단지 그것의 수단 안에서만 존재한다. 또한 베버는 다른 경우도 예견하였다. 혹은 행위는 그 행위에 대해 의식적으로 저울질한 것에 눈금을 잰다거나, 주어진 주관적인 욕구감에 사로잡혀 단순한 명령이나 요구에 대해 가치 합리적인 방향 없이 경쟁적이고 충돌적인 목적을 가져다줄 수 있다.45) 즉, 베버에게서 가치 합리적 행위는 수단이 아니라 그 자체의 목적인 것이다.

정서적 행위는 한 목적이 다른 목적을 위해 지각되어(wahrgenommen) 좋지 못한 결과가 나타날지라도, 목적을 추구하는 어떤 질문도 설정하지 않는다. 전통적, 정서적인 자기행태는, 의미 있는 방향의 행위 일반으로 나아갈 수 있도록 한계를 설정한다. 여기서 정서적 및 전통적인 행위는, 우리가 의식적으로 의도한 행위이거나 그러한 근거를 통해 목적 설정을 제시한 결과로서 나타난다. 따라서 그러한 행위는 전통과 관련된 특별한 반성 없이도 정감이나 정서로 드러난다. 수

---

44) Max Weber, *Wirtschaft und Gesellschaft*, 12쪽.
45) 같은 책, 13쪽.

단만이 조정될 수 있을 때, 그것은 전통적 및 정서적인 행태만 제시하는 것이기 때문이며, 그 행위는 인간적인 행태만을 지향한다.46) 위에서 제시된 베버의 네 가지의 행위 유형은 합리성의 차등에 따라 정리하였고, 차등화의 기준은 행위 구성의 요소인 수단, 목적, 가치, 결과 등에 대한 합리적인 조절로 조정된다. 여기서 베버는 합리적으로 조절된 행위는 목적 합리적 행위에서 나타난다고 보았다. 특히 하버마스는 베버의 합리화 이론을 일반적으로 이해시키기 위해 목적 합리적 행위에 주목하여 그의 의사소통 행위이론47)으로 발전시킨다.

그러나 그 외의 행위 유형에서는 아주 최소한의 합리적인 조절의 가능한 관점들이 경시되고 있다. 즉, 가치 합리적 행위에서는 결과가 고려되지 않았고, 정서적 행위에서는 결과와 가치가, 그리고 익숙해진 습관의 전통적 행위에서는 결과, 가치, 목적이 고려되지 않았다.48) 행위의 구성요소들의 내용들이 자의적으로 결정할 수 있는 가능성이 크면 클수록 그 행위는 합리적인 것이며, 이 행위의 자율성도 또한 늘어난다. 그러므로 합리성과 자율성은 서로 밀접한 관계를 갖고 있다. 이러한 베버의 행위 유형은 행위의 합리성과 서구의 합리화 과정을 측정하는 중요한 토대를 마련하였다.

---

46) 같은 책, 12쪽.

47) Vgl. Hans Haferkamp, "Interaktionsaspekte, Handlungszusammenhaenge und die Rolle des Wissenstransfers. Eine handlungstheoretische Kritik der Theorie des kommunikativen Handelns", in: *Kölner Zeitschrift für Soziologie und Sozialpsychologie*, Jg. 36. H. 4. 1984, 782-798쪽; Thomas Schmid-Schoenbein, "Zwecktätigkeit und Verständigung. Über des kommunikativen Handelns", in: *Ökonomie und Gesellschaft. Jahrbuch*, 2, 1984, 173-199쪽; Rüdiger Bubner, "Rationalität als Lebnssform. Zu Jürgen Habermas' Theorie des kommunikativen Handelns", in: *Merkur*, 34. Jg. 1982, 341-355쪽.

48) Wolfgang Schluchter, *Die Entwicklung des okzidentalen Rationalsmus*, 191 쪽. Vgl. Jürgen Habermas, *Theorie des kommunikativen Handelns*, Bd. I, 380쪽.

4. 맺는 말: 딜타이와 베버의 이해와 설명

딜타이와 베버의 사회과학이론에서 이해와 설명을 바탕으로 한 수단/목적의 관계는 서로 다르고 동일한 측면이 동시에 존재한다. 따라서 양자의 수단/목적의 관점에서 공통점과 차이점은 다음과 같이 말할 수 있다.

첫째, 딜타이가 정신과학의 근거를 마련하고자 하는 입장과 베버가 사회과학을 정립하고자 하는 시도는 많은 부분에서 완성된 이론이 아니라 미완성의 구상으로 남아 있다. 딜타이는 정신과학의 제1근거로서 칸트의 『순수이성비판』을 다루었을 때, 과학적 개념(실증주의 과학)의 한계로서 삶을 규정하고자 하였다. 또한 베버도 사회과학의 방법을 딜타이 및 리케르트 등의 이론을 빌려 설명하고 있으나, 지속적으로 그의 이론을 완성해 나가지 못했다. 이에 관하여 하버마스는 베버의 이론에서 나타나는 이해와 설명의 두 가지의 논쟁적인 관점이 명백하게 결합되지 않았다고 비판한다. 베버는 서로 다르게 사용되는 의미(Sinn/Bedeutung)의 범주를 충분히 설명하지 못하였고, 더욱이 자신의 애매한 태도에서 벗어나지 못하였다는 것이다. 또한 베버는 사회적 행위의 주관적 의미를 다시 수행하는 동기 이해와 작품의 사건 속에서 객관화되어 있는 의미를 자기 것으로 만드는 데 해석학적 의미를 철저하게 구분하지 못했다.[49] 단지 그는 의미이론이 아니라 지향론적 의식이론에 의지하고 있다. 베버는 의미를 언어 의미의 모델로 설명하지 않고 고립되어 있는 주체와 연관시켰다. 따라서 베버는 독백의 고립된 행위모델에서 출발하기 때문에 사회행위의 개념에 대한 의미 개념을 제대로 해명하지 못했다. 그는 오히려 사회적 상호작용의 조건들을 충족시키기 위해 합목적성의 모델을 두 가지

---

49) Jürgen Habermas, *Zur Logik der Sozialwissenschaften*, 87쪽; Jürgen Habermas, *Theorie des kommunikativen Handeln*, Bd. I, 378-379쪽.

규정으로 확장시켜야만 했다. 즉, ① 다른 행위주체들의 행태에 대한 방향과 ② 상호작용의 참여자들이 행위 방향의 반성적 계기로서 나타났다. 베버는 조건 ①이 사회적 상호작용을 위해 충분하게 주장한 것인지, 아니면 ②도 요구해야만 하는 것인지에 대해서도 혼동하고 있다는 것이다. 결국 베버의 목적론적 행위이론은 합리화의 측면에서 수단적 합리성과 목적 합리성에 한정되어 있으며, 사회적 상호작용의 개념 속에 행위의 합리화가 그 이면에 어떤 역힐을 담당할 것인시는 과제로 남아 있다.50) 따라서 베버는 행위 유형을 목적론적 근거로 파악하고 있으며, 수단/목적의 관계는 합리화를 위한 목적론적인 자기 독백에 불과하다.

둘째, 딜타이가 분류한 정신과학의 이해와 자연과학의 설명의 방법, 그리고 그의 사회적 행위로서의 이해사회학은 사회적-역사적 현실에 근거하여 삶을 이해하는 데 그 목적을 두었다. 주지하듯이, 딜타이가 자연과학을 설명하는 것으로서 이해와 대립시킨 방법은, 하나의 대상은 자연, 다른 하나의 대상은 정신으로 파악하는 것이었다. 베버는 딜타이의 이러한 이해의 방법론을 수용하여 사회학에 적용시켰다. 특히 베버는 딜타이의 체험, 직관, 추체험, 추인상 등의 개념을 확대시켰다. 반스트라트(Renate Wanstrat)에 의하면, 베버의 관점은 딜타이와의 밀접한 연관성을 통해 삶이나 사회학을 이해하는 방법을 수용하였다는 것이다. 여기서 삶은 체험, 이해, 역사적 고찰들을 조명한다.51) 또한 몸젠(Wolfang Mommsen)에 의하면, 베버가 딜타이로 향한 사회과학의 방법은 역사적 세계의 구성을 통해 이해의 추체험을 통해 정신과학의 방법을 추구하고자 하는 데 있었다.52)

---

50) Jürgen Habermas, *Theorie des kommunikativen Handeln*, Bd. I, 378-379쪽.

51) Renate Wanstrat, "Das sozialwissenschaftliche Verstehen bei Dilthey und Max Weber", in: *Schmoller Jahrbuch*, 70, 1950, 43쪽.

52) Wolfgang Mommsen, *Max Weber, Gesellschaft, Politik, Geschichte*, Frank-

그 안에서 베버는 사회적 행위의 주관적 의미를 감정이입과 추체험을 통해서 이해하였고, 딜타이와는 다른 의미로 과학을 객관적인 인과적 설명에 통합하는 범위 안에서만 과학적인 것으로 받아들였다. 텐브루크(Friedrich H. Tenbruck)에 의하면, 딜타이의 정신과학과 자연과학의 차이는 단지 방법론적 수준에 머물러 있다고 한다. 이러한 방법론적 의미(Deutung)는 현실의 일정한 부분을 고려했거나 수정을 통해 구분한 것이기에 우리의 현실과 반드시 일치하는 것은 아니다. 특히 베버가 강조하는 존재론적인 전향은 자연과학과 정신과학을 자신의 이론에 맞게 변형하여 받아들인 것이다. 이렇듯 베버는 의식적으로나마 딜타이의 방법론을 거부한 적이 없으나, 단지 실제적인 입장의 변화만 조금씩 보이고 있을 뿐이다.[53]

셋째, 딜타이와 베버의 이해문제들은 이원론적 과학이론을 포함하고 있다. 왜냐하면 딜타이와 리케르트를 비롯한 신칸트학파는 자연과학과 정신과학 또는 자연과학과 문화과학의 분리를 주장하는 이원론을 설명과 이해의 측면에서 대립시켜 기술하고 있기 때문이다. 이와 마찬가지로 베버도 사회적 행위를 설명하기 위한 방법으로서 정신과학과 자연과학의 대립된 측면보다 사회과학과 문화과학의 방법론으로서 사회적 행위를 설명하고자 하였다. 딜타이와 베버의 이해 행위 이론 중에서 수단/목적의 관계는 합목적적으로 사회적 행위를 이해하는 데 중요한 역할을 한다.

앞 절에서 살펴본 바와 같이, 딜타이는 심적인 삶의 구조 속에서 합목적성을 규명하였다. 그 합목적성은 인간의 충동, 쾌락, 고통 등의

---

furt a. M., 1974, 219쪽.

53) Friedrich H. Tenbruck, "Die Genssis der Methodologie Max Weber", in: *Kölner Zeitschrift für Soziologie und Sozialpsychlogie*, II. Jg. 1959, 628쪽; Gerhard Wagner und Heinz Zipprian, "Tenbruck, Weber und Wirklichkeit", in: *Kölner Zeitschrift für Soziologie und Sozialpsychologie*, 39. Jg. 1987, 152-153쪽.

개념에서 경험하는 삶의 연관성을 가리켰다. 그에게 있어서 합목적성은 인간의 내적 상태에서 경험하게 되는 체험에서 나타난다. 그는 행위의 본질을 목적 달성의 수단이라 보았으며, 행위는 단순히 전달하는 것이 아니라 무엇을 획득하고자 하는 의지에서 발생한다고 파악하였다. 이와 유사하게 베버는 그의 합리화 이론을 전개시키는 과정에서 목적 합리적 행위를 가장 중요한 요소로 간주한다. 베버의 목적/수단의 개념은 동일한 의미에시 목직 합리적 행위로 수행되며,54) 목적은 수단을 설정하거나 선택할 수 있고 동시에 행위의 조건이 되는 그 대상과 토대를 만들어낸다.

베버는 그의 사회학에서 한 대상을 규정하면서 그것을 사회적 행위를 수용하는 출발점으로 받아들인다. 사회적 행위는 딜타이에게 있어 인간존재와 삶에 밀접하게 연관되어 있음을 종종 발견하게 된다. 여기서 베버는 넓은 의미에서 인간 행위의 설명을 통해 사회학에서 사회과학의 인식을 새롭게 수용하였다. 이러한 인식의 방법은 행위하는 행위자가 인간의 행태(Verhalten)를 바르게 이해하고자 하는 데 있다. 이러한 베버의 행위이론에 대해 하버마스는 "행위를 주관적으로 생각한 의미에 따라 의미관계의 파악을 현실적으로 이해할 수 있는 행위로 수행해야 한다."고 말한다. 베버의 목적이론은 어떤 행위의 원인이 되는 결과의 개념이며, 목적을 통해서 중요한 결과가 나타날 가능성의 원인을 고찰하는 것이었다. 그런데 그 결과의 특별한 의미는 "우리가 인간의 행위를 단지 고정시키고자 하는 데 있는 것이 아니라, 그 행위를 이해할 수 있기를 바라는 마음에서 나타난다."55)

---

54) Karl-Siegbert Rehberg, "Rationalität als Großbürgerliches Aktionsmodell. Thesen zu einigen handlungstheoretischen Implikationen der "Soziologischen Grundbegriffe" Max Webers", in: *Kölner Zeitschrift für Soziologie und Sozialpsychlogie*, 31. Jg. 1979, 199쪽.

55) Max Weber, *Gesammelte Aufsatze zur Wissenschaftslehre*, 183쪽.

이러한 측면은 우리가 이해를 행위의 사실적 관정에 대한 설명으로 이해하고자 하는 의미연관이라 할 수 있다.

궁극적으로 지금까지 고찰한 딜타이와 베버의 수단/목적 이론을 통해서, 우리는 현재의 관점에서 무엇을 얻고 배울 수 있을 것이며, 그들이 전달하고자 하는 의도가 어디에 있었는지 다시 한번 숙고하고 반성해 보아야 할 것이다.

제 10 장
인문학의 패러다임과
인문학 위기의 극복책을 위하여 *
딜타이와 신칸트학파, 베버, 하버마스를 중심으로

1. 왜 인문학의 위기를 말하는가?

이미 우리 사회에서 인문학 내지 인문과학의 위기에 관한 많은 담
론이 오고 갔고 그에 대한 진단도 다양한 측면에서 진행되었다. 이러
한 인문학 위기에 대해 각계각층에 걸쳐서 다양한 진단과 처방책이
나왔지만 아직 속 시원하게 그 해결책이 나온 것은 아니며, 인문학의
위기에 대한 담론은 계속 진행되고 있는 양상을 보이고 있다. 더구나
인문학 위기1)의 증후군도 보는 이의 주관적 관점에 따라 제각기 서

---

* 이 글은 한국해석학회 편, 『인문학과 해석학』, 철학과현실사, 2001, 34-96쪽
에 실린 내용을 부분적으로 수정·보완한 것이다.

1) 인문학의 위기에 관해서는 많은 언론매체를 비롯해 저서 및 논문들이 쏟아
져 나왔다. 몇몇 문헌을 보면 다음과 같다. 이한구 외, 『인문과학이념과 방법
론』, 성균관대 출판부, 1995; 「인문사회과학의 위기론」(『중앙일보』, 1996년
4월 15일자); 「한국인문학의 위기」(『한겨레신문』, 1996년 10월 15일자); 「현
대사회와 인문학: 위기와 전망」(중앙대학교 인문학 연구소, 1997. 11. 28);
「멸종위기에 몰린 인문학」(『시사저널』, 1998년 3월 26일); 「붕괴하는 기초학
문」(『중앙일보』, 1998년 5월 18일자); 최종욱, 「인문과학위기에 대한 담론분
석을 위한 시론」, 한국학술단체협의회, 『한국인문과학의 현재와 미래』, 푸른

로 다른 양상을 보이고 있는 것이 사실이다.

인문학의 위기를 언급하는 이유는 다양한 측면에서 접근할 수 있겠지만, 대략 다음과 같이 요약할 수 있다. 첫째, 인문학의 보람이 인간다운 삶의 탐구에 있음에도 불구하고, 역사적으로 보았을 때 오히려 보수적인 이론에 치우쳐 일부 계층의 이익을 도와주는 구실을 해 왔다는 점이다. 둘째, 전통적으로 인문학자들의 특권의식이 알게 모르게 작용해 왔다는 점이다. 셋째, 삶과 유리된 인문학의 연구풍토 때문이라는 것이다. 넷째, 이러한 상황에서 대중들과의 폭넓은 공유를 찾지 못했다는 점이다. 다섯째, 다른 분야와의 폭넓은 학제적 교환 없이 동종교배 현상만으로 고립된 학문으로 치우쳐 왔다는 점이다. 여섯째, 인문학을 해서 무엇 하느냐 하는 유용성의 차원에서, 실용학문에 밀려 왔다는 점이다. 일곱째, 정부 주도 하의 미국식 신자유주의적 시장경제정책, 즉 부익부 빈익빈 현상을 야기하고 있는 학부제를 비롯한 연구중심대학, BK21 등 대학정책의 계속적인 혼란 등을 손꼽을 수 있다.

나는 인문학의 위기가 현재 우리 대학사회에서 만연해 있다고 한다면, 인간의 정신과학의 정초를 확립하려고 시도했던 딜타이의 명제를 출발점으로 삼아 고찰할 수 있을 것이라 생각한다. 딜타이는 이해의 순환을 드로이젠의 저서인 『역사학강요』에서 다음과 같이 인용하여 출발하고 있다.

"개별적인 것은 전체적인 것 속에서 이해되고, 전체적인 것은 개별적인 것으로 이해된다. 내가 전체를 이해하려는 것은, 전체는 개별적인

숲, 1998, 327-356쪽;「위기의 인문학, 미래는 있는가」(『한겨레신문』, 1999년 4월 7일자);「인문학위기에 부쳐」(『조선일보』, 1999년 4월 14일자); 홍성욱,「인문학적 사유의 창조성과 실용성: 인문학 위기 극복을 위한 한 가지 제안」,『동향과 전망』, 2000 봄, 212-231쪽; 정대현 외,『표현인문학』, 생각의 나무, 2000.

표현으로, 개별적인 표현은 전체적인 것으로 보충하는 것이다."[2]

그의 정신과학의 해석학적 순환은 전체적인 인간의 본성을 탐구하는 것을 일차적인 과제로 삼았다. 20세기 들어 점차 학문의 지속적인 분화 현상으로 인해 딜타이의 인문정신의 전부를 뒤따르지는 못할지라도, 현재 국내의 인문학은 그가 추구하고자 했던 정신에 역행 내지 위배되어 가고 있음을 목격할 수 있다.

21세기에 들어와서 우리의 학문은 전체가 개별적인 것을, 개별적인 것이 전체를 이해하는 것이 아니라, 개별적인 것은 더욱 세분화된 개별학문으로 첨예하게 치닫고 있다. 이렇게 전체적인 것은 고사(枯死)하고 개별적인 현상에 자족하는 상태에 있기에, 무엇보다도 제도권 대학 내에서의 학문적 자기반성이 절실하다. 유감스럽게도 국내 대학에서의 인문학은 50년 전과 거의 다를 것이 없이 전공의 지속적인 세분화 현상으로 인해서 인문학의 궁극적인 물음이라 할 수 있는 "인간이란 무엇인가?"라는 물음을 던지는 정신을 이미 잃어버렸다. 기초학문을 다루는 인문학의 위기가 제도권 대학사회의 위기라고 한다면, 우리는 정신과학을 새롭게 자기반성하여 자기정체성을 찾아야 할 것이며, 한편 인문학이 해야 할 일이 무엇인지에 대한 고민에서 다시 출발점을 찾고 인문학의 위기를 극복할 수 있는 대안을 찾아야 할 것이다.

이러한 관점에서 나는 인문학 위기의 극복을 위한 시론으로 19세기 말부터 20세기 초 및 현재에 이르기까지 인문학을 정초한 대표적인 독일의 학자들, 즉 딜타이, 신칸트학파, 베버, 하버마스의 이론을 중심으로 한정하여 살펴보고, 결론에서 인문학 위기의 극복책을 모색해 보고자 한다.

---

2) Johann Gustav Droysen, *Historik. Vorlesungenen über Enzyklopädie und der Geschichte*, von R. Huebner(Hg.), Darmstadt, 1967, 329쪽.

2. 딜타이의 정신과학에서의 인문학

1990년 말 이후 인문학의 위기설과 관련하여 국내학자들 사이에서 딜타이의 정신과학이론을 적용하려는 글들이 눈에 띄게 등장[3]하고 있으나 개괄적으로 소개하는 수준에 머물러 있다. 잘 알려져 있듯이, 우리가 딜타이의 학설에 주목하는 이유는 그의 정신과학의 방법론을 우리 현실, 더 정확히 말해서 인문학[4]과 관련하여 실천적으로 적용하고자 하기 때문이다. 무엇보다 딜타이의 정신과학적인 이해는 삶의 연관에 뿌리를 둔 총체적인 학문이다. 즉, 딜타이는 삶의 총체적인 연관성 속에서 모든 인간본성의 현상을 체험과 이해로서 표현하여 정신과학을 바르게 정립하는 데 일차적인 목적을 둔 것이다. 이러한 관점에서 딜타이는 정신과학을 인간적-역사적-사회적 현실을 대상으로 갖는 학문의 전체를 가리켰다.

딜타이는 그의 정신과학을 정초하는 데 있어서 칸트의 『순수이성

---

3) 딜타이의 인문학과 관련한 글들은 다음을 참조. 김영민, 『진리 · 일리 · 무리: 인식에서 성숙으로』, 철학과현실사, 1998, 94쪽; 이진우, 「포스트모던사회와 인문학의 과제」, 『한국 인문학의 서양 콤플렉스』, 민음사, 1999, 124-125쪽; 송전, 「유럽 인문학의 실상」, 『정보지식사회와 인문학』, 전국대학인문학연구소 협의회, 1999. 10. 22, 3-4쪽; 윤평중, 「인문학이 서 있는 곳과 가야 할 길」, 『담론이론의 사회철학』, 문예출판사, 1998, 294쪽; 양해림, 「인문학의 정립을 위하여」, 『디오니소스와 오디세우스의 변증법』, 철학과현실사, 2000, 103-107쪽, 120-140쪽.

4) 먼저 인문학 내지 인문과학, 정신과학 등의 역사적 서술 및 개념, 번역어의 유래 등을 살피는 것이 순서이지만 여기서는 지면관계상 생략할 수밖에 없다. 다음의 문헌을 참조. Wolfang Frühwald(Hg.), *Geisteswissenschaft heute*, Frankfurt a. M., 1992, 15-23쪽, 26-31쪽; Wolfahart Pannenberg, "Die Emanzipation der Geisteswissenschaften von den Naturwissenschaften", in: ders, *Wissenschaftstheorie und Theologie*, Frankfurt a. M., 1987, 74-156쪽; 정대현 외, 『표현인문학』, 생각의 나무, 2000, 165-182쪽; 최종욱, 「인문과학 위기에 대한 담론분석을 위한 시도」, 『한국인문사회과학의 현재와 미래』, 푸른숲, 1998, 331-339쪽.

비판』(1781)에서 많은 영향을 받는다. 그는 자신의 저서 『정신과학 입문』(1883)에서 그의 평생의 작업으로 '순수이성비판'을 계획하고 수용하면서 인간의 '역사이성비판'으로 확대하여 정신과학의 방법론적인 기반으로 삼고자 하였다. 따라서 딜타이의 첫 번째 테마는 정신과학의 인식을 '역사이성비판'으로 그 근거를 설정하여 영원한 인간이성을 비판하는 것이었다.5) 그렇게 하여 딜타이는 칸트의 '순수이성비판'에 담겨 있는 자연과학의 인식론적 근거를 정신과학의 궁극적인 측면으로 구성하고자 하였다. 그의 인식론적 명료성의 출발점은 칸트처럼 추상적인 인식대상이 아니라 무언가 생각하고, 느끼고, 의지하는 범위에서의 인간인 것이다.6) 딜타이의 칸트 비판은 인식에 관한 타당성의 질문을 설정하면서 그 종류와 방법에서 있어서는 칸트와 대립된 방향으로 나아갔다. 그렇기에 딜타이가 제시한 인식론의 연구와 역사적-사회적 세계는 칸트 비판 철학의 출발점7)이었다.

딜타이는 정신과학을 철학적 근거로 설정함으로써 인간의 사회적-역사적 현실(gesellschaftlich-geschichtliche Wirklichkeit)8) 속에서 그

---

5) Peter Krauser, *Kritik der endlichen Vernunft*, Frankfurt a. M. 1968, 85쪽.

6) Wilhelm Dilthey, *Gesammelte Schriften*, Bd. I. Stuttgart/Göttingen, 1959, 118쪽(이하 G.S로 약칭하여 표기함).

7) 딜타이는 1867년 교수취임강연에서 칸트의 『순수이성비판』에 대해 다음과 같이 논증을 한다. "철학은 과학, 예술, 사회와 합법적인 연관을 갖고 있기에 이것을 분명하게 제시해야 한다. 나의 칸트 비판의 길은 인간정신의 경험과학에 근거를 두는 것이다. 이것은 사회적, 지성적, 도덕적 현상에 근거를 두고 인식하는 법칙이다. 이러한 법칙의 인식은 정신현상에 대한 모든 인간적 힘의 근원으로서 제시된다. 따라서 칸트의 경험에 대한 모든 인식은 제한적일 수밖에 없다. 나는 로크, 흄, 칸트를 비판한다, 그 이유는 그들의 혈관 속에는 현실적인 피가 흐르지 않고, 단순한 사유활동으로서 이성의 묽은 즙만 흐르고 있기 때문이다."(GS, XVII, 333쪽)

8) 딜타이의 사회적-역사적 현실은 정신적인 면과 현실적인 측면의 갈등으로 나타난다. 첫째로, 개신교 목사의 아들로 태어나 신학에서 철학으로 전향하는 갈등과 둘째로, 1848년 혁명이 실패한 이후의 독일시민들에게 팽배하였던 정치적 불만을 들 수 있다. 딜타이는 청소년기 1848년 이후의 혁명에 실

근거를 펼쳐 나갔다. 즉, 딜타이는『정신과학 입문』과『인간·사회·국가의 학문 역사에 관한 연구』(1875)에서 사회적-역사적 현실을 대상으로 삼는 과학을 지시하는 정신과학이란 용어를 사용하였다. 즉, 정신과학은 인간정신을 표현하고 사회적-역사적 세계의 행위하는 존재로서 사회와 개인을 전개하는 데 초점을 맞춘다.[9] 그는 전기에서 후기 작품에 이르기까지 인간적-사회적-역사적 세계의 삼각형 구도[10] (G.S, Ⅶ, 4, 159)를 인간의 창조적 주체로 이해해야 한다고 말한다. 이는 인간적-사회적-역사적 세계에 대해 개체와 전체의 관계, 전체와 부분, 연관성과 상호작용 등에서 심리적-육체적인 삶의 통일체를 언급하는 데서 찾을 수 있다(G.S, Ⅶ, 159). 실제적으로 그가 정신과학을 정초하고자 하는 데 있어서 심리주의, 이해의 심리주의적 개념, 다양한 삶의 개념, 역사적인 세계관, 유형론, 상대주의 등은 정신과학의 핵심적인 요소로 등장하였으며, 그 목적은 총체적인 인간의 이성을 비판하는 데 있었다. 즉 그의 심리주의, 상대주의, 역사주의가 정신과학을 중요한 부분으로 간주한 것도 인간의 이성과 관련된 것이었다.[11] 딜타이는 광범위한 의미에서 정신적 생동성(Lebendigkeit)을

망을 하고, 비스마르크와 국가기관에 방향을 돌려 시대의 사회적 붕괴를 제대로 파악하지 못했다고 진단한다. 그는 그 당시의 사항에서 정신과학을 지속적으로 수행하는 것은 위험이 있다고 진단하고 정신과학의 근거를 설정하는 데 강력한 힘이 마주쳐야 한다고 진단한다. 딜타이는 비스마르크 통치 아래에 있는 프로이센은 현실 앞에서 자유주의 이념이 실현될 수 없다고 파악하고 1860년대 중반 이후로 시사정치를 외면하기 시작한다. 이러한 정치적 체념은 정치현실의 근원적 힘을 이루는 정신과학의 철학적 작업을 시도하게 된다. "우리의 믿음은 자연연구에 깊숙이 몰두하는 데 있는 것이 아니라 사회과학의 황무지에 지배권을 찾고 로마의 교황권을 되찾는 데 있다. 왜냐하면 인간은 의미와 삶의 가치에 대해 무엇인가를 믿어야만 하기 때문이다." (G.S, ⅩⅨ, 304, 379)

9) Ulrich Herrmann, *Die Pädagodik Wilhelm Dilthey*, Göttingen, 1971, 191쪽.
10) Vgl. Manfred Riedel, *Wilhelm Dilthey: Der Aufbau der geschichtlichen Welt den Geisteswissenschaften*, Frankfurt a. M., 1993, 194쪽.

인간적-역사적-사회적 현실로서 토대를 세우고 정신과학의 과제를 분석하였다.12) 그가 말하는 정신과학은 객관화된 연구영역을 기초로 한 정신적 삶을 내적인 객관화로 파악하는 것이다(G.S, VII, 146). 이런 점에서 그의 정신과학의 철학적 과제와 방법은 삶의 객관화를 주석(註釋)하는 것으로 규정된다(G.S, II, 152). 그의 정신세계에서 삶의 객관화는 가치의 영향관계(Wirkungszusammenhang)로 인정하고 그 목적을 현실화시키는 것이었다. 더욱이 삶의 객관화는 여러 곳에 흩어져 있는 정신과학의 영향관계를 가치의 정신구조로 확인시키고 목적을 현실화시켜서 그 과제를 구체적으로 설정하는 것이다(G.S, VII, 153). 그는 사회적-역사적 세계의 근원적 토대를 정립하는 것에서부터 심리적 삶의 통일체에 이르기까지 다양한 영향관계로 분석하고 구분한다(G.S, V, 131). 무엇보다 그가 삶의 객관화 속에서 고찰한 영향관계는 좀더 상세하게 정신과학에 가치를 부여하고 구성하는 것이었다(G.S, VII, 166). 따라서 딜타이는 정신과학의 사회적-역사적 현실을 세 가지의 다양한 부류로 나눈다.

첫째로, 우리의 지각 속에 나타난 현실을 표현하는 것이다. 이러한 진술은 인식의 역사적 요소의 내용을 갖는다. 즉 정신과학은 역사적 세계의 요소로 파악될 수 있다는 것이다. 딜타이가 정신과학에서 언급하고 있는 가장 기본적인 형태의 영향관계는 인간적 삶, 즉 개인이다. 개인의 근본적인 형식은 현재 및 과거, 더 나아가 미래의 가능성을 삶의 과정에서 총괄하는 것이다. 즉 영향관계의 특성은 삶의 과정 속에서 이미 충족되어 있으며, 개인 그 자체에 몰두하는 것이다. 모든 개인에게 일어나는 사건들은 개별적인 자기충족감이나 이념적인

---

11) Thomas Rentsch, *Verstehen und Erklären -Idiographische und nomothetische Methode*, in: Hermut Bachmaier(Hg.), *Glanz und Elend der Zwei Kulturen*, Kontstanz, 1991, 33쪽.

12) Wilhelm Dilthey, *Gesammelte Schriften*, Bd. VII, Stuttgart, 1957, 119쪽.

과학과 관련되어 있기 때문에, 개인의 자기의식은 그 사이에 위치해 있다. 여기서 개인적 삶의 영향관계는 역사적 과정을 불러일으키는 데 있다. 그 과정에서 다양한 개인은 전체적으로 공통적인 요소를 계획하고, 가치를 현실화시켜 그에 상응하는 목적을 설정한다(G.S, VII, 156). 개별적인 개인은 역사적인 본질이며 개인에 대한 경험의 관점에서 과거사를 고찰한다. 개인은 역사의 원세포이며, 역사와 관련된 환경 속에서 개인적인 삶의 과정을 구성한다. 개인은 인식하는 역사적인 힘에서 정신적 입장을 구성하거나 행동하며, 그 안에서 영향을 받은 역사적인 평가를 역사적 객관성으로 인식한다. 이러한 점에서 개인은 자신을 중심으로 하여 거대한 연합체를 형성하거나 공동의 목적 및 앞으로 실행할 과정을 계획한다(G.S, VII, 166). 개인의 삶은 목적의 영향관계를 규정하고 있기 때문에 이러한 관계는 목적연관에서 수행된다. 삶의 목적연관 속에서 인간의 일상적인 충동이 수행되기도 하지만, 그것은 자기 스스로의 활동과 그 충동이 무엇인가를 밝혀내는 데 있다(G.S, I, 53). 딜타이에게서 자주 인용되는 개인은 심리적-육체적 통일체(Psycho-physische Lebenseinheit)로서 정신과학의 대상을 형성한다. 딜타이는 개인에게서 정신과학의 근본적인 통일체가 드러난다고 주장한다. 딜타이에게 있어서 사회적-역사적 현실은 인간을 중심으로 하여 그 요소를 구성하고 있으며, 그 내용은 심리적-육체적 삶의 통일체로서 제시된다. 이러한 분석은 삶의 통일체 속에서 심리적-육체적 개인으로부터 그 요소를 발견하며, 거기서 사회와 역사를 구축하는 것이다. 정신과학은 인간의 역사적-사회적 현실 속에서 모든 대상을 표출하고 있기 때문에 어떠한 동기로써 목적을 수행하는 것은 개인의 의지에 의하여 발생한다(G.S, I, 53; Vgl. G.S, VII, 257). 따라서 "개인은 인간본성의 요소에 대한 결과이다."(G.S, I, 49, 51)[13]

둘째로, 현실 속에 나타난 항구적인 요소들을 발견하여 현실의 이론적 요소를 구성하는 것이다. 그것은 사회의 외부제도(Äussern Organisation der Gesellschaft)의 과학과 문화체계의 과학을 구성[14]하는 것이다. 사회의 외부제도에는 국가, 교회, 가족 등이 속하며, 문화의 체계에는 법, 종교, 예술, 과학, 인륜, 교육, 언어, 경제 등이 속한다. 딜타이는 문화체계와 사회의 외부제도의 분석을 인간정신의 표명과 사회적-역사적 세계 속에서 드러난 행위로서 사회발전의 이해나 개인의 계발에 그 근거를 두고 있다.[15] 그는 문화체계와 사회의 외부기관 속에서 인간의 현존재를 연관시키고 있다. 개인은 새로운 범주나 삶의 형태를 구성하는 데 반드시 필요하다는 것이다. 하지만 이러한 근거는 역사적 운동의 이해를 위해 탐구하는 것이지 개인만을 이해하기 위해서 고찰하는 것은 아니다(G.S, VII, 251).[16] 무엇보다 문화체계와 사회의 외부기관은 인간본성(Menschennatur)의 요소와 깊은 관계를 맺고 있으며 개인에게서 파악한 목적연관을 현실화시키는 것이다(G.S, I, 43). 심리적-육체적 삶의 통일체와 인간본성의 총체성(Totalität der Menschennatur)이라는 개념은 딜타이 사유의 기본적인 특징을 구성한다. 딜타이는 인간의 총체성을 아주 건전한(unverstuemmelten) 정신적 삶으로 믿었다. 즉 인간의 총체성을 이념적이고, 주체적이고, 가장 내적인 본질에서 찾는 것이다. 정신적 삶의 총체성은 아주 완전한 인간본성이며 형이상학적 테제의 여명이다. 한편으로 인간본성의 총체성은 모든 인간들의 삶의 범주를 역사적 경험의 조건으로서 받아들이고, 다른 한편으로 인간의 본성은 이념적인 방법의

---

13) Vgl. Jürgen Habermas, *Erkenntnis und Interesse*, Frankfurt a. M., 1981, 231쪽.

14) 이에 대한 자세한 내용은 다음을 참조. 양해림, 「딜타이의 문화해석학」, 『문화와 해석학』, 철학과현실사, 2000, 99-122쪽.

15) Ulrich Herrmann, *Die Pädagogik Wilhelm Dilthey*, Göttingen, 1971, 191쪽.

16) Wolfgang Erxleben, "Wilhelm Diltheys Grundlegung der Geisteswissenschaften", in: *Kant-Studien*, Bd. 42, 1942/43, 232쪽.

주체성으로부터 성급하게 새로운 범주를 받아들이지 않는다. 그렇기 때문에 모든 인간은 삶의 철학의 출발점에 서서 사유하는 독창적인 주체는 아니다. "인간이 무엇인가 하는 물음은 단지 역사에서 말한다." 우리는 인간의 본성을 항상 동일한 것이라고 말하지만 인간의 총체성은 역사 속에 있으며, 따라서 딜타이는 역사 속에서 인간의 본질을 파악한다.

셋째로, 가치판단을 표현하고 규칙을 정해서 정신과학의 실천적 요소로 파악하는 것이다.

이 세 종류의 진술이 정신과학을 구성한다(G.S, I, 26). 이러한 정신과학 안에는 인간, 역사, 사회의 모든 학문이 속해 있다. 예를 들어 문화, 법, 역사, 국가, 정치, 경제, 문학, 예술 등의 학문을 개별적으로 분리된 학문의 총체가 아니라 서로 가능하게 연결된 통일체의 학문으로 보는 것이다.17) 이러한 정신과학은 개별과학의 인식론적인 정초를 통해서 철학적인 자기반성(Selbstbesinnung)을 구성한다(G.S, XIX, 79). 여기서 정신과학은 사유하는 인식과 관련하여 인식론적인 분석의 절차와 정신과학의 인식론을 전개시킨다. 모든 화두는 딜타이의 인식론적 자기반성을 요구하고 있으며, 그 근거로서 사유하고 인식하며 행위를 수행하는 것이다. 즉 자기반성과 더불어 모든 현재의 분석은 의식의 사실과 관련시켜서 생각하며, 사유하고 행동하는 근거를 발견하는 것이다(G.S, XIX, 79). 자기반성은 정신과학의 인식론의 명제, 개념 등의 관계를 확인시키며, 전체에 대한 인식의 방향 속에서 개별과학과 협력관계에 있다(G.S, XIX, 26, 93). 이러한 자기반성은 한편으로 인식론적-방법론적 특성을 갖고 있으며, 다른 한편으로 도덕적-실천적 요소를 아울러 담고 있다.18)

---

17) Hans Ineichen, *Philosophische Anthropologie in 19. Jahrhundert*, Würzburg, 1991, 169-170쪽.

18) R. Rosenberg, "Nochwort zu Wilhelm Dilthey", in: *Das Erlebnis und die*

우리가 딜타이에게서 주목할 점은 그가 여러 차례 반복하고 있듯이, 정신과학의 정초를 인간본성에 근거를 두고, 개인의 개념에 초점을 맞추어 사회적-역사적 현실을 파악한다는 점이다. 이러한 정신과학의 대상을 딜타이는 체험, 표현, 이해의 관계로 주목하고 정신과학의 고유한 관계를 성립할 수 있음을 전개한다(G.S, VII, 87, 131). 딜타이는『정신과학의 역사적 세계의 구성』(1910)과 1907년부터 1910년까지의 다른 저서에서 이른바 이해의 순환[19]이라 불리는 체험, 표현, 이해의 3박자를 발견한다. 특히 그에게서 이러한 이해의 순환은 정신과학의 인식론을 바르게 인식하기 위한 중요한 문제이다.[20] 다시 말해 그는 체험, 표현, 이해의 관계를 방법론적인 단계로 설명하였다. 이러한 방법론적인 과정은 상호의존하여 체험하는 것으로서 정신의 모든 객관화에 대한 이해를 확대해 나가는 것이었다. 그렇게 하여 인간정신은 방법론적인 다양한 삶의 연관으로 진행해 나간다(G.S, VII, 131). 우리가 이해한다는 것은 낯선 삶의 체험 속에서 자신의 고유한 체험을 충족시키는 데서 나타나는 것이며, 실제적으로 사유 속에서 체험과 이해가 재현된다(G.S, V, 263). 우리가 잘 알고 있는 정신과학의 방법론적인 근본개념은 이해이다. 딜타이에게서 이해는 먼저 삶의 의미성(Bedeutsamkeit)을 파악하는 것이다. 즉 이해는 이해된 삶

Dichtung, Leipzig, 1988, 396쪽.

19) Vgl. Gunter Scholtz, *Ethik und Hermeneutik. Schleiermachers Grundlegung der Geisteswisenschaften*, Frankfurt a. M., 1995, 79. 84쪽; H.-G. Gadamer, *Wahrheit und Methode*, Tübingen, 1972, 204-205쪽; Joachim Wach, *Das Verstehen. Grundzüge einer Geschichte der hermeneutischen Theorie im 19. Jahrhundert*, Tübingen, 1926, 166쪽.

20) Vgl. Gerhard Pfafferott, *Ethik und Hermeneutik*, Hanstein, 1981, 263-264쪽; H.-G. Gadamer, *Vom Zirkel des Verstehen*, in: *Kleine Schriften* IV, Tübingen, 1977, 54-61쪽; Peter Reisinger, *Über die Zirkelennatur des Verstehens in der traditionallen Hermeneutik*, in: *Philosophische Jahrbuch*, Bd. 87, 1974, 88-104쪽.

의 연관 속에서 가시적으로 드러난다. 그는 이해의 일반적 이론과 방법론적으로 실행된 이해의 방법론으로서 해석학을 구별하고 있다. 이해의 일반적 이론은 선(先)방법론적인 이해의 구조를 분석하려는 과제를 갖고 있으며, 여기서 방법론적 이해의 타당성 요구에서 그 근거를 설정한다.[21] 딜타이는 이해의 종류를 다양한 삶의 표현(Leben-säußerung)의 부류로 나누었다. 넓은 의미에서 삶의 표현의 세 부류는 ① 명제(개념, 판단, 거대한 사유를 형성하는 것), ② 행위, ③ 체험표현이다.[22]

무엇보다 딜타이에게 정신과학은 이해의 개념으로서, 그리고 자연과학의 인식은 설명의 개념과 대비시켜 제시되었다. 딜타이에게 있어서 이해의 개념은 일반적으로 문화 대상, 객관적 정신, 삶의 객관성, 역사적-사회적 세계를 해명하고자 하는 것이었다. 이런 관점에서 딜타이 정신과학의 근본테제는 "삶을 삶 자체로 이해하기를 원한다."라는 표현으로 집약될 수 있다.[23] 그는 정신과학의 근거로 인식론적이며 논리적인 이해의 방법론적인 분석을 주요과제로 삼는다(G.S, V, 333). 여기서 그는 자신의 입장을 보편적 의미의 정신과학에 대한 해석학이라 가리켰다. 그런데 그의『정신과학 입문』에서는 해석학의 역

---

21) Thomas M. Seebohm, *Die Begründung der Hermeneutik Diltheys in Husserls transzentaler Phänomenologie*, in: W. Orth(Hg.), *Dilthey und Philosophie der Gegenwart*, Freiburg, 1985, 60쪽.

22) 자세한 내용은 다음을 참조. 양해림,「딜타이 정신과학의 이해와 인문학의 전망」,『디오니소스와 오디세우스의 변증법』, 철학과현실사, 2000, 134-138쪽.

23) 딜타이의 해석학을 사회과학적인 측면으로 조명하려는 조클러(Ch. Zöckler)에 따르면, 해석학은 이해의 기술로서 문자로 확정된 삶의 표현으로만 파악하는 것이 아니라 역사학의 범주학으로까지 확대시켜 수용하는 것으로 본다. 해석학은 이해의 과학을 정신적인 객관화로 일반화시키는 것이다(Christofer Zöckler, *Diltey und Hermeneutik, -Diltheys Begruendung der Hermeneutik als Praxiswissenschaft und die Geschichte ihrer Rezeption*, Stuttgart, 1975, 9쪽).

할과 이해의 문제를 상세하게 규정하지는 않는다.[24] 그렇지만 우리는 이미 딜타이의 해석학에서 정신과학의 근거를 최고의 가치로 부여하고 있다. 왜냐하면 모든 정신과학의 원리는 인간의 자기이해와 함께 역사와 심리학, 삶에 내재된 인간의 문화적 능력과 그 부산물들을 다루고 있기 때문이다. 특히 심리학과 역사는 서로 밀접하게 연관되어 있으며, 또한 심리학은 자연과학의 원리에서도 볼 수 있다. 그리고 정신과학의 근거는 기술적 심리학에서 나타난다. 여기서 정신과학은 정신적 통일체의 상호작용(G.S, VII, 282)으로서 역사의 고찰을 통해 생성된다(G.S, VII, 265).[25] 우리가 정신과학을 인식하는 것처럼, 심리학을 인식하는 방식도 체험과 이해에서 찾는다. 우리는 딜타이의 사유 속에서 항상 이해의 개념을 심리학의 인식과 관련하여 수용하고 있다는 것을 볼 수 있다. 이해는 모든 정신과학적 삶의 복잡성에서 파악한 내용을 보충하며, 동시에 심리학은 정신과학의 근거를 설정하여 연관시킨다. 즉, 모든 심리학의 출발점은 우리의 정신적 구조연관인 삶의 전체성이자 체험의 전체성이다(G.S, VII, 154).[26] 그는 심리학을 반복하여 심리적인 삶의 진행과정의 학문으로서 그 의미를 부여하였고, 동시에 삶의 진행과정 속에서 시간의 간격을 두고 받아들였다. 그런데 그는 심리학적인 구조연관의 개념을 삶의 진행과정으로만 수행한 것이 아니라, 정신적인 삶의 현상으로서 규명하고자 하

---

24) Gustav G. Spet, *Die Hermeneutik und ihre Probleme(Moskau 1918)*, München, 1993, 235쪽. Vgl. Christian Möckel, "Das Problem des Verstehens von sprachlichen Ausdruecken: Zur Rezeption von Edmund Husserls I. Logischen Untersuchung durch Gustav Spet", in: *Recherches Husserliennes*, Vol. 5, 1996, 53-81쪽.

25) Vgl. Helmut Diwald, *Wilhelm Dilthey. Erkenntnistheorie und Philosophie der Geschichte*, Göttingen, 1963, 121쪽.

26) Vgl. Annelies Lieber, *Die Ästhetik Wilhelm Ditheys*, Halle/Saale, 1938, 48쪽; Dagmar Weber, *Zum Problem des ästhetischen Erkennens bei Wilhelm Dilthey*, Köln, 1983, 27쪽.

였다.27)

딜타이는 삶의 진행과정에서 부분과 전체의 관계를, 부분은 전체의 의미로, 전체는 부분의 의미로 포함시켰으며, 이러한 해석의 범주는 목적론적인 구조연관에서 나타난 개념이었다(G.S, VII, 265). 정신과학을 이해하는 데 있어서 개체는 단순히 일반적인 것이 아니다. 그것은 개체에서 전체로 다시 전체에서 개체로 전개된다. 따라서 전체와 개체를 통해서 양자의 관계가 형성된다(G.S, VII, 334). 전체는 부분에서 구성되며, 부분이 전체의 입장을 지정한다(G.S, VII, 262). 그러나 이러한 전체는 목적을 설정하여 얻은 개체의 전체이다. 그래서 이해의 연관관계는 외적인 것과 내적인 것의 관계를 통해서, 전체는 부분에서 제시된다. 따라서 이해에서 규정하고 규정하지 않는 것, 아니면 이것을 규정하려는 시도에서 다시 부분과 전체가 상호작용을 한다. 개별적인 것은 전체를 통해서 이해될 수 있으며, 개별적인 부분을 충분히 이해하였을 때 전체의 전제조건을 구성한다(G.S, VII, 330; Vgl. G.S, VII, 146, 320, 331-332). 따라서 딜타이는 전체는 개체에서, 개체는 전체에서 이해될 수 있다고 제시한다. 이러한 순환 속에서 이해가 나타난다.28) 이러한 관계가 진행되었을 때, 딜타이의 순환구조로서 전체와 부분의 상호의존적인 관계가 분명하게 드러난다.29)

한편 딜타이의 주안점 속에 정신과학은 자연과학적 지식을 모방한 논리적 구성에 의해서는 전체적인 체계를 세울 수 없으며, 정신과학의 분야들은 서로 각기 다르게 발전해 왔기 때문에 역사적인 차원에서 접근했을 때 올바르게 이해할 수 있다. 그는 자연과학에서 발견한

---

27) Heinz Lorenz, *Geschichte und Glaube bei Wilhelm Dilthey*, Leipzig, 1959, 47쪽.

28) Ulrich Herrmann, *Die Pädagogik Wilhelm Diltheys*, Göttingen, 1970, 70쪽.

29) John C. Maraldo, *Der hermeneutische Zirkel*, Freiburg/München, 1974, 73쪽.

방법들을 무비판적으로 도입하는 데 이의를 제기하였다. 그리고 정신적-육체적 삶의 통일체를 연구하였을 때, 경험적 방법이 중요한 의의를 갖는다는 사실을 인정한다.

딜타이는 과학을 내적인 것과 외적인 것으로 구분하였을 때, 이에 대립된 것은 개인을 심리학적으로 특징화하는 데서 나타난다고 보았다. 그는 자신의 논문인 「기술적 심리학과 분석적 심리학에 대한 이념」(G.S, V, 139-240)에서 자연과학과 정신과학의 구분을 이해와 설명의 대립으로 기술한다. 딜타이는 이러한 구분을 정신과학을 이해하는 대상으로서 이해심리학의 결과에서 찾았다.[30] 그에게 있어서 이해의 개념은 정신과학의 인식으로 고양되는 것이었고, 설명의 개념은 자연과학적 인식의 근본개념으로 대비시켜서 서술하는 것이었다. 딜타이가 제시한 것처럼, 자연과학과 정신과학 사이에 대립된 개념은 과학유형을 방법론의 구분으로서 설명하거나 이해시키는 데 있었다. 이른바 자연과학은 설명하며, 정신과학은 이해한다. 동일한 사유형식과 그것에 부차적인 사유행위는 자연과학과 정신과학에서 드러난 학문적 관계를 가능하게 한다. 그래서 이해와 설명의 구분은 대상을 두 부류의 등급으로 뚜렷하게 근거짓는 것은 아니다. 즉 자연 대상과 정신 대상이 따로 존재하는 것이 아니라는 것이다. 대상의 개념은 그 자체의 차이로부터 감각인상의 관계를 통하여, 그리고 이러한 인상이 전체적으로 결합하여 조건화된다. 따라서 그 대상들은 서로 맞대어 독립적으로 놓여 있다(G.S, V, 248). 이것은 우리가 딜타이의 방법론적인 명제에 대해 더 명료하게 이해하기 위한 존재론적 배경의 한 단면이다. 즉 "우리는 자연을 설명하고, 정신을 이해한다."(G.S, V,

---

30) Vgl. Herbert Heicke, *Der Strukturbegriff als methodischer Grundbegriff einer geisteswissenschaftlicher Psychologie bei Dilthey und Spranger und Bedeutung für die Pädagogik*, Diss. Phil. Halle, 1928, 16쪽; K.-O. Apel, "Das Verstehen(Eine Problemgeschichte als Begriffsgeschichte)," in: *Archiv für Begriffgeschichte*, I, 1953, 143, 173쪽.

144) 따라서 딜타이에게서 설명과 이해의 대립 설정은 동일한 가치의 가능성에서 그 갈림길에 있다. 그렇기 때문에 이해는 현실에 적용되는 일정한 방법론적인 형식이며, 설명은 보충적인 형식인 것이다.

3. 신칸트학파와 베버의 문화과학

딜타이와 동시대의 인물로 신칸트학파라 불리는 리케르트(Heinrich Rickert, 1848-1915)와 빈델반트(Wilhelm Windelband, 1868-1936)는 자연과학과 정신과학의 명칭 대신 자연과학과 문화과학(Kulturwissenschaft)의 방법론의 과제에 공통적인 명칭이 필요하다고 보았다. 빈델반트는 자연과학의 법칙 정립적 방법에 대립하여 문화과학의 개성기술적 방법을 주장한다. 그는 자연과학과 정신과학의 전통적 긴장관계를 『자연과학과 역사』(1894)[31]에서 방법론적으로 설명하였고, 리케르트는 『자연과학적 개념형성의 한계』(1900)[32]라는 저서에서 문화과학과 자연과학의 관계를 밝히는 데 초점을 맞춘다.[33] 그는, 일체의 문화사상에는 인간에 의해 승인된 어떤 가치가 구체화되어 있으며, 이 가치로 인해서 존속되는 것이라고 말한다. 따라서 그에게서 문화란 가치의 표현 이외에 다른 것이 아니라고 할 수 있다. 다시 말해서 가치가 없는 문화현상이란 존재할 수 없다는 것이다. 문화는 기본적으로 주어진 자연을 인간이 필요한 가치에 따라 형성한 것이다. "종교, 교회, 법률, 국가, 도덕, 과학, 언어, 문학, 예술, 경제 및 그것을 경영하는 데 필요한 기술적 수단들은 그것들에 부속된 가치가 한 공

---

31) Wilhelm Windelwand, *Geschichte und Naturwissenschaft*, Straßenburg, 1894.

32) Heinrich Rickert, *Die Grenzen naturwissenschaftlichen Begriffsbildung*, Tübingen/Leipzig, 1902.

33) Erich Rothacker, "Die traditionallen Spannungen zwischen Natur- und Geisteswissenschaften," in: *Studium Generale*, 6. Jg. 1953, 384쪽.

동체의 전 구성원들에 의해서 타당하다고 인정되는 의미에서 문화적 객체나 재화이다."34) 그의 관점에서 문화란 일반적으로 타당하게 승인된 가치나 그 가치에 의해서 구성된 의미형성의 총체이다.35)

흔히 자연과학은 보편적인 법칙을 다루고, 문화과학은 역사의 법칙을 취급하는 것으로 이해한다. 그러나 이것은 절대적인 것이 아니며 상대적인 구별인 것이다.36) 역사과학의 관심은 단지 풍부한 데이터를 통해서 나오는 것이 아니라 사실 속에서 나타난 가치의 관계에서 이해하여 나타난다. 특히 리케르트는 문화과학에서 드러난 이해의 문제에 많은 관심을 보이면서, 문화과학이 반드시 정신과학을 규정하기 위한 이해의 개념에서 출발한 것이 아니라 자연과 정신의 구별을 새롭게 제시하려는 데 있다고 말한다. 우리는 자연을 단지 물질적 세계로 이해하거나 정신을 개인의 심리적 삶으로 이해하는 것은 아니다. 우리가 정신을 심리적 존재로 파악하는 측면과는 기본적으로 다른 것이며 비정신적인 심리적인 삶을 자연으로 생각할 수 있을 것이다.37)

베버는 과학론에서 사회학은 사회적 사실을 문화적 의미로 이해하는 것이며, 동시에 문화적 조건 안에서 설명하는 것이라 말한다. 여기서 설명과 이해의 관계는 사회과학의 목적과 밀접한 연관을 맺고 있다.38) 베버는 딜타이의 경우와 마찬가지로 이해와 설명을 구분하지 않고, 인과관계로 파악하면서 그의 사회과학(Sozialwissenschaft)이론을 전개시킨다. 다시 말하면 베버의 방법론의 수용은 단지 이해이론

---

34) Heinrich Rickert, *Kulturwissenschsft und Naturwissenschsft*, Tübingen, 1915, 21쪽.

35) 이한구, 「문화과학과 설명의 논리」, 『인문과학의 이념과 방법론』, 성균관대 출판부, 1995, 114쪽.

36) Heinrich Rickert, *Kulturwissenschsft und Naturwissenschsft*, 7-17쪽.

37) 같은 책, 10-11쪽.

38) 같은 책, 193쪽.

으로만 보려는 데 있는 것이 아니라, 이해와 설명의 결합으로 파악하여 인과론의 연결을 통해서 이해와 설명의 구분을 시도한 것이다. 따라서 베버는 과학으로서 이해와 설명에 대한 경험사회학을 "사회적 행위를 분명히 해석하고 이해하고, 사회적 행위의 과정과 결과를 인과적으로 설명하는 학문"[39])이라고 말한다. 베버가 주장하는 사회적 행위는 개인들의 의미 있는 행태로서 존재하고 주관적으로 의도된 의미라는 측면에서 이해하고 다루어져야 한다는 의미를 포함하고 있다. 베버에게 있어서 사회과학은 이해를 목적론적인 설명의 도구로 필요로 할 때, 사회적 행위의 구조로서 그 의미를 지닌다. 사회학은 사회과학의 목적을 달성하는 데 이해와 설명의 관계에 깊숙이 연루되어 있으며, 이러한 이해와 설명의 시도는 현재의 사회과학의 철학으로 관심을 고조시키는 데 중요한 부분을 차지하고 있다는 것이다. 따라서 베버는 사회적 행위를 설명하기 위한 방법으로 정신과학과 자연과학의 대립된 측면보다는 사회과학을 내세웠던 것이다.

사회적 행위는 우리에게 항상 객관적 상황에 처해 있는 행위라는 사실을 알려준다. 사회적 행위가 발생하고 있는 객관적 상황은 다음과 같이 말할 수 있다. ① 객관적 상황은 사회적 행위를 위한 조건이며, ② 사회적 행위를 촉발시키며, ③ 사회적 행위를 조장하는 환경이며, ④ 사회적 행위를 방해하는 환경이며, ⑤ 사회적 행위의 결과이다. 베버는 인간의 행위를 역사적 상황에 처해 있는 인간의 주체와 관련지어서 이해사회학을 파악한다. 다시 말하면 경험사회학이 의미-이해의 사회학으로 정의될 때, 그 이론은 지속적인 가능성을 갖고 있으며, 사회적 행위는 주관적인 동시에 객관적이어야 하며, 그 행위에 포함된 주관적 의미가 다른 개인이나 집단과 관련을 맺어야 한다.

베버는 이해와 설명의 관계를 상세히 분석한다. 물론 이해와 설명

---

39) Max Weber, *Wirtschaft und Gesellschaft*, Tübingen, 1947, 1쪽.

의 결합은 서로 상이한 규칙을 포함하고 있으나, 그의 기본적인 입장을 인식하는 데 반드시 짚고 넘어가야 할 부분이다.[40] 그런데 베버의 이러한 이해와 설명의 방법론적인 맥락에는 새로운 내용이 담겨 있다. 베버가 누차 강조하여 말하는 사회학은, 사회과학의 목적을 이루는 데 있어서 이해와 설명의 관계에 깊숙이 연관되어 있다는 것이다. 이러한 이해와 설명을 연결하려는 시도는 현재 논의되는 인문학과 자연과학을 접맥하려는 시도에 관심을 고조시키는 데 중요한 부분이라고 할 수 있다.

베버에게 있어서 "목적은 어떤 행위의 원인이 되는 결과의 개념이며, 그 목적을 통해서 중요한 결과가 나타날 가능성의 원인을 고찰하는 것이다. 그런데 그 결과의 특별한 의미는 우리가 인간의 행위를 단지 고정시키려는 데 있는 것이 아니라 그 행위를 이해할 수 있기를 바라는 마음에서 나타난다."[41] 여기서 베버는 이해를 가능하게 하는 목적/수단의 관계가 있다는 것에 주시한다. 이러한 것은 우리가 이해를 행위의 사실적 과정에 대한 설명으로 이해하려는 의미연관이라 할 수 있다. 주지하듯이, 베버는 사회학을 사회적 행위와 사회적 관계로 파악하고 인과적으로 설명하는 학문이라 말한다. 베버의 사회적 행위에 대한 설명은 행위와 더불어 파악된 학문을 의미한다. 다시 말하면 행위는 주관적으로 생각한 의미에 따라 의미관계의 파악을 현실적으로 이해할 수 있는 행위로 수반되는 것이다.[42] 즉 베버의 사회

40) Jürgen Habermas, *Zur Logik der Sozialwissenschaften*, Frankfurt a. M., 1971, 83쪽. Vgl. Dirk Käsler, *Einführung in das Studium Max Webers*, München, 1979, 175쪽.

41) Max Weber, *Gesammelte Aufsätze zur Wissenschaftslehre*, 183쪽.

42) Max Weber, *Wirtschaft und Gesellschaft*, 4쪽; ders, *Soziologische Grundbegriffe*, Tübingen, 1960, 25쪽; Vgl. Helmut Johach, *Handelner Mensch und objektiver Geist, Zur Theorie der Geistes- und Sozialwissenschaften bei Wilhelm Dilthey*, Meinsenheim am Glan, 1974, 22쪽; Harry Kunneman, *Der Wahrheitstrichter, Habermas und Postmoderne*, Frankfurt a. M., 1991,

적 관계는 상호주관적인 방식의 합목적론적인 활동 속에서 가능하다. 넓은 의미에서 그는 사회적 행위를 인간 행위의 설명에 의해 사회학 및 사회과학의 인식으로 새롭게 수용하고자 한다. 그래서 이러한 인식의 방법은 행위자가 인간의 행태(Verhalten)를 제대로 이해하는 데 그 목적이 있다고 보았다.[43] 베버는 설명적 이해에 의해서 현실적 이해를 보충하고 그 기본개념을 전달한다. 이러한 맥락에서 베버의 현실적 이해(직접적 이해)를 다음과 같이 정리할 수 있다.

(1) 사유의 합리적인 현실적 이해(전언(傳言)의 의미내용의 이해. 가령, 2 × 2 = 4라는 명제)

(2) 정서의 비합리적인 현실적 이해(흉내 내어 운동하는 표현내용과 음성표현의 이해. 가령, 몸짓이나 손짓을 통해서 감정을 직접적으로 이해하는 것)

(3) 행위의 합리적인 현실적 이해(행위 수행에 대한 의향의 이해. 가령, 수공업자의 확실한 수행, 즉 어떤 행위를 보고 그것이 벌목하는 행위라고 직접적으로 이해하는 것)[44]

이러한 현실적 이해에 의한 인간의 행태는 의미연관의 기능적인 부분으로서 현실적으로 이해한 의미내용에 따라 증명된다.[45] 베버는 잘 알려져 있듯이, 행위를 설명하기 위해 개별적 행위를 구분하면서 행위 유형의 순서를 제시하였다. 여기서 베버의 행위의 유형은 우리가 현실적 이해와 설명적 이해를 더 알기 쉽게 하듯이, 행위의 목적과 그 행위의 근거를 파악하는 중요한 단서가 된다. 즉 그 행위는 목적/수단과의 인과론 문제에 중요한 단서를 제공해 준다.

123쪽.

43) Max Weber, *Wirtschaft und Gesellschaft*, 1쪽; ders, *Soziologische Grundbegriffe*, 19쪽.

44) Max Weber, *Wirtschaft und Gesellschaft*, 3-4쪽.

45) 같은 책, 6쪽.

특히 목적 합리적 행위는 "외부세계의 대상이나 다른 사람 사이의 관계에 대한 기대를 통해서 그리고 이러한 조건으로서 기대에 대한 이용을 위해서 혹은 합리적인 것을 위한 수단으로서 추구하고, 저울질하는 자기의 목적의 결과로서"[46] 나타난다. 베버는 사회과학의 방법론에서 수단을 목적에 대립시키고, 목적을 부차적인 결과로, 이것을 서로 다양한 가능한 목적의 대립에 저울질하는 것으로 정의하였다. 이러한 의미에서 합리적으로 완전히 조절된 행위는 목적 합리적으로 된다.[47] 여기서 개인의 행위의 가능한 결과는 목적을 위한 수단의 계산된 관계로 좌우된다. 주어진 목표를 달성하기 위한 많은 대안들이 그 수단으로 존재하는데, 이 대안들의 해결을 위해 개인들은 목적달성의 가능한 수단들을 각자의 상대적 효율성에 비추어 저울질한다. 목적 합리적 행위는 객관적으로 미리 주어진 내부의 결과 속에서 행위영역 및 행위하는 개인이 자기의 목적에 따라 방향을 정한다.[48] 이러한 관점에서 목적 합리적 행위는 다음과 같은 요구를 충족한다.

(1) 목적 합리적 행위는 개인적 행위의 주관적 의미 속에서 타자의 행위에 관련되어야만 한다.

(2) 목적 합리적 행위는 행위로부터 타자 그 자신이 영향을 받아야만 한다.

(3) 목적 합리적 행위는 목적 합리적으로 조건화되어야만 한다. 즉 우리가 행태 속에서 타자를 신중히 생각할 때, 우리 자신도 이해되는 것이다.

이러한 베버의 목적 합리적 행위는 인과론의 관계를 설명하는 데

---

46) 같은 책, 12쪽.

47) 같은 책, 13쪽. Vgl. Gero Lanbardt, "Theorie der Rationalisierung und Sozialismuskritik bei Max Weber", in: *Leviathan*, 9. Jg. 1980, 297쪽; Jürgen Habermas, *Theorie des kommunikativen Handelns*, Bd. 1, Frankfurt a. M., 1981, 380쪽.

48) Max Weber, *Gesammelte Aufsätze zur Wissenschaftslehre*, 565쪽.

필요하다.[49] 반면에 목적 합리적 행위는 행위목적을 가능하게 성취하게 하려는 목적이나 그때그때마다 수단을 처리하려는 것과 연관되어 있다. 또한 목적 합리적 행위는 기대하는 행위결과와 관련하여 저울질하기도 하고, 그것을 측량한 근거에 대해 구체적인 목적을 설정하기도 한다. 베버는 목적 합리적 행위가 두 가지 방법에서 이용된다고 보았다. 하나는, 주관적인 목적 합리성과 주어진 상황에 대한 올바른 정보와 주어진 행위목적에 도달하려는 행위 가능성을 적용하려는 데 있다. 다른 하나는, 단지 주관적인 목적 합리성의 의미에서만 의도된다.[50] 다시 말하면 목적 합리적 행위는 주관적 행위인 것이다. 여기서 주관적 행위는 합리적 행위를 표현하기 위한 행위에 근거를 둔다. 이것은 그러한 근거 설정을 통해서 더 합리적인 개념의 형식을 찾는 것이다.[51] 그러므로 목적 합리적 행위는 방법론적인 합목적성의 근거 중의 하나이며 이해사회학의 출발점이 된다. 요컨대 베버는 목적 합리성을 개인의 능력과 목적 그 자체를 설정하거나 수단의 합목적적인 동원을 통해 그때마다 가능성의 영역으로 현실화시키려는 것으로 설명하는 것이다. 그가 자주 언급하는 합리성과 자율성은 서로 밀접한 관계를 갖고 있다. 이러한 베버의 행위 유형은 행위의 합리성과 서구의 합리화 과정을 측정하는 중요한 토대를 마련한다.

우리가 살펴보았듯이, 베버는 그의 합리화 이론을 전개시키는 과정에서 목적 합리적 행위를 가장 중요한 요소로 파악하고 있다. 결국 베버의 목적과 수단은 동일한 의미에서 목적 합리적으로 수행되며,[52]

49) P. J. Boman, "Kausalität und Funktionalzusammenhang in der Soziologie Max Weber", in: *Zeitschrift für die Gesamte Staatswissenschaft*, 105. Bd. 1947, 469-470쪽.

50) Max Weber, *Wirtschaft und Gesellschaft*, 13쪽.

51) Anthony Giddens, *Interpretative Soziologie*, Frankfurt a. M., 1984.

52) Karl-Siegbert Rehberg, "Rationalität als Grossbürgerliches Aktionsmodell. Thesen zu einigen handlungstheoretischen Implikationen der "Soziologie-

목적은 수단을 설정하거나 선택하며, 동시에 행위의 조건이 된다. 이러한 행위 유형에 의해 수단을 선택하는 것은 무엇보다 수단의 합리적인 적용을 위해 목적 합리적 행위로 제시하는 것이었고 합리성의 방법을 찾는 데 주요한 단서가 된다.[53] 따라서 수단의 선택은 베버가 일반적으로 윤곽을 그리는 데 합리적인 기술의 영역을 다루고 있다.

4. 하버마스의 사회과학 방법론

현대에 들어와 이러한 딜타이와 베버의 입장을 견지하면서 자신의 입장을 확고히 구축한 철학자는 하버마스(Jürgen Habermas, 1929-)이다. 일반적으로 잘 알려져 있듯이, 하버마스는 베버의 합리화 이론을 이해시키기 위해 목적 합리적 행위에 주목하여 그의 의사소통 행위이론[54]으로 발전시킨다. 그런데 베버의 사회적 행위이론에 대해 하버마스는 베버의 "행위를 주관적으로 생각한 의미에 따라 의미관계의 파악을 현실적으로 이해할 수 있는 행위로 수행할 때"라고 본 것에 의문을 제기하며 비판을 한다. 여기서 하버마스는, 베버의 이해이론은 설명과 이해의 논쟁적인 의도를 명백하게 결합하지 않았다고 비판한다. 베버는 "왜 설명의 과정 속에서 반드시 이해를 삽입시켜야

---

schen Grundbegriffe" Max Webers", in: *Kölner Zeitschrift für Soziologie und Sozialpsychologie*, 31. Jg. 1979, 199쪽.

53) Johannes Rohbeck, *Technologische Urteilskraft*, Frankfurt a. M., 1996, 128쪽.

54) Vgl. Hans Haferkamp, "Interaktionsaspekte, Handlungszusammenhänge und die Rolle des Wissenstransfers. Eine handlungstheoretische Kritik der Theorie des kommunikativen Handelns", in: *Kölner Zeitschrift für Soziologie und Sozialpsychologie*, Jg. 36, H. 4, 1984, 782-798쪽; Thomas Schmid-Schoenbein, "Zwecktätigkeit und Verständigung. Über des kommunikativen Handelns", in: *Ökonomie und Gesellschaft*, Jahrbuch 2, 1984, 173-199쪽.

했는가?"라는 물음에 설득력 있는 근거를 제시하지 못했다. 베버는 사회적 행위의 주관적 의미를 다시 수행하는 동기이해와 작품의 사건 속에 객관화되어 있는 의미를 자기 것으로 만드는 데 해석학적 의미를 철저하게 구분하지 못했다.55) 즉 하버마스에 의하면, 베버가 언급하는 설명과 이해는 어떻게 그것이 서로 밀접하게 연관되어 있는지를 모호하게 서술하고 있으며 의미의 범주를 설명하지 못했다는 것이다. 하버마스에 의하면 베버는 이해이론 속에서 나타나는 두 개의 논쟁적인 의도를 명백하게 결합하지 않았다. 베버는 서로 다르게 사용되는 의미(Sinn/Bedeutung)의 범주를 충분히 설명하지 못하였고, 더욱이 자신의 애매한 태도에서 벗어나지 못하였다는 것이다. 단지 베버가 주장하는 것은 의미이론이 아니라 지향론적 의식이론에 의지하고 있다는 것이다. 베버는 의미를 언어의미의 모델로 설명하지 않았고 고립되어 있는 행위주체의 의도와 관련시켰다. 따라서 베버의 목적론적 행위이론은 합리화의 측면에서 수단 합리성과 목적 합리성에 한정되어 있으며, 사회적 상호작용의 개념 속에서 행위의 합리화가 그 이면에 어떤 역할을 담당할 것인지는 계속 숙제로 남아 있다는 것이다.56) 결국 베버는 행위 유형을 목적론적인 근거로 보고 있으며, 목적/수단의 관계는 합리화를 위한 목적론적인 자기독백적 행위만 포함하고 있다는 것이다. 따라서 하버마스는 베버가 의미를 언어의미의 모델로 설명하지 않고 고립되어 있는 행위주체로 관련시켰기 때문에 사회적 행위의 개념을 의미개념으로서 제대로 해명하지 못하였다고 말한다. 그러나 하버마스는 베버의 사회적 행위이론을 근거로 하여 언어를 통한 상호주관적인 의사소통 행위이론을 전개시킨다. 다시 말해서 하버마스는 베버의 목적 합리적 행위이론에 대해 이론적인 비

---

55) Jürgen Habermas, *Zur Logik der Sozialwissenschaften*, 87쪽; ders, *Theorie des kommunikativen Handelns*, Bd. I, 378-379쪽.

56) Jürgen Habermas, *Theorie des kommunikativen Handelns*, Bd. I, 378-379쪽.

판을 가하고 있으나, 그의 '의사소통 행위이론'의 정초를 세우는 데 결정적인 영향을 받았으며 현대의 사회과학의 합리화 이론의 토대를 마련하는 데에도 중요한 도움을 받았다. 무엇보다 하버마스는 의사소통을 통한 사회과학의 근본적인 카테고리로서 이해를 설명하고 있다.

한편 하버마스는 『사회과학의 논리를 위하여』(1968)라는 저서에서 가다머의 철학적 해석학의 이해개념 속에서 딜타이를 수용한다. 이러한 것은 해석학과 함께 경험적-분석적인 절차방법의 문제와 체계적인 정신과학의 이론에 대한 질문을 20세기의 논리학에서 전개시키는 데서 드러난다. 하버마스는 『인식과 관심(*Erkenntnis und Interesse*)』(1971)에서 딜타이와 심도 있는 논쟁을 시도한다. 먼저 하버마스는 이 저서에서 관심의 종류에 따라 학문을 정신과학, 자연과학, 그리고 사회과학으로 구분한다. 그는 정신과학을 역사적-해석학적 과학으로, 자연과학을 경험적-분석적 과학으로, 사회과학을 비판적-체계적으로 정향된 과학으로 보았다.

첫째로, 정신과학인 역사적-해석학적 과학은 가변적인 역사현실을 다루고 있지만, 자연과학을 모델로 하는 과학의식에 지배된다. 여기서는 전통적인 의미의 내용들이 초월적인 동시성으로 다루어진다. 하버마스는 체계적인 정신과학의 논리적인 근본문제는 일반적인 것 (Generelle)과 개체(Individuation)를 결합(Verbindung)하는 것으로 보았다. 일반적인 것과 개체의 관계는 개체, 단계, 인간적-역사적 삶의 유형과 친밀함(Verwandtschaft)의 원인적 관계를 조건화시키는 것이다.57) 딜타이는 개체와 함께 이러한 일반성의 결합과 원인적 관계를 통해서, 철학적 출발점의 근본문제를 개인과 사회, 개체와 일반성과 같이 서로 밀접한 관계로 형성하고 있다. 딜타이의 이러한 목적은 심

---

57) Jürgen Habermas, *Erkenntnis und Interesse*, Frankfurt a. M., 1971, 232쪽.

리학의 연결 속에서 수행되었다. 하버마스의 딜타이 수용은 언어와 관련하여 두 가지 관점을 비판한다. 첫째로, 딜타이가 전제로 한 의식철학(Bewußtseinsphilosophie)의 토대와 관련을 맺고 있고, 둘째로, 해석학적 이해의 삶의 철학적 토대에서 전달되는 실증주의의 비판에서 드러난다. 딜타이는 어떻게 개인의 개성(Individualität des Indivi-duums)이 어떻게 그 중심에 놓일 수 있는가에 대해 묻는다. 앞 절에서 살펴보았듯이 심리적-육체적 삶의 통일체의 개념은 때때로 개성의 특징을 드러내는 것이며, 여기서 개별적인 개인은 정신과학적-이념적인 것이다. 딜타이에게서 심리적-육체적 삶의 통일체는 개인의 개성을 통일체로서 파악하고 개별적인 인간의 연관으로서 구성한다는 것이다. 그가 항상 강조하고 있듯이 개별적인 개인은 역사적인 본질(geschichtliche Wesen)인 것이다. 따라서 딜타이는 일반적인 관점에서 인간적-역사적인 개인(Individuation)을 총괄하고 있다.

둘째로, 자연과학인 경험적-분석적 과학들은 자연적인 삶의 관점에서 법칙적인 질서를 객관적으로 묘사한다. 여기서 자연과 법칙을 발견하고, 자연과 사회현실을 지배하는 기술을 개발하려는 자연통제와 사회공학에 대한 기술적 관심으로서 합목적적 행위가 갖는 합리성에 기초한다. 즉 인식주체는 인식대상을 합목적적 행위연관에서 파악한다.

셋째로, 비판적으로 정향된 사회과학은 가치판단과 사실분석을 분리함으로써 객관적인 논리를 추구하고 인식을 관심에서 분리한다. 하버마스는 사회과학을 딜타이가 주장하는 의식철학과 삶의 철학의 관점에서 확고한 입장으로 연결시킨다. 즉 삶의 과제에서 고양된 정신과학은 공동체(Gemeinsamkeit)를 향한 대상과 서로 연결되어 있다. 딜타이는 공동체의 개념을 주체의 그룹에 대한 똑같은 상징의 상호주관적인 것으로 생각하였다. 이러한 맥락에서 하버마스는 세 가지 학문 영역을 각각 퍼스, 프로이트, 딜타이에게서 방법론적 반성을 취하고 있다.58) 특히 그는 자연과학과 사회과학의 구별이 필요하다고 본다. 사회이론의 형성에는 이해의 방법에 의한 삶의 실천에 관련되는 의미연관(Sinnzusammenhang)을 파악하는 것이 중요하다는 것이다. 이러한 의미연관의 이해를 의미이해라고 하며, 이것은 역사성을 통해서 조정된다. 사회과학의 연구대상인 사회현실은 역사적 지평 위에서 접근해야 한다는 것이다. 사회현실의 한 단면일지라도 전체 사회의 한 부분으로서, 그리고 그 사회의 과거와 미래의 시간의 지평 위에 놓여 있는 한 부분으로서 접근해야 한다는 것이다.

하버마스의 이러한 구상들을 도표로 그리면 다음과 같다.

인식관심	대상학문	사회적 매개물	인간과의 관계
기술적 인식관심	경험적-분석적 과학(자연과학)	노동(도구적 행위)	자연
실천적 인식관심	역사적-해석학적 과학 (정신과학: 문화과학, 인문과학)	언어(상호작용)	역사
해방적 인식관심	체계적-행위정향적 과학 (사회과학)	지배(권력, 힘)	지배체계

이러한 하버마스의 구분이 반드시 학문의 구분법으로 일치하는 것은 아니지만, 이러한 구분을 통해 동일한 언어에서 서로 의사소통을 하려는 의도를 포함하고 있는 것이다. 요컨대 하버마스의 딜타이 수용에서 중요한 점은 사회과학의 이론가로 새롭게 전개시켰다는 데 있다.

---

58) 같은 책, 242쪽.

5. 맺는 말: 인문학 위기의 극복을 위하여

우리는 지금까지 인문학의 위기와 관련하여 정신과학, 사회과학, 자연과학을 딜타이를 비롯한 신칸트학파, 베버, 하버마스 등의 사상사적인 흐름의 맥락에 따라 살펴보았다. 딜타이와 그 이후의 사상가들이 정신과학 및 사회과학을 설정하기 위해 자연과학을 대비시키면서 인문과학이 현재에 이르기까지 어떻게 자리매김해 왔는지를 고찰해 보았다. 이들의 연구는 모두 정신과학의 위상을 새롭게 정립하려는 시도였다고 볼 수 있다. 딜타이가 정신과학의 총체 속에서 자연과학과 사회과학을 포함시켰다고 한다면, 베버와 하버마스에게 오면서 점차 사회과학으로 분화되는 조짐을 보였다. 그러나 그들은 정신과학과 사회과학을 굳이 이분화해서 학문을 전개하지는 않았다. 딜타이를 철학자로만 보고 사회학자 내지 자연과학자로 보려고 하지 않고, 베버와 짐멜을 사회학자로만 인식하려고 하고 철학자로 인식하지 못하는 경향은 바로잡아야 한다. 왜냐하면 그들은 개별적인 학문의 분과에만 머물러 있지 않았기 때문이다. 그러면 지금까지 그들의 사상을 패러다임으로 살펴본 인문정신을 현재의 인문학에 어떻게 반영할 것이며, 인문학의 위기가 우리 사회에 심각하게 존재한다면, 우리는 이를 어떻게 극복해 나갈 것인가? 서론에서도 인문학 위기의 원인을 몇 가지 지적했는데, 딜타이를 비롯한 사상가들의 인문정신 속에서 그 극복책을 다음과 같이 찾아보고자 한다.

첫째로, 현재 우리 사회의 인문학 위기의 담론은 전반에 걸친 인문학적인 자기반성을 필요로 하며 그에 상응하는 사회적-역사적 현실을 올바르게 직시해야 한다. 베버가 제시하고 있듯이 사회적 행위를 올바르게 해석하고 이해하여 사회적 행위의 과정과 결과를 올바르게 설명해야 한다는 주장은 여전히 현시점에서도 타당하다. 여기서 올바르게 행위하는 사회적 행위는 삶의 실천으로 나아가는 밑거름이 된다. 특히 딜타이나 하버마스 등의 인식론적 자기반성은 현실과 삶에 뿌리를 둔 인문학을 요구하고 있다. 그동안 우리 한국사회에서 인문학이 인문학자들의 특권의식으로 알게 모르게 작용해 왔고, 수구 보수 세력에게 잘못된 이론적 토대를 제공하고 그에 부합해 왔다면, 인문학은 다른 분야의 반성을 언급하기 이전에 자기영역 안에서 학문적 자기반성을 먼저 행해야 한다. 앞 절에서 살펴보았듯이, 딜타이의 체계적이고 역사적인 인식의 보충세계와 그것에 관련된 이론은 경험적, 이론적, 규범적 자기반성(Selbstbesinnung)의 이념 안에서 수용되었다. 즉 그가 인식론에서 밝히려는 자기반성이란, 정신과학의 이론은 물론 행위하는 삶의 실천으로 나아가는 데 있었고, 그것이 정신과학을 세우는 출발점이었다. 현재 논의되는 인문학 위기의 담론도 그 원인을 외부에서만 찾을 것이 아니라, 내적인 자기반성에서 먼저 찾아서 그것을 사회적, 실천적 원리로서 점차 고양시켜야 할 것이다.

둘째, 인문학이 삶과 유리된 학문 내지 비실용적이라는 말을 불식시키기 위해서라도 인문학의 자기변혁이 필요하다. 이제까지 인문학 연구자들은 다른 학문, 특히 자연과학이나 이공계 연구자들을 일컬어 자기 영역의 전공만 깊이 파고들 뿐 인간적인 면은 도외시하고 있다고 비판했다. 그러나 이는 특정 영역에만 한정되어 있는 것이 아니라, 이공계나 인문계 할 것 없이 전반적으로 나타나는 현상이다. 철학, 역사, 문학 등의 기초학문을 다루는 인문학이 기존의 전통적인 학문의 영역에 안주하였다면, 이제 우리 시대가 요구하는 세계적인 흐름에 발맞추어 학문의 자기변혁을 과감히 시도해야만 할 것이다. 또한 지금까지의 사상사적인 관점에서 살펴보았을 때, 정신과학 내지 인문학은 단지 고답적으로 한가로이 정체하여 머물러 있었던 것이 아니라, 그 시대의 사회적, 역사적 상황에 따라서 부단히 자기변혁의 혁신을 꾀해 왔다는 사실을 주지해야 한다. 앞 절에서 고찰하였듯이 딜타이를 비롯한 베버, 리케르트, 하버마스의 정신과학 내지 사회과학의 중요한 부분은 인간과 역사, 개인과 사회, 심리구조와 이를 포괄한 체계의 관계로써 통합적으로 사유되어 왔다. 이러한 그들의 인문정신 내지 사회과학적인 사유방법을 우리의 현실에 적극적으로 받아들여 자기반성과 자기변혁을 꾀해야 한다.

셋째, 인간다운 삶의 탐구나 인문학은 부분적인 인간본성으로가 아니라 전체적인 인간본성의 총체성으로 파악해야 한다. 그러기 위해서는 해석학적인 순환과정인 부분과 전체 사이의 상호작용을 적극적으로 받아들여 이를 수행해야 할 것이다. 딜타이의 정신과학에서 고찰해 보았듯이, 인간본성의 총체성은 역사에서 파악하고, 그 총체성에서 인간 내면의 심리학적이거나 역사적인 현실을 올바르게 가려내는 것이다. 이러한 측면에서 딜타이의 정신과학이 21세기에 들어와서도 적용된다면, 그의 정신은 여전히 우리에게 일깨우는 바가 크다. 왜냐하면 그는 사회적-역사적 현실을 토대로 하여 인간의 본성을 탐구하고 학문을 총체적으로 진단하는 것이 다름 아닌 인문학의 본질이라 보고 있기 때문이다. 딜타이는 삶의 진행과정을 부분과 전체의 관계에서 부분은 전체로, 전체는 부분의 의미로 포함시키고, 이해는 개체를 단순히 일반적인 것으로 인식하는 것이 아니라 개체에서 전체로 다시 전체에서 개체로 드러나는 것이라고 보고 있다. 개별적인 낱말은 전체를 통해서 이해하고 개별적인 부분을 충분히 이해하였을 때 전체의 전제조건이 될 수 있다. 그런데 현시점에서 삶의 진행과정 및 인문학의 과정은 부분과 전체의 관계를 상호작용으로 본 것이 아니라 개별적으로 동떨어진 관계로 생각해 왔다는 것이다. 이러한 순환이론을 적용했을 때, 우리가 지금까지 행하고 있던 개별학문은 하나의 전체가 아니라 하나의 부분이었다는 사실을 분명히 인식하고 전체의 연관성 속에서 생각해야 한다.

넷째, 향후 인문학은 개별적인 관점에서 벗어나 서로 유기적인 학문의 연결고리를 찾아야 한다. 딜타이가 정신과학을 인간본성의 총체적 학문으로 규정한 이후로 베버와 하버마스는 정신과학과 사회과학을 구분하여 정리하고 있지만, 앞으로 전개될 인류의 청사진은 인문과학, 사회과학, 자연과학의 도식적인 구분의 파괴 내지 해체의 움직임을 보이고 있다. 다원화된 현재의 세계는 더 이상 고립된 학문의 영역을 필요로 하지 않기 때문이다. 자연과학의 영역에서도 인문학 기초과목을 개설하고, 또한 인문학 영역에서도 그에 상응하는 자연과학의 학제적인 상호교환이 이루어져야 할 것이다. 예를 들어, 현재 과학기술시대에서 지구상에 광범위하게 만연되어 있는 생태계의 위기를 살펴보면, 어느 한 학문 분과의 영역에서만 그 위기의 탈출구를 찾는다는 것은 불가능하기 때문에 다방면의 영역에 걸친 학문의 연대적인 공동연구가 절실하다. 즉 환경오염에 의한 인간 생존의 위기나 생명과학의 발달에 따른 유전자 조작, 인간복제의 윤리적 문제, 사이버 시대의 과학기술로 야기되는 인간과 기계의 관계 내지 인간의 존엄성 문제 등은 오히려 인문학의 필요성을 요구하는 토양이 될 것이다. 그렇게 되었을 때 인문학은 대중들과 괴리된 학문이라는 오명에서 벗어나 대중과 함께 호흡하는 폭넓은 공유점을 찾을 수 있을 것이다. 세계화·정보화 시대라 불리는 급변하는 21세기를 살아가고 있는 지금, 탄력성 있는 활동이 이루어지지 않는다면 인문학의 위기라는 담론은 계속 지속될 것이다. 기존의 고답적이고 훈고학적인 학문의 영역에서만 안주하거나, 자연과학 등에서 화두로 대두되고 있는 현대사회의 지식체계와의 대화를 거부하거나, 자신의 특수성만을 고집하거나, 고립된 틀 속에 갇혀버린다면, 인문학의 위상은 더더욱 그 운신의 폭이 좁아질 수밖에 없는 것은 자명하기 때문이다. 자연과학은 빠른 기술의 대응논리로 발전하면서 자기의 변혁을 꾀하고 있는데, 인문학은 현재에 안주하여 인문학의 위기만을 외칠 수는 없다. 이를 뒷받침하기 위해 새로운 연구와 공동의 학제적 연구가 이루어지고, 정부와 교육당국 및 대학당국에서는 기초학문을 위한 재정적인 지원을 아끼지 말아야 할 것이다.

다섯째, 현재의 부익부 빈익빈을 야기하고 있는 신자유주의적 시장경제의 원리를 대학사회에 반영하는 정책은 시급히 개선되어야 한다. 지금처럼 사회 전체가 경제적 이윤과 실용적 효율만을 추구하는 데 급급하다면 물질만능의 가치관이 심히 우려되지 않을 수 없다. 이러한 상황에서 "도대체 인간 활동의 성패가 이윤축적 여부로 좌우되는 세상에 어떻게 인간다운 삶과 장기적으로 양립할 수 있는가?"[59] 실용주의와 시장경제의 논리, 사회의 수요에 알맞게 대학들이 한국사회의 시대적 요구에 호응하도록 하겠다는 교육당국의 생각은 대학 내부의 현실을 제대로 파악하고 이루어져야 한다. 즉 정부는 일방통행의 밀어붙이기 식의 교육정책을 지양하고 대학 내부의 소리를 겸허하게 경청해야 한다. 시장경제의 정책이 학문 간 선의의 경쟁을 유도한다고 하지만, 우리 대학사회의 사정은 전혀 그러하지 못하다. 다만 강자만이 살아남을 뿐이다. 그렇게 될 때 인간본성을 다루는 문학, 사학, 철학 등의 인문정신은 실용성이라는 측면에서 현실의 경쟁논리에 밀려나 고사할지도 모른다. 우리의 미래가 젊은이들에게 있다고 한다면, 앞날의 교육대계를 위해 우리 실정에 맞지 않는 신자유주의적 경제정책은 하루빨리 시정해야 한다.

여섯째, 인문학은 급변하고 있는 사회적 변동과 이로 인해 가속화되어 가고 있는 가치관과 문화적 혼란, 인간성 상실, 인간의 소외현상 등 심각한 사회병리 문제를 취급하는 과목들을 적극적으로 개설하거나 개발해야 할 것이다. 동시에 전국의 대학들이 인문학의 독창성, 창조성 등을 강조하여 정책적인 배려를 아끼지 않을 때 인문학의 위기는 극복될 수 있을 것이다.

---

59) 백낙청, 「세계시장의 논리와 인문교육의 이념」, 『현대의 학문체계: 대학에서 무엇을 배울 것인가』, 민음사, 1994, 295쪽.

제 11 장

지방분권화 시대, 차별화 전략으로서의 철학 *

대전지역 대학 철학과의 교과과정을 중심으로

1. 지방분권화 시대의 도래

21세기는 '탈중심'의 세기로서 지방의 활기로 국가의 활력을 측정하는 시대로 전개되어 가고 있다. 21세기 지식정보화 사회, 세계화시대의 새로운 정치환경에 부합하기 위해서 국가의 일방적인 통치(government)는 더 이상 국가발전을 기약하기 어렵게 되었다. 20세기가 중앙집권화, 권위주의 1인 통치, 대량생산, 획일화, 집중화로 상징된다면, 21세기는 지방분권화(地方分權化, decentralization), 대화의 정치, 유연한 생산방식, 개성추구, 다양화, 분산화로 대변된다. 즉 지역중심의 국정운영을 수행하여 지방자치단체와 시민사회가 협력함으로써 국가발전을 도모해야 할 필요성이 가중되고 있다. 이는 그동안 정부수립 후 반세기 가깝게 중앙집권방식에 의한 행정수행으로 길들여진 체제로는 더 이상 효율적인 행정을 산출할 수 없음을 깨닫게 되

---

* 이 글은 대한철학회 2006년 봄 정기학술대회에서 「지방분권화시대에 있어서 각 지역(대학)의 철학적 위상과 전망」이라는 주제 하에 발표하였고, 『철학연구』 제99집, 대한철학회, 2006 여름, 215-240쪽에 실렸다.

었다는 반증이기도 하다. 따라서 이러한 경향은 중앙에 집중되어 있는 권한과 기능을 점차 지방정부로 이양하고, 그에 따라 지방정부의 자율권이 신장되고 책임행정이 강화되어야 한다는 것을 의미한다. 지역 균형 발전을 구체적으로 추진하는 데에는 많은 이견이 있을 수 있지만, 시대의 흐름상 중앙집중에서 지역분산의 추세로 나아가야 함은 분명하다.

지난 2003년 노무현 정권 출범 이후 지방분권과 지역균형발전 문제는 우리 사회에서 중요한 화두로 대두되었다. 즉 노무현 정권의 등장과 함께 지방분권이 국정운영의 주요 과제로 떠오르게 되었다. 노무현 정권은 정부의 명칭을 '참여정부'로 확정하고, 참여정부가 추구하는 가치이자 기본방침으로서 '분권과 자율'을 표방하였다. 다시 말해 참여정부는 '더불어 사는 균형발전 사회'를 3대 국정목표 중의 하나로, '분권과 자율'을 4대 국정원리의 하나로 제시하였다. 그리고 '지방분권과 국가균형발전'을 12대 국정과제 중 하나로 채택하고 과거 그 어느 정부보다도 강력한 지방분권(local decentralization)의 추진의지를 보여 왔다.[1] 그 취지는 그동안 개발에서 상대적으로 소외되어 온 지방에 기대감을 심어 주어 명실상부한 중앙과 지방의 균형적 발전을 이루고자 하는 데 있다. 그렇게 하여 참여정부가 지향하는 국정목표와 국정원리에 걸맞는 국가 시스템의 재정비를 통하여 국가의 재구조화와 정부 간의 적절한 역할을 새롭게 모색해 보고자 한 것이다. 문화가 다양성 속에서 더욱 꽃을 피울 수 있듯이, 한 나라의 경쟁력도 다양성 속에서 더욱 커 나갈 수 있기 때문이다.

역대 어느 정부보다 강력한 분권의지를 가진 참여정부는 대통령선거 공약의 이행을 구체화하기 위한 작업으로 정부혁신지방분권위원회를 조직하고 적극적인 지방분권개혁을 가속화하였다. 그러나 '국민

---

1) 제16대 대통령직인수위원회, 2003.

의 국정참여'와 '지방의 자치역량 존중'을 앞세운 참여정부의 개혁과 제들이 일정한 성과를 거두었다고 평가하기는 아직 이르다. 또한 이 와 같은 분권화 과제들이 21세기 국가발전의 중요한 기초가 되리라 는 믿음을 국민들에게 확실히 인식시켜 주고 있지도 못하다. 그동안 '지방분권'과 '균형발전'을 위한 3대 특별법이 제정되었고, 관련사업 들이 꾸준히 추진되고는 있으나, 국민들이 느끼기에 피부에 와 닿는 확실한 변화는 아직 크게 드러난 것이 없기 때문이다.

2003년 6월 12일 노무현 대통령은 대구 구상에서 국가균형발전 7 대 정책과제를 밝히고 이의 실현을 위해 3대 법안, 즉 국가균형발전 특별법, 신행정수도건설특별법, 지방분권특별법을 정기국회에 상정하 였으며, 국회는 2003년 12월 29일 본회의를 열어 지방분권 3대 특별 법을 통과시켰다. 이에 따라 정부가 충청권에 추진 중인 신행정수도 건설계획이 속도를 내면서 지방분권화는 이 시대 우리 사회의 거역 할 수 없는 큰 흐름으로 자리 잡았다.

주지하듯이, 지난 참여정부의 핵심적 국정의제는 '지방분권과 국가 균형발전'이다. 이러한 의제를 중점적으로 추진하기 위해 청와대 3대 핵심과제로서 '정부혁신지방분권위원회', '국가균형발전위원회', '동 북아경제중심추진위원회'가 2003년 4월에 출범하였다. 지방분권화란 중앙정부에서 자치단체로 권한이 이양되고 서울에서 지방으로 자원 이 분산되는 것을 말한다. 즉 권한이양의 핵심은 행정과 재정의 결정 권이 중앙정부에서 자치단체로 옮겨지는 것이고, 자원분산은 결국 재 정과 사람이 서울에서 지방으로 분산되는 것을 의미한다. 처음에 지 방분권 논의는 낙후된 지방의 발전을 갈구하는 지역 지식인들을 중 심으로 학문적인 차원에서 시작되었다. 미래학자 토플러(A. Toffler) 는 인류문명의 '대전환'을 논의하면서 규격화에서 다양화로, 집중에 서 분산으로, 중앙집권화에서 지방분권화로 문명의 양식변화를 지적 한 바 있다. 이러한 새로운 문명의 등장과 신질서의 태동과정에서 세계화(globalization), 정보화(informationalized society), 지방화(localization) 등 커다란 변화의 큰 축(軸)을 발견하게 된다. 선진국에서는 이미 1970년대 후반부터 지식정보화 사회에 대비하였다. 비대해진 정부와 이로 인한 만성적인 재정적자를 해소하기 위하여 정부혁신을 강력하게 추진하여 왔으며, 이러한 정부혁신 정책은 민관 및 정부 간 관계의 근본적인 재편을 추구하게 만들어 민영화, 지방화라는 커다란 흐름을 만들어내는 중요한 계기가 되었다.

분산화, 지역화 및 이를 연결하는 세계화가 세계적인 추세임에도 불구하고 우리 한국사회는 역사상 유래를 찾아볼 수 없는 극심한 수도권 집중화가 초래되어 엄청난 폐해로 신음하고 있다. 위에서 언급하였듯이, 노무현 정부 출범 이후에 지방분권은 국가균형발전의 주요 국정과제로 제시되면서 급류를 타고 본격적으로 진행되었다. 국가의 경쟁력을 유지하면서 국가의 균형발전을 추구하는 것은 매우 어려운 과제이다. 이러한 정책에 따라 한편에서는 위기에 몰린 지방대학을 살리기 위해 내국세의 일부분을 학생 규모에 따라 균등하게 지원해야 한다는 요구도 있으며, 다른 한편에서는 지방균형발전이 지역에 따라 나누어먹기 식이 되어서는 안 된다는 우려의 목소리도 심심치 않게 들린다. 따라서 "지방분권화의 궁극적 목표는 민주주의 신장과 지속적이고 균형 있는 지방의 발전"[2]이어야 한다.

그러나 지난 참여정부는 이와 같은 목표에 맞게 대학교육에 있어서 국민적 역량과 합리적 절차에 의해 일관성 있게 일을 추진해야 함에도 불구하고 그렇게 하지 못했다. 이러한 지방분권화 시대에 최근 각 대학들은 교육부의 신자유주의의 교육정책 아래 경쟁력 강화에 힘들게 매진하고 있다. 나는 이러한 상황 아래 현재 우리의 대학에서 신자유주의 교육정책을 중심으로 전개되고 있는 선택과 집중, 대학의

---

2) 『한국일보』, 2005년 7월 4일자.

특성화 전략 및 차별화 전략, 그 중에서도 대전지역 철학과의 교과과
정에서 나타난 차별화의 전략을 선별하여 고찰하고자 한다.

2. 대학의 신자유주의 교육정책은 필요악인가?

지난 10여 년간 전개된 우리나라 대학교육정책의 주요 흐름은 대
학의 국제화와 경쟁력 강화이다. 그리고 그것의 구체화는 신자유주의
정책3)을 전국의 모든 대학에 확산시키는 것이다. 즉 대학가에서 '대
학교육의 경쟁력 강화'라는 기치를 내건 교육부의 대학교육개혁이 추
진되고 있다. 현재 제국주의라 불리는 신자유주의 정책은 사회의 모
든 분야에 지배적인 영향을 주고 있으며 우리 교육을 규정짓는 기본
요인이 되어 버렸다.4) 현재의 대학제도는 신자유주의의 시장논리와

---

3) 신자유주의는 시장경제적 관계가 만들어내는 제반 문제점과 병폐를 분배문
　제의 해결 등에 대한 국가의 개입에 의해 교정하려는 혁신자유주의 등과는
　다르게, 사회적 관계의 총체를 시장경제적 관계로 재편하거나 시장경제적 관
　계에 최대한 종식시킴으로써 자본운동의 자유를 극대화하려고 하는 정치적
　이념이자 운동이다. 신자유주의는 자유화, 탈규제화, 민영화, 사유화, 유연화,
　개방화 등의 구호로 대변된다(김세균, 「신자유주의와 정치구조의 변화」, 김
　성구 외, 『자본의 세계화와 신자유주의』, 문화과학사, 1998, 61-62쪽). 신자
　유주의는 1970년대 중반 이래 세계자본주의가 심대한 구조적 불황에 빠져든
　이후 그 구조적 불황의 부담을 자국 및 제3세계의 노동자와 민중 전체에게
　폭넓게 전가시켜 해결하려고 한 선진국 독점자본의 반동적인 공세로서 출현
　하였다. 신자유주의는 세계를 통일, 단일화시키고자 하면서도 실제로 그것을
　파편화시키고 있는 데 멈추지 않고, 그와 동시에 신자유주의 전쟁을 지휘할
　정치·경제적 중심부를 만들어낸다. 그리하여 초거대정치를 만들어낸다. 시
　장의 정치로서의 이 초거대정치는 민족정치를 병행한다. 그리고 민족정치를
　전 세계적인 범위의 이해관계를 가지고 있는 하나의 중심부에 연결시킨다
　(마르코스, 「제4차 세계대전이 시작되었다: 우리는 왜 싸우는가」, 전태일을
　따르는 민주노동운동연구소 편역, 『신자유주의와 세계민중운동』, 한울, 1998,
　74쪽).
4) 임재홍, 「신자유주의대학정책의 교육공공성」, 『민주법학』 제24호, 2004 참
　조; 임재홍, 「교육부의 대학구조개혁방안에 대한 비판과 대안」, 민교협 공개

밀려드는 개방압력에 취약할 수밖에 없다. 이미 교육부분에 시장이 형성되어 있는 상황에서 현재의 대학서열체제는 고등교육은 공공재가 아니라는 공격에 취약하다.[5]

1990년대 중반 교육개혁위원회를 통해 신자유주의적 교육구조의 개혁은 중앙과 지방의 어느 대학을 막론하고 진행되기 시작하였다. 신자유주의 교육재편은 기존교육의 비효율성과 질을 문제 삼아 창의력 향상과 수월성을 기치로 내걸어 교육개혁의 필요성을 제기했다. 즉 교육의 수월성, 시장적 경쟁원리의 도입, 수요자중심의 교육, 단위학교로의 자율성 확대 및 기업적 경영원리 도입, 학교 간 경쟁체계의 도입 등이 그것이다.

1995년 5월 31일 발표된 신교육체제[6]는 대학교육 관련 목표로서 대학운영을 자율화하고, 연구여건을 세계화하였다. 또한 대학 모델을 다양화하고, 대학을 세계적 수준의 학문과 과학기술 창조의 산실이 되도록 하는 데 있다. 그렇게 함으로써 신교육체제는 사회 각 분야가 요구하는 최적의 자질과 능력을 갖춘 다양한 인재를 양성하는 데 목표를 두고 있다고 밝혔다. 이를 위해 대학의 다양화와 특성화 및 대학교육의 국제화를 통해 세계화에 대비하겠다는 것이다. 김대중 정부는 김영삼 정부가 입안한 신자유주의 대학정책을 계승하면서 공공부문 구조조정의 일환으로 "국립대학 구조조정 계획"[7]을 추진하였다. 이런 정부의 연장선상에 있는 노무현 정부의 신자유주의 교육정책은

토론회, 『대학구조조정의 현실과 과제』, 2005, 1쪽.

5) 정진상, 「대학서열체제 혁파방안: 국립대 통합네트워크」, 경상대학교 사회과학연구원 편, 『대학서열체제 연구: 진단과 대안』, 한울, 2004, 371쪽.

6) 대통령 직속 교육개혁위원회, 『세계화 · 정보화를 주도하는 신교육체제수립을 위한 교육개혁방안』, 1995, 31쪽.

7) 교육부는 대학 구조조정을 위해 대학정원 감축과 학과 통폐합 유도, 대학 간 연합 및 통폐합, 국립대학 간 연합대학 추진, 사립대학 간 인수합병 지원 등을 추진하고 Post-BK21 사업을 마련하였다.

국제자유도시, 경제자유구역, 기업도시 건설 등과 같은 초국적 자본과 국내 독점자본의 요구에 부응하는 신자유주의 경제정책과 짝을 이루어 추진되고 있다.8)

2003년 11월 교육부는 대학경쟁력 강화방안을 발표하였다. 이는 참여정부의 대학정책 기본방향으로 ① 선택과 집중에 의한 지원, ② 대학의 자율역량 강화, ③ 경쟁을 통한 교육 연구역량 제고 등을 설정한다. 세부추진과제로는 ④ 과감한 대학 구조조정, ⑤ 더 많은 자율과 함께 더 많은 책임, ⑥ 세계수준의 대학 연구력, ⑦ 지방대학을 지역발전의 중심축으로 육성, ⑧ 수요자에게 더 가까이 가는 대학교육 등을 제시하였다. 또한 교육부는 2004년 12월 "대학구조개혁방안"과 "대학자율화 추진계획"9)을 발표하고 2005년 초부터 정원감축과 국립대 통합을 중심으로 한 구조개혁 방안을 실행에 옮기고 있으며 국립대 독립법인화 방안을 모색하고 있다. 현 정부의 이러한 대학구조개혁 정책은 1995년 교육개혁위원회가 '신교육체제'를 발표한 이후 김영삼 정부의 '대학경쟁력 강화방안'으로 구체화되었다. 교육부의 대학의 자율과 교육, 연구역량의 강화를 위한 기본골격은 다음과 같다. ① 대학교육을 시장으로 규정하고 경쟁력 강화를 위해 외국 교육기관에 개방, ② 국공립대학의 사영화와 사립대학과의 경쟁유도, ③ 대학 내 경쟁원리의 도입, ④ 교수연봉제 도입 및 교수 간의 경쟁유도.

현재 추진되고 있는 교육부의 신자유주의 정책은 대학의 자치라는 측면과는 한참 동떨어져 있다. 즉 신자유주의 정책은 지식 자체를 교

---

8) 정진상, 「대학구조개혁」, 정진상 편, 『교육부의 대국민 사기극』, 책갈피, 2006, 132쪽.

9) 교육부는 대학자율화를 위해 '대학자율화추진위원회'를 설치하여 고등교육법 등 관련정비를 추진하였고, 연구중심 학부제 및 모집단위 광역화 확대 실시, 대학평가와 졸업인증제를 확대 추진하였다.

육받은 사람들과 그들의 지식이 가장 중요한 전략자원임을 전제로 한다. "지식이 주도하는 경제의 노동시장은 선진화된 교육과 훈련이라는 새로운 필요성을 창출하고 있으며, 대학 스스로가 이러한 역할에 부응해야 한다고 보고 있다."[10] 따라서 이제까지의 교육이 교수중심이었다면, 학습자중심의 교육 시스템으로 변화할 필요가 있으며, 학생들의 요구에 부응하기 위하여 학생들의 주문에 충실한 맞춤형 교육으로 변화해야 한다는 것이다. 이러한 변화는 고등교육에 대한 변화를 요구하고 있으며, 무엇보다 대학지배구조를 효율적으로 변경시키기를 요구한다. 지난 참여정부는 대통령부터 앞장서서 "대학도 산업"이라고 거리낌 없이 말하는가 하면, 교육분야에 전혀 문외한인 "정통 경제관료 출신"[11]을 교육부장관으로 앉혀 놓았다. 기업의 요구에 맞춰 대학을 개혁하기 위해서는 경제 마인드를 갖고 있는 사람이 필요하다는 것이다. 이렇듯 교육을 자본의 논리에 종속시키는 신자유주의 교육정책이 지속된다면 대학교육이 추구하는 최소한의 공공성과 사회적 생산성마저도 해체되는 결과를 초래할 것이다. 이러한 신자유주의의 교육정책은 경쟁을 근거로 두고 있기 때문에 경쟁력이 중앙의 대학보다 미약한 지방의 대학은 아주 심각한 상황에 직면하게 될 것이다. 이러한 신자유주의 대학정책의 선택과 집중이라는 방식을 통해 재정적 분배가 지속되면서, 선택의 대열에 들지 못하는 대학들, 특히 중앙의 대학보다 여러 면에서 열악한 지방대학의 미래는 더욱 험난한 여정을 겪게 될 것이다.

---

10) 임재홍, 「국립대 법인화: 공교육 포기로 가는 길」, 정진상 편, 『교육부의 대국민 사기극』, 167쪽.
11) 김진표 전(前) 교육부장관은 30년간 정통 경제관료의 길을 걸어오다 2004년 4 · 15 총선에서 정치인으로 변신한 인물이었다. 그럼에도 불구하고 김 의원을 교육부총리로 기용한 배경은 노 대통령의 "대학도 산업이다."라는 말에 잘 응축되어 나타나 있다.

1) 선택과 집중

정부는 지난 50년간 '선택과 집중'의 원칙에 따라 특정대학에 국고보조금을 차별적으로 집중 지원하는 정책을 시행해 왔다. 2001년 전체 사립대학에 지원된 국고보조금 가운데 상위 20개 대학이 56.7%를 독식하고 있는 것이 대표적 사례이다. 정부가 추진하고 있는 '선택과 집중'에 따른 지원방식은 대학서열을 더욱 가속화시키고 있다. 평가를 통한 지원은 지난 50년간 정부의 차별정책으로 인해 이미 서열화가 공고화된 대학을 획일화된 기준으로 평가하기 때문에 소위 명문대라 불리는 대학이 여러 면에서 유리할 수밖에 없다. 우수대학으로 평가받은 대학은 정부에서 국고지원을 받고 이를 재투자하여 다음해 평가에서도 더 좋은 점수를 얻는 반면에, 나머지 대학은 국고지원에서 소외됨으로써 대학 간 '빈익빈 부익부' 현상이 심각하게 발생하기 때문이다.[12]

두뇌한국(BK21) 사업의 경우도 1999년까지 1차로 지원된 금액은 총 8,127억 원인데, 이 중에서 서울대에 전체 지원액의 44.5%인 2,949억이 지원되었다. 2006년 제2차 두뇌한국 사업의 경우 세계수준의 인재양성을 목표로 분야별 특성화된 연구중심대학 육성에 2006부터 2012년까지 7년간 74개 대학, 568개 연구팀에 2조 3천억 원이 지원될 예정이다. 대학별 지원규모는 서울대가 44개 팀, 497억 원으로 가장 많았고, 이어 연세대가 33개 팀, 255억 원, 고려대가 28개 팀, 200억 원, 성균관대가 28개 팀, 158억 원, 한양대가 28개 팀, 154억 원 등으로 뒤를 이었다. 지방대학으로는 부산대가 33개 팀, 154억 원, 포항공대가 9개 팀, 119억 원, 경북대가 15팀, 116억 원 등이다. 이번 사업에서 주목할 것은 지방 58개 사업단에 매년 3천 명의 연구인력을 육성·지원할 수 있게 된 것이다. 이는 수도권과 지방 간 연

---

12) 박거용, 「대학서열화와 학벌주의」, 『역사비평』, 2004 여름, 32쪽.

구력 격차 해소의 기반이 다소 마련된 것으로 평가된다.[13]

그러나 이러한 선택과 집중에 의해 연구기금을 배분하였던 미국과 영국의 대학들에서 많은 문제점들이 도출되었다. 물리학, 화학, 수학 등 기초과학들에 대한 연구비 지원이 대폭 감소되면서 이들 학과들이 대거 몰락하게 된 것이다.[14] 이에 대한 미국과 영국 하원 소위원회의 정책추천이 우리의 관심을 끌고 있다. 먼저 미 하원은 "지식기반경제의 저변확대를 위해 재정지원의 우선순위를 기초연구에 두어야 한다. 동시에 과학현실이 점차 학제 간 성격이 강해지고 있어 관련이 없는 전공분야의 진전이 다른 전공의 발전에 추진력을 주기도 한다. 따라서 정부의 재정지원이 과학일반, 수학, 그리고 공학의 넓은 분야로 확대되어야 하며, 특정분야에 집중되는 것을 막아야 한다."[15]는 주문을 하고 있다. 영국 역시 같은 결과에 봉착하여 2004년 가을 소위원회를 구성하고 수개월간 활동을 한 결과 선택과 집중 방식의 지원배분이 문제가 있음을 인정하고, 선택과 집중보다는 연대와 협조에 따른 방식을 권유하고 있다. 이는 스코틀랜드에서 일부 시행되는 방식으로 중심대학과 협력대학으로 나누어 한 대학이 중심대학으로, 나머지 대학들이 협력대학으로 연구조직을 구성하고 연구기금을 확보하여 공동의 프로그램을 수행하는 방식이다. 박정원 교수(상지대

---

13) BK21 사업은 교육부가 1999년부터 2005년까지 7년간 1조 5,700억 원의 예산을 투입해 '세계적 수준의 연구중심대학 육성을 통한 우수인력 양성'을 목표로 추진해 온 사업으로, 교수와 대학원생의 연구를 대폭 지원하고 있다. 교육부는 2006년 4월 26일 과학기술, 인문사회 등 전 분야에 걸쳐 전국 92개 대학에서 신청한 386개 대형 사업단과 583개 소형 사업단에 대해 심사를 거쳐 이 중 243개 대형 사업단, 325개 소형 사업단을 2단계 BK21 사업 지원대상으로 최종 선정했다.

14) 『교수신문』, 2006년 4월 24일자.

15) U. S. Congress, *Unlocking Our Future: Toward a New National Science Policy*, A Report to Congress by the House Committe on Science, 1998, 42쪽.

경제학과)는 "다양한 대안이 있음에도 불구하고 교육부는 미국만을 절대적 롤 모델로 사용하고 있다."16)고 비판한다. 지역의 대학들이 중심대학-협력대학 체제모델의 연대체계를 구축하여 공동으로 연구하고, 그 연구 프로젝트의 수주를 대학과 대학원 사이 운영에서 단일한 조직으로 속으로 들어오게 하면 어느 대학도 쉽게 시장에서 강제 퇴출당하는 일은 없어지게 될 것이다. 따라서 우리 대학도 경쟁보다는 협력을 통해 연구역량을 상화하는 시스템으로 나아가야 할 것이다.

2) 대학의 특성화 전략

교육부의 지방대학 특성화 사업은 지역사회의 요구에 부응하는 전문인력을 양성하여 공급하기 위한 것으로 특히 이공계를 중심으로 특성화 사업에 본격적으로 나서고 있다. 특히 지방대학이 특성화 대학으로 선정된 데에는 항공산업을 비롯한 기술집약 산업, 고부가가치 산업으로서 국가경쟁력 확보를 위해 대학에서 중점 육성할 필요가 있다는 데 있다.

이른바 대학서열화는 단일한 기준에 의한 각 대학의 평가에서 비롯되었다. 이는 대학평가를 부추기는 것으로서 우리나라 대학의 다양화, 특성화를 가로막는 핵심요인이기도 하다. 대학의 "특성화"17)는

---

16) 박정원, 「BK21과 NURI 사업: 고등교육정책의 반민중성」, 정진상 편, 『교육부의 대국민 사기극』, 189쪽.

17) 교육부는 5월 15일 '2006년도 국립대학 혁신추진 계획'을 발표하였다. "국립대는 구조개혁을 진행 중이지만 내부 운영시스템의 혁신은 미흡하다고 판단해, 혁신수준을 평가하기로 했다."라고 밝혔다. 이번 '혁신추진 계획'은 교육부가 국립대에 시스템을 정비해야 할 항목들을 제시하였다. 이에 따라 각 국립대는 '혁신추진 계획'에 제시된 내용을 참고해 ① 대학특성화전략위원회설치, ② 교수의 채용・평가・보상을 차별하는 교수 경쟁 시스템 도입, ③ 학생, 기업인이 참여하는 교육과정 운영・개편 위원회 설치, ④ 충원율, 중도탈락률, 취업률이 반영된 정원관리 정보시스템 구축, ⑤ 교수학습지원센터

특화(specialization)와 동일한 의미를 가지며, 대학이 타 분야, 타 기관 또는 타 대학과 비교하여 상대적으로 우위를 갖는 분야를 선택하여 재정적, 행정적 차원에 의해 차별적 경쟁력을 갖는 것을 지칭한다. 다시 말해 특성화는 대학에서는 한 측면을 갖는 것이 아니라 다양한 측면을 갖는다. 첫째, 특성화는 대학이 다른 사회조직에 비해 차별적 경쟁력을 갖는 부분인 인재양성을 제대로 수행하고 있는가라는 질문에서 출발해야 한다. 대학은 다른 사회조직에 비해 특성화된 교육기관으로 자리매김할 수 있지만, 그렇지 못할 경우 경쟁력 없는 대학, 특성화되지 못한 교육기관이 되며, 고등교육시장에서 퇴출위기에 직면할 수 있다. 둘째, 다른 대학이나 다른 교육기관과 비교해 볼 때, 비교우위를 갖는 분야에서 학문적 우월성이 발휘되고 선진적 교육을 행하고 있는가의 여부이다. 흔히 대학원중심대학 또는 연구중심대학으로의 특성화가 이에 해당된다. 셋째, 산업 및 기업 수용에 맞는 실무형의 전문가가 배출되고 있는지의 여부이다. 여기서는 주로 교육중심대학 또는 취업중심대학으로의 특성화가 주된 고려의 대상이다.[18) 따라서 대학의 특성화는 개별대학이 교육과 연구, 직업교육 가운데서 하나를 선택하여 이에 특화하는 것이다. 하나의 대학이 백화점식으로 많은 전공을 개설하고 모든 분야에서 수준급의 성과를 달성하기 어려우므로 개별대학의 환경과 관련하여 자신 있는 소수의 전공을 선택하여 이를 집중 육성하는 것이 효율적이라는 것이다.[19)

구축 등을 추진해야 할 것으로 보인다. 특히 교육부는 교수들의 임용이나 업적 평가를 다양화하는 방법을 상세하게 언급하면서, 국립대가 ① 외부인사가 참여하는 '타겟채용위원회'를 구성해 우수 교수를 영입하고, ② 연구, 교육, 산학협력 등 교수 특성에 따라 업적평가를 실시한 다음 그 결과를 승진, 정년보장, 재임용 및 성과급에 반영하도록 했다(『교수신문』, 2006년 5월 16일자).

18) 조우현,『대학을 바꿔야 나라가 산다: 향후 10년의 대학혁신』, 랜덤하우스중앙, 2006, 105-106쪽.
19) 박정원,「대학특성화 및 선택과 집중원칙의 문제」, 전국교수노동조합 편,『우

지난 50년간 우리나라 대학이 천편일률적인 종합대학으로 성장한 이유 중 하나는 모든 대학이 대규모 종합대학의 성격을 띠고 있는 서울대의 모델을 무분별하게 모방했기 때문이다. 이로 인해 특성화된 대학은 극히 일부 분야를 제외하면 전무한 실정이다. 그뿐 아니라 대학의 발전전략과 교과과정 역시 서울대와 크게 다르지 않다. 천편일률적인 평가에 의한 대학서열화는 또한 대학의 내실 있는 교육과 연구의 질적 발전을 가로막는다. 이른바 서열이 앞선다고 하는 대학들은 특별히 고려하여 어떠한 것도 투자하지 않아도 신입생들이 알아서 몰려온다. 특히 학벌세탁을 해주는 대학원의 경우 교육과 연구 여건이 타 대학에 비해 특별히 낮지 않더라도 외부에서 그것을 가지고 문제제기하는 곳은 없다.[20] 이에 따라 소위 명문대라 일컫는 사립대학들은 학교 운영비용의 대부분을 학생들의 등록금으로 충당하고 매년 적립금이 넘쳐난다. 그럼에도 불구하고 대다수의 학교법인들은 대학의 발전을 위해 별 다른 노력을 하지 않은 채 납득할 만한 등록금 인상의 근거를 제시하지 못하고 있다. 따라서 소위 명문사립대학들이 등록금의 상승을 부채질하면서 학부모들의 허리띠를 더욱 졸라매고 있는 실정이다.

3) 대학의 차별화 전략

차별화의 전략은 각 대학들이 한두 가지의 선택을 하여 특성화하는 방향과 다른 개념을 지닌다. 이것은 대학이 학생, 기업, 사회 등의 요인들 잘 살펴보고 이들의 요구를 충족시키기 위해 전략적 행동을 보이는 것이다. 대학 구성원 전체가 이에 맞추어 헌신해야 하며 학제와 커리큘럼, 행정, 교수 업적 평가와 보상 등 대학 운영 시스템 자체가 전략에 적합하게 변혁되어야 한다. 대학의 차별화 전략으로서 다

리대학, 절망에서 희망으로』, 도서출판 노기연, 2006, 76쪽.
20) 박거용, 「대학서열화와 학벌주의」, 『역사비평』, 2004 여름, 29쪽.

음과 같은 것을 제시할 수 있다.

첫째, 학과가 차별화 전략에 맞추어 다양한 정책을 활용할 수 있도록 획일화된 규제를 개혁하여 대학의 자율성을 확보해야 한다. 입시정책, 정원, 등록금, 학과 및 전공, 교수 선발 등에 대한 직접 또는 간접적인 규제를 완화하거나 대학이 자율적인 행동을 할 수 있어야 한다.

둘째, 대학의 수요자인 학생과 학부모, 기업이 실질적인 평가를 내릴 수 있도록 구체적인 정보를 공개해야 한다. 이러한 정보의 공개는 특히 대학이 시장의 평가에 맞추어 스스로 변신하는 노력을 유도하고, 동시에 경쟁원리에 따라 자율통제가 가능하도록 하는 효과를 발휘한다. 예를 들어 매년 실제 졸업률, 20명 혹은 50명 미만의 강의비율, 고교성적 상위 10% 이내의 신입생 비율, 신입생 등록률, 동문 기부 비율 등 다양하고 상세한 정보를 공개해야 한다.

셋째, 차별화 전략의 수립과 추진을 촉진하기 위해 대학종합평가 제도를 개선할 필요가 있다. 현행 언론사 및 한국대학교육협의회의 대학종합평가는 모든 대학의 학과에 획일적이고 일률적인 평가지표를 적용하고 있다. 이런 방식으로는 각 대학의 특성에 부합하는 평가가 이루어질 수 없고, 대학의 다양한 혁신 노력을 이끌어내는 데 한계가 있다.[21] 차별화 전략의 적극적인 추진을 유도하기 위해서는 대학의 전략유형별 특성에 적합한 평가지표를 개발하고, 이를 차등 적용할 필요가 있다. 아울러 학문분야의 질적인 수준을 끌어올리기 위해 학문분야별 인증제도를 도입할 필요가 있다. 예를 들어 이미 설립되어 그 효과가 입증되고 있는 공학교육인증제도와 같은 학문분야별 인증제도가 다른 분야로까지 확산되어야 한다는 것이다. 한 실례로서 한국공학교육인증원(ABEEK)은 대학의 공학 및 관련 교육을 위한 교

---

21) 류지성 외, 『대학혁신』, 삼성경제연구소, 2006, 270쪽.

육 프로그램 기준과 지침을 제시하고 있다. 1999년에 설립된 한국공학교육인증원은 국제적으로 경쟁력 있는 공학기술 인력을 양성하여 산업계에 배출함으로써 국가발전에 이바지한다는 목적으로 이러한 기준과 지침을 통해 인증 및 자문을 시행하여 공학교육의 발전을 촉진하고 있다. 이후 2000년 시범인증을 시작으로 2004년 14개 대학 89개 프로그램, 2005년 14개 대학 81개 프로그램을 인증해 오고 있다. 즉 이는 공학교육을 한 단계 높은 수준으로 끌어올린 계기가 된 것으로 평가되고 있다.22)

이러한 각 대학들의 차별화 전략 속에서 대전지역의 철학과는 국립대학교인 충남대학교와 사립대학교인 대전대학교, 한남대학교, 배재대학교 등 4개 학과가 운영되어 오고 있다. 충남대와 한남대는 철학과라는 명칭으로 과를 운영하고 있고, 대전대는 영상철학과, 배재대는 심리철학과라는 명칭으로 차별화시키고 있다. 최근 대전대는 다시 철학과로 명칭을 개칭하였지만, 기존의 영상철학의 교과과정을 그대로 강의하고 있다. 특히 배재대와 대전대는 철학과를 국내의 타 철학과와는 다소 차별화하여 운영하고 있음을 눈여겨 볼 필요가 있다. 하지만 충남대와 한남대는 전국의 거의 모든 철학과와 마찬가지로 일반적인 교과과정을 운영하고 있다. 대전지역 대학 철학과의 교과과정 및 그 특성을 살펴보면 다음과 같다.

(1) 배재대학교 심리철학과

배재대학교 심리철학과에서는 학생들이 심리학 및 철학의 기초지식을 습득하고 이를 통하여 합리적 사고와 판단, 건전한 비판정신과 올바른 가치관을 확립할 수 있도록 교육하고 있다. 나아가 현대사회의 각종 병리현상을 해결하기 위한 상담, 임상, 언어치료 등의 분야

22) 공학인증제에 대한 자세한 내용은 다음을 참조. 양해림 외, 『과학기술시대의 공학윤리』, 철학과현실사, 2006, 6-7쪽, 20-22쪽, 81-97쪽.

에 대한 실용교육과 실습을 병행하여 학생들이 장차 적성에 맞는 진로를 선택할 수 있는 능력을 개발함을 교육목표로 하고 있다. 향후 졸업생들은 상담전문요원 등 직종에 제한 없이 각 분야에서 활동하고 있다. 2004년부터 일본 큐슈대 심리학과와 자매결연을 맺고 학문적 교류를 하고 있으며, 해마다 큐슈대로 학술답사를 가고 있다.

향후 취업분야는 각종 상담전문요원, 사회복지기관, 언어치료기관, 소비자광고업체, 학계, 언론계, 출판업계, 은행, 언론계, 논술지도학원, 외국 업무 관련회사 등이 있다.

취득 가능 자격증으로는 청소년상담사, 상담심리사, 언어치료교육사, 임상심리사, 논술지도사, 미술치료사, 복지상담사, 예술심리치료사, MBTI, 에니어그램 자격증 등이 있다.

▪ 배재대학교 심리철학과 교육과정

학년	1학기	2학기
1학년	철학과 사고훈련, 심리학개론	논리의 세계, 심리치료
2학년	서양철학사1, 현대사회철학, 성과 철학, 심리검사 및 평가, 상담심리학, 발달심리학	서양철학사2, 인간과 윤리, 문화철학, 성격심리학, 학습심리학, 예술치료
3학년	실존철학, 철학방법론, 인식과 지식의 문제, 청년심리학, 이상심리학, 상담실제	인간관계론, 철학의 제문제, 동양철학의 이해, 임상심리학, 발달장애와 심리치료, 실험심리학
4학년	역사철학, 현대철학특강, 심리철학, 아동심리학, 건강심리학, 심리학연구법	철학세미나, 기술문명과 철학, 한국철학의 이해, 언어심리학, 심리학세미나, 산업심리학, 졸업논문

차별화 전략의 평가 : 위의 교육과정에서 제시하고 있듯이, 배재대학교 심리철학과는 타 철학과와는 다르게 심리학과 철학을 접목하여 향후 졸업생에게 취업과 직접적으로 연계할 수 있는 방안을 마련하

고 있다. 이러한 차별화 전략은 대전지역뿐만 아니라 전국의 철학과가 심각한 취업난에 허덕이는 상황을 감안해 볼 때, 타 철학과가 벤치마킹할 모범적 사례로 판단된다. 하지만 위에서 제시한 향후 취업분야 및 취득 자격증 등이 현실적으로 기업체나 공공기관 등과 직접적으로 연계될 수 있는 가능성이 실현될 때 설득력을 얻을 수 있을 것이다. 또한 진정한 전문가를 양성하기 위해서는 과의 명칭만을 바꾸어 기존의 교수들로 커리큘럼을 활용하는 것으로는 충분하지 않을 것이다. 위에서 제시하고 있지는 않지만, 전공교수들의 지도가 향후 취업에 중요한 역할로 작용하고 있다는 점을 고려해 볼 때, 단지 타 학과와의 연계차원에서만 만족을 구할 것이 아니라 자체 내에서 전공자가 얼마나 충족되었는지도 심각하게 고려해 보아야 할 것이다.

(2) 대전대학교 철학과

대전대학교 철학과는 철학 학문분야가 갖는 본질과 기능을 교육시키기 위해 다양한 교과목을 설치·운영하여 동서철학의 고른 이해를 시도하고 있다. 그리고 현대사회에 대한 깊은 이해를 바탕으로 다음과 같은 차별화를 시도하고 있다.

먼저 영상매체와 영상커뮤니케이션의 문화적 비중과 중요성이 증가하고 있다는 사회적 인식에서 출발하여 영상문화 비평과 제작의 교과목을 강의한다. 영상과 관련한 문화의 이해도를 증진하고 나아가 직업선택의 폭을 확장하고 있다.

또한 사회적으로 논술이 중요하게 부각되고 있는 상황을 감안하여 논술지도사 과정을 개설하였다. 이에 따라 소정의 과목을 수강하고 시험을 본 후 대전대학교 총장 명의의 논술지도사 자격증을 받을 수 있다. 대전대학교 철학과의 교육은 현대사회가 요구하는 조화와 원만한 인간교육에 큰 도움이 될 것이며, 창조적인 가치창출을 시도할 수 있을 것이다.

학년	1학기		2학기	
	교과목명	학점-시수	교과목명	학점-시수
1학년	기초논리학	3-3	영상세대를 위한 한문	2-2
			영화논술	2-2
2학년	철학고전선독	3-3	현대사회의 위기와 유교적 대안	3-3
	영상이론 및 실습	3-4		
	서양철학사	3-3	동양미학	3-3
	씨네페미니즘과 여성철학	3-3	서양현대철학	2-2
	동양철학사	3-3	사회철학	3-3
	한국철학사	2-2	영상윤리	3-3
3학년	퇴계·율곡의 삶과 철학	3-3	만화로 보는 주역	3-3
	현대사회와 노장철학	3-3	영상콘텐츠 입문	3-3
	영상속의 환경윤리	3-3	형이상학	3-3
	영상철학연구	3-3	정신분석학과 철학	3-3
	영상미학	3-3	우화와 발상의 전환	3-3
			한국철학사 II	2-2
4학년	사상의학의 철학적 이해	3-3	운명을 바꾸는 음양오행설	3-3
	영상비평과 철학	3-3	영상세대를 위한 풍수지리학	3-3
	직업과 윤리	3-3	논술연습 및 지도	3-3
	논술과 토론	3-3	한국무속의 영상적 이해	3-3
	단편영화 제작 기초	3-3	인식론	3-3

차별화 전략의 평가 : 대전대학교 철학과는 위에서 제시하였듯이, 현대사회에서 영상매체의 중요성에 착안하여 영상을 철학에 접목하고 있다는 점이 다른 철학과와 차별화된다. 주지하듯이, 기초학문이 위기를 맞고 있는 현시점에서 그 돌파구의 역할을 하는 것은 영상매체임은 두말할 나위가 없다. 전문가를 양성하기 위해서는 영상을 전공수업과 접목하는 것에 국한하지 않고 세분적인 전문영역을 특화하는 작업이 아울러 필요할 것이다. 그러나 위의 커리큘럼에 한정하여

언급한다면, 전문가를 위한 양성이라기보다 철학을 재미있게 강의하기 위해 영상매체를 적용한 느낌이 강하다. 이런 상황에서는 신입생 및 재학생들에게 어느 정도 흥미를 유발시킬 수 있는 요소는 될 수 있으나 전문가를 양성하기에는 여전히 미흡하다. 또한 전문가를 양성하기 위해 그에 대한 전공교수의 역할도 중요하게 작용할 것이다.

한편 대전대학교의 총장 명의로 논술지도사 자격증을 부여한다고 명시되어 있으나, 위의 커리큘럼에서는 1학년에 5학점과 4년에 6학점 등 논리학 및 논술이 배정되어 있다. 좀더 전문적인 지도 및 학점의 보충이 필요하지 않나 생각된다.

(3) 한남대학교 철학과

한남대학교 철학과에서는 모든 학문의 토대가 되는 원리학문으로서의 철학의 이론 및 철학사 강의를 통하여 철학에 대한 역사적 이해와 문제에 대한 해결능력을 배양하여 각 개인이 고유한 철학적 입장과 뚜렷한 견해를 확립하도록 교육함을 목표로 삼는다. 서양철학을 비롯한 동양철학의 이해와 그 대화를 위한 방법론을 모색하고 과거, 현재, 미래를 향한 철학적 문제의 흐름과 인간 사고방식의 변천과정 등을 교육하여 타당성 있는 논리적 사고력을 키우는 한편, 현실을 바로 볼 수 있는 예리한 통찰력과 판단력을 함양하고 있다. 매년 정기적으로 졸업한 선배를 초청하여 취업 및 창업에 대한 강연을 실시하고, 폭넓은 선후배 간의 정보와 취업기회의 확대를 위해 동문회를 조직하여 취업 및 진학에 대한 정보와 이해를 공유하고 있다. 구체적인 삶의 현장에서 비판적이며 실천적인 문제해결능력을 발휘할 수 있도록 교육받은 졸업생들은 교수 및 강사, 학문 연구에 종사하는 것은 물론 도덕과 윤리과목의 중등교원 자격등과 철학 중등교원 자격증을 취득하여 교육계로 진출하고 있다. 또 일반 공무원, 기업체, 신문사, 출판사, 방송국 등으로 진출하여 사회에서 인정받는 삶을 살아가고 있다. 다(多) 전공을 이수하여 사범계 학과의 교원자격증을 함께 취득할 수도 있으며, 학제 간 통합과제로 신설된 각종 대학원에 진학할 수도 있어 철학 외의 다른 학문에 대한 탐구의 기회도 접할 수 있다.

- 한남대학교 철학과 교과과정

교육목표	과목명
학부 1학년의 교과목은 동서의 철학과 역사를 골고루 제공하여 그 성격과 문제점을 이해할 수 있도록 함으로써 전공분야의 학문적 기초를 확고히 갖추게 한다.	역사란 무엇인가, 한국사의 재조명, 동양철학의 문제, 서양철학의 문제
동서양 역사와 철학의 학술과 논리를 체계적으로 교육함으로써 합리적, 비판적 사고능력을 기른다.	한국문화사개설, 한국고대사, 한국중세사, 한국근세사, 한국근대사, 한국현대사, 한국사강독, 서양사개설, 서양고대문명의 성립과 발전, 중세유럽과 근대로의 이행, 혁명과 근대시민사회의 성립, 동양사개설, 동양고대사, 동양중세사, 동양사강독, 중국철학사, 한국철학사, 서양고대철학사, 서양중세철학사, 서양근세철학사, 현대철학의 흐름, 논리학, 윤리학, 실학사상, 형이상학, 비판이론
올바른 역사인식과 철학적 사고를 통해 국내외 현실과 정세동향에 적극 대응하는 전문교양인을 양성한다.	한국사학사, 한국 향촌 사회사, 한국사상사, 서양사학사, 서양근대사상사, 서양사세미나, 분단과 통일의 독일사, 현대 세계사의 전개, 동양사학사, 동양사상사, 동양사특강, 비교철학, 사회정치철학, 예술철학, 역사철학, 철학적 인간학, 불교철학
전공제도를 효과적으로 활용할 수 있도록 하기 위하여 최소한의 필수과목으로 학부기초를 이수토록 하고, 동시에 타 학부의 제2, 제3의 전공 선택에 도움이 될 수 있도록 지도한다.	- 사학전공 : 한국문화사개설, 동양사개설, 서양사개설 6과목을 최소한의 필수과목으로 설정. - 철학전공 : 윤리학, 한국철학사, 형이상학 5과목을 최소한의 필수과목으로 설정.

차별화 전략의 평가 : 앞의 두 사립대학이 차별화의 전략을 시도하고 있다면, 한남대학교 철학과는 그다지 차별화 전략이 없어 보인다. 단지 철학과 사학의 과목을 연계하여 복수전공을 시도하려는 커리큘럼으로 구성되어 있다는 점이 특색이라 하겠다. 거의 모든 대학마다 사학과가 있다는 점을 생각한다면, 역사철학을 단지 사학과와 연계한 시도는 그다지 차별화 전략이라 보이지 않는다.

모든 학부생들이 대학원 진학 및 전문가로서 진로를 나아가지 않는다는 점을 고려해 볼 때, 위의 커리큘럼으로는 향후 사회에 진출할 학부생들이 만족하기에는 불충분하다고 할 수 있다. 또한 다 전공을 이수하여 사범계 학과의 교원자격증을 취득할 수 있다고 명시되어 있으나, 어떠한 구체적인 커리큘럼이 제시되어 있지 못하기에 보완이 시급하게 요구된다고 하겠다.

(4) 충남대학교 철학과

충남대학교 철학과에서는 인간과 세계에 대한 근원적인 물음을 통하여 만물의 궁극법칙을 탐구하고, 이러한 탐구과정을 통하여 세계와 인간의 참된 의미를 추구하며, 이를 바탕으로 인격을 도야하고 진리를 탐구하는 데 그 교육목적을 두고 있다. 이러한 진리탐구의 과정을 통하여 인간의 삶에 있어서의 참된 의미를 찾으며 이것을 정신적 기반으로 삼아 완성된 인격자가 되도록 교육시키고자 하는 것이다. 철학은 그 연구분야가 매우 다양하다. 각각의 분야가 마치 거미줄같이 연결되어 있어서 어떤 분야에 관심을 갖든 그 분야를 제대로 알려면 다른 분야에 대해서도 기본지식을 갖추고 있어야 한다. 철학을 공부하고자 하는 사람들의 입문방법은 철학의 다양한 분야만큼이나 각양각색일 수 있다. 하지만 철학을 공부하려는 사람이라면 누구든지 필수적으로 갖추어야 되는 기본소양이 있는데, 그러한 성격을 띤 교과를 여기서는 '전공필수'로 구분하고 있다. 이는 한국철학사, 중국철사, 불교사상사, 서양철학사, 인식론, 형이상학 등 총 6과목이며 동서양의 철학을 골고루 편성하여 올바르고 균형 있는 가치관과 세계관을 형성할 수 있도록 한다. 한편 도덕윤리연계 전공이수를 위해 취득할 총 학점은 48학점으로 전공필수 학점은 12학점, 전공선택 학점은 36학점이다. 전공필수 학점 이수 시에 유의할 점으로는 윤리학개론, 동양윤리사상, 서양윤리사상 3과목 중 2과목(6학점)과 민주주의론, 도덕발달심리학, 통일교육론 3과목 중 2과목(6학점)을 이수해야 한다. 전공선택 과목 이수 시에 유의점은 교과교육과목에 해당하는 도덕윤리교육론과 도덕윤리교재연구 및 지도법을 반드시 이수해야 한다.

향후 졸업생들은 대학원에 진학하여 교직과 학문연구의 길을 걷거나, 전공과 관련된 분야, 언론, 공직 등 다양한 분야로 진출할 수 있다. 현재 졸업생들은 교사, 회사원, 언론인, 공무원, 교수, 성직자, 정치가, 자영업 등에 종사하고 있다. 교직과정 이수자는 중등학교 2급 정교사 자격증(도덕윤리, 철학)을 취득할 수 있다.

차별화 전략의 평가 : 국립대인 충남대 철학과는 위에서 언급한 사립대학처럼 아직 차별화 전략을 심각하게 고려하고 있지 않다. 한남대 철학과의 교육과정의 목표에서도 밝히고 있듯이, 동서양 철학의 균형 있는 조화를 꾀하고자 함은 거의 유사하다. 단지 최근 들어 타 사립대학 철학과와 차별화 전략을 꾀한 것이 있다면, 향후 법과대학의 로스쿨 설치에 대비하여 동서양 법철학의 과목에 무게를 두어 커리큘럼을 개편한 것이 특색이라 하겠다. 또한 도덕윤리연계 전공이 위의 사립대학보다 구체적으로 운영되고 있다는 측면이 다소 다르다. 하지만 위에서 구체적으로 제시하고 있지는 않지만, 도덕윤리연계 전공이 상위 30%의 학생에게만 기회를 준다는 점을 고려한다면, 향후 교직과목을 이수하지 않는 학부생들을 위한 특화 과목의 개발 및 차별화 전략 마련이 시급하다.

• 충남대학교 철학과 교과과정

학년-학기	교과목명	학점-시수
1	철학의 이해	
2-1	서양철학사 중국철학사 서양고대철학 윤리학 인간과 불교 유가철학과 사서의 이해 논리와 응용	3-3-0 3-3-0 3-3-0 3-3-0 3-3-0 3-3-0 3-3-0
2-2	인식론 형이상학 동양법사상의 흐름 한국철학사 왕양명의 생명철학 노자의 가르침과 삶의 지혜	3-3-0 3-3-0 3-3-0 3-3-0 3-3-0 3-3-0
3-1	헬레니즘과 헤브라이즘 분석철학 유럽근세철학 인도철학사 인권과 사회 유가의 논리와 법사상 제자백가의 논리와 사상	3-3-0 3-3-0 3-3-0 3-3-0 3-3-0 3-3-0 3-3-0
3-2	미학 영미철학 과학철학 법철학의 이해 한비자가 본 인간과 법사상 한국 성리학과 실학 생태철학과 생명윤리	3-3-0 3-3-0 3-3-0 3-3-0 3-3-0 3-3-0 3-3-0
4-1	계몽주의와 자연법사상 현대유럽철학의 흐름 응용윤리학 장자가 본 인간과 자연 한국 양명학의 주체성과 창조정신 역의 논리와 미래세계 철학교재연구 및 지도법	3-3-0 3-3-0 3-3-0 3-3-0 3-3-0 3-3-0 3-3-0
4-2	기호논리학 역사철학 현대 해석학 강의 대승불교사상의 이해 유학과 현대사회 철학교육론	3-3-0 3-3-0 3-3-0 3-3-0 3-3-0 3-3-0

3. 맺는 말

앞 절에서 살펴보았듯이, 21세기는 지방분권화 시대로 대별되며, 노무현 정권은 그 어느 정권보다 중앙에서 지방으로 분산하려는 의욕을 강하게 보였다. 지방분권과 국가균형발전 정책은 지역개발 욕구를 분출시키고, 중앙정부의 '선택과 집중'의 논리에 의한 지방대학에 대한 선별적 지원은 지방대학 간의 경쟁을 부추기고 각 대학 간의 심각한 격차를 심화시키는 결과를 낳았다. 그래서 전국의 대학들은 경쟁의 논리 앞에 상생의 논리는 맥을 못 추고 오히려 각 지역의 대학이 퇴출되는 심각한 지경에 이르렀다. 여기서 알 수 있는 것은 참여정부가 추진하였던 지방분권과 국가균형발전 정책이 지속 가능한 지역발전을 저절로 보장해 주지 않는다는 사실이다. 또한 그 시도만큼 가시적인 성과도 눈에 띄게 나아지지도 않았다.

김영삼 정권 이래로 노무현 정권, 그리고 새로운 이명박 정권에 이르기까지 대학의 신자유주의 정책은 지속적으로 이어져 오고 있으며, 오히려 지방대학들의 재정적 위기는 그 어느 때보다도 심각한 상황에 이르렀다. 교육부에서 추진하는 대학의 선택과 집중을 통해 재정적으로 그 혜택을 받지 못하는 대학은 자괴감에 빠짐은 물론 차별화 정책도 그다지 실효성을 거두지 못하고 있는 것으로 보인다. 특히 수요자 중심론과 선택과 집중이라는 방법론에 따라 선정된 각종 정책들, BK21 사업 및 누리사업, 대학 구조조정, 학과 통폐합 등은 갖가지 부작용을 낳으면서 그 심각성이 더욱 예상되고 있다. 교육부는 국립대학의 법인화를 추진하고 있으며, 구성원들의 거센 반발에 직면해 있다. 특성화의 중추적 기능은 수도권에서 담당하고 부수적 기능만을 지방에서 담당하는 방식으로 추진되어서는 더욱 안 될 것이다.

위에서 살펴본 바와 같이, 대전지역 대학 철학과의 차별화 전략도 국립대나 사립대를 막론하고 교육부의 거시적인 계획 아래 진행되는 신자유주의의 정책노선에서 크게 벗어나지 않는다. 새롭게 개편된 대전지역 대학의 철학과 커리큘럼은 거시적 차원의 준비라기보다는 당장 눈앞의 불을 끄기 위한 미시적 차원의 임시처방적 측면이 강하다. 그것을 효과적으로 해결하기 위해 각 대학은 차별화 전략에 맞게 전공교수들의 충원 및 기존교수들의 재교육, 커리큘럼의 구체화 및 세분화 작업, 졸업 후 기업체 및 공공기관과의 연계, 각 중·고등학교와의 교직관계 등의 모색방안을 구체적으로 마련해야 할 것이다.

현재 지방대학들은 기초과학을 비롯한 인문학의 위기상황을 극복하기 위해 정부적 차원에서 획기적 지원의 틀을 마련해야 함은 두말할 나위가 없다. 하지만 지방대학에 대한 일률적 지원은 최소기준의 원칙에 의해 추진되어야 하며, 분산이 궁극적으로 국가경쟁력 강화에 기여하도록 현 정부가 추진하고 있는 선택과 집중에 의한 효율성 제고에도 중앙정부와 지방자치단체 모두 노력해야 함은 물론이다. 다시 말해 국가적 차원에서 지방대학 육성방안을 강조함은 지나침이 없다. 하지만 지방대학은 위의 몇몇 사립대의 철학과에서 볼 수 있듯이, 지역별, 권역별, 영역별로 특성화 및 차별화시키는 방안을 구체적으로 심사숙고해야 할 것이다. 즉 대전지역의 배재대학교 및 대전대학교 철학과의 차별화 전략은 지속적으로 추진되는 것이 현 상황에서 좋은 사례가 될 수 있다. 또한 철학과들이 그 대학의 특성과 장점을 잘 살려 경쟁이 아닌 상생으로서 연합하여 각 대학의 핵심연구센터를 클러스터로 연계하여 상호 연구중심대학으로 발전할 수 있는 가능성을 열어두어야 한다. 특히 철학은 타 학문보다도 비정규 교수들이 지속적으로 증가하고 있는 현 상황을 감안해 볼 때, 핵심연구센터를 중심으로 한 연계방식은 향후 후학들의 사회적, 경제적 안정을 위해서도 중요한 역할로 작용할 것이다.

제 12 장

인권과 민주주의 *

하버마스의 『사실성과 타당성』을 중심으로

1. 들어가는 말

지금까지 오랜 서구 사상사에서 인권과 민주주의가 필연적인 관계를 유지해 왔다면 현재에는 어떤 결과를 낳았는가? 이에 대한 물음의 실천적인 성과는 인권과 민주주의의 타당성 요구 사이에서 만족할 만한 답변을 주지 못했다.[1] 하버마스가 『사실성과 타당성(*Faktizität und Geltung*)』[2]이라는 저서에서 근본적으로 논증하려는 목적은 민주주의 법이론의 개념적 형식과 내면적인 관계를 분명하게 전개시키는 것이었다. 즉, 그는 법의 역할과 민주주의 사이의 관계가 역사적으로 우연한 교섭만은 아니었다는 것을 보여주려고 시도한다. 이러한 변증법적인 관계는 법적인 것과 사실적인 것과의 팽팽한 균형 사이에서

---

* 이 글은 『철학연구』 제96집, 대한철학회, 2005 겨울, 363-390쪽에 실렸다.

1) Georg Lohmann, *Philosophie der Menschenrecht*, Frankfurt a. M., 1998, 241쪽.

2) Jürgen Habermas, *Faktizität und Geltung*, Frankfurt a. M., 1992(이하 FG로 약칭하여 표기함). (한상진 외 옮김, 『사실성과 타당성』, 나남출판, 2000.)

발생한다.3) 먼저 하버마스의 법이론에서 정치적 영향권에 대한 문제는 인권을 파악하는 출발선상에 있다. 우리는 하버마스의 민주주의 이론에 더 가까이 접근하기 위해 민주주의의 전통 안에서 내재하고 있는 여러 문제들을 파악해야 한다.

인권과 국민주권은 오늘날까지 "민주주의적 법치국가의 규범적 자기이해를 규정함으로써 민주주의의 전통 안에서 고유하게 자리 잡았다."(FG, 124)고 하버마스는 진단한다. 그러나 민주주의 이론은 언제나 인권보호와 국민주권이라는 두 원칙의 긴장과 대립 속에서 전개되어 왔다. 민주주의는 인권보호와 국민주권을 똑같이 중요한 두 원칙으로서 다룬다. 지금까지 지나온 민주주의의 이론사를 살펴보았을 때, 두 원칙은 조화를 이루었다기보다는 경쟁관계에 있었다. 오히려 민주주의 이론사는 법에 내재하고 있는 사실성과 타당성의 긴장관계 및 법의 실정법이 주장하는 정당성 사이의 관계를 반영하여 왔다(FG, 124). 한편으로 민주주의는 비효율적일 수도 있고, 규율이나 질서와도 충돌할 수 있다. 또한 경제발전에 다소 장애의 요소가 될 수도 있다. 다른 한편 민주주의는 이해의 관심과 가치관이 다원화되고 전문화된 현대사회에서 시민에 의한 자기결정권을 받아들인다. 또한 복잡한 현대사회에서 21세기의 민주주의는 정기선거권, 보통선거권, 대의제와 같은 형식적 민주주의보다 더 실질적인 절차적 민주주의를 더욱 요구하고 있다.

하버마스의 관점에서 인권이란 도덕적으로 정당화된 행위규범이고, 실증적으로 통용되는 헌법규범을 일컫는다. 헌법규범으로서 기본권은 도덕적 규범과는 다른 지위를 갖는다. 도덕적 권리로서 인권은 그것이 사실적으로 보호받지 못하고 행사되지 못하더라도 인권으로서 유효하다. 그러나 헌법규범으로서 기본권은 그것이 특정 정치공동체

---

3) Jürgen Habermas, "Postscript to Faktizität und Geltung", in: *Philosophy & Social Criticism*, Vol. 20, No. 4, 1994, 137쪽.

에서 권리로서 인정받지 못한다면 더 이상 권리를 갖지 못한다. 물론 이러한 지위상의 차이가 필연적으로 다른 의미를 갖는 것은 아니다. 헌법규범으로서의 지위는 모든 인격 일반을 포함하는 고전적 의미의 행위자유의 보편성이라는 것과 그다지 모순되지 않는다. 그 이유는 인격체가 법질서 안에서 구성되는 한, 그러한 권리는 모든 인격체로 확장되기 때문이다. 하버마스에게서 국민주권이란 법치국가에서 제도화된 의사형성을 통해 국가와 경제로부터 일정한 거리를 유지한다. 여기서 국민주권은 시민사회의 연합체를 근거 삼아 문화적인 공론장 사이의 상호작용(FG, 365)에 주목한다. 이러한 관점에서 나는 하버마스의 심의적 민주주의에 근거하여 "민주주의"[4])의 규범적 의미와 그

---

4) 민주주의라는 용어는 19세기 말 일본인들의 번역을 통해 우리나라에 수용되었다. 이러한 민주주의의 어원은 국민(people)이라는 의미의 데모스(demos)와 지배라는 의미의 크라토스(kratos)로부터 나왔다. 이러한 데모크라시(democracy) 혹은 데모크라티아(demokratia)라는 용어는 그리스인들이 처음으로 만들어냈다. 아테네에서 데모스라는 단어는 보통 아테네인을 의미하면서도 종종 보통사람 혹은 하층계급을 의미하는 단어로 변형되었다. 데모크라시라는 단어는 때로는 자신들의 정부통제권을 빼앗아간 보통시민들에 대한 그들의 혐오감을 보여주는 명칭으로서 귀족들에 의해 사용되었다(로버트 달, 김왕식 외 옮김, 『민주주의』, 동명사, 2002, 28쪽). 다시 말해 이 말은 국민을 의미하는 데모스와 지배를 의미하는 크라토스의 합성어이다. 일반적인 의미에서 민주주의는 그리스의 어원을 빌려 '국민에 의한 지배'로 정의한다. 민주주의를 국민에 의한 지배라고 하였을 때, 그 속에 논리적으로 국민주권론, 자유 및 평등의 개념이 담겨 있다. 전체 국민이 직접 또는 자신들의 대표자를 통해 공동체의 헌법, 법률 및 정책과 관련해 최고의 정치권력을 행사한다는 점에서 민주주의는 국민주권론을 전제한다. 또한 민주주의가 통제, 지배, 의사결정의 문제와 관련된다는 측면에서 자유의 관념과도 연관되어 있다. 오늘날 자유의 개념은 개인이 국가로부터 간섭을 받지 않고 자신의 발전을 추구할 수 있는 영역으로 확대되었다. 그리고 민주주의는 정치적 의사결정을 존중한다는 점에서 정치적 평등의 관념을 갖는다(강정인, 『민주주의의 이해』, 문학과지성사, 2000, 64-65쪽). 현대의 자유민주주의는 서구 근대사에서도 장기간에 걸친 복합적인 진화의 산물이다. 그 과정에서 자유주의와 민주주의라는 두 요소는 서로 보완하고 충돌하면서 상호보완관계를 유지해 왔다. 영국에서 자유주의는 민주주의에 선행했지만, 다른 많은 지역에서는

것의 현실 가능성을 밝히고, 하버마스가 주장하는 자유주의 모델에서의 인권과 공화주의 모델에서의 국민주권과의 긴장관계가 어떻게 역동적인 측면을 보여주었는지 그의 『사실성과 타당성』을 중심으로 고찰하고자 한다.

2. 민주주의 법이론의 실마리: 사실성과 타당성의 긴장관계

하버마스는 『사실성과 타당성』에서 민주주의 이론을 정치이론보다는 법이론의 형식으로 전개한다. 하버마스는 이 책에서 국가조직의 법질서와 그에 대한 분류를 하면서 어떻게 현실적으로 심의민주주의를 수행할 수 있을 것인지를 상세하게 묘사한다. 먼저 하버마스는 법이 근대 이후로 오면서 우리들의 삶의 터전에 필요한 요소임을 밝힌다. 그리고 그러한 법이 기능을 제대로 수행하기 위해서 강제력을 동원하는 것이 아니라 어떻게 법의 정당성에 대해 인정받아야 하는지를 묻는다. 민주주의의 규범적 의미에 따르면, 법에 정당성을 줄 수 있는 제도는 탈형이상학적인 것이며, 그 규범적 의미가 근대 이후부터 보편주의적 도덕의식으로 일반화되었을 때 민주주의의 우월성을 확신한다.

하버마스의 법이론5)의 실마리는 종종 반복하는 사실성과 타당성

<hr>

양자가 거의 동시에 발전하거나 또는 민주주의가 자유주의보다 앞서 수용되었다(강정인, 『서구중심주의를 넘어서』, 아카넷, 2004, 379-380쪽). 서구에서 지금의 민주주의 체제는 권위주의 또는 전체주의와 구별하기 위해 미국의 정치학자 달(Robert A. Dahl)이 제안한 다두정(多頭政, Polyarchy)이라는 개념을 널리 사용하고 있다. 그는 다두정이라는 개념을 다음과 같이 정의한다. 첫째, 효과적인 시민권이 대다수의 성인들에게 보장되어 있고, 둘째, 시민들이 시민권을 행사함으로써 정부의 최고 공직자에게 반대할 수 있으며, 더 나아가 투표로 그들의 권력을 박탈할 수 있는 기회를 제공하는 체제를 일컫는다(Robert Dahl, *Democacy and Its Critics*, New Haven, CT: Yale University Press, 1989, 221쪽).

사이의 긴장관계에서 찾을 수 있다. 하버마스는『사실성과 타당성』의 제1장 '사실성과 타당성의 사회적 매개범주로서의 법'에서 법의 개념과 기능을 상세하게 설명한다. 그는 사실성과 타당성의 긴장관계에서 법을 매개하는 근본적 민주주의가 필요하지만, 그러한 구성요건을 갖추지 못할 경우에는 어떠한 법 국가의 형태도 제대로 작동하지 못할 것이라 우려한다. 하버마스는 이러한 "근본적 민주주의"6)에서 법규범을 근거로 하는 담론으로써 해석하고자 한다(FG, 266). 무엇보다 그에게서 법이론의 체계적인 규범은 사회통합의 이론적 토대를 밝혀내는 것이었다. 왜냐하면 법이론은 법의 기능과 사회질서를 강화시키는 상호작용으로서 제 역할을 할 수 있기 때문이다(FG, 13, 42, 61). 여기서 사회질서는 규범적 타당성 주장을 어떻게 인정할 것인가 하는 관심 속에서 진행된다. 이것은 "언어를 사용"7)하게 되면서 사실성

---

5) 하버마스는 법이론의 실마리를 다루는 접근방법으로 세 가지 이론적 대안을 제시한다. ① 법해석학, ② 실재론, ③ 법실증주의가 그것이다(FG, 244).

6) 라모어는 하버마스의『사실성과 타당성』의 목적은 근본적인 민주주의 뿌리를 다음과 같은 대립된 방향에서 긴장관계를 형성하는 것이라고 본다. 한편으로, 지금까지 가장 기본적인 언어사용의 양상은 규범적 차원에 근거한 사회적 현실을 제시하는 것이었다. 그런데 정치적 이론은 고도로 복잡한 사회에서 제대로 만족할 만한 역할을 수행하지 못했다. 근대적 법 국가의 규범적 요구는 인정받지 못한 채 수용되었다. 여기서 하버마스는 상당 부분을 그의 초기 저작인『의사소통 행위이론』에서 상세하게 언급하였다. 다른 한편으로, 하버마스는 근대사회의 문화와 사회의 현실에서 부과된 특별한 과제와 조건을 규정하는 것이다. 오늘날 우리는 어떻게 정치적 연합을 할 것인가에 대한 물음에 방향을 돌려야 한다. 여기서 하버마스는 정치철학의 규범적 내용에 대해 분명한 청사진을 그리고자 하였다(Charles Larmore, "Die Wurzeln radikaler Demokratie", in: *Deutsche Zeitschrit für Philosohie*, 41, 1993, 321쪽).

7) 하버마스는 지나간 비판이론을 언어철학적으로 손질하고 내용적으로도 근본적인 수정을 가하였다. 하버마스 철학의 중심기획은 보편적 화용론과 담론이론이다. 하버마스는 언어에서 도덕철학의 제안을 한다(Eric Hilgendorf, "Rechtsphilosophie im vereinigten Deutschland", in: *Philosophische Rundschau*, 1-2, 1993, 11쪽).

과 타당성의 긴장관계가 언제나 의사소통을 함으로써 사회화된 개인들의 통합양식 속에서 의사소통 참여자들에 의해 해결되어야 함을 의미한다(FG, 33). 즉, 이해지향적 언어사용의 구조는 의사소통 행위로부터 관념화되어 나타난다. 그러나 이러한 이해지향적 언어사용은 사회화된 사실에서 행해지며, 일반적인 언어에서와 마찬가지로 사회문화적으로 삶의 재생산을 위해 구성된다.[8] 복잡한 현대사회 속에서 전략적 행위가 차지하는 비중이 높아지면서 역설적이게도, 전략적 행위는 사회를 유지하는 데 필요불가결한 부분이 되어 가고 있다. 하지만 서로에게 부정적인 영향력을 행사하는 그러한 전략적 행위가 난무하게 될 때, 사회유지에 필요한 사회질서가 제대로 나올 수 없다. 따라서 사회질서는 전략적 행위가 합리적 의사소통의 행위와 함께 조화를 이룰 때, 비로소 제대로 기능할 수 있다. 그러나 현대사회에서 의사소통적 행위는 아주 허약하게 보일 수 있다. 그렇기 때문에 이러한 단점을 보완하기 위한 방법은 행위자의 전략적 상호작용에 대해서 규범적 규제를 서로 합의하는 것이다. 다시 말해서 전략적 행위를 마음껏 풀어놓지만, 그것을 경계하고 규제하는 규범에 대해 신중하게 심의하여 결정하는 것이다.

하버마스가 사실성과 타당성의 긴장관계 속에서 행동에 영향을 주는 조직화된 근대법의 개념 속에는 루소와 칸트가 발전시켰던 민주주의 사상이 깊숙이 담겨 있다(FG, 50). 근대법은 무거운 짐을 이미 지고 있는 의사소통 행위자들로부터 사회통합의 과제를 덜어주는 메커니즘으로서 작용한다. 여기서 근대법은 도덕과 법의 차이에서 출발하고 있으며 실정법 자체에 내재되어 있는 사실성과 타당성의 긴장관계에서 전개된다(FG, 88). 따라서 의사소통 행위가 담고 있는 근대

---

8) Jürgen Habermas, "Entgegnung", in: Axel Honneth und Hans Joas(Hg.), *Beiträge zu Jürgen Habermas' Theorie des kommunikativen Handelns*, Frankfurt a. M., 1988, 367쪽.

의 이성법은 사실성과 타당성의 긴장관계 속에서 근대법의 타당성의 차원을 진단한다(FG, 61).

하버마스는 해석학적 의미이해(Sinnverstehen)를 타당성과 사실성 사이의 긴장관계로서 파악한다(FG, 35). 하버마스의 입장에서 위에서 언급한 근대법을 논의하는 것도 사실성과 타당성의 내적인 긴장관계 속에서 동의하는 것이어야 한다. 사실성과 타당성의 긴장관계는 법을 판결하는 내부에서는 법 안전성의 원리와 올바른 판결에 대한 요구에서 나타난다(FG, 241). 즉, 사실성과 타당성은 "법의 안전성과 올바른 판결"(FG, 244) 사이의 긴장관계이다. 따라서 법의 담론이론은 "법질서의 정당화 요구"(FG, 243)에 대해 올바르게 인식해야 함을 뜻한다. 그렇기 때문에 법적인 판결은 물론이거니와 과거의 제도화된 판결의 조건을 "이성적으로 근거지을 것을 요구한다."(FG, 243)[9] 법의 담론이론은 거의 모든 법철학, 법이론, 헌법이론 그리고 정치철학들의 문제를 설정하여 다룬다. 하버마스는 규범적, 자연법적, 실증주의적 법이론 사이에서 법의 담론이론을 화해시키고자 한다. 따라서 그는 법이론의 방법론적인 관점을 다음과 같이 설명한다.

"사실성과 타당성 사이에서 이쪽저쪽으로 찢겨진 오늘날의 정치이론과 법이론은 더 이상 서로 할말이 없는 진영으로 분열되었다. 항상 사회적 실재와의 접촉점을 상실할 위험을 안고 있는 규범주의적 항목들과 모든 규범적 측면들을 제거해 버리는 객관주의적 접근방법들 사이의 긴장은 하나의 경고로 이해될 수 있을 것이다. 즉 분과 학문적 시각에 고착하지 않고, 다양한 방법론적 위치(참여자 대 관찰자), 다양한 이론적 목표(의미이해적 해명과 개념적 설명 대 기술과 경험적 설명), 다양한 역할 전망(법관, 정치가, 입법가, 수혜자, 시민), 그리고 다양한 실용적 연구태도들(해석학자, 비판가, 분석가 등)에 열려 있는 개방적

---

9) Vgl. Robert Alexy, "Jürgen Habermas' Theorie des juristischen Diskures", in: Robert Alexy, *Recht, Vernunft, Diskurs*, Frankfurt a. M., 1995, 166쪽.

인 자세를 취할 것을 촉구하는 경로로 간주될 수 있을 것이다. 이와 같은 연구는 폭넓은 장 속에서 움직인다."(FG, 21)

위의 인용문에서 보듯이, 하버마스의 담론적 법이론의 요구는 관념(규범적 항목)과 현실(실증주의적 항목) 사이의 긴장관계를 지양하는 것이었다. 이미 계몽화되어 버린 규범과 사회학적으로 일치(Kontingenz)한다는 것은 하버마스의 "의사소통 행위이론의 근본개념에 포함"(FG, 22)되어 있다. 왜냐하면 하버마스에게 있어서 법의 이념은 단순히 규제적 이념이 아니라 구성적인 이념이기 때문이다. 이런 점에서 하버마스의 구성적인 이념은 플라톤의 두 가지 노선을 철저히 극복하려고 한다. 왜냐하면 법질서는 목적왕국의 본체적 질서를 모사하여 현상적 세계 속에서 구체화된 플라톤적 사유가 전제되어 있기 때문이다. 지금까지 플라톤 사유의 유산은 칸트의 형이상학과 상관없이 법을 자연법과 실정법으로 구분하고 있지만, 여전히 현재에도 적용되고 있다(FG, 136). 하버마스는 오늘날 이성개념이 플라톤적인 사유의 기원과 아무리 동떨어져 있을지라도 이상화하는 한계개념의 관련성에 대해 여전히 구상적일 수 있다(FG, 24)는 것이다. 하버마스는 이러한 플라톤적인 사유를 헤겔의 법철학의 방향에서 자신의 이론을 다시 구성한다. 왜냐하면 헤겔의 이성법이 사실성과 타당성의 내적인 긴장관계를 법(Recht)이론에서 어떤 것이 사실적인 경우인가에 대해 잘 제시하고 있기 때문이다(FG, 89). 일반적으로 철학에서 언급하는 정의이론과는 다르게 법이론은 구체적인 법질서의 지평 안에서 작동한다. 그래서 법이론은 현행법, 법률판례, 해석법학, 입법의 정치적 맥락, 법의 역사적 원천 등을 다룬다. 즉, 철학이론과는 다소 다르게 법이론은 법과 정치권력의 내적 관계로부터 발생하는 측면을 무시하지 않는다(FG, 240). 따라서 법이론은 하버마스의 경험적 분석과 함께 "의사소통적 법이론의 전거"10)를 마련하게 된다.

하버마스는 사회통합의 조건을 구성하기 위한 첫 단계로 생활세계 개념을 제시한다. 하버마스는 사실성과 타당성 사이의 긴장관계 때문에 위험에 처한 합의의 형성과정으로부터 어떻게 사회질서를 유지할 수 있는 준거점을 찾아낼 수 있을지를 고민한다(FG, 37). 여기서 생활세계의 요소는 법이론의 근거가 되며, 법이론은 사회영역들을 통해 관철되어 언어로 표현된다. 그렇게 하여 생활세계는 지식체계와 언어체계를 결합하게 된다(FG, 108). 더 나아가 생활세계는 언어의 모든 코드들의 번역을 가능하게 하는 자기반성을 필요로 하게 된다(FG, 76).11) 하지만 법률적 코드는 일상언어에 의해서만 접속되는 것은 아니기 때문에 생활세계에서 전달받은 메시지는 새롭게 특정한 형식을 구성한다. 그렇게 하여 그 메시지가 어떤 형식들을 갖추었을 때, 비로소 그 메시지는 권력에 의한 행정과 화폐에 의해 조정되는 경제의 특수한 코드들을 이해하게 된다. 이런 점에서 생활세계는 도덕적 의사소통과는 다소 다르게 법의 언어를 체계와 생활세계 사이에서 순환하는 광범위한 사회 전체의 의사소통의 변압기로서 기능하게 된다(FG, 108).

하버마스는 생활세계의 개념을 부분에서 전체로 나아가는 해석학적 사유의 흐름과 단절하고자 한다. 다만 생활세계는 사회적 공간과 역사적 시간의 흐름 속에서 진행되는 의사소통 행위로 나아가고자 한다. 그가 반복해서 주장하는 의사소통 행위는 사회화된 개인의 정체성에 의존하고 있으며, 문화적 전통과 사회질서에서 자양분을 찾아

---

10) 하버마스의 의사소통 행위이론을 법이론과 자세하게 연결시킨 문헌은 다음을 참조할 것. Mathieu Deflem, "Introduction; law in Habermas's theory of communicative action", in: *Philosophy & Social Criticism*, Vol. 20, No. 4, 1994, 1-20쪽.

11) 하버마스의 법이론을 언어와 연관시킨 문헌은 다음을 참조할 것. David M. Rasmussen, "How is valid law possible?", in: *Philosophy & Social Criticism*, Vol. 20, 1994, 21-44쪽.

낸다. 하지만 생활세계는 구성원들이 갖고 있는 거대조직, 결사체, 개인들이 결성한 단체, 소속된 사람들의 집합체를 말하는 것은 아니다 (FG, 107). 궁극적으로 하버마스는 법의 정당성에 대해 "합리적인 의사소통에 의한 합의"(FG, 134)에 의해 확보될 수 있다고 주장한다. 따라서 하버마스가 내세우는 합리적 의사소통은 의사소통의 당사자들 사이에 평등한 권리가 보장되어야 함을 뜻한다.

3. 인권과 민주주의

1) 자유주의와 공화주의의 모델: 인권과 주권의 대립

하버마스는 민주주의의 이론사를 두 가지의 큰 흐름으로 이해한다. 하나는 17세기 영국의 로크(J. Locke), 그리고 칸트로 대변되는 자유주의적 민주주의이고, 다른 하나는 그리스 시대의 아리스토텔레스로부터 프랑스의 루소(J.-J. Rousseau)로 이어져 오는 공화주의적 민주주의이다. 자유주의의 모델은 신체의 자유, 재산권, 사생활 보호권 등 이른바 소극적 권리를 중심으로 하는 기본권 보호를 우선시 한다. 자유주의는 개인들이 사회에 앞서서 권리를 갖고 있다고 생각하고 있기 때문에 그 권리를 보호하는 것을 최우선 과제로 여긴다. 자유주의는 권리보호가 목적이라는 점에서 그 권리를 보호하는 방식만큼은 부차적인 문제로 다루어진다. 그러나 민주주의는 인권의 보호[12]를 위

---

12) 인권과 보편적 민주주의, 문화적 차이, 철학적 정당화 등에 관한 국내의 철학적 논의는 다음을 참조. 김용해, 「인권의 보편성과 인간존엄성」, 『탈민족주의 시대의 민족담론』, 제16회 한국철학자대회보, 2003; 김종헌, 「인권과 주권의 철학: 로크, 칸트, 하버마스를 중심으로」, 『철학연구』제57집, 2002, 171-188쪽; 문성원, 「현대성과 보편성 (1): 인권, 민주주의, 배제의 배제」, 『철학』제54집, 한국철학회, 1998, 259-290쪽; 박구용, 「인권의 보편주의적 정당화와 해명」, 『우리 안의 타자』, 철학과현실사, 2003, 175-211쪽; 임홍빈, 「인권개념의 철학적 정당화와 문화다원주의」, 『철학연구』제54집, 2001, 333-349쪽; 원승룡, 「다문화 사회에서 인권담론 분석」, 전남대 5·18 연구소 편,

해서라도 헌법이나 권력에서 분리되어 일정한 영역 내에서 제한되어
야 한다. 따라서 하버마스가 강조하고자 하는 민주주의는 "합리적인
정치적 투입이 아니라 감각적이고 효율적인 행정의 업적을 창조"[13]
하고자 한다.

이와 다르게 공화주의 모델에서 시민권은, 시민이 사적 개인으로서
주장할 수 있는 소극적 자유가 아니다. 오히려 시민권은 정치적 참여
와 의사소통의 권리를 내세우는 적극적 자유이다. 현재 국가가 존재
하는 이유는 동등한 사적 권리를 보장하는 데 있는 것만은 아니다.
공화주의 모델에서 시민들은 단순한 개인적 이익 그 이상의 것을 요
구한다(FG, 330). 따라서 공화주의 모델은 "시민들의 정치적 의견과
의지형성에 매개"[14]되어 참여와 자기지배를 강조한다. 인권은 사회
에 앞서 정해져 있는 것이 아니라 주권자인 국민에 의해 정해지는 것
이며, 헌법은 국민의 의지에 따라 제한된 조건으로서 부과되는 것이
아니라 그것의 제정자인 국민에 의해 정해지는 것이다. 자유주의 패
러다임이 경쟁하는 이해와 타산 사이에서 일어나는 타협에 집중한다
면, 공화주의 패러다임은 구성원들의 자발적인 의식적 노력에 의한
윤리적, 정치적 담론의 형태에서 다루어진다. 그리고 공화주의 모델
에서는 국가기구와 사회의 분리는 그다지 환영받지 못한다.[15]

자유주의 모델에서 정치는 자유롭고 평등한 법적 인격체들이 공동
체를 형성해 가는 과정이라 말한다. 여기서 정치는 단지 전략적 행위

『민주주의와 인권』 제3권 제1호, 경인문화사, 2003, 5-33쪽; 장은주, 「문화적
차이와 인권: 동아시아의 맥락에서」, 『철학연구』 제49집, 2000, 155-178쪽;
장은주, 「문화다원주의와 보편주의」, 한국철학회 편, 『다원주의, 축복인가 재
앙인가』, 철학과현실사, 2003, 74-109쪽.
13) 하버마스, 「민주주의의 세 가지 규범적 모델」, 한상진 편, 『현대성의 새로운
지평』, 나남출판, 1996, 54쪽.
14) 같은 글, 53쪽.
15) 같은 글, 54쪽.

만을 일컫는 것이 아니라 상호이해를 지향하는 의사소통 행위여야 한다. 시민은 홀로 존재하는 고립된 사적 이익추구의 대상이 아니라 사회 전체를 위해 반영하고 행동하는 집합적 행위로 간주된다. 이에 반해 공화주의는 정치적 참여권, 의사소통의 권리, 사회권과 같은 적극적인 참여권리를 중요시하면서 국민의 자기결정을 민주주의의 핵심으로 여긴다. 지금까지 민주주의 이론사에서 두 흐름은 상호조화의 관계를 형성하기보다는 갈등하고 대립하는 관계로 진행되어 왔다. 이러한 대립 및 갈등의 관계는 현대 정치철학에서 두 부류의 논쟁으로 확대되고 있다. 이러한 논점은 이른바 자유주의와 공동체주의(com-munitarianism) 사이의 논쟁이다.

하버마스에 의하면, 주관적 자유를 평등하게 누릴 수 있는 보편적 권리는 단순히 주권적 입법자를 외적으로 제한하는 도덕적 권리로서 부과해서는 안 된다고 말한다. 또한 주권적 입법자의 목적을 달성하기 위해 기능적 요건을 구비하여 도구화해서는 안 된다는 견해이다. 하버마스는 이러한 두 전제에서 출발할 때에야 비로소 사적 인권과 국민주권이 담고 있는 규범적 통찰의 권리체계로서 온전한 효력을 발휘할 수 있다고 본다(FG, 134). 국민주권을 강조하는 공화주의에 대해서 자유주의는 다수에 의해 소수의 인권침해를 우려한다. 그러나 인권을 강조하면서 인권이 국민의 결정에 우선할 것이라는 자유주의의 주장은 국민주권에 대한 제약으로 여겨졌다. 민주주의에 대한 온전한 이론을 제시하고자 한다면, 지금까지 민주주의 전통 안에 있어 왔던 이러한 긴장을 해소해야 한다. 인권과 국민주권의 원리가 근대법을 정당화할 수 있는 유일한 이념을 형성하는 것은 결코 우연이 아니다.

하버마스는 자유주의의 전통에서 인권을 도덕적 자기결정의 표현으로 이해한다고 본다. 자유주의자들은 다수의 전체라는 위험을 경고하면서 인권의 우선성을 강조한다. 인권은 개인의 비정치적 자유를 보장하고 정치적 입법자의 주권적 의지에 한계를 부여한다. 따라서 하버마스 입장에서 자유주의의 인권은 가상적 자연상태에 근거를 두고 있으며 우리의 도덕적 통찰 안으로 들어온다(FG, 129-130). 자유주의의 견해에서 법질서의 요체가 개별적 사례에 의해 개인이 주어진 권리를 확정하는 데 있다면, 공화주의적 입장에서 주관적 권리는 객관적 법질서 덕택에 존재하는 것이며, 이러한 법질서는 상호존중에 바탕을 둔 동등한 참여권이 인정된 것이다. 그래서 자율적인 공동체에서 개인의 삶을 함부로 침범할 수 없게 하면서 동시에 삶을 보장해 주어야 하는 것이다. 따라서 하버마스는 "한쪽에서 법질서가 주관적 권리에서 출발하여 구성하는 데 반해, 다른 한쪽에서는 법질서의 객관적 법의 내용에 우선적 중요성을 부여"(FG, 331)해야 한다고 주장한다.

하버마스에 의하면, 공화주의의 전통은 국민주권을 "윤리적 자기실현의 표현"(FG, 129) 내지 "윤리적-정치적 자기이해"(FG, 359)로 해석하려는 경향을 보여 왔다는 것이다. 공화주의자들은 시민적 자치조직이 갖추고 있는 제도화될 수 없는 고유한 가치를 강조한다. 애당초 정치공동체에서 인권은 오직 의식적으로 전유된 자신의 전통의 한 요소로서만 구속력을 획득할 수 있다고 본다. 공화주의자들은 자기실현이 강한 공동체의 윤리적-정치적 의지는 자신의 진정한 삶의 기획에 일치하지 않는 그 어떤 것도 인정할 수 없다(FG, 129-130)는 관점이다. 따라서 자유주의와 공화주의의 의견들에서 인권과 국민주권이 상호보완관계이기보다는 경쟁관계에 있는 것처럼 보였다. 한편으로 도덕적-인지적 요소를 강조하고, 다른 한편으로 윤리적-의지적 요소에 비중을 두었다.

자유주의에 의하면, 인간은 자연권과 같은 양도할 수 없는 신성불가침의 권리를 태어날 때부터 수행해야 한다고 주장한다. 자유주의 입장에서 개인들의 자유를 보장해 주는 인권이란, 사람들이 사회를 형성하기 이전부터 도덕적 권위를 갖고 있었다는 입장이다. 이것은 정치적 입법과정으로부터 독립적일 뿐 아니라 그보다 상위의 정당성을 갖고 있는 것이다. 자유주의자들은 이러한 주관적 권리가 다수의 전체에 의해서 침해당할지 모른다고 두려워한다. 그래서 그들은 법의 지배를 강조하면서 국민주권에 제한을 가하고자 한다. 공화주의에 따르면, 그러한 자유주의의 입장은 현실과는 다소 동떨어져 있다는 것이다. 특히 공화주의사들은 자기조직화의 내재적 가치를 강조한다. 공화주의자들은 법을 제정하는 국민의 의지에 앞서는 것은 없으며 공동체의 진정한 삶의 기획과 일치하지 않는 어떤 것도 인정될 수 없다고 말한다. 인간이 성장해 간다는 의미는 단지 인간의 유전자를 원초적으로 갖고 있기 때문이 아니라 특정 공동체의 성원으로서 그 공동체의 문화와 전통을 배우며 다른 사람과 더불어 성장했기 때문이다.

하버마스가 파악하는 공화주의의 정치개념은 국가에 의해 보장되는 생명, 자유, 재산에 대한 시민들의 권리와 관련되어 있는 것이 아니라, 일차적으로는 시민들의 공공복지를 위해 지향해야 하며 자기 스스로를 관리하고 협력하는 공동체의 자유롭고 평등한 소속원으로서 이해하는 시민들의 자기결정과 연관시켜 이해한다(FG, 327). 따라서 하버마스의 입장에서 개인이 태어날 때부터 권리를 갖고 있다는 소극적 개인주의는 허구이며, 그런 생각이야말로 현대의 병리의 표현이자 원인이라고 비판한다. 주지하듯이, 권리란 한 공동체 구성원들에 의해서 서로에게 부여되고 인정되는 것이다. 그러나 자유주의자들이 진단하기에 이러한 공화주의의 견해는 위험하기 짝이 없는 것처럼 보인다. 왜냐하면 공화주의는 유독 공동체를 강조함으로써 개인의 인권을 침해할 요소가 다분히 있으며, 개인의 자유로운 발전과 개성을 가로막을 수 있다는 것이다. 이런 점에서 자유주의는 기본권의 보호와 법치를 강조한다. 즉, 자유주의는 법을 통해 권력이 다수에 의해 자의적으로 행사되는 것을 막아야 한다는 것이다. 그러나 공화주의적 입장에서 본다면, 공동체에 앞선 개인과 권리란 허구일 뿐 아니라 국민주권이라는 원칙에도 위반된다. 하지만 법은 외부의 강압으로부터 오는 것도 아니며 국민의 의지와 무관하게 부과되는 것도 아닌 바로 국민의지의 표현인 것이다.

하버마스는 공화주의 패러다임의 장점을 살리고자 하면서도 자유주의적 모델도 등한시하지 않는다. 한 발 더 나아가 그는 양자 간의 차이를 통해 서로 견제하고 보완해야 한다는 입장이다. 그는 의사소통 행위이론을 중심으로 하는 자신의 심의적 민주주의 이론이 민주주의의 규범적 의미와 민주주의 가능성을 밝힐 수 있다고 확신한다. 계속해서 그는 전통적으로 내려오면서 이론사적 긴장관계를 보여주었던 자유주의와 공화주의 모델은 인권과 국민주권의 긴장관계를 화해해야 한다고 본다. 하버마스는 이러한 두 전통 모델에 대하여 다음과 같은 평가를 내린다. "자유주의의 모델은 현실적이지만 규범적 내용이 너무 약하다. 반면에 공화주의의 구상은 강한 민족주의에 대한 우리의 선호를 만족시키고는 있지만 너무 이상적이다."16) 그래서 하버마스는 "공화주의의 동기보다 더 현실적이며 동시에 자유주의 모델이 제공하는 이론보다는 더 최선의 민주주의적 이상을 실현할 수 있는 규범적이면서도 현실성 있는"17) 대안을 제시하고자 한다. 그는 이러한 위의 두 입장을 취사선택하여 "심의 및 의사결정을 위한 이상적 절차라는 개념으로 통합"18)하고자 한다. 자유주의의 현실주의자의 입장에서 보면, 21세기 다원주의 사회에서 시민들의 참여를 통해 법을 만들고 정책을 집행하겠다는 발상은 위험한 모험일 수 있다. 고도로 분화된 사회에서 제대로 된 결정을 하려면 매일 엄청나게 많이

---

16) 같은 글, 44쪽.
17) 같은 글, 45쪽.
18) 같은 글, 53쪽.

쏟아져 나오는 정보와 세분화된 전문지식을 빠르게 처리해야 하는데 일반시민들에게 그러한 전문적인 지적 능력을 요구하고 또한 발 빠르게 해결하기를 바라는 것은 많은 무리가 따른다. 대다수의 일반시민들은 대중매체가 전파하는 내용을 수동적으로 받아들이는 수용자일 뿐 자발성과 비판의식을 제대로 갖추고 있지 못하다. 다원화된 현대사회에서 일반시민들은 사적인 문제에 주로 관심이 있지 공적인 일에는 대체로 무관심하다. 특히 현대사회에서 일반시민의 의견이란 이기적 선호이거나 정치적 엘리트들과 소수의 재벌, 부자신문, 방송매체 등 사회적 권력 소유자들에 의해 암암리에 조작되고 있다. 하버마스는 이러한 상황에 대해 당시대의 비판을 진지하게 고려한다. 그는 현실과 유리된 이상(理想)의 무력함을 누구보다 잘 의식한다. 그러나 진지하게 숙고한 행위가 현실주의자들의 주장을 모두 인정하는 것은 아니다. 오히려 현실주의자들의 렌즈가 너무 좁아서 올바르게 현실을 직시하지 못하는 부분도 얼마든지 많이 있다. 그는 사회의 재구성적 요소가 타당성 있게 된 규범적 내용을 부분적으로 관찰할 수 있지만, 정치적 과정 자체의 사실성에 각인되어 있다고 말한다. 위에서 밝혔듯이, 하버마스는 계속해서 "공화주의적 패러다임과 자유주의적 모델의 대립을 양식화(樣式化)"(FG, 328)하고 이를 헌법해석에서 내리는 두 가지 전통뿐만 아니라 헌법의 현실 속에서 파악하고자 한다.

2) 도덕과 법의 긴장관계

(1) 도덕원리와 민주주의 원리

하버마스에 의하면, 공화주의와 자유주의 모델은 자유로운 자유권과 민주주의에 상호 협력하는 동근원적(同根原的) 언어의 관계를 형성하고 있다. 현대사회에 들어서면서 다소 사회적 참여권이 조건화되고 약화되었지만, 공화주의와 자유주의 모델은 도덕과 법의 숙고를 통해 다시 받아들여진다.[19] 이런 관점에서 그는 그 이전에 법철학에서 다루었던 보편주의적 화용론과 선험적 화용론을 주목한다.[20] 특히 그는 도덕철학과 관련하여 보편주의적, 선험적 화용론을 담론이론으로서 제시한다. 그리고 도덕과 법 사이에서 드러난 인권을 함께 파악하고자 한다.[21] 그는 『사실성과 타당성』의 제3장 '법의 재구성'에서 법의 체계를 상세하게 분석한다. 그런 다음에 법과 도덕의 관계가 어떻게 연관되어 있는가를 "탈형이상학적 정당화의 차원에서 살핀다. 또한 법적 규칙과 도덕적 규칙은 어떻게 전통적인 인륜적 삶으로부터 동시에 분화되어 나왔는가를 묻는다. 비록 그는 도덕과 법이 서로 내용적으로 다를지언정 상호 보완하는 관계이며 두 부류의 행동규범으로서 나란히 만날 수 있다."(FG, 135)고 본다. 아펠(K.-O. Apel)에 의하면, 하버마스는 『사실성과 타당성』에서 법과 도덕의 동근원성을 주장한 것이 아니라 법의 원리를 민주주의 원리와 함께 동일하게 설정한 것이다.[22] 하버마스는 한편으로 도덕과 법은 "칸트"[23]와 로크에게로 연결되고, 다른 한편으로 개인의 자율성과 국가시민의 정치적

19) Delef Horster, *Rechtsphilosophie*, Hamburg, 2003, 112쪽.
20) Jürgen Habermas, "Wie ist Legitimät durch Legalität mäglich?" in: *Kritische Justiz*, 20/1, 1987, 1-16쪽.
21) Vgl. Adela Cortina, "Diskursethik und Menschenrechte", in: *Archiv für Rechts- und Sozialphilosophie*, 76, 1990, 38쪽.
22) Karl-Otto Apel, *Auseinandersetzungen in Erprobung des transzendental-pragmatischen Ansatz*, Frankfurt, a. M., 1998, 742쪽.
23) 하버마스는 법의 형식에 대한 칸트의 분석은 법과 도덕의 관계에 대한 논의 단서를 제공해 준다고 본다. 이 논의를 통해 하버마스는, 민주주의의 원리가 칸트의 법이론에서처럼 도덕적 원리에 종속되어서는 안 된다는 점을 보여주어야 한다는 것이다(FG, 111, 136쪽. Vgl. Udo Tietz, "Faktizität, Geltung und Demokratie, -Bemerkungs zu Habermas' Diskurstheorie der Wahrheit und der Normenbegründung", in: *Deutsche Zeitschrift für Philosophie*, 41, 1993, 236쪽).

자율성의 구성적이고 상호 교환하는 전제조건의 심의적 민주주의의 합법적인 담론으로 연결된다는 것이다. 즉 도덕과 법은 "가장 원초적인 국민주권"(FG, 112, 151)의 형태이다. 이러한 도덕과 법의 체계는 한편으로는 "도덕원리로서, 다른 한편으로는 민주주의 원리로서"(FG, 136) 특별한 내용을 수용하게 된다.24)

먼저 하버마스는 도덕원리를 다음과 같이 진행시킨다. 도덕원리는 "가능한 관련 당사자 모두의 이익을 동등하게 고려할 때에만 정당화될 수 있는 행동규범을 위해 이러한 보편적 담론원리를 특정화할 때 생겨난다."(FG, 139) 반면에 민주주의 원리는 "법적 형식 속에서 등장하는 행동규범을 위하여 보편적 담론원리를 특정화할 때 나타난다."(FG, 139) 도덕원리가 도덕적 질문을 합리적으로 결정하기 위한 논증의 규칙이라면, 민주주의 원리는 실천적 질문을 합리적으로 결정할 수 있는 가능성을 이미 전제한다. 이런 관점에서 도덕원리가 특정한 논증게임의 내적으로 구성된 차원에서 작동한다면, 민주주의 원리는 그 자체가 법적으로 보장된 의사소통 형식들 속에서 수행되는 담론의 의견 및 의지 형성과정에 평등하게 참여할 수 있는 권리를 외적으로 제도화하는 차원과 관련되어 있다(FG, 141). 따라서 도덕원리와 민주주의 원리를 구별하는 기준은 민주주의 원리가 정당한 입법절차를 확정해야 한다는 사실에서 출발한다. 하버마스는 민주주의 원리를 담론원리와 법적인 형식의 결합으로 도출해 내고자 한다. 그는 민주주주의 원리를 다음과 같이 규정한다.

"민주주의 원리가 뜻하는 것은 법적으로 구성된 담론적 입법과정 속에서 모든 시민들이 동의할 수 있는 법규범들만이 정당성을 주장할 수

---

24) Vgl. Ralf Dreier, "Rechtphilosophie und Diskurse-Bemerkung zu Habermas Faktizität und Geltung", in: *Zeitschrift für philosophische Forschung*, Bd. 48, 1994, 93쪽.

있다. 다시 말해서 민주주의 원리는 서로 자유의지에 따라 결성된 법 공동체의 자유롭고 평등한 구성원으로 인정하는 법 인격체들이 공동으로 내리는 자율적 결정의 수행적 의미를 설명해 준다. 이런 점에서 민주주의 원리는 도덕원리와는 다른 차원에 위치한다. 도덕원리가 도덕적 질문을 합리적으로 결정하기 위한 논증의 규칙으로 기능하는 데 반해, 민주주의 원리는 실천적 질문을 합리적으로 결정할 수 있는 가능성을 이미 전제한다."(FG, 141-142)

비록 이러한 민주주의의 원리가 충분한 합의의 담론적 이념을 고려하고 있다 하더라도, 자유롭고 동등한 법률적 주체를 상호 인정할 수 있도록 합법화해야 한다. 다시 말해 민주주주의 원리는 시민들에 의한 자율적 입법이라는 이념을 법의 수신자로서 법에 종속되는 사람들이 동시에 법의 저자로 이해할 것을 요구한다(FG, 153). 이런 관점에서 시민들의 자율적 입법의 이념은 개인 인격체의 도덕적이고 자율적인 입법으로 환원될 수 없다(FG, 154). 따라서 하버마스는 규범적 척도의 근거와 방법을 비판이론으로 다루고 민주주의의 법 국가와 법의 담론이론을 제시한다. 하버마스가 강조한 바와 같이, 민주주의의 법 국가는 상당히 절차적 합리성에 깃들어 있어야 한다(FG, 288-291, 565). 그렇게 될 때, 민주주의 법이론은 "절차적 법의 상호 이해"(FG, 270, 272)의 교차점을 형성한다. 이러한 과정은 민주주의 법이론의 구조에서 "생활세계의 합리화"(FG, 106, 108, 137, 238)를 통해 밝혀낸다.

민주주의 법 국가에서 일반법은 법 주체의 자유로운 의지로부터 일반화되는 한계상황을 직시할 때, "정당화의 부담"(FG, 153)으로 작용하게 된다. 그렇게 될 때, 법이론을 통해 법의 적용기관을 정치적으로 책임 있는 담당자와 연결시킨다. 이러한 관계는 의지를 형성하는 시민사회 및 헌법기관의 절차에 의해 논증적 상호작용으로 작동하게 된다(FG, 225-226, 434, 451).[25] 이것은 국민주권의 실천적 논거로서 시민들에게 적용된다. 이러한 논거에서 규범과 법을 인식하고, 공론의 담론으로 정당화시킨다. 그렇게 하여 법규에 의해 행위자들을 규제하고 동시에 전체적으로 이성적 창조자로서 이해하게 된다(FG, 52). 이러한 절차가 순조롭게 진행되었을 때, 하버마스가 주장하는 자유로운 방향으로 진행되는 자기규정의 절차원리 속에서 민주주의의 법 국가의 규범적 근거가 정착하게 된다.26)

따라서 하버마스는 보편주의 기본원칙을 제시한다. 하버마스의 논증규칙은 도덕원리가 아니라 담론원리에서 발견된다(FG, 138). 하버마스의 담론원리(Diskursprinzip)는 다음과 같이 진행된다. "가능한 한 모든 관련자들이 합리적 담론의 참여자로서 동의할 수 있는 행동규범으로만 타당하다."(FG, 138) 이러한 원리는 최소한 두 가지의 이상화를 포함하고 있는 합리적 정당화의 일반원리이다. 첫째로 합리적 담론의 결정에 의해 영향 받는 모든 부분은 결단하기 전에 타당하게 요구받도록 해야 한다. 둘째로 합의의 동의를 충분히 이끌어내지 못하더라도 납득할 만하게 결정해야 한다. 즉, 그러한 동의는 참여자들이 합리적 담론을 이끌어냈더라도 통찰력을 갖고 좀더 성숙한 동의를 이끌어내야 한다.27) 어떠한 과제가 이러한 담론을 수용하면서 법이론에 근접할 수 있는가? 하버마스에 의하면, "법의 합리적 담론의 요구"28)는 다음과 같이 근거하고 있다고 본다. "법적인 형식의 구성

---

25) Alexander Somek, "Unbestimmtheit: Habermas und die Critical Legal Studies", in: *Deutsche Zeitschrift für Philosophie*, 41, 1993, 344쪽.

26) Udo Tietz, "Faktizität, Geltung und Demokratie, -Bemerkungs zu Habermas' Diskurstheorie der Wahrheit und der Normenbegründung", in: *Deutsche Zeitschrift für Philosophie*, 41, 1993, 236쪽.

27) William Rehg, "Morality, Discourse and Decision in the Legal Theory of Jürgen Habermas", Michel Rosenfeld(Hg), *Habermas on Law and Democracy*, University of California Press, 1998, 260쪽.

28) Vgl. Armin Engländer, "Grundrechte als Kompensation diskursethische Defizite? Kritische Anmerkungen Jürgen Habermas' Diskurstheorie des

은 전통적으로 내려온 인륜성이 무너지면서 생기는 결손을 보완하기 위한 것이다. 이 순간부터 이성의 뒷받침을 받는 자율적 도덕만이 판단의 문제에 대해 책임을 부과하게 된다."(FG, 145) 위에서 언급한 바와 같이, 아펠의 관점에서는 하버마스가 법과 도덕을 동일한 근거로 설정하지 않은 이유를 담론윤리의 한계를 의미하는 것이 아니라 민주주의 원리를 법 원리로서 점차 확충하여 정립하려는 것으로 본다. 그래서 아펠은 하버마스는 이러한 논증에 대한 근거를 한편으로 칸트의 이론에서 빌려왔고, 다른 한편으로 루소의 이론에서 더 밀접하게 연결시켰다는 것이다.[29] 이러한 전통적 논의에 따라 하버마스는 심의민주주의의 합당한 담론을 구성할 수 있었던 것이며, 개인의 자율성과 국가시민의 정치적 자율성의 상호 전제조건을 인권과 국민주권의 내적인 관계로 전개하였다(FG, 112, 151).

그런데 칸트의 법이론에서 민주주의 원리의 결함을 발견할 수 있는데, 이는 민주주의 원리를 정당한 우선권으로 포함시키지 못한 것이 아니라 오히려 민주주의 원리를 인식하지 못한 데에 원인이 있다. 즉, 칸트의 법이론에서 자유주의의 우선권은 주관적 권한이 외부의 힘에 의해 설정되었음을 의미하였다.[30] 하버마스의 관점에서 법은 도덕과는 아주 상이하게 상호작용의 관계를 규제하는 것이 아니라, 특정한 역사적 조건과 사회적 환경을 법적 공동체의 자기조직을 위한 매체로서 작동시키는 것이었다(FG, 196). 법이 이러한 역할을 제대로 수행하기 위해서는 제재력뿐만 아니라 정당성을 갖추어야 한다. 보편주의적 도덕의식이 일반화된 근대에서는 규범의 수신자가 동의하는

Rechts", in: *Archive für Rechts- und Sozialphilosophie*, Vol. 81, 1995, 483 쪽.

29) K.-O. Apel, *Auseinandersetzungen in Erprobung des tranzendentalpragmatischen Ansatzes*, Frankfurt a. M., 1998, 741쪽.

30) Onora O'Neil, "Kommunikative Rationalität und praktische Vernunft", in: *Deutsche Zeitschrift für Philosophie*, Bd. 41, 1993, 331쪽.

규범만이 정당하였다. 하지만, 현대사회에서 법규범이 정당하게 인정을 받기 위해서는 자유롭고 평등해야 한다. 그래서 합리적, 절차적 담론을 적용한 입법과정을 통해 제정되어야 한다. 이러한 입법과정의 절차가 제대로 지켜졌을 때, 바로 우리가 민주적이라 부르는 민주주의의 규범적 의미를 갖게 된다. 근대 이후부터 법은 사회통합에 필수불가결한 매체가 되어 가고 있기 때문에, 그 기능을 제대로 수행하기 위해서 실질적인 절차적 민주주의를 더욱 요구하고 있다.

(2) 법과 도덕의 보완

하버마스는 법을 정당화하기 위해서는 법적 담론에 필요한 본래의 절차와 근거에 의해서 법이 제정되어야 한다고 본다. 하버마스는 법적 담론에 본래적 절차가 인권보호와 국민주권에 대해 균형을 견지해야 한다고 주장한다. 이러한 균형 속에서 그는 인권과 국민주권의 동근원성을 설명한다.

법이 도덕을 제한하여 인권과 국민주권을 대립관계에 빠지게 한 원인은 권리의 상호주관적 성격과 그에 대한 보완적 관계를 제대로 파악하지 못하였기 때문이다. 그래서 하버마스는 권리의 상호주관적 성격 및 법과 도덕의 보완관계를 밝혀낸다. 그런 다음에 법적 정당성의 법적 논의가 축소되지 않아야 하는 이유를 설명한다. 법이 정당성에 대한 법적 논의를 합리성으로부터 이끌어낸다면, 법적 논의의 절차는 법을 정당화하는 원칙들 속에서 인권보호와 국민주권을 내적인 관계로 매개해야 한다. 우리가 정치적 공동체 안에서 행사하고 있는 권리는 단지 도덕적 권리를 의미하는 것이 아니라 법이 정한 소송을 낼 수 있는 권리이기도 하다. 그래서 어떤 상해(傷害)나 부당한 대우에 대해 직접 구제할 수는 없을지 모르나, 소송을 제기할 수 있는 길은 열려 있다. 결국 우리는 권리를 실정법의 요소로 이해할 필요가 있다. 이런 점에서 하버마스는 인권과 국민주권의 내적인 연관을 보여주는 자율성 개념에 초점을 맞춘다(FG, 151). 따라서 우리는 법규범을 일반적 행동규범과 구별되는 형식적 특성을 규명하기 위해서라도 법과 도덕을 보완할 필요가 있다.

하버마스의 관점에서 도덕과 법은 동시에 야누스의 얼굴을 지니고 있다. 하버마스의 입장에서 인권은 도덕적 내용과 법률적인 권리의 형식을 아울러 지닌다. 여기서 법률적인 규범은 일정한 법공동체에 소속되어 있는 개인을 보호해야 함을 의미하며, 인권은 모든 도덕적 규범을 포함시킨다. 이런 점에서 인권은 주관적 권리의 형식과 만나면서 자유의 영역을 보장해야 한다. 도덕은 어떤 권리보다 의무의 우선성을 주장하겠지만, 도덕과 법의 양 측면을 갖는 인권에서는 의무가 우선하지 않는다. 왜냐하면 법에 의무를 지우는 것은 자유로운 상호작용에서 나타나는 경계이거나 인권으로부터 파생되어 나오는 것이지 인권의 의무로부터 부과하는 것은 아니기 때문이다.[31] 하버마스는 사회학적 관점에서 보았을 때, 도덕과 법은 전통적인 법과 관습적 윤리가 뒤얽힌 포괄적인 사회윤리라 말한다. 그러나 법, 도덕, 인륜적 삶들의 포괄적인 망들이 무너지면서 도덕과 법의 분화과정이 서서히 시작되었다. 도덕과 법은 동일한 문제를 처리하는 데 언제나 연관되어 왔다.

어떻게 도덕과 법이 행동이나 규범들을 조정할 것이며, 어떻게 도덕과 법이 상호주관적 관계에 대해 정당한 절차로서 사회질서를 유지해 나갈 것인가? 이러한 물음에 대해 하버마스의 입장에서 도덕과 법은 똑같은 문제에 대해서도 서로 다르게 대응한다는 것이다. "도덕이 문화적 지식의 한 형식에 불과한 것이라면, 법은 문화적 지식의 특성 이외에도 제도적 수준에 맞게 구속력을 갖춘다. 법은 상징체계

---

31) Jürgen Habermas, "Der interkulturelle Diskurs über Menschenrechte", Wolfgang R. Köhler und Matthias Lutz-Bachmann(Hg.), *Recht auf Menschenrechte*, Frankfurt a. M., 1999, 216쪽.

일 뿐만 아니라 행동체계이다."(FG, 106, 137, 245) 무엇보다 그는 칸트와 자연법의 주장에 반기를 표하면서 법률적 권한은 도덕을 지배하지 못한다고 본다. 따라서 하버마스의 관점에서 법과 도덕은 분리된다. 법과 도덕은 근거짓는 방식이나 행위를 조정하는 방식도 제각기 다르다. 도덕과 법은 형식권으로 분리되고 사회통합의 다양한 기능으로 보강된다(FG, 106). 하버마스의 이러한 도덕과 법의 기본적인 입장은 "시민들이 수행하는 민주적 자기결정 속에 삭인되어 있는 인권이 도덕적 내용을 지니고 있음에도 불구하고 처음부터 법적 의미의 권리로 파악되어야'(FG, 136) 함을 의미한다. 따라서 하버마스는 법의 개념을 제대로 해석하고 관철시킬 것을 요구하는 근대 성문법으로서 이해한다(FG, 106). 여기서 하버마스가 법과 도덕을 서로 구분하는 것은 분명히 훌륭한 이론적 근거가 된다. 그리고 경우에 따라서 도덕적, 법적인 권리도 좋은 이론적 토대가 된다. 하버마스는 전통적인 인륜성에서 유래한 법과 도덕의 분화는 상호 보충하는 관계여야 한다고 거듭 주장한다. 그래서 전통윤리에서 등장하는 동기문제와 일정한 관계를 맺는다. 따라서 이성의 형식은 행위에 영향을 받게 되고, 사회화의 진행과정에 적용되어야 한다(FG, 146).[32) 주지하듯이, 하버마스는 일상적인 도덕적 권리의 이념에 대한 근거를 확대시켰다. 특히 그는 도덕에서 주관적 권리의 이념을 거부한다.[33) 그리고 주관성의 도덕적 권리요구의 이념도 거부한다. 실제적으로 하버마스는 순수한 도덕적 의미에서 법의 부당함으로부터 어떠한 것도 포함시키지 않았다(FG, 138). 그러나 하버마스는 진리에 대한 사실을 추구하는 체계적인 가정(假定)을 적용한다. 그는 자주 언급되고 있는

---

32) Emil Angehrn, "Das unvollendete Projekt der Demokratie", in: *Philoso-phische Rundschau*, 40. Jg. 1993, 258쪽.

33) Jürgen Habermas, "Kants Idee des ewigen Friedens", in: *Kritische Justiz*, 28/3, 310쪽.

도덕법의 이념이 그릇되게 안내되었다고 말한다. 그에게 있어서 "법은 탈인습적인 도덕처럼 문화적 지식의 한 형식일 뿐만 아니라 동시에 사회적 제도체계의 중요한 구성요소이다. 법은 지식체계인 동시에 행동체계이다."(FG, 106, 146) 단지 탈인습적인 도덕이 지식의 형식을 갖추고 있다면, 최소한 이러한 도덕에서 순수한 도덕법은 모순될 수 있다. 왜냐하면 법은 합당한 승인을 받아야 하기 때문에 비난과 선동을 하거나 경멸을 표시하거나 그 밖의 다른 부정적인 표현들을 한다면, 도덕적 승인을 얻어야 한다. 그래서 하버마스는 일반적 행위규범을 도덕과 법적인 규칙으로 이원화하였다. 그리고 이러한 규범적 내용은 도덕과 법에 대해 중립적이지만 추상적 수준으로 전개하였다. 즉, 하버마스에게 있어서 "도덕과 법은 가능한 모든 관련 당사자들이 합리적 담론의 참여자로서 동의할 수 있는 행동규범으로서만 타당하다."(FG, 138)

법은 법조문과 그에 대한 해석들로 이루어진 텍스트이면서 동시에 행동규제의 복합체로 이해된다. 행동체계로서의 법 해석에는 동기와 가치정향이 서로 복잡하게 얽혀 있기 때문에 법적 규범은 도덕적 판단과는 다소 다르게 직접적 행동에 영향에 미친다(FG, 106, 245). 계속해서 하버마스는 법의 행동체계를 설명해 나간다. 하버마스는 법 아래에서 민주주의의 절차에 의해 법규범을 완성해 나간다. 첫째, 법은 행위자가 자유롭게 자신의 의지를 결속할 수 있는 능력과 자의(恣意)를 고려한다. 둘째, 법은 행동을 계획하는 데 있어서 생활세계적 맥락에서 복잡성을 상상한다. 그리고 전형적으로 사회적 행위자들이 서로 영향력을 행사하는 외적 관계에만 관심을 둔다. 셋째, 법은 동기가 무엇인가를 상상하고 그 동기가 무엇이든지 간에 외적인 규칙에 동조하는 행동에 대해 만족을 표한다(FG, 143). 그러나 법은 합법성과 강제성으로서 단지 대립된 측면만이 있는 것이 아니라 구체적인 도덕적 생활세계의 구성적인 동기에서 나온다. 무엇보다 법은 사회적 수준에 달려 있으며 생활세계의 토대 위에서 사회통합으로서 받아들여진다.

도덕과 법이 모두 사람들 사이의 갈등을 완화시켜 주고, 모든 참여자와 관련자들의 자율성을 평등하게 보장해 주어야 한다는 것은 분명하게 다가온다. 도덕과 다르게 법은 자율성을 분리시킨다. 여기서 도덕적 자기결정은 통일적 개념이다. 이 개념은 각 인격체마다 자기의 공정한 판단에 의거하여 구속력이 있다고 여기는 규범만을 따른다. 이와 대조적으로 시민들의 자기결정은 사적 자율성과 공적 자율성이라는 이원적 형식으로 등장한다.34) 사적 자율성과 공적 자율성은 자유주의와 공화주의에 의해서 제각기 법의 지배(또는 인권보호)와 국민주권이란 이름으로 불려 왔다.

사회시민의 사적 자율성은 인권과 익명적인 법의 지배를 통해 보장되는 반면에, 국가시민의 정치적 자율성은 국민주권의 원칙에서 유래하고 자기입법 하에서 형성된다. 인권과 국민주권, 법치와 자기입법이라는 이 두 이념은 근대에 법을 정당화하는 유일한 원칙으로서 그리고 오늘날까지 민주적 법치국가의 규범적 자기이해로서 규정한다. 따라서 인권과 국민주권은 두 자율성의 각기 다른 명칭에 불과하다. 이성법의 전통은 사적 자율성과 공적 자율성 사이의 내적 연관을 해명하지 않았다. 우리가 권리의 상호주관적 구조와 자기입법의 의사소통 구조를 진지하게 받아들여 설명했을 때, 두 가지 내적 관계를 해명할 수 있다(FG, 135).35) 그러나 두 이념은 지금까지 상호보완적으로 제시되기보다는 서로 대립적인 것으로, 하나를 희생해야만 다

---

34) 위르겐 하버마스, 한상진 외 옮김, 『사실성과 타당성』, 나남출판, 2000, 537쪽.

35) Vgl. Detlef Horster, "Recht und Moral: Analogien, Komplementaritäten und Differenzen", in: *Zeitschrift für philosophische Forschung*, Bd. 51, 1997, 382쪽.

른 하나가 관철될 수 있는 것으로 제시되었다.

4. 맺는 말: 심의민주주의의 의의

지금까지 인권과 민주주의의 상호연관성을 하버마스의 법이론을 통해 살펴보았다. 앞 절에서 살펴본 하버마스의 심의적 민주주의 이론은 법의 형태로서 자유주의와 공화주의의 모델을 새롭게 수정·보완한 것으로 이해된다. 지면관계상 하버마스의 법이론의 문제점을 상세하게 다루지는 못하였고, 기본적인 이해에 초점을 맞추어 살펴보았다. 하버마스가 보여준 심의민주주의와 인권의 관계의 현대적 의의는 다음과 같이 정리해 볼 수 있다.

첫째, 하버마스의 법이론은 분화와 복잡성을 해치지 않으면서 심의적 의견 및 의지 형성을 보장하는 민주주의적 절차를 구성하였다. 하버마스는 지금까지의 공화주의의 전통에서 국민의 정치적 의지 형성 과정을 심의의 절차과정으로 해석하고자 했다. 자유주의의 모델과 비교할 때 공화주의의 모델은 자율적인 국민들이 공동으로 행하는 이성의 공적 사용을 제도화함으로써 민주주의 본연의 의미를 보존한다는 장점이 있다. 그러나 사회가 복잡해지고 다양해지면서 국민의 자기통치를 강조하는 공화주의의 모델은 자율적인 국민들이 행하는 이성의 공적 사용을 제도화함으로써 보호한다. 그런데 하버마스가 공화주의에 대해 의문점을 갖는 것은 "정치적 담론을 윤리적으로 제한하려는 경향들" 때문이다. 21세기 다원주의 사회에서 동일한 신념과 정체성, 가치관, 윤리관을 갖고 있는 사람들의 정치공동체로 파악하고 국민들에게 공화주의적인 덕목을 요구할 수도 없으며 나아가 개인의 인권을 침해할 소지가 다분히 있다. 하지만 인권을 보호하기 위하여 자유주의자들의 모델처럼 공동체에 앞서 천부적인 인권을 강조하면서 정치적 담론을 도덕적 담론에 종속시키는 것은 시민의 자기결정권의 원칙에 어긋날 뿐만 아니라 현실적이지도 못하다. 물론 법적, 정치적 담론은 비도덕적이어서는 안 된다. 법적, 정치적 담론은 특정한 공동체의 규범으로서 공동체의 생활세계나 정체성의 문제를 소홀하게 다루어서도 안 된다. 따라서 우리가 법적, 정치적 담론에서 윤리적, 도덕적 문제를 포괄하는 합리적 준칙을 마련하였을 때, 우리는 지금까지 대립 내지 경쟁 관계에 있는 것으로 여겨져 왔던 인권과 국민주권의 대립관계를 올바르게 파악할 수 있다.

둘째, 하버마스의 민주주의 이론은 현대사회에서 실제로 정치적 의견이 형성되는 과정을 분석함으로써 아직도 공론장이 살아 있고 정치적 의사결정에서 의미 있는 역할을 하고 있다는 것을 제시해 준다. 주변부의 "비공식적인 공론장에서 자유로운 토의와 의견"(FG, 210-211)으로 생겨난 의사소통의 흐름이 사람들의 주목을 끌어 여론이 형성되고 그것이 의회를 거쳐 행정부의 집행활동에 영향을 미친다. 현대의 복잡한 사회에서 공론장은 정치체계라는 하나의 극과 생활세계의 사적 부분과 기능적으로 전문화된 행동체계라는 또 다른 극을 매개하는 중간구조를 형성한다.[36] 여기서 하버마스는 공론장이 아직도 문제를 감지할 능력과 함께 그것을 문제화할 수 있는 힘을 갖고 있다고 가정한다. 하바마스는 자신의 모델의 현실적 토대가 되고 있는 공론장이 아직도 살아 있음을 실증적으로 보여주고자 한다. 따라서 활력을 갖고 있는 공론장은 하버마스의 절차적 심의민주주의의 모델을 지상에서 떠받치고 있는 현실적 토대를 제공한다.

셋째, 하버마스의 심의적 민주주의는 자유주의적 정치문화와 합리화된 생활세계를 전제한다. 이러한 하버마스의 이론은 한국사회의 정치문화와 생활세계에 적용해 볼 수 있다. 우리는 1945년 해방 이후 지금까지 이승만 정권을 시작으로 박정희, 전두환, 노태우 독재정권

---

36) 위르겐 하버마스, 앞의 책, 448쪽.

에 맞서 줄기차게 투쟁해 온 민주화 운동과 민주화의 성취를 높이 평가한다. 또한 1990년대 이후 한국의 사회운동은 시민사회와 일정한 관계를 갖고 진행되어 왔기에, 그동안 시민사회가 보여주었던 다양한 분야에서의 역동성은 무시할 수 없다. 이제 한국사회에서 사회운동은 시민사회를 무시하는 정책은 실행될 수 없다는 것이 경험적 사실로서 입증되고 있다. 따라서 하버마스의 심의민주주의와 공론장 이론에 기대를 거는 것은 21세기 한국에서 사회운동을 전개하는 데 있어서 실천적 전략의 함의가 포함되어 있다.

넷째, 우리가 하버마스의 법적, 정치적 토의를 윤리적, 도덕적, 실용적 문제를 모두 포괄하는 합리성 기준을 갖는 독자적인 토의로 이해할 때, 우리는 지금까지 경쟁관계에 있는 것으로 여겨져 왔던 인권과 국민주권의 관계를 올바로 파악할 수 있다. 즉 자유주의 전통에서의 인권이 도덕적 자기결정으로 표현하든지, 아니면 공화주의 전통에서 주장하는 국민주권이 윤리적 자기실현의 표현 내지 윤리적-정치적 자기이해로 해석하든지 간에 어느 한쪽의 손을 일방적으로 들어줄 수 없는 딜레마에 놓여 있다. 하지만 우리는 하바마스의 민주주의 이론사의 모델을 통해 민주주의의 협력관계를 새롭게 인식할 수 있다.

다섯째, 하버마스의 사실성과 타당성의 긴장관계는 야누스의 얼굴을 지니고 있다. 그러나 그것이 행위조정 효과를 내는 합의를 도출해야 한다면, 새롭게 제기되고 받아들여야 한다. 하버마스의 사실성과 타당성 사이의 긴장관계는 사회통합 일반에 깔려 있다. 형식적인 토의와 합의가 아니라 "가장 일반적인 발화행위 제안도, 관습적인 '예/아니오'의 입장을 취하는 것도 궁극적으로는 무제한적 해석공동체에 앞서서 정당화되어야 할 잠재적 근거에 의지한다."(FG, 35) 물론 하버마스도 합의에 의해서 행위를 조정한다는 것은 결코 쉬운 일이 아니라고 본다. 왜냐하면 합의의 행위도 항상 타자의 불일치 및 불인정에 대한 위험의 요인들을 잉태하고 있기 때문이다. 즉, 어렵게 합의가 된다고 해도 사실성과 타당성 사이에서 폭발적인 긴장관계가 언제나 위협받고 있다. 하지만 우리는, 하버마스가 주장하는 합의의 형성과정으로부터 어떻게 건전한 사회질서가 나올 수 있는가를 근본적으로 새롭게 물어야 한다.

제 4 부

한국사회의 문제들

제 13 장

한국사회에서 공화주의의 이념은 부활할 수 있는가? *

공화주의의 정치철학적 고찰

1. 들어가는 말

우리나라 헌법 1조에는 "대한민국은 민주공화국이다."라고 명시되어 있다. 이 조항은 대한민국 정부수립 이후 지금까지 지속되어 온 우리나라의 정체성을 제시해 주는 상징적 문구이다. 여기서 대한민국은 국가의 이름이자 국호를 의미한다. 민주공화국은 한 국가의 정체성을 밝힌다는 의미를 지닌다. 그러면 1987년 이후 민주화가 진전된 지금까지 우리나라는 민주공화국이란 정체성을 어디에 내놓아도 스스럼없이 정착되었다고 자신할 수 있는가?

우리에게 민주공화국이란 실체는 지금까지 익숙하게 들어온 낯익은 말이었지만, 그 내면을 제대로 얼마만큼 들여다보았다고 말할 수 있는가? 유감스럽게도 그간 우리 사회에서 민주공화국이란 명시적인

---

* 이 글은 2007년 한국동서철학회 추계 학술대회(대전대, 2007년 11월 10일)에서 「개인과 국가의 관계에 대한 철학적 성찰」이라는 주제 하에 발표되었다. 그 후 『시대와 철학』 제19권 제1호, 한국철학사상연구회, 2008 봄, 7-14쪽에 실린 것을 수정·보완하였다.

문구만 요란하였지, 그에 대한 실체를 세심하게 살피지 못했다. 또한 이에 대한 "근본적 성찰"[1]이 없었거나 의도적으로 회피한 측면이 많음을 부인할 수 없다. 공화국이란 용어는 공(公) 개념의 성격을 다분히 띠고 있다. 즉 공화란 개념은 정치·사회 철학적 측면에서 공익성, 공공성을 뜻하며 사적인 것보다 공적인 일을 다루는 용어라 말할 수 있다. 이런 점에서 한 국가의 정체성이라 할 수 있는 공화국은 단순히 사적인 이익보다 공적인 공익을 다룬다. 다시 말해 공화국은 공익성, 공공성의 개념을 의미하며 우리나라의 국가의 정체성을 뜻한다. 하지만 공화국에 대한 정확한 이해가 부족한 탓에 제대로 맞지 않는 신조어가 나타난다. 도박공화국, 부패공화국, 재벌공화국, 삼성공화국 등이 바로 그것이다.

공화국은 공화주의의 이념을 표방한다. 공화주의란 정치, 통치에의 참여를 모두의 것에서부터 출발한다. 즉 공화주의란 참된 인간성 실현의 계기를 찾는 정치이념으로서, 공적 이해를 사적 이해보다 우선시하는 공민성, 덕성, 활발하고 적극적인 정치참여, 평등하고 자유로운 대화와 토론, 다수의 자의적 의지가 아닌 법에 의한 통치, 삼권분립에 기초한 정부형태 등을 특징으로 한다.

특히 눈여겨볼 공화주의의 이념은 공적 행위의 원리적 측면이다. 한국사회에서 최근 가장 심각하게 대두되는 화두는 공적 행위가 제대로 작동하고 있는지의 여부이다. 공공성이 우리의 국가정책을 토의

---

1) 최근 민주공화국에 대한 본격적인 논의는 홍세화를 시작으로 김상봉 교수(전남대 철학과), 이동수 교수(경희대 정치학과)가 다루었다. 자세한 내용은 다음을 참조. 홍세화, 『악역을 맡은 자의 슬픔』, 한겨레신문사, 2004, 25-28쪽; 홍세화, 「불확실한 미래 때문에 저당 잡힌 오늘」, 박준성 외, 『왜 80이 20에게 지배당하는가?』, 철수와 영희, 2007, 200-202쪽; 김상봉, 「모두를 위한 나라는 어떻게 가능한가?: 공화국에 대한 철학적 성찰」, 참여사회연구소 편, 『다시 대한민국을 묻는다』, 한울, 2007, 333-358쪽; 이동수, 「민주화 이후 공화주의의 재발견」, 철학연구회 한국정치사상학회 공동 학술대회, 『대통령직의 위기와 유목적 정치질서』, 2007년 9월 15일, 27-41쪽.

와 합의를 통해 전체의 의사를 반영하는 것이라면, 그 공공성이 일반 국민들을 위해 제대로 반영되고 있는지 물어야 하는 것은 당연하다. 공적 행위, 즉 정치·경제의 공공성, 노동의 공공성, 교육의 공공성, 의료의 공공성, 사회복지의 공공성 등이 우리 사회 곳곳에서 작동하고 있는지의 여부를 아울러 묻고, 그렇지 않다면 그에 대해 대안을 절실히 마련해야 할 때이다. 따라서 이 글에서는 역사적으로 내려온 공화주의의 관점을 칸트, 아렌트, 하버마스의 이론을 선별하여 고찰하고자 한다. 특히 이 세 이론가의 공화주의 이념에 주목하고자 하는 이유는, 그들이 대표 자격으로 공적 행위라는 측면에서 이론사적, 영향사적(影響史的)으로 심도 있게 전개하고 있기 때문이다. 또한 그들은 칸트를 시점으로 하여 현대에 이르기까지 공공성의 측면에서 커다란 주축을 형성하고 있다. 아울러 칸트, 아렌트, 하버마스 등의 공화주의 이념 및 그 모델은 우리 사회의 공공성의 강화라는 측면에서 본받아야 할 건전한 긍정적 요소들을 여전히 지니고 있기 때문에, 먼저 위의 세 사상가의 이론들을 중심으로 살펴보고, 그 다음 한국사회에서 어떻게 적용 가능한 측면들을 발견할 수 있는지 모색해 보고자 한다.

2. 공화주의의 이념은 부활하는가?

서구에서 오늘날 아렌트, 무페, 스키너, 하버마스 등을 비롯한 공화주의 정치철학 이론들이 부활하고 있다. 공화주의의 이념이 개인의 권리와 공동선을 추구하는 것이라면, 우리 사회에서 과연 그러한 관점들이 균형을 갖추어 병행되어 진행되고 있는가? 공화주의는 개인의 특수한 이익보다 공동선을 우선시하는 한, 자유주의와 구분된다. 공화주의자들에게 정치는 개인이나 집단의 보상을 얻으려고 애쓰는 단순한 도구의 과정이 아니다. 그 반대로 정치란 집단 그 자체를 공동체로 구성하고 공유하는 윤리적 생활을 만들어내는 것이다. 공화주의는 그리스·로마를 배경으로 하는 고전적 공화주의에서 출발한다. 12-16세기 이탈리아 도시국가를 배경으로 하는 시민적 공화주의가 대표적이었고, 그 밖에 네덜란드를 배경으로 한 상업적 공화주의나 프랑스 대혁명기의 루소나 영국 명예혁명기의 제임스 해링턴(James Harrington)이나 미국 건국 당시의 토머스 제퍼슨(Thomas Jefferson), 제임스 매디슨(James Madison)에서 등장했던 정치개념이었다.2) 비록 아리스토텔레스적 형태에서 공화주의는 여성과 노예를 시민권으로부터 배제시켰지만, 수정된 형태가 현대적 조건에 적용될 수 있다. 역사적으로 '공화주의 개념의 어원'은 통치가 한두 사람의 지배자의 특권에서 나오는 것이 아니라 시민 모두의 공적인 일이라는, 레스 푸블리카(Res publica, a common business)라는 개념에서 유래한다. 공화주의는 1인 지배를 반대한다는 측면에서 민주적이지만, 인민의 지배를 반대한다는 측면에서 반민주적이다. 고전적 공화주의는 공적 이익을 사적 이익에 우선하고, 공동체에 대한 책임의식과 군사적 무용(武勇)을 강조한다.

현대 정치학자 스키너(Quentin Skinner)는 후기 "마키아벨리에 의해 발전된 정치에 관한 고전적 공화주의 관념"3)은 공동선을 확고하게 강조하면서도 개인의 권리와 공동선 사이의 균형을 맞추는 데 도움이 될 것이라 주장한다. 스키너에 의하면, 오늘날 정치이론이 직면하고 있는 선택은 한편으로 소극적 자유와 개인적 권리, 다른 한편으로 적극적 자유와 공동선 중의 어느 하나일 필요가 없다고 주장한다.

---

2) 공화주의 역사적 기원 및 배경에 대한 자세한 문헌은 다음을 참조. J. Ritter und K. Gründer(Hg.), *Historische Wörterbuch der Philosophie*, Bd. 8, Verlag Basel, 1992, 858-878쪽; 김상봉, 앞의 글, 333-358쪽.

3) 마키아벨리는 "역사상 오늘날까지 인간을 지배했거나 또는 지배해 온 모든 국가나 주권집단은 공화국 아니면 군주국의 어느 하나였다."고 말한다(마키아벨리, 임명방 옮김, 『군주론』, 삼성출판사, 1977, 67쪽).

고전적 공화주의의 위대한 장점은 "개인적 자유라는 관념을 고결한 공적 서비스라는 생각과 연결시킬 수 있다."[4]는 점이다. 따라서 고전적 공화주의는 "만일 우리가 정치사회 안에서 도달할 수 있을 만큼의 자유를 누리고자 한다면, 그 어떠한 개인적 또는 분파적 목적의 추구보다 공동선을 더 높은 것에 놓을 줄 아는 미덕 있는 시민으로 행동해야 할 충분한 이유가 있다."[5]고 그는 본다. 이런 점에서 스키너의 주장은 개인적 권리와 공통의 의무감이라는 두 입장에 대해 가능한 대답을 찾으려는 현대 정치철학에 큰 반향을 일으켰다.

1) 칸트의 공화주의

일반적으로 정치철학을 이해하는 방식은 두 가지이다. 하나는 로크에서 비롯된 자유주의이고, 다른 하나는 루소로 대변되는 공화주의이다. 칸트(Immanuel Kant, 1724-1804)는 루소에게서 인간에 대한 관심사에서 철학하는 방법을 배웠다. 그는 특히 루소의 평화개념에 많은 자극을 받았다. 또한 칸트는 자신의 법 개념을 통해 "루소 자신의 공화주의적 파토스"[6]의 개념을 강화시켰다. 일찍이 루소는 평화라는 개념보다 자유에 결정적인 우선권을 부여하였다. 그래서 루소는 "실제로 인류는 평화보다 자유를 통해서 반성한다."[7]고 말한다. 이렇듯

---

4) Quentin Skinner, "The Republican Idea of Political Liberty", in: G. Bock, Q Skinner and M. Viroli(eds.), *Machiavelli and Republicanism*, Cambridge: Cambtidge University Press, 1990, 306쪽.

5) 같은 글, 304쪽.

6) 루소는 『사회계약론』에서 이렇게 말했다. "나는 어떠한 정부형태를 취하든 간에 법률에 따라 지배되는 국가를 공화국이라 부른다. 왜냐하면 국가가 법률에 따라 지배될 경우에만, 공공의 이익이 우위를 차지하고 **공공의 것이** 중요성을 지닐 수 있기 때문이다. 합법적인 정부는 모두 공화국이다. 여기서 공화국이란 말은 귀족정이나 민주정으로 이해하는 것이 아니라 그 자체가 법률인 일반의지의 지도를 받는 모든 정부로 이해한다."(루소, 이태일 옮김, 『사회계약론』, 범우사, 1994, 55쪽)

루소 철학의 전체적인 파토스는 자유에 토대를 두고 있다. 그러나 그 자유는 법을 통해서 보장될 때에만 존립할 수 있다. 나아가 사회적 조건에서 자유는 오직 법의 지배를 통해서만 실현될 수 있다. 즉 "인간이 스스로 규정한 법에 복종하는 것이 자유"[8]라는 것이다. 칸트의 공화주의적 헌법은 루소가 제시하는 것처럼, 당연히 사회의 법에 규약된 자유의 원칙에 따른다.[9] 따라서 칸트의 입장에서 평등도 자유의 정치적 안전장치의 전체라 할 수 있다. 또한 자유는 평등을 열망한다. 이런 측면에서 자유와 평등은 둘 다 모두 입법의 주요대상이다. 따라서 한 국가는 개인의 자유를 통해 그 국가에 부여되는 만큼의 힘을 가질 뿐이다. 그러나 평등 없이 자유는 존립할 수 없다.[10] 이와 같이 칸트는 법의 지배 속에서 자유와 평등을 결합함으로써 타협 없는 공화주의 헌법의 변호인이 되고자 한다. 즉 칸트에게서 "모든 합법적인 정체는 공화주의"[11]라는 것이다. 오직 공화주의를 통해서만 인간은 일정한 사회적 조건 속에서 자기 자신의 주인으로 존속할 수 있다. 그러나 공화주의 헌법의 원칙은 "합법적일 뿐만 아니라 안전해야 한다. 그렇게 되었을 때 공화주의의 정체성은 내적 통일을 필요로 한다. 그렇지 않다면 공화주의의 정체성은 정치적 의지를 지닌 전체를 대표할 수가 없다. 그러므로 공화국 정부는 신민과 국가원수 사이에서 그들 상호간의 결합을 위해 매개체가 되어야 한다."[12] 칸트는 『영구

---

7) Du Contrat Social Anm; 5. 103. Vgl. Volker Gerhardt *Immanuel Kants Entwurf zum ewigen Frieden, -Eine Theorie der Politik*, Darmstadt, 1995, 30쪽, 재인용.

8) Du Contrat Social I, 8; 5. 41. Vgl. Volker Gerhardt, 앞의 책, 30쪽, 재인용.

9) Wolfgang Kersting, "Die Bürgerliche Verfassung in jedem Staate soll republikanische sein", O. Höffe(Hg.), *Immanuel Kant: Zum ewigen Frieden*, Berlin Akademie, Verlag, 1995, 91쪽.

10) Du Contrat Social II, 11; 5. 70. Vgl. Volker Gerhardt, 앞의 책, 30쪽, 재인용.

11) Taut governement légitime est républicain Contrat II, 6; 5. 57.

평화론』에서 공화주의 헌법의 원리조항을 다음과 같이 세 가지 관점에서 말한다.

첫째, 모든 국가에서 시민적 헌법은 공화주의적이어야 한다(349/B 20).[13] 이 명제는 오로지 법을 통해서만 정당화된 권력에 의해 평화를 보장받을 수 있다. 이와 같이 제한된 공간 위에서 지구의 평화를 위해 일차적이고 중요한 실제적 조항을 구성한다.

둘째, 모든 시민은 공통의 입법에 구속되어 있다. 여기서 구속의 원칙은 국가의 모든 시민이 법 앞에서 동등하게 예속되어 있다는 것을 의미한다. 시민은 법의 지배 하에 있으며 법에 구속되어 있다(350/B 20). 시민들이 법에 구속되어 있다 함은 당연히 평등을 의미한다. 국가는 시민들의 신체와 생명을 보존하기 위해 실제적으로 권력을 만들어낸다. 칸트는『영구평화론』에서 일반적인 사회적 조건에 대해 말하지 않고 법적인 구속을 공화주의 헌법의 고유원리로서 도입한다. 칸트가 입법과 판결에 대해 시민들의 법적인 구속력을 강조한 것은 당연한 것처럼 보인다. 이렇게 공화주의 헌법은 한 국가의 시민에서부터 국가의 개별적인 입법에 이르기까지 모두 구속의 법칙에 따른다.[14] 그때 우선 눈에 띄는 공화주의 헌법의 요소는 당연히 공정하게 평등을 보장받는 데 있다. 누구도 여기에서 예외가 될 수 없다. 즉 정부의 모든 구성원이나 입법을 만드는 기관도 여기에 해당된다. 모든 인간의 자유는 평등한 법 앞에서 평등한 의무가 도출된다. 따라서 평등은 공화주의 헌법의 근거가 되는 원리이다.[15]

셋째, 그 원리는 시민의 평등한 법질서에 따라 만든다. 이를테면,

12) Volker Gerhardt, 앞의 책, 31쪽.

13) I. Kant, *Zum ewigen Frieden*, hrsg. u. eingen. v. H. F. Klemme, Hamburg, 1992.

14) Wolfgang Kersting, 앞의 글, 92쪽.

15) Volker Gerhardt, 앞의 책, 85쪽.

공화주의 헌법은 이러한 평등의 원리에 의해 수립된 헌법을 통해 명칭을 부여한다(350/B 20).[16] 칸트의 공화주의 헌법은 근본적으로 시민들에게 법적인 효력을 발생하는 계약의 이념에 근거한다.[17] 그래서 정치적 주체로서 온전한 행위능력은 오직 성년이 된 시민만이 가질 수 있다. 따라서 시민은 지속적인 개혁을 통해 독자적인 발언을 하고 행동할 수 있는 시민공동체를 구성할 수 있다. 주지하듯이, 헌법에서 보장하는 인권의 기원은 자유이다. 여기서 모든 인간의 행위는 자유에 바탕을 두고 있다. 따라서 공화주의 헌법은 다른 모든 행위에 앞서 시민의 자유로운 행위를 보장하는 권리를 지닌다. 칸트에게 있어서 단지 시민은 노동자 또는 봉건영주와 같은 인간들이 경계를 설정하여 사용하는 사회학적 개념이 아니다. 그 용어는 법적 자격을 가진 시민을 뜻하지 부르주아지를 의미하는 것은 아니었다.[18] 이러한 공화주의 원칙은 전체적으로 네 가지의 관점을 지닌다. 즉, 개인의 자유, 개인의 법 앞에서의 평등, 사회적 존재로서의 개인의 자립성, 어떤 정치단체에 개인의 종속됨이 그것이다.

정치적으로는 우리가 어느 국가에서 태어나고 자라났는가 하는 것이 다소 중요한 의미를 가질 수 있다. 이미 역사적으로 소크라테스는 법정에서 아테네 도시국가의 법에 대해 시민으로서 자신의 의무를 지켜야 한다고 강조한 바 있다.[19] 칸트가 능동적 국민성(Staatsbür-gerschaft)에 관한 기준으로 경제적 자립성을 주장한다면, 그 기준은 첫째, 봉건영주에 대해서도 유효할 것이며, 둘째, 그렇게 하여 온전한 국민성으로서 모든 신민(Unterthanen)에 해당되는 결론을 이끌어낸다.[20]

---

16) I. Kant, 앞의 책, 350/B 20.
17) Wolfgang Kersting, 앞의 글, 92쪽.
18) Volker Gerhardt, 앞의 책, 86-87쪽.
19) Platon, *Kriton*, 50쪽 이하.

칸트에 의하면, 하나의 근거, 즉 다른 국민으로 변하는 것만이 이 법적 구속력을 정지시킬 수 있다. 이에 대해 칸트는 어떠한 진술도 하지 않지만, 그 변화가 단순히 다른 나라를 방문하는 것만으로 생길 수 있는 것이 아니라는 것은 분명하다.[21] 그렇다면 공화주의 헌법의 요점은 어디에 있는가? 지속적인 평화보장의 일차적이고 가장 중요한 조건이 하필 공화주의 헌법일 수 있다는 희망을 갖게 하는 것이 과연 무엇인가? 칸트의 논증에는 세 가지 근거가 있지만, 명확하게 세 번째 근거가 주로 거론된다.

첫째 근거는 국가만이 그 시민에게 평화로운 공동생활을 보장해 줄 수 있다. 그것은 권력과 결합된 법을 통해서 생겨난다. 동시에 법 뿐만 아니라 인권에 바탕을 두고 있는 국가형태의 자기이해는 시민의 갈등에 따라 법적 형태를 띠고 있기에 평화적으로 해결될 수 있는 것에 기인한다.

둘째 근거는 신민으로서 모든 시민의 동등한 종속의 기본원리를 들고, 이와 동시에 현행법에서 사적, 국가적 모든 행위를 구속시키는 것에서 성립된다. 이를 통해 국가의 경계를 넘어서는 법적 안전보장이 생겨난다.[22]

셋째 근거는 정확하게 말할 수 없기 때문에 다음과 같은 문장에서 찾을 수 있다.

"전쟁을 할 것인가, 말 것인가에 관해 결정하기 위해 (이 헌법에서 다른 어떤 것이 있을 수 없는 것처럼) 국민의 동의가 요구된다면, 국민이 전쟁이 자신에 가하는 모든 압박에 관해 결정을 해야 하기 때문에 거기에 있는 것은 다음과 같다. 즉 스스로 싸워야 하는 것, 전쟁경비를

---

20) Volker Gerhardt, 앞의 책, 86-87쪽.
21) 이에 대한 자세한 내용은 세계시민법(제3확정조항)에 관한 상론을 참조.
22) Volker Gerhardt, 앞의 책, 87-88쪽.

그들이 충당해야 하는 것, 전쟁이 그들에게 남기는 폐해를 힘들여 복구해야 하는 것, 과도한 재해에 덧붙여 — 연이어 일어나는 새로운 전쟁 때문에 — 결국 평화 자체를 가혹하게 만드는 결코 근절되지 않는 빚 부담을 스스로 떠맡아야 하는 것, 국민이 그 나쁜 놀이를 시작하는 것에 대해 스스로 깊이 숙고하는 것 이외에는 어느 것도 당연한 것이 있을 수 없다."(351/B 23/24)

위 인용문에서 보듯이, 칸트는 자신의 논쟁석 재능을 아주 자유롭게 발휘하고 있으며, 그 스스로가 얼마만큼 당파적인가에 대해 인식하게 해준다.

주지하듯이, 칸트는 정치철학의 관점에서 중요한 견해를 언급하였다. 칸트에게 있어서 사회계약은 정의로운 시민사회의 모든 시민들이 향유할 수 있는 평등한 자유에 대한 권리의 표현이다. 홉스가 이야기하듯이, 사회계약은 황량한 자연상태에서 만인 대 만인의 싸움이 아니라, 이성의 이념을 이끌고 법칙을 형성하는 규제적 이상(理想)이다. 무엇보다 칸트는 자연상태에서 '벗어나게 해주는' 도덕명령을 강조하였다. 그렇게 하여 그는 사회계약을 성립시키고 인간의 상호작용을 오직 힘과 권력에 의해 지배하는 반(反)법률적 상태를 배척하고자 하였다. 그의 사회계약은 평등한 자유의 원칙을 따르고 있으며, 옳고 그름의 법률적인 관계는 이성의 법칙에 의해 지배된다. 이러한 사회계약은 사람들의 사회적 행위가 일반적 법률에 근거하여 항상 다른 모든 사람의 자유와 공존할 수 있을 때에도 정당해야 한다는 원칙이다.[23]

칸트의 견해에 의하면, 일반시민들은 정의로운 사법적 원리, 즉 공화주의 정치를 구현하는 도덕적 의무를 지녀야 한다고 강조한다. 다시 말해 공화주의 정치에서 시민의 일반의지는 입법으로 표현되고

---

[23] I. Kant, *Metaphysical Elements of Justice*, ed. John Ladd, Indianapolis, IN: Hackett, 1797, 1999, 113-155쪽.

통치권은 사회계약에 근거한다. 그러나 사람들의 목적이 아무리 정당하다고 할지라도 그 목적을 실현하고자 하는 수단에 의해 결코 폭력을 허용하지 않듯이, 공화주의 정치는 비폭력 수단에 의해서만 실현되어야 한다. 따라서 폭력을 수단으로 삼는 행위는 도덕법칙 그 자체를 파괴한다. 이런 이유 때문에 칸트는 폭력적인 혁명이 결코 정당화될 수 없다고 주장한다. 그러한 반란은 항상 폭력을 야기하거나 더 커다란 폭력을 증폭시킬 것이기 때문이다.24) 루소의 해석처럼, 칸트의 사회계약은 사회의 기원에 대한 구체적인 원리(예를 들어 헌법적 협정)를 말하고자 하는 것이 아니라, 합법적으로 정치의 권위를 인정하기 위한 추상적 원리이다. 단지 국가가 우월한 권력을 이용하여 강제적으로 지배하는 것이 아니라 시민들의 일반의지로 통치되어야 한다. 그렇게 되었을 때, 시민들은 사회가 요구하는 평등한 자유를 보장받을 수 있다. 이런 관점에서 칸트는 대의제(代議制)와 입법부가 존속하는 공화주의를 통해 사회계약에서 요구되는 인민주권을 구현할 것이라 주장한다. 궁극적으로 칸트의 공화주의에서 평화는 저절로 선사되는 것이 아니라 우리 스스로가 만들어낼 수 있고 능동적으로 개척해 나가야 하는 정치적, 법적 상태인 것이다. 즉 안전이 보장된 평화로운 관계는 공통의 법 테두리 안에서 보장될 수 있다. 따라서 칸트는 『영구평화론』에서 국법을 공화제로서, 국제법을 자유국가의 연방제로서, 세계시민법을 보편적 우호관계로서 그 토대를 제시하였다.

한국사회에서 우리가 칸트의 공화주의의 이념에 주목하는 것은 공동의 구성원으로서 자유와 평등은 배치되는 것이 아니라 동등하며, 모든 시민들은 법의 테두리 안에 구속되어 있으며, 법 앞에 평등해야 한다는 지극히 상식적인 관점이다. 그러나 유감스럽게도 이러한 상식

24) 존 크리스먼, 실천철학회 옮김, 『사회정치철학』, 한울아카데미, 2004, 97-98쪽.

적인 관점으로 한국사회는 지금까지 진행되어 오지 않았다. 몇몇 실
례로서 2007년 말 이후 벌어지고 있는 삼성의 불법비리 사태가 제대
로 수사되지 않아 특검을 발동한 것이 그러하며, 권력비리 및 선거법
위반혐의로 얼룩진 정치권 인사들이 제대로 법의 심판을 받지 않고
권력의 특혜 속에서 조속히 풀려난 판결은 공화주의의 원칙을 실로
위반하는 행위이다. '유전무죄(有錢無罪) 무전유죄(無錢有罪)'라는
비아냥거린 경구가 여전히 판치는 사회라면, 이는 건전한 민주공화국
의 사회라 할 수 없다. 이런 점에서 칸트의 공화주의 관점은 여전히
우리 사회에서 시사해 주는 바가 지대하다.

2) 아렌트의 공화주의

아렌트(H. Arendt, 1906-1975)는 칸트의 정치적 사유의 관점에 많
은 영향을 받고 그의 공화주의를 전개한다. 즉 아렌트는 칸트의 공화
주의에서 정치적이라 할 수 있는 사고방식을 발견한다. 칸트의 입장
에서는 인간을 어떤 공동체의 구성원으로 평가하는 데 반해, 아렌트
는 인간을 '세계 공동체의 구성원'으로 포착한다. 그녀는 인간을 스
스로 '계약의 이념'으로 파악하고자 한다. 그리고 그러한 이념에서
출발하였을 때 정치적 행동이 분출될 수 있을 것이라 믿는다. 그녀는
자유로운 개인은 서로 다른 견해를 가지고 있지만, 상호 소통할 때야
비로소 공동체적인 행동을 할 수 있는 공통감(sensus communis)을
이해하게 된다고 말한다.[25] 모름지기 아렌트의 공화주의는 "정치적
참여"[26]와 공동의 실천을 주장하고 정치가 갖는 구성적 역할을 강조

---

25) 한나 아렌트, 김선욱 옮김, 『칸트 정치철학 강의』, 푸른숲, 2002, 157쪽.

26) 민주주의의 참여모델은 가능한 확산을 넓혀 가고자 하는 선 자체로서의 참
    여를 고찰한다. 이러한 이론에서 정치적 판단의 실행에 대해 공공성의 영역
    은 물론이거니와 정치적 기회를 현실화시키고자 하는 제도적 전제조건으로
    된다(Seyla Benhabib, "Unteilskraft und die moralischen Grundlagen der
    Politik im Werk Hannah Arendt", in: *Zeitschrift für philosophische*

한다는 점에서 기존의 고전 공화주의와 같다. 하지만 그녀는 정치를 도덕과 단절적으로 파악하는 자율적 정치관을 갖고 있다는 점에서 고전 공화주의와 다르다.

아렌트의 공화주의의 관점은 고대 그리스에 있었던 역사적 사실을 통해 사적/공적 영역, 즉 오이코스(oikos)와 폴리스(polis)를 설명하는 데서부터 논의를 시작한다. 여기서 그녀는 사적/공적 개념의 이론적 분석을 자연스럽게 연관시킨다. 즉 아렌트는 사적/공적 영역을 구분한 그리스인들의 사례에 따라 그의 이론을 전개한다. 이러한 구분 위에서 인간 활동이 연관된다. 정치적 공동체의 확립에 대한 문제는 궁극적으로 그것을 이루는 개인들이 어떻게 살아야만 개인적으로 그리고 한 걸음 더 나아가 집단적으로 의미 있는 삶을 영위하며 인간답게 살 수 있는가의 문제로 환원된다. 아렌트는『인간의 조건』(1958)에서 그 대답을 찾아나간다.

그녀는 인간 활동을 노동(labor), 작업(work), 행위(action)[27]로 분류하며 활동적 행동(vita activa)의 삶만이 개인들의 삶을 의미 없게 만들려는 경향이 강한 현대에 와서 인간실존의 완전한 잠재력을 실현할 수 있는 공동체의 밑바탕이 될 것이라 희망한다. 이러한 구분을 통해서만이 자신이 이해하는 정치, 즉 행위의 올바른 의미가 드러난다. 가난하거나 아프다는 것은 신체의 필연성에 구속되어 있음을 의미하며 노예가 된다는 것은 인간의 폭력에 예속됨을 의미한다.[28] 즉 인간의 노동, 작업, 행위의 인간 활동은 각각 발휘되는 공간이 따로 존재한다. 따라서 아렌트에게 있어서 인간의 활동적 삶은 노동, 작업, 행위로 다음과 같이 나누어진다.

첫째, 노동은 인간 신체의 생물학적 과정에 상응하는 활동이다. 신

Forschung, Bd. 41, H. 4, 1987, 527쪽).
27) 한나 아렌트, 이진우 · 태정호 옮김,『인간의 조건』, 한길사, 1996, 55-60쪽.
28) 같은 책, 83쪽.

체의 자연발생적 성장, 신진대사와 부패도 여기에 속한다. "노동이란 개인과 종의 보존에 필요한 생물학적 필요를 충족시키는 데 바쳐지는 인간적 삶의 부분이다."29) 노동에 종사하는 모습을 중심으로 인간을 설명할 때 노동하는 동물(animal laborans)이라 한다.

둘째, 작업은 인간실존의 비자연적인 것에 상응하는 활동으로서 자연적 환경과 전적으로 구분되는 인공적 세계의 사물들을 만드는 활동이다. 작업의 근본조건은 사물, 대상에 대한 인간의 의존성이다.30) 즉 작업이란 집이나 가구 등과 같이 생활의 필요에 따라 더 항구적인 물건이나 시설을 만드는 활동을 말한다. 단순한 생존과 구분되는 인간적 삶의 의미는 이러한 인공적 사물과 연관되기 때문이다. 작업의 특징은 "합목적성을 갖는다는 점이며 내구적이고 지속적인 생산물의 산출을 목표"31)로 한다. 작업은 노동에서 결여된 지향성이 있다. 예를 들어 집이나 자동차, 책상, 그릇 등은 일회적으로 소비되는 것이 아니라 다소 긴 시간에 걸쳐 사용된다. 이러한 물품을 생산하는 일을 작업이라 부른다.32) 따라서 작업은 인간의 공동세상을 형성해 준다. 이러한 작업에 종사하는 인간의 모습을 설명하는 개념이 공작인(homo faber)이다.

셋째, 행위는 사물이나 물질의 매개 없이 인간 사이에 직접적으로 수행하는 활동이다.33) 노동과 작업은 고립되어도 진행될 수 있지만, 행위는 고립되어서는 불가능하다. 사람은 무시당하고는 살 수 없다는 평범한 사실에서 이 행위 차원의 인간 행동의 중요성이 나타난다. 행위의 근본조건은 다원성, 즉 복수성을 지닌 인간들이 살아가고 있다

---

29) 같은 책, 55쪽.

30) 같은 책, 56쪽.

31) 같은 책, 225쪽.

32) 김선욱, 『한나 아렌트 정치판단이론』, 푸른숲, 2002, 49쪽.

33) 한나 아렌트, 『인간의 조건』, 56쪽.

는 사실이다. "어떤 누구도 지금껏 살아왔고 현재 살고 있으며 앞으로 살게 될 다른 누구와도 동일하지 않다."34) 인간의 복수성을 드러내는 행위는 생명유지 활동처럼 중요하다. 이처럼 그녀는 인간의 복수성은 개별적 인간의 '무엇 됨(what-ness)'과 '누구 됨(who-ness)'의 복합을 통해 드러난다고 말한다. 여기서 '무엇 됨'이란 습관과 장단점과 비교될 수 있는 일반적 특질을 의미하며, '누구 됨'이란 그만이 가진 고유한 특질을 지칭한다.35) 이러한 인간의 모습을 설명하는 개념이 정치적 동물(political animal)이다.

　아렌트는 그리스인들의 사적/공적 영역을 가정과 정치적 영역, 생계유지에 연관된 활동과 공동세계에 연관된 활동의 구분에 따른다. 아렌트의 공적 영역에서 공적(public)이란 개념은 누구나 볼 수 있고, 들을 수 있는 현상의 공간이 가지는 공공성을 가리킨다.36) 또한 공적 영역이란 세계가 우리 모두의 공동의 것이고, 우리의 사적인 소유와 구별되는 세계 그 자체를 말한다.37) 아렌트 입장에서 정치적 행위는 개인의 정체성을 드러내는 인간성을 실현하는 것이며, 단지 이러한 정체성은 고립된 개인이 아니라 다원성, 즉 다수의 인간으로 구성된 정치공동체를 전제로 한다. 이는 정치행위에 개인적 계기와 공동체적, 세계적 계기가 동시에 들어 있음을 함축한다. 아렌트가 인간됨의 발현의 조건으로서 정치적 공동체를 만들고 공동세계를 유지하려는 노력은 인간이면 누구나 참여해야 할 모두의 공적인 일(*res publica*)인 것이다. 이렇게 아렌트의 공화주의적 요소는 많은 사람들이 함께

---

34) 같은 책, 235-236쪽.

35) 같은 책, 242쪽.

36) 같은 책, 102쪽. 공적이란 개념 속에는 공개성이라는 개념과 고유성이라는 개념이 모두 포함되어 있다. 다시 말해 공개되지 않고 공유되지 않은 어떤 것에 대해서 공적이라는 말을 사용할 수 없다(김석수, 「칸트의 반성적 판단력과 아렌트의 정치철학」, 『칸트와 현대사회철학』, 울력, 2005, 226쪽).

37) 한나 아렌트, 『인간의 조건』, 105쪽.

모여서 정체성을 드러내는 발언을 하고 이러한 행위를 위한 공간을 함께 열고 유지하고자 한다.

아렌트에게 있어서 가정영역의 특징은 공동생활이 전적으로 필요와 욕구의 동인(動因)에 의해 이루어진다. 이러한 추진력은 "삶 자체"38)이다. 이 삶은 개체의 유지와 종족의 보존을 위해 타인과의 교제를 필요로 한다. 가정이라는 자연적 공동체는 필연성의 산물이며 거기에서 수행되는 모든 활동은 필연성의 지배를 받는다.39) 이런 측면에서 가정은 어느 누구도 쉽게 물리칠 수 있는 것이 아니며, 이는 피할 수 없는 필연적 공동체이다. 하지만 가정은 가장과 가족 구성원의 관계에서 볼 수 있는 것처럼, 불평등이 지배하는 영역이다.

이에 비해 정치적 영역(police)은 평등에 근거한 자유의 영역이다. 두 영역 사이의 연관성은 가정의 삶에 필수적인 것을 충족시키는 폴리스의 자유의 조건이라는 관점에서 보는 것이다. 이러한 자유는 그리스인이 행복한 삶의 조건이라고 부르는 데 부합하는 본질적 조건이다. 행복한 삶은 우선 부와 건강에 의존하는 객관적 상태이다.40) 가정 안에서 생명에 필요한 것의 충족은 정치영역의 자유를 위한 조건이 된다. 자유는 정치영역 안에 위치하며 어떤 상황에서도 사회보존의 수단을 담보할 수 없다. 가정이 가장 엄격한 불평등의 장소라고 한다면, 정치영역은 오직 평등만을 고려한다. 이렇게 아렌트가 고대 그리스에서 법을 통해 사적(가정)/공적(폴리스) 영역의 구분을 구체화하고 공간화한 이유는 공간적인 정치적 문제가 사적인 문제에 제약받지 않도록 하고자 하는 의도였다.41)

하지만 아렌트는 사적 영역과 공적 영역에 한정하지 않고 사회적

---

38) 같은 책, 55쪽.
39) 같은 책, 82쪽.
40) 같은 책, 83쪽.
41) 같은 책, 28, 37, 64-65쪽.

영역의 출현에 강조점을 두고자 한다. 이는 생명과 재생산의 출발점이 되는 가정의 경제가 공적 영역으로 부상하여 가정의 유지에 관련된 모든 문제가 집단적 관심사가 되었다는 것이다. 아렌트에 따르면, "사회적인 것의 등장"42)은 많은 것을 변화시켰다. 즉, 아렌트가 그리스 시대의 사적/공적 영역에서부터 근대사회를 특징짓는 관점은 사회의 등장이다. 여기서 사회의 등장은 인간의 활동을 통해 노동으로 환원된다. 노동 즉, 생산과 소비의 끊임없는 자동적 순환과 소멸 과정에 맞서 안정적이고 인위적인 세계를 세우지 않으면, 유의미한 인간적 삶은 불가능하다. 따라서 아렌트의 인위적인 세계는 공화주의라는 정치공동체의 안정적이고 지속적인 제도적 세계를 가리킨다.43) 이제 사회구성원들은 오로지 경제적 이해관계를 중심으로 하여 먹고사는 문제에 온 신경을 곤두세우게 되었고, 정치를 경제적 이해관계의 함수로서 여기게 되었다. 이러한 측면에서 그녀는 정치의 독자성의 위기뿐만 아니라 한 걸음 나아가 민주주의의 위기가 초래되었다는 것이다.

공적 영역에 사회적인 것이 등장함으로써 인간의 활동 가운데 노동과 작업을 지나치게 중시하게 되었고, 이와 더불어 인간의 복수성(複數性)에 기반을 둔 행위에 대한 진정한 평가가 소멸되면서 문제가 발생하게 되었다. 곧 현대사회에서는 경제적 관심이 지배적이게 되었다.44) 아렌트에 의하면, 사회가 복잡해지면서 한편으로 정치영역으로부터 근대사회에서 제도적으로 분화되었고, 다른 한편으로 경제(시장)와 가족의 분화를 겪게 되었다. 역사적 과정 속에서 근대의 헌법국가는 사회적 상호작용의 영역에서 생성되었다. 한편으로 가정경제

---

42) 같은 책, 38쪽.
43) 정윤석, 『아렌트 공화주의의 현대적 전개』, 서울대 대학원 철학박사학위 논문, 2001, 40-41쪽.
44) 김선욱, 『정치와 진리』, 책세상, 2005, 47쪽.

사이에서, 다른 한편으로는 정치국가 사이에서 생성되었다.[45]

우리는 아렌트에게서 사회적인 것과 정치적인 것 사이의 구분을 통해 놀랄 만한 규범적 입장을 만날 수 있다. 그녀는 『인간의 조건』에서 한편으로 공공성을 구분하였고, 다른 한편으로 사회적/사적인 구분을 통해 더 확실하게 이해하고자 하였다. 따라서 그녀가 주장하는 정치적인 것이란, 신뢰할 만한 영역으로서 구분하여 인간의 실존을 고찰하고자 하는 것이었다. 하지만 정치적인 것은 사회적/사적인 영역에서 자유로운 정치적 결단을 반드시 이끌어내고, 무엇인가 새로운 관점을 반드시 전개하고자 하는 것은 아니다.[46] 이런 측면에서 아렌트는 정치철학의 중요한 범주로서 공공성을 새롭게 발견하고자 하였다.[47] 따라서 아렌트의 공공영역은 정치적 합법성과 공공성을 가능하게 결합시키고자 한다.[48]

아렌트에 의하면, 루소가 주장하는 것처럼, 시민이 함께할 수 있는 것은 일반의지 내지 공동의 의지(a common will)에서가 아니라 공동세계(a common world)를 통해서 시작한다고 본다. 즉 그녀에게서 "공적 영역은 수많은 관점과 양상(aspects)의 관점에서 동시에 존재한다는 사실에 근거하며, 공동세계는 이러한 관점들과 양상들 속에서 존재하지만, 공통적으로 적용되는 척도나 공통분모는 있을 수 없다. 공동의 세계가 모두가 함께 만나는 곳일지라도 그 안에 있는 사람들

---

45) H. Arendt, *Vita activa oder tätigen Leben,* München, 1981, 38-49쪽. Vgl. Seyla Benhabib, "Modelle des öffentlichen Raums: Hannah Arendt, die liberale Tradition und Jürgen Habermas," in: *Soziale Welt,* 42. Jg. 1991, 148쪽.

46) Ingeborg Nordmann, *Hannah Arendt,* Frankfurt a, M./New York, 1994, 73-74쪽.

47) 한나 아렌트, 『인간의 조건』, 211쪽.

48) Andreas Großßmann, "Renaissance einer streitbaren Denkerin, -Hannah Arendt in der neueren Diskussion", in: *Philosophische Rundschau,* 44. Jg. H. 3, 1997, 44쪽.

은 서로 다른 위치를 갖고 있다. 두 대상의 위치가 다르듯이, 한 사람의 위치와 다른 사람의 위치는 일치할 수 없다. 타인들에 의해 보이고 들린다는 의미는 모든 사람들이 서로 다른 위치에서 바라보고 듣는다는 사실에 있다. 이것이 공적인 삶의 의미이다."49)

공화국의 시민들을 묶어주는 것은 그들이 같은 공적 공간에 거주하고, 공동의 관심사를 공유한다는 사실이다. 만일 의사의 만장일치나 의지의 통합이 이루어진다면, 이는 오히려 위험의 신호이다. 그래서 아렌트는 의지나 진리보다 의견을 더 중요시한다. 그렇게 하여 우리는 공적인 일에 대한 공적인 토론 속에서 각자의 의견을 나름대로 형성하게 된다.50) 따라서 아렌트에게 있어서, 이해들은 한 곳으로 수렴될 수 있지만, 그 의견들은 하나의 안으로 수렴할 수 없다는 것이다. 아렌트의 정치적 입장에서 공화주의에 이르는 단계는 다음과 같이 몇 가지 관점으로 요약할 수 있다.

첫째, 아렌트가 그리스 시대의 사적/공적 영역에서부터 근대사회를 특징짓는 사회의 등장을 들 수 있다. 여기서 사회의 등장은 인간의 활동이 노동으로 환원된다. 노동 즉, 생산과 소비의 끊임없는 자동적 순환과 소멸 과정에 맞서 안정적이고 인위적인 세계를 세우지 않으면, 유의미한 인간적 삶은 불가능하다. 따라서 아렌트의 인위적인 세계는 공화주의라는 정치공동체의 안정적이고 지속적인 제도적 세계를 가리킨다.51)

둘째, 이성의 객관적 진리와 사변을 중시해 왔던 서구의 전통적 사유의 결함을 들 수 있다. 플라톤 철학 이후로 서구를 지배해 온 이러한 이성중심의 전통으로 인해 의견과 현상의 정치공간이 무시되었고, 이로 인해 인간의 다원성이 무시되는 상황이 초래되었다. 이러한 전

---

49) 한나 아렌트, 『인간의 조건』, 100-111쪽.
50) 같은 책, 100-111쪽.
51) 정윤석, 앞의 책, 40-41쪽.

통에 맞서는 인간의 개성과 정체성이 발휘되는 정치공간의 복원이 절실하게 필요하게 되었다. 따라서 공적 업무로서의 정치의 복원, 즉 공화주의에 이르게 된다.

셋째, 전체주의의 등장이다. 인간은 전체주의를 통해 모든 것을 행위하고자 하지만, 실제로 인간이 자유롭게 할 수 있는 일은 아무것도 없음을 확인하기도 하였다. 전체주의의 비극은 세계적 현실에 대한 상식의 쇠퇴와 그에 따른 허구적 현실로서의 이데올로기의 대두와 깊은 관련이 있다. 전체주의적 지배의 요소는 공적 영역을 파괴한다는 데 있다.

우리 사회에서 아렌트의 공화주의 이념을 눈여겨볼 대목은 그리스 시대 이후로 사적/공적 영역을 넘어선 사회적인 것의 등장이라는 현상이다. 아렌트가 추구하고자 했던 그리스적인 정치적 공적 영역은 우울한 사적 영역의 부담에서 해방된 성인남성으로 구성된 시민의 탁월성, 용기의 미덕을 표현하고 타인을 서로 인정하는 공연장이었다. 이렇게 사회적인 것의 등장은 인간 활동의 건전한 노동을 통해 안정적인 인간의 세계를 구축하여 유의미한 삶을 만드는 것이다. 따라서 아렌트가 추구하고자 한 인간이 만든 인위적인 세계는 공화주의라는 정치공동체에서 안정적이고 지속 가능한 세계를 만들어 나가야 한다는 사실이다. 21세기 한국사회는 다원화된 사회에서 안정적이고 지속 가능한 세계를 공고히 하기 위해 시민들의 공적인 토론을 통해 누구나 참여할 수 있는 공동의 세계를 만들어 나가는 장이 필요불가결하다. IMF 이후 급속한 경제여파를 겪은 후 이주민 노동자들의 대량이입으로 인해 타인에 대한 인정 내지 관용의 정치는 더욱 절실히 필요하게 되었다.

3) 하버마스의 공화주의

아렌트의 공화주의 이론은 공론장에서의 자유로운 토론과 이것에 의한 의지나 의사 형성을 중요시한다는 점에서 하버마스(Jürgen Habermas)와 일치하지만, 의지나 의사 형성이 반드시 동의나 합의를 목표를 하지 않는다는 측면에서 그와 의견을 달리한다. 하지만 아렌트와 하버마스 사이에서 드러나는 차이점은 아주 미미하다. 하버마스의 입장은 아렌트의 입장보다 다소 포괄적이다. 아렌트는 정치문제에서 일종의 합리적 진리개념을 작동시키기보다 때때로 잘못되어 보이는 정치적 개념을 마련한다. 그녀는 하버마스처럼 그러한 주장을 포함시켜 조사한다.[52]

아렌트는 권력과 관련하여 고전적 공화주의와 일치하는 부분으로 간주되어 왔던 주권에 대해 거부한다. 주권개념은 홉스를 출발점으로 하여 루소를 거쳐 현대 민주주의 이론에 중심적인 역할을 해왔다. 그러나 아렌트는 그것이 군주가 되었든 국민이 되었든 간에 단일한 정치적 지배자에 속하는 것으로 여기고 주권개념을 거부한다.[53] 그래서 그녀는 공동의 행위와 상호신뢰에서 발생하는 권력만을 인정한다. 따라서 아렌트는 인간의 유한한 힘은 타인의 도움을 필요로 하기 때문에 어느 누구도 엄밀한 의미에서 주권적 또는 자주적이라고 할 수 없다고 말한다.

하버마스는 『사실성과 타당성』[54]에서 자신의 민주주의의 절차적 이론의 목적 중의 하나로 아렌트와 다소 다르게, 근본적인 "개인의 권리와 인민주권의 동시적 근원성"[55]을 전면에 부각시키고자 한다.

---

52) Margaret Canovan, "A case of distoreted communtition: A Note on Habermas and Arendt", in: *Political Theory*, Vol. 11, No. 1, 1983, 108-109 쪽.

53) 한나 아렌트, 『인간의 조건』, 299쪽.

54) Jürgen Habermas, *Faktizität und Geltung: Beiträge zur Diskurstheorie und des demokratischen Rechtsstaats*, Frankfurt a. M., 1992. (한상진 외 옮김, 『사실성과 타당성: 담론적 법이론과 민주주의 법치국가 이론』, 나남출판, 2000.)

55) 이에 대한 자세한 내용은 다음을 참조. 양해림, 「인권과 민주주의: 하버마스

한편에서는 가치가 개인적 권리들을 보호하기 위해 봉사한다. 다른 한편으로 그러한 권리들이 인민주권의 행사를 위해 필수적인 조건들을 제공한다. 일단 그것들이 이러한 방식으로 구상되면 "어떻게 인민주권과 인권이 공존할 수 있는가를 이해"해야 한다. 그렇게 하였을 때 하버마스는 "시민적 자율성과 사적 자율성의 동시적 근원성을 파악할 수 있다."[56]고 주장한다. 이러한 인민주권의 개념은 근대 초기의 주권개념을 공화주의적 관점에서 재평가하는 과정을 거쳐 생겨났다.

공화주의의 관점에서 인민은 원칙적으로 위임될 수 없는 주권의 담지자이며, 그 인민주권의 성격은 다른 무엇에 의해서도 위임될 수 없다.[57] 공화주의의 전통은 인민주권을 윤리적 자기실현으로 해석하는 경향을 보여준다. 공화주의적 인본주의를 대변하는 사람들은 시민적 자치조직이 제도화될 수 없는 고유한 가치를 강조한다.[58] 따라서 하버마스는 주권을 개인이든 집단이든 간에 자연인에게 부여할 때 발생하는 문제를 회피하기 위하여 주권을 절차에만 귀속시켜 인민주권을 포기하는 것이 아니라 상호주관적 틀 속에서 재해석해야 한다고 본다.

한편 아렌트는 권력을 강제 없는 의사소통 속에서 형성된 공동의지의 잠재력으로서 이해한다. 그녀는 권력과 폭력을 견주어 상호이해를 존중하는 의사소통의 합의를 이루어내는 힘과 타인의 의지를 자신의 목적을 위해 도구로 만들 수 있는 능력을 주시한다.[59] "권력은

의 『사실성과 타당성』을 중심으로」, 『철학연구』 제96집, 대한철학회, 2005, 363-390쪽. 이 책 제12장 참조.

56) 위르겐 하버마스, 『사실성과 타당성』, 160쪽.

57) 위르겐 하버마스, 「민주주의의 세 가지 규범」, 한상진 편, 『현대성의 새로운 지평』, 나남출판, 1996, 57쪽.

58) 위르겐 하버마스, 『사실성과 타당성』, 139쪽.

59) 같은 책, 191쪽.

단순히 행동하거나 그 무엇에 대한 행위를 하는 것이 아니라 타인과 단합하고 조화를 이루어 행동하는 인간의 능력을 발휘하였을 때 나온다."60) 하버마스는 "아렌트의 권력개념"61)을 전적으로 수용하여 "권력에서 중요한 것은 타인의 의지를 도구화하는 것이 아니라 동의를 지향하는 의사소통에 의해 공통의 의지를 형성하는 것"62)이라 말한다. 하버마스에게서 의사소통적 권력은 왜곡되지 않은 공론장과 상호주관성에서 출발한다. 따라서 하버마스는 의견형성과 의지형성을 중요하게 여기며 이성을 공적으로 사용하는 모든 시민들에게 거침없는 의사소통적 자유에 의해 의사소통적 권력이 생겨난다고 한 것이다.63)

하버마스에 따르면, 공화주의 모델에서 시민은 전체 의사를 반영하고 전체를 위해 행동하는 주체로서 묘사된다. 여기서 시민은 사적 개인에 한정된 소극적 자유의 모델을 따르지 않는다. 오히려 시민권은 정치의 참여와 의사소통의 권리를 갖는 적극적 자유에서 나온다. 그렇게 하여 시민권은 외적 강제로부터 자유를 보장하는 것이 아니라 공동의 실천에 참여할 수 있는 가능성에 의해 보장받는다.64) 하버마스는 한편으로, 시민권은 자율적 시민들로부터 공동으로 행사하는 이성의 공적 사용을 제도화해야 하는 것이며, 다른 한편으로 시민권은 민주주의 본래의 의미에 부합하는 연대성과 공동선을 지향하는 강한 규범적 내용을 가져야 한다는 것이다.

---

60) H. Arendt, *Macht und Gewalt*, München, 1970, 45쪽.
61) 하버마스에 있어서 아렌트의 권력개념에 대한 더 자세한 내용은 다음을 참조. J. Habermas, "Hannah Arendt: On the Concept of Power", F. G. Lawrence(tr.), *Philosophical-Political Profiles*, Cambridge, 1983, 171-187쪽.
62) 위르겐 하버마스, 『사실성과 타당성』, 30쪽.
63) 같은 책, 191-192쪽.
64) 같은 책, 330쪽.

하지만, 시민권은 현대정치에서 수용되기 힘든 과도한 윤리적 부담을 진다는 단점도 있다.65) 특히 하버마스는 윤리적 통일성에 대한 공화주의의 강조는 거부하지만, 개인적 권리와 집합적으로 행동하는 시민들의 정치적 자율성을 조화시키는 정치적인 것에 관심을 기울인다. 그러한 조화에 대한 그의 가장 포괄적인 노력은 법률과 민주주의에 관한 그의 담론이론에서 잘 드러난다.66) 이런 점에서 하버마스에 의하면, 공화주의자들에서 겉으로 드러나는 자기실현적 공동체의 윤리적-정치적 의지는 자신의 삶의 계획과 일치하지 않는 그 어떤 것도 인정할 수 없다고 본다. 공화주의는 한쪽은 도덕적-인지적 요소를 강조하고, 다른 한쪽은 윤리적-의지적 요소에 비중을 둔다.67) 따라서 공화주의의 관점에서 민주주의의 의지형성은 윤리의 정치적 담론 속에서 이루어진다. 여기서 정치적 담론은 시민들과 함께 공유하며 문화적 합의에 따른다. 하버마스의 절차주의적 관점에 따르면, 실천이성은 보편적 인권이나 특수한 공동체의 구체적인 윤리적 실체에서 벗어나 담론의 규칙과 논증의 형식으로 입장을 바꾼다.

궁극적으로 하버마스의 절차주의의 규범적 내용은 의사소통 행위의 구조에서 나온다. 이렇게 하여 하버마스는 공화주의 사회에서 시민들의 의견형성과 지배형성을 매개로 하여 커다란 정치를 설계하고자 한다.68) 따라서 하버마스는 공화주의의 요소를 수용하면서 실제적으로 윤리적인 본질을 담보한 공동체 안에서 의사소통이론을 극복하

---

65) 위르겐 하버마스, 「민주주의의 세 가지 규범」, 한상진 편, 『현대성의 새로운 지평』, 44쪽.

66) 같은 글, 62쪽.

67) 위르겐 하버마스, 『사실성과 타당성』, 140쪽. 하버마스는 "칸트는 정치적 자율성을 자유주의적으로 독해하는 경향이 강했으며, 루소는 공화주의적으로 독해하는 방향으로 기울었다."고 보고 있다.

68) 위르겐 하버마스, 「민주주의의 세 가지 규범」, 한상진 편, 『현대성의 새로운 지평』, 53-54쪽.

고 동시에 해결하고자 한다. 주지하듯이, 그의 의사소통 행위의 개념은 절차주의적 입장을 택하고 있다. 그의 절차주의는 아무런 제약 없이 모든 쟁점이 공론구조 안에 자유롭게 제기될 수 있어야 하며, 어느 누구도 공론구조로부터 배제됨이 없이 참여할 수 있는 개방적 의사소통의 구조가 확보되어 있어야 한다. 의사소통 행위의 결과로부터 초래되는 합의나 타협은 사회정의나 민주주의를 담보할 수 있는 입장을 강력하게 피력한다. 이러한 입장에 대해 하버마스는 자신의 절차주의적 의사소통이론을 통해 자유주의와 공화주의 장단점을 보완할 수 있다고 본다. 왜냐하면 하버마스의 관점에서 자유주의는 현실적이지만 규범적 내용을 담는 데 빈약한 측면이 있고, 공화주의는 민주주의의 기본적인 정신에 충실하지만 너무 이상적이거나 과도한 윤리적 부담을 져야 하는 단점이 있기 때문이다. 하버마스의 심의민주주의 내지 절차주의 이론은 이러한 두 입장을 종합하여 공화주의보다도 더 현실적이며, 자유주의보다 훨씬 규범적인 대안을 제시하고자 한다. 그래서 하버마스는 민주주의 규범에 의해 시민들의 참여를 독려하여 의지 및 의사 형성을 중시하는 공화주의 이론에서 보완하고자 한다. 하지만 공화주의가 다수의 의지에 좌지우지되었을 때, 동시에 규범적 위험으로부터 쉽게 벗어날 수 없는 함정에 직면해 있다. 거듭 하버마스는 정치에 대해 심의 모델을 주장함으로써 사회 전체적으로 '상호주관적 대화'의 제도를 강조한다. 오직 진리와 규범이 경쟁하고 그것이 보편타당성의 의문에 부쳐질 때에만 공유된 가치에 대한 타당한 합의에 도달하는 것이 가능할 것이라고 그는 강조한다. 따라서 하버마스는 우리가 강압으로부터 자유로운 대화의 형태들을 촉진시키는 제도를 만든다면 그러한 합의는 달성될 수 있을 것이라 믿었다.[69]

69) 제임스 마틴, 「사회적인 것과 정치적인 것」, 파델마 아세 외, 이항우 옮김, 『현대 사회·정치이론』, 한울, 2006, 315-316쪽.

그렇게 하여 하버마스는 절차주의적 의사소통의 형식을 해결책으로 제시하여 개별주체보다 차원 높은 상호주관적 형식으로써 합리적인 의견과 의지의 형성을 북돋운다. 우리가 흔히 생각하는 행정권력은 단순히 자율적인 권력으로부터 발생하지 않는다. 오히려 행정권력은 시민들의 자기입법을 실천하려는 자발적인 의사소통의 권력으로부터 나온다. 그리고 의사소통적 권력의 정당성이란 것도 공적 자유의 제도화를 통해 자기입법의 실천을 보장하는 데 있다. 공화주의적 관점에서 정치적 공론장과 그것의 토대가 되는 시민사회는 전략적 의미를 필요로 한다. 여기서 전략적 의미는 시민들의 상호이해에 바탕을 둔 통합과 자율성을 보장해야 하는 데 있다. 정치적 의사소통과 경제·사회의 분리는 행정권력이 정치적 의견형성과 의지형성으로부터 생겨난 의사소통적 권력과 다시 결합한다.[70] 따라서 하버마스의 관점에서 국가가 존재해야 하는 이유는 단지 동등한 사적 권리를 보장해 주는 데서 그 역할을 다하는 것이 아니라 모든 사람들의 공동의 이익에 부합하는 목표와 규범을 설정해 주어야 한다. 그래서 국가는 자유롭고 평등한 시민들 사이에서 일어나는 포괄적인 의견형성과 의지형성을 보장해 주어야 한다. 그렇게 하여 국가는 공화주의의 시민들에게 단순한 개인적 이익추구 이상의 것을 보장해 주어야 한다.[71]

하버마스에게 있어서 의사소통의 조건을 중시하는 이유는 절차적 과정으로서의 정치를 그 자체로 하나의 목적론적 가치로서 정치의 독자적 의미를 보존하고자 하기 때문이다. 이때 정치가 지향하는 합의는 다수의 의견을 반영하고, 토론을 진행하는 데 있어서 왜곡되지 않은 조건을 담보해야 하고, 토론의 과정을 공정하게 하여 정치의 상대적 자율성을 확보할 수 있도록 한다. 결국 하버마스는, 우리가 강압으로부터 자유로운 대화의 형태들을 촉진시킬 수 있는 제도를 만

---

70) 위르겐 하버마스, 『사실성과 타당성』, 329쪽.
71) 같은 책, 331쪽.

든다면, 그러한 합의는 달성될 수 있을 것이라 믿었다.72) 따라서 하버마스의 공화주의의 관점에 의하면, 공론장과 의회에서 이루어지는 정치적 의견과 의지 형성은 전략적인 시장의 구조를 따르는 것이 아니라 상호이해를 목표로 하는 공적인 의사소통의 고유한 구조를 따라야 한다는 것이다.73) 다시 말해 공화주의의 이해방식은 제도화된 의견형성과 의지형성에 정당화의 권력을 부여하는 절차적 조건에 의해 정교화되어야 한다. 이러한 절차적 조건을 충족시켰을 때, 비로소 정치과정이 원하는 이성적 결과를 산출할 수 있다. 그렇게 되었을 때 공화주의자들은 정치적 담론의 권력을 신뢰할 수 있다. 이러한 정치적 담론은 그 이전의 정치적 자기이해를 포함하여 세계이해까지도 광범위하게 주제로 삼아 세심한 통찰력을 갖고 변화를 도모하는 것이다. 결국 하버마스에 의하면, 시민은 담론적 의견형성과 의지형성 과정의 참여자로서 정치적 자기결정의 권리를 알아내고 행사할 수 있어야 한다고 본다.74) 그렇게 되었을 때 공화주의의 정치모델은 국가에 의해 보장되는 생명, 자유, 재산에 대한 시민들의 고유한 권리를 단순히 개입하는 것이 아니라 시민들의 공동복지를 지향하고 자기 자신을 관리하는 협력적 공동체의 자유롭고 평등한 소속원으로 나아갈 수 있도록 도와주는 것이다. 하지만 국가의 권리와 법률은 공적 관심사에 대해 능동적인 참여과정에서 안정될 수 있는 폴리스의 인륜적 생활관계에 비교하여 다소 부차적인 것일 수 있다.75) 결국 하버마스의 관점에서 "심의적 자기결정은 절차법상으로 제도화"76)되어야 한다고 강하게 주장한다. 이러한 의사결정은 먼저 체계적으로 프

---

72) 제임스 마틴, 앞의 글, 315-316쪽.

73) 위르겐 하버마스, 『사실성과 타당성』, 333쪽.

74) 같은 책, 335쪽.

75) 같은 책, 327-328쪽.

76) 같은 책, 336쪽.

로그램화하여 의회에서 의지형성과 정치적 의사소통과정에서 이루어
지는 상호협력관계를 통해 펼칠 수 있어야 한다.

한국사회는 1987년 6월 항쟁 이후 절차적 민주주의의 확립을 더욱
닦아야 할 때라고 이야기되었다. 이제는 실질적 민주주의의 과제에
대한 해결을 강조할 때라고 말한다. 하지만 지금 우리 사회는 아직
절차적 민주주의 상태를 재점검해야 할 위태로운 절박한 상황에 있
다고 말해도 괴언이 아니다. 우리의 절차적 민주주의의 대상에는 헌
법, 법률을 비롯하여 정당제도와 각 정당의 당헌(黨憲) 모두가 포함
된다. 우리는 제도나 절차가 시대의 흐름에 따라 바뀌어 온 것은 당
연하다고 생각한다. 그러나 우리의 절차적 민주주의의 문제는 이해
당사자들이 이미 합의한 제도나 절차를 제대로 시행하지 않는 데 그
심각성이 있다. 그리고 어느 때든지 자기의 관점에서 유리하거나 불
리하다고 판단되면, 아전인수적 비판을 통해 불복하고 뜯어고치는 행
태가 너무나 일상적으로 반복되어 왔다. 그리고 이러한 태도는 결과
에 대한 불복과 이탈 행위로 나타났다. 이러한 오랜 낡은 정치관습으
로 진행되고 있는 정당의 분열과 재통합 과정의 행태는 정치가들의
심각한 정치윤리의식의 부재에서 비롯되었다. 이렇게 반복되는 정치
세력 사이의 상호 불신과 반목으로 인한 이합집산의 결과는 우리 국
민들의 일상사를 더욱 힘들게 만들었다. 결국 절차적 민주주의를 정
치가들이 오히려 지키지 않음으로써 민주주의를 더욱 어렵게 한 책
임을 더 이상 방기할 수 없기에 이에 대한 정치적 안전망을 철저히
마련해야 하는 심각한 상황에 처해 있다.

3. 맺는 말: 한국사회에서 공화주의 이념의 부활은 가능한가?

지금까지 우리가 공화주의 개념규정과 그 변천사에 대해 관심을
갖고 그 이론을 현실에 맞게 부활시키고자 한 것은 정치에 대해 무관

심하고 파편화된 대중들의 일시적 투표행위로 전락한 상황에서 적극적 시민권과 공공성의 정신이 여전히 필요하다는 사실에 근거를 두고 있다. 하지만 고전적 공화주의의 부활은 제한적일 수밖에 없다. 지금까지 살펴보았던 고전적 의미의 공화주의의 개념, 즉 칸트나 아렌트, 하버마스 등의 이론에서 공화주의의 긍정적 요소는 더 적극적으로 받아들이고 건전한 사회를 위해 노력해야 할 것이다.

우리의 경우 참여정부에 들어와 지속적인 신자유주의의 정책으로 인해 공화주의의 이념이라 할 수 있는 공공성, 공익성은 거의 실종되었다고 해도 과언이 아니다. 오늘날 약육강식의 논리를 구조적으로 강요하고 있는 자본주의 사회에서 날로 심화되는 신자유주의 정책으로 인한 경제력의 불평등한 격차는 극에 달했다. 사실상 칸트나 아렌트의 공화주의 이념에서도 보았듯이, 그의 이론에 필수적인 요건이라 할 수 있는 평등한 사회적 관계의 수립이 갈수록 어렵게 진행되고 있다는 것이다. 현재 우리 사회가 삼권분립이 제도적으로 구비되어 있다고 해서 공화주의가 제대로 기능하는 것은 아니다. 오늘날 한국의 시민들에게 4년마다 국회의원 선거와 5년마다 대통령 선거를 할 수 있는 권리가 주어져 있다고 해서 그들이 자신의 운명을 결정하는 중대한 정치적, 정책적 결정에 참여할 수 있는 길이 열려 있는 것은 더더욱 아니다.[77] 소수 엘리트 집단에 의한 권력독점 현상이 구조적으로 강화되기 쉬운 현 상황에서는 공화주의의 생명은 풀뿌리 민주주의의 여건을 더욱 어렵게 만들어 나가고 있다. 정말로 살아 숨쉬는 공화주의의 토대를 만들기 위해서는 시민이 자신의 정치적 권리를 정당하게 요구하고, 그들이 민주시민으로서의 의지형성과 공동의견을 자유롭게 개진할 수 있는 제도와 토양이 허용되고 있느냐가 결정적인 요인이라고 하지 않을 수 없다.

---

77) www.pressian.com/2007-07-04.

주지하듯이, 공화주의의 어원은 한두 사람의 지배자의 특권에서 나오는 것이 아니라 시민 모두의 공적인 일, 현대적 관점에서는 공적 서비스를 말한다. 루소의 공화주의에서는 자유, 칸트의 공화주의에서는 법의 지배 아래 자유와 평등의 결합, 개인의 법 앞에서의 평등, 시민의 자유로운 행위, 평화로운 공동생활들도 모두 공적인 행위를 말한다. 아렌트의 공화주의에서는 사적(가정)/공적(폴리스) 영역의 구분을 통해 사적 영역이 가정에서의 가장과 가족 구성원들 사이의 불평등이 지배한다면, 공적 영역은 평등에 근거한 자유에 근거하며, 한 단계 더 나아가 사회적 영역의 출현에 강조점을 두었다. 또한 그녀는 시민이 함께할 수 있는 공공성의 개념을 발견하여 공동의 세계를 가꾸어 나가고자 한다. 여기서 공적인 일에 다양한 의견의 중요성을 개진한다. 하버마스는 공화주의의 모델에서 인민주권을 재발견하고, 의사소통의 공동의 의지를 형성하여 더 나아가 심의민주주의 내지 절차적 민주주의를 완성하는 것을 목표로 삼는다. 위에서 제시한 공화주의 이론들은 어느 정도 우리 사회에서 이루어진 듯하다. 하지만, 현실사회에서 이러한 요소들을 구체적으로 살펴보았을 때, 여전히 미흡한 측면이 많다. 우리 사회가 1987년 이후 절차적 민주주의가 어느 정도 형식적으로 진전되었다고는 하지만, 시민들의 합리적 의견들이 정책에 효율적으로 반영되어 집행되었는지는 여전히 의문이다. 특히 한국 민주주의는 절차적 민주주의의 기반을 더욱 닦아야 한다. 공화주의 관점에서 하버마스의 절차적 민주주의가 아직 미천한 부분은 우리 한국사회에서 최근 뜨거운 이슈로 등장하였다. 그 대표적인 사례는 한미 FTA, KTX 비정규직 노동자 문제, 국가보안법 등이다.

지난 5년간 노무현 정권은 집권과 함께 효율성과 경쟁의 시장주의, 즉 신자유주의에 따른 개방정책을 전면화했다. 참여정부는 집권 초반부터 신자유주의 정책에 반대하는 급진적이고 보편적인 공공의 목소리는 철저히 소외시키고 배제했다. 2003년 교육, 의료 분야 등 WTO

각료회의에서 보여준 공세적인 개방태도는 2006년 한미 FTA 협상으로 치달았다. 2003년 미국 방문 당시 한미동맹의 코드는 2006년 전략적 유연성 합의와 주한미군 이전 확장, 천문학적 국방예산 책정 등 정치·군사 동맹의 강화를 통해 더욱 공고해졌다. 한편 지난 참여정부는 2003년 철도총파업 때 공권력을 투입하고 KTX 비정규직 여승무원의 정규직으로의 전환을 철저하게 외면했다. 이는 3만 명 이상을 고용한 공기업으로서 가져야 할 최소한의 합리성, 도덕성, 진실성, 그리고 공공성을 외면한 행위이다.[78]

신자유주의 정치에 내재된 반동성이란 다름 아닌 공공성의 의견이 실종된 자유무역협정, 한미동맹, 노사관계 로드맵처럼 자본의 몰가치가 압축되어 실행되는 것을 의미한다. 정부와 신자유주의 개혁세력은 자본의 몰가치와 시민의 생존과 삶, 공동체성의 가치가 대립되는 요소, 국면마다 회피와 투항의 정치를 재연했다. 현 시점에서 개혁세력 일반의 정치적 몰락을 예고한 것은 역시 결정론적이며 숙명론적 인식이 아니었다. 지금까지 보여준 정부의 한미 FTA의 협상과정은 국

---

78) 국가인권위원회는 2006년 9월 고용차별이란 결론을 내리고 철도공사 측에 고용구조 개선을 권고했으며, 이상수 전(前) 노동부 장관도 2007년 1월 "철도공사가 KTX 여승무원을 직접 고용하는 방안을 검토해야 한다."고 말했다. 하지만 비정규직법 시행을 앞두고 2007년 6월 28일 정부가 발표한 공공부문 비정규 대책에서 KTX 여승무원 문제는 제외됐다. 이상수 전 장관은 '관계부처의 반대'를 이유로 들었다. 노동부는 28일 서울지방노동청에서 노동부장관 주선으로 이석행 민주노총위원장, 엄길용 철도공사 노조위원장 및 이철 철도공사 사장 등 4명이 만나 노·사·공익 3자 협의체에서 KTX 여승무원 등에 대한 문제해결을 논의하고 그 결과에 따르기로 하는 등에 합의하였다고 밝혔다. 구체적인 합의내용은 ① 노·사·공익 각 2인씩 6인의 '3자 협의체'를 구성(공익은 노동부장관이 지명), ② 협의체는 합의일로부터 일주일 이내에 구성, ③ 협의체는 구성 후 첫 회의일로부터 1개월 동안 운영하며, 전원 합의에 의하여 1개월 이내에서 연장할 수 있고, ④ 협의체는 그 논의결과 다수의견을 제시하도록 하였다. 한편, KTX 여승무원 등은 지난 2006년 3월부터 철도공사로의 직접고용을 주장하며 파업을 시작한 이후 단식 등의 투쟁을 해왔다.

민을 위해서, 혹은 공익을 위해서 중앙정부나 지방정부를 막론하고 제대로 공적인 일을 할 수 없게 만든다는 의미에서 사실상 국가주권을 박탈하는 조약이나 다름없다. 국민들에게 한미 FTA가 가져다 줄 장밋빛 미래를 노래하며 신기루를 찾는다면, 더 큰 나락에 빠질 것은 분명해 보인다. 왜냐하면 한미 FTA는 무엇보다도 우리의 공동세계를 가꾸어 갈 공생의 삶의 토대라고 할 수 있는 350만의 농민과 그들의 공동체의 삶을 가차 없이 해체시키고자 하는 기도이기 때문이다. 지금 우리에게 필요한 것은 우리가 이러한 공멸의 논리를 극복할 수 있다는 신념과 용기와 희망일 것이다. 그러한 신념과 용기와 희망은 우리들 자신의 협동적 연대의 그물 속에서만 발견될 수 있을 뿐이다. 이렇듯 한미 FTA는 하버마스가 공화주의의 모델을 지향하고자 하는 "절차적 내지 심의 민주주의에 대한 심각한 도전"[79]이라 할 수 있다.

---

79) 첫째, 한미 FTA는 지난 6월 항쟁의 꽃이라 할 수 있는 절차적 및 심의민주주의에 대한 중대한 도전이었다. 최소한의 절차적 요건인 청문회조차도 제대로 마련하지도 못한 채, 1년 넘게 지속된 시민사회와 민중진영의 대규모 항의에 대해 그저 명분 없는 집회불허만 되풀이하였다. 농민과 영화인의 FTA 반대광고조차 사실상 불허하다가 법원에 의해 방송불허 취소 판결이 나오는 촌극을 자초하였다. 둘째, 한미 FTA 체결로 위헌논란은 불가피해졌다. 그것은 단순히 주권제약적인 수준을 넘어 다수의 '주권침해적'인 요소를 안고 있다. 셋째, 한미 FTA는 소수의 '통상독재'의 결과이다. 헌법 60조에 명시된 조약의 체결 • 비준 동의권 가운데 조약체결에 있어 대통령 권력에 대한 국회의 민주적 통제수단으로서 국회의 체결동의권은 흔적도 없다. 조약의 체결의 전 과정에서 국회는 무력화되었다. 국회의 무능은 한미 FTA 국내협상 실패의 한 요인이기도 하였다. 넷째, 한미 FTA에 동의할 수 없는 가장 중요한 이유는 공화주의의 이념에서 언급하는 평등의 기반에서 나온 것이 아니라 불평등하며 또 불공정하기 때문이다. 그 한 실례는 자동차협상에서 가장 여실히 드러난다. 또한 기간통신사업자, 방송 PP 사업자에 대한 협정발효 2년 뒤에 간접투자 100% 허용도 불평등 소지가 다분히 있으며, 미국 연방대법원 판례에서 유래하는 간접수용 조항은 위헌적이며, 스크린쿼터 축소는 '문화다양성협정'과 관련해 향후 논란의 소지가 있다. 한미 FTA는 18여개에 달하는 각종 위원회, 협의회, 작업반을 설치, 한국의 공공정책권을 제약하고, 헌법이 인정하는 주권제약의 범위를 넘어서는 주권침해의 채널로 작용할 전망이다.

우리 헌법은 공공복리의 증진과 경제의 민주화 등을 위해서는 국가의 시장조정이 필요함을 명시하고 있다. 조정시장경제체제를 권하고 있는 것이다. 그런데 한미 FTA는 국가의 시장개입을 최소화하자는 협정이다. 이 불합치 문제에 대한 해법이 존재하는지 고민할 일이다. 이 협정문은 '미국인 (또는 법인) 투자자-국가 직접 소송제'에 관한 규정이다. 향후 이 협정문으로 인해 한국에서 국가주권의 행사권을 차지하게 될 수 있다는 것은 그동안 끊임없이 지적되어 온 사실이다.[80] 그렇게 된다면 모든 것은 시장의 자유경쟁논리에 맡겨질 뿐 사실상 국가가 해야 할 역할은 축소될 것이 분명하다. 한미 FTA는 앞으로 이 협정에 의해서 전개되는 상황이 거의 일방통행적인 것이 될 가능성이 높아졌다. 왜냐하면 한미 FTA에는 "장차 한국이 관련법률을 개정하겠다는 것을 약속하는 내용 혹은 양국의 의회의 승인을 얻겠다는 내용의 조항들"[81]이 포함되어 있는 반면에, 지금까지 미국이 다른 국가들과 체결한 FTA의 선례에 따라 미국 의회에 의한 '한미 FTA 이행법'이 따라 붙을 것이 확실하기 때문이다.

한편 신자유주의 자본공세가 계속되면서 사회적 약자에 대한 인권침해의 소지는 다시 불거지고 있는 추세이다. 과거 인권이 절차적 민주주의 등 형식적인 측면에서조차 보장되지 않았다고 한다면, 오늘날 인권은 효율과 경쟁의 자본논리가 사회구성원의 삶을 지배하고, 자본운동의 발전에 따른 삶과 생존에 대한 전반적 위협의 성격을 띠며 침

한미 FTA는 한국에서는 지자체까지 동시적용되는 데 반해, 미국은 주정부의 별도의 승인절차가 있어야 한다. 가입을 원하지 않는 주의 경우 한미 FTA 효력은 제한적(예컨대 투자, 서비스, 정부조달 등에서)이라는 점에서 심각히 불균형적이다(www.ohmynews.com/2007-07-04).

80) 한홍구, 「대원군이 노무현보다 나은 이유: 한미 FTA 추진파의 '쇄국망국론'에 답한다」, 『대한민국사 04: 386세대에서 한미 FTA까지』, 한겨레출판, 2006, 37-47쪽.

81) 송기호, 『한미 FTA 핸드북』, 녹색평론사, 2007, 67쪽.

해되고 있다. 특히 지난 10여 년간 신자유주의 권력의 재편과 자본운동이 전면화되고, 이를 유지·보장하기 위한 법제도의 대부분이 완성되면서, 인권침해의 소지는 확산일로에 놓여 있다는 진단이다. 그 대표적인 사례가 국가보안법이다. 국가보안법은 1987년 6월 항쟁을 거치면서 그 개폐를 두고 끊임없이 논란이 벌어졌지만, 1990년 헌법재판소의 합헌판결, 1995년 유엔인권위원회의 폐지권고, 2004년 말 1천여 명의 국회 앞 대규모 국가보안법 폐지농성 등을 거치면서 끈질기게 지금까지 목숨을 유지하고 있다. 그 이유는 지난 박정희 정권에서도 보여주었듯이, 국가보안법이 국가의 안보에는 그다지 도움이 되지 않지만, 정권유지를 하는 데 매우 도움이 되기 때문이다.[82] 국가보안법의 폐지는 단지 인권의 신장에 그치지 않는다. 그것은 사상과 표현의 자유를 근원적으로 억압함으로써 이 나라의 학문과 문화가 자유롭게 발전하는 것을 가로막았다. 즉 국가보안법은 지금껏 인권, 학문, 예술 등의 생산적 활동들을 가로막아 왔다. 지난날 우리의 역사에서 국가보안법은 사상과 학문의 자유를 억압하는 도구의 역할을 해왔으며, 창의적인 인간의 정신활동을 무참히 가로막아 왔다. 칸트의 공화주의에서 제시하는 개인의 자유는 법에 종속되어 있지만, 이성적인 계약법에 의해 유지된다. 학문과 사상의 자유가 담보되어야 나 자신과 더 나아가 사회 및 국가의 진보가 가능하게 되며 언론·출판의 자유나 사상·양심의 자유 등 모든 정신적 기본권에 그 실질적 내용을 가질 수 있음은 분명하다. 학문은 인간정신의 귀중한 성과이며, 인류문화의 정신적 유산이기에 모든 예속으로부터 해방되어야 한다. 오늘날 거의 모든 학자들이 사상표현의 전제로서 학문의 자유를 인정하고 있는 것도 이 때문이다. 따라서 국가보안법이 없는 세상

---

82) 국가보안법의 변천사와 현실피해 사례에 대한 자세한 내용은 다음을 참조. 한홍구, 「국가보안법 없는 나라, 우리나라 좋은 나라」, 『대한민국사 04: 386 세대에서 한미 FTA까지』, 60-121쪽.

은 이 나라의 총체적 발전을 위해 한 발짝 더 나아감을 뜻한다.

앞 절에서 칸트의 공화주의 정치에서도 보았듯이, 공화주의 정치는 비폭력 수단에 의해 실현되어야 하며, 폭력을 수단으로 삼는 것은 도덕을 파괴할 수 있다. 하지만, 지금까지 국가는 시민들의 합의나 의사소통을 존중하여 정책에 반영한 것보다 강압적 폭력에 의해 행사되는 것이 많았다. 이성적 합의는 국가권력의 법적인 근원을 형성하지만, 역사적 문턱에서도 이성적 합의보다 폭력에 의해 성립되어 온 것이 많았다. 아렌트는 이를 가리켜 지난 세기를 "폭력의 세기"[83]라 불렀다. 폭력은 수단에 의존하기 때문에 소수의 목적에 부합하면 언제든지 수단화될 수 있다. 국가보안법은 개인의 내적인 정신을 국가권력으로 강압적으로 통제하여 왔으며, 국가가 제시하는 가치관과 입장에 반대하는 생각을 갖는 것만으로도 반국가사범이 되어야 했다.[84] 지금까지 우리 사회에서 국가보안법은 국가폭력의 질서가 마음대로 허용되어 온 척박한 토양이다. 지난 김대중 정부에서부터 노무현 참여정부[85]에 이르기까지 집권세력들은 국가보안법이 없는 세상을 만들겠다고 공공성의 이름으로 국민들과 빈번히 약속하였지만 아직껏 지켜지지 않았다. 국가의 공공성을 확보하고 시민의 자유와 국가의 평화를 유지하기 위해서라도 국가보안법이 없는 세상을 만들어야 한다. 국가보안법은 어느 한두 사람의 특정한 개인적 문제에 한정된 것이 아니라, 우리 모두의 공적인 문제인 것이다. 아직도 국가보안법은

---

83) 한나 아렌트, 김정한 옮김, 『폭력의 세기』, 이후, 1999.

84) 지난 노무현 정부 출범 이후 국가보안법 구속자 수는 2007년 9월 현재 158명에 이르고 있다. 남북 최고 지도자가 2007년 10월 4일 7년 만에 회담을 진행했음에도 불구하고 국가보안법 관련 구속자가 증가하고 있고 재판이 진행되고 있는 상황은 분단체제의 모순적 현실을 첨예하게 보여주고 있다.

85) 지난 2005년 노무현 대통령이 TV에 출현하여 국가보안법은 "박물관에 보내야 할 칼"이라고 말하자 그때부터 열린우리당은 국가보안법 폐지에 매달렸지만, 다시 대통령이 "급하지 않다"는 취지의 발언을 하자 흐지부지되었다.

어느 개인에게 적용되어 불똥이 튈지 모르는 시한폭탄과 같다. 이미 한물 간 과거의 법이 아니라 여전히 살아 움직이는 국가폭력의 법인 것이다. 한반도의 평화정착을 위한 민간 차원의 교류와 남북 주민들 상호간의 신뢰구축을 위해서라도 국가보안법의 폐지는 무엇보다 시급한 상황이다. 그렇게 되었을 때 시민의 공공성을 확보하는 진정한 공화국을 향해 한 걸음 전진하게 될 것이다.

이렇듯 한국사회에서 공화주의의 부활은 아직 요원하기만 하다. 이는 아직껏 우리 사회가 성숙한 사회를 이루고 있지 못하다는 반증이기도 하다. 그 밖에도 우리 한국사회에서 '진정한 공화주의 이념'을 실현하기 위한 다른 여러 문제들이 산적해 있다. 예들 들어 이라크 파병, 공교육, 토건국가, 학벌사회, 투기사회, 부패사회, 재벌체제, 전쟁체제의 문제 등을 척결해야 하는 것이 그것이다. 이러한 문제는 근본적이고 타협적이지 않은 여러 운동, 즉 인권운동, 여성주의 운동, 평화운동과 기존의 민중운동, 시민운동과 유기적으로 결합하고 공적인 일의 문제제기로 이어져 생산적 담론을 만들어야 할 것이다. 우리가 공공의 이익을 위해 생산적 활동을 하다 보면, 가까운 미래에 분명 자기가 먹고 사는 생존의 문제도 동시에 길이 활짝 열릴 것이다.

결론적으로 우리가 지금까지 살펴보았던 칸트, 아렌트, 하버마스 등의 다양한 공화주의 이념 중에서 주된 스펙트럼을 다음과 같이 발견할 수 있다. 칸트에게서는 공공성의 이름으로 가장된 국가폭력이 없는 사회 만들기, 아렌트에게서는 진실된 공동세계를 통해 누구나 누릴 수 있는 공공성의 정책 만들어 가기, 하버마스에게서는 시민들이 공동의 의지형성을 통해 합의를 이끌어낼 수 있는 절차적 민주시민사회 만들어 가기 등이다. 이 모든 이념들은 어느 것 하나 소홀히 다룰 수 없는, 우리 사회가 귀담아 듣고 실천해야 할 소중한 이론들인 것이다.

제 14 장
고령화 사회에서 노동의 소외는
극복될 수 있는가? *

1. 들어가는 말

1950년대까지 한국사회는 노동력이 주로 농민이었지만, 전통적인 문화에 깊숙이 젖어 있는 단순한 전(前)산업적 노동력이 아니라 도시 생활양식에 상당히 익숙하고 적응력이 강하며 이동지향적인 노동이었다. 두 가지 근대적인 제도가 한국의 산업노동력 형성에 큰 역할을 담당했는데, 하나는 교육체제였고 다른 하나는 군대였다. 전자의 경우 학교에서의 공식적인 권위의 복종, 시간관념, 조직화된 작업일정과 지속적인 평가 등 관료적 환경 속에서 일하는 데 필요한 기본적인 행위습관을 배웠다. 후자의 경우 농촌에서 자라난 많은 남성들에게 군대복무는 최초의 근대적인 생활과 접할 수 있는 생활양식을 제공하였다.1)

---

* 이 글은 2006년 한국동서철학회 추계 학술대회(대구 한의대, 2006년 11월 18일)에서「고령화 사회에 대한 철학적 대응」이라는 주제 하에 발표되었고, 『동서철학연구』 제43호, 한국동서철학회, 2007, 147-174쪽에 실렸다.
1) 구해근, 신광영 옮김, 『한국 노동계급의 형성』, 창작과비평사, 2003, 80쪽.

1960년대 이후부터 한국사회는 이러한 영향 아래 지속적인 고도성
장을 이루어 왔다. 그 이후 소비수준은 꾸준히 높아졌으며 절대빈곤
규모는 감소해 왔다. 이에 비하여 상대빈곤은 도시가구를 기준으로
하였을 때, 1966년부터 1975년까지 큰 변화가 없었다.[2] 1960년 초반
까지 한국사회는 여성 1인당 6명의 높은 출산율과 사망률 저하의 결
과로 연평균 인구증가율은 3%나 되었으며, 급속한 인구증가는 경제
발전에 큰 걸림돌이 되있다. 1960년 중반까지 출산조절이나 산아제
한이란 표현은 당시의 기성세대, 특히 40대 이후의 부부들에게는 거
의 금기가 되어 있었고 가족계획이란 완곡한 표현조차 조심스럽게
사용되고 있었다. 우리나라 가임여성의 합계 출산율은 1960년 6.3%,
1970년 4.5%, 1980년 2.8%, 1990년 1.6%, 2000년 1.5%, 2005년
1.1%로 급속히 떨어졌으며 지난 20년간 출산수준이 대체수준(가임여
성 1인당 평균 2명)을 밑돌고 있다. 특히 2000년 이후 수준은 경제협
력개발기구(OECD) 가입국가 중에서도 가장 낮은 수준이다. 1970년
초반까지 우리나라 노인 인구의 절대 수는 증가했지만, 계속된 높은
출산율로 젊은 층의 인구가 더 크게 증가했기에 노령화는 문제가 되
지 않았다. 15세 미만의 인구비율을 중심으로 볼 때 그 비율이 35%
이상인 경우 성장형, 20-35%인 경우 유지형, 20% 미만인 경우를 감
소형이라 하는데, 2000년대에 들어와 우리 사회는 감소형이 된 것이
다.

현재 우리나라가 겪고 있는 저출산 문제는 21세기 선진국들이 공
통적으로 맞고 있는 현상이다. 21세기 들어 지구상 인구 중 40% 이
상이 대체수준 이하의 출산율을 보이는 지역에 거주하고 있으며, 이
비율은 계속해서 증가하고 있다. 이 현상을 학자들은 세계적인 출산
력 붕괴현상이라 부르고 있다.[3] 인구의 고령화는 다른 조건이 일정하

2) 김태성·손병돈, 『빈곤과 사회복지정책』, 청목출판사, 2002, 15쪽.
3) 박상태, 「저출산과 고령화 사회」, 『철학과 현실』, 철학문화연구소, 2006 여

다면 국가수준에서 생산성을 저하시킬 뿐 아니라 복지비용 부담을 증가시키는 것으로 알려져 있다. 우리나라는 30-40년 후에는 세계에서 가장 고령화된 국가에 속하게 될 것으로 예측되지만, 이 문제를 극복할 뚜렷한 묘안은 없어 보인다. 하지만 우리의 경우 지금까지 생산연령 중 여성인구의 절반만이 경제활동에 참여해 왔기 때문에 추가적인 여력이 있다는 점과 다른 선진국과는 다르게 고령인구의 근로의욕이 매우 높다는 점에서 다소 희망적이다.

당분간 세계 인구는 증가할 것이고 평균적으로 노령화될 것이라 한다. 그러나 21세기 중반 이후부터 인구증가의 경향은 반전될 것으로 보인다. 전문가들의 견해에 따르면, 5만 년 동안 지속적으로 증가하기만 하던 인구는 잠시 정체상태에 머물러 있다가 약 2070년부터 줄어들 것이라 한다.[4] 이러한 21세기의 고령화 시대를 맞아 우리나라의 현 상황에서 인구의 고령화에 대한 문제점들, 즉 연금복지재정 등 경제적 문제를 비롯하여 건강과 질병의 문제, 그리고 고전적 노동의 소외와 노동의 종말시대 도래, 궁극적으로 노동소외의 극복책 등을 차례로 살펴보고자 한다.

2. 인구의 고령화

인구의 고령화는 평균수명의 연장과 출산율 저하가 혼합되어 일어나는 현상으로 복지국가의 앞날에 지대한 영향을 미칠 것으로 보인다. 인구의 고령화가 야기하는 가장 큰 문제는 노동인구의 감소이다. 전반적으로 고령화가 진행되는 가운데, 세계 인구의 양적 구조가 바뀌고 있다. 현재의 추세로 보았을 때, 2005년에서 2050년 사이에 인구는 29억 명이 늘어날 것이고, 이들 가운데 26억 명이 아시아와 아

름, 94-95쪽.

4) 마인하르트 미겔, 이미옥 옮김, 『성장의 종말』, 에코리브르, 2006, 19쪽.

프리카에서 살게 될 것이라 한다. 그 가운데 아시아에서만 인구가 15억 명이 늘어날 것으로 전망된다. 물론 중국, 일본, 한국, 몽골 같은 동아시아는 인구증가에 아주 조금만 기여할 것으로 보인다. 20년 안에 이 지역에 사는 인구는 정점에 이를 것이기 때문이다.[5]

하지만 세계 인구가 2050년까지 혹은 2070년까지 89억 명이 되든 93억 명이 되든, 이를 직접 경험하는 사람에게는 중요하지 않으며, 세계 인구의 발진에도 그다지 중요하지 않다.[6] 통계청에 따르면, 2006년 7월 현재 우리나라 총인구 4,849만 7천 명의 9.5%인 459만 7천 명이 65세 이상 고령자이다. 이 수치는 지난해 9.1%에서 0.4%포인트 상승한 것이다. 10년 전인 1996년의 6.1%에서는 3.4%포인트 높아진 것이다.[7] 일반적으로 총인구에서 고령자가 차지하는 비율이 7%, 14%, 20%를 넘을 경우 각각 고령화 사회(aging society), 고령 사회(aged society), 초고령 사회(super-aged society)로 분류된다. 우리나라는 지난 2000년 고령자 비율이 7.2%를 넘어서면서 '고령화 사회'에 진입했다. 향후 2018년에는 비율이 14.3%가 되어 고령 사회에 진입하고, 2026년에는 20.85%가 되어 초고령 사회에 도달할 것으로 전망된다. 성별로 분류하면 여성인구 중 고령자 비율은 11.4%이고, 남성인구 중 고령자 비율은 7.6%이다. 우리나라는 초고령 사회까지 지금부터 불과 27년이면 도달할 것으로 예상되는데, 이는 선진국의 4배에 가까운 속도이다.[8]

---

5) 같은 책, 21쪽.

6) 같은 책, 20쪽.

7) 지역별로 분류하면 2005년 기준 농촌지역의 고령자 비율은 18.6%로 초고령 사회를 목전에 두고 있다. 반면 도시지역의 고령자 비율은 고령화 사회에 막 접어든 수준인 7.2%를 기록했다. 고령자 비율이 20%가 넘는 초고령 사회에 이미 진입한 시, 군, 구는 63개로 2000년 29개의 두 배를 넘어섰다. 전국 시, 군, 구 중 고령자 비율이 가장 높은 곳은 33.8%를 기록한 전라북도 임실군이고, 비율이 가장 낮은 곳은 3.6%를 기록한 울산광역시 동구이다. 특히 65세 이상 고령자 100명 중 18명이 혼자 살고 있는 것으로 나타났다.

선진국의 경우 고령화 사회에서 초고령 사회로 이전하는 데 보통 100년 이상이 걸렸다. 지난 2004년 미국의 100세 이상 인구는 8만 8천 명이었으나, 2050년경에는 이보다 13배가 많은 1백만 명 정도로 늘어날 것으로 추정된다. 선진 복지국가의 고령화 추세에서 중요한 변수는 이른바 "베이비 붐(baby boom) 세대"9)로서, 이들로 인해 선진국의 노동력은 지난 30여 년 동안 안정적인 증가를 보여 왔다. 미국의 전후경제를 이끌었던 이들이 최근 정년기에 접어들면서 미국의 장기 안정 성장 전망에 빨간불이 켜졌다. 앞으로 10년간 이들이 매년 2백만 명씩 은퇴할 것으로 예상되기 때문이다.

무병장수는 인간의 오랜 염원이자 산업화 시대 웰빙의 동의어였다. 하지만 100세 시대로 통칭되는 장수의 꿈이 실현되고 있는 오늘날 적어도 인구학적으로는 이상사회에 먼저 도달한 나라들은 걱정이 앞선다. 장수가 동반하는 또 다른 고통이 있기 때문이다. 먼저 의료비의 동반상승이 문제이다. 이미 미국에서는 장년층의 의료비 지출이 20-30대 성인층에 비해 4배, 청소년에 비해 7배나 많다는 조사결과가 나와 있다. 미국 전체 인구의 13.5%에 불과한 장년층이 의료지출의 40%를 차지한다는 보고도 있다. 사회가 고령화될수록 관련지출은 점점 늘어간다. 100세 시대의 걱정은 미국, 일본뿐만 아니라 잘사는 나라에서 목격되는 공통된 현상이다. 이에 경제협력개발기구(OECD) 회원국들은 '고령화 사회'의 대책을 논의하기 시작하였고, 이미 정기적으로 고령화 사회 대책에 관한 보고서를 발표하고 있다.

일본은 2006년 세계 처음으로 65세 이상 노인 인구가 전체 인구의

---

8) 통계청, 2006년.

9) 베이비 붐 세대는 제2차 세계대전 이후 출산율이 높던 시대에 태어난 인구 집단을 가리킨다. 미국에서는 1945-64년 사이에 태어난 사람들을 베이비 붐 세대로 분류한다. 하지만 대부분의 나라에서는 이런 공식적인 분류를 하지 않고 있다.

20%를 넘은 초고령 사회에 진입한 것으로 집계되었다. 2035년에는 고령화율이 31%, 인구 3명 당 1명이 65세 노인이 된다. 일본은 한국과 함께 특히 저출산이란 이중의 충격을 겪고 있다. 중국은 빠르게 고령 사회로 나아가고 있다는 점에서 주목받고 있다. 중국은 지금 60세 인구가 1억 3,200만 명(65세 인구는 1억 명)으로 전체의 11%에 이를 것으로 예측된다.10) 특히 우리나라의 고령화 속도는 선진국과 비교할 때 매우 빠른 수준으로 노인 인구의 양직 증대와 더불어 노인 부양 부담이 크게 증가할 것으로 전망된다. 이에 따라 노년 부양비는 지난 2005에 12.6%로 10년 전인 1995년 8.3%에 비해 4.3% 증가하였고, 향후 2020년에 21.8%, 2030년에 37.3%로 계속 증가할 것으로 예상된다. 다시 말해 2005년의 경우 생산가능 인구 7.9명이 노인 1명을 부양하게 되는 것이다. 유년 인구(0-4세) 100명 당 노인 인구수를 나타내는 노령화 지수 역시 2005년 47.4%에서 2017년에는 104.7%로 노인 인구가 유년 인구를 초과하고 2020년에는 124.2%로 크게 높아질 것으로 전망된다.11)

3. 고령화 사회의 문제점

주지하듯이, 우리나라의 경우 노인문제는 대단히 심각한 수준이다. 2006년 통계청에 의하면, 경제적 사유, 건강상의 문제 등으로 자살하는 노인이 하루 평균 8명에 이르고 있다고 한다. 건강상의 이유 또한 경제적으로 충분히 치료받을 수 없는 경제적 문제와 직결되어 있다. 아직 우리 사회에는 노인이 경제적으로 자립하는 것이 어렵다면, 자녀가 부모를 부양해야 한다는 인식이 일반적으로 자리 잡고 있다. 이제까지의 논의가 주로 연금 고갈, 노동력 부족, 복지비용 증대 등 고

10) 『한겨레신문』, 2006년 9월 25일자, 12쪽.
11) 통계청, 2005.

령화의 경제적 측면에만 초점을 맞춰 왔기 때문이다. 그리고 이런 문제는 고령화가 심각하게 진행된 선진국에만 해당되는 것이 아니며 대부분의 사회가 겪고 있는 것이다. 고령화에서 비롯된 선진국의 노동력 부족을 메우기 위해 젊은이들이 대거 빠져나가면서 가난한 나라들 역시 비슷한 문제를 겪고 있기 때문이다. 여기에 전통적인 형태의 가족이 허물어지고 있는 세계적 추세도 한몫했다. 이런 경향 속에서 노인들의 삶은 점점 척박해지고 있다. 이러한 고령화 시대에서 노인문제의 핵심은 빈곤, 질병, 고독 등이 그 중심을 이룬다. 이는 급속한 사회변동으로 말미암아 초래된 핵가족화, 평균수명의 연장, 도시 취업인구 증가로 인한 노부모와의 별거, 정년퇴직으로 인한 생활수단의 상실 등의 생활리듬의 변화와 직결되고 있다.

1) 경제적 문제: 소득 불평등의 심화

통계청의 추계에 따르면, 2030년 65세 이상 인구는 1,160만 명 (1980년 146만 명, 2000년 340만 명)으로 전체 인구의 23.1%에 달한다. 앞으로 별다른 수입 없는 노년층은 생활비를 마련하기 위해 부동산을 팔 수밖에 없다. 반면 시장에서 부동산을 구입할 수 있는 계층은 줄어든다. 세계 최저 수준의 낮은 출산율로 생산가능 인구가 계속 감소하고 있기 때문이다. 앞으로의 부동산 시장은 공급은 넘쳐 나지만 수요는 턱없이 부족한 구조로 바뀔 것이다. 부동산 불패신화가 붕괴하는 데 따른 가격하락의 운명을 부동산 시장 참여자들이 받아들일 가능성이 높다.[12] 우리나라의 15-64세의 생산가능 인구 7.6명이 고령자 1명을 부양하고 있으며, 65세 이상 고령자 중 44.6%가 가장 큰 애로사항으로 '경제적 어려움'을 꼽았다. 고령자가 취업을 희망하는 이유 1위도 '생활에 보탬'이 원인이었다.[13] 고령화에 대한 쟁점은

---

[12] 「특집: 100세 시대 老테크」,『시사저널』제849·850 합병호, 2006년 1월 31일-2월 2일, 47쪽.

여러 차원에서 살펴볼 수 있으나, 경제적 문제가 그 중 가장 심각하다. IMF 이후 세계화의 추세 속에서 소득 양극화로 인해 상대빈곤의 규모는 다양한 취약계층을 중심으로 지속적으로 증가하고 있다. 이러한 취약계층 가운데 노인 빈곤은 우리 사회가 해결해야 할 중요한 문제 중의 하나가 되었다. 이것은 최근 급속하게 진행되고 있는 고령화 과정에서 더욱 강조된다. 고도로 산업화된 사회에서 고령화는 생활수준의 향상을 지지한다.

한편 산업화 및 공업화로 인한 사회의 변동은 도시의 문제로 생각하기 쉽다. 하지만 실제로는 농촌의 경우가 더욱 심각하다. 도시는 의료, 오락 등의 문화적 환경조건이 농촌보다 양호하며, 따라서 농촌에 거주하는 노인문제가 더 심각하다. 1988년 노인 단독가구는 대도시의 14.7%, 중소도시의 17.0%에 비해 농촌의 경우는 30.9%나 되었다. 전체 인구 중 65세 이상의 노인의 거주율도 2000년 11월 현재 19.1%로서 시 이상의 도시에 5.6%가, 군 이하의 농촌지역에 13.5%가 거주하여 농촌에 2배 이상이 거주하고 있다. 농촌지역의 노인들은 도시에 취업하고 있는 자식들과 떨어져 고통스러운 농업노동에 종사하며, 충분한 영양과 휴식 및 오락을 제대로 즐기지 못하고 있는 실정이다. 농촌의 노인들은 이처럼 빈곤과 건강 및 가족 간의 유대단절 등의 심리적 고통을 받고 있는 반면, 도시의 노인들은 빈곤, 무력감 등을 경험하고 있다. 고령화 사회 특히 초고령 사회의 경우, 작업능력(생산성) 면에서 노동인구의 평균연령이 높은 경우 체력, 열의, 적응력 및 혁신을 위한 학습능력 등이 평균연령이 낮은 인구에 비해 뒤진다. 또한 노동인구의 평균연령이 높을수록 융통성이 낮아진다. 젊은 남녀의 경우 신체적, 사회적 이동률이 높아 더 좋은 작업조건과 고용조건으로의 이동이 활발한 반면, 높은 연령층의 지도자는 다른

---

13) www.pressian.com/2006-09-30.

조건의 일을 위해 새로운 훈련을 받으려는 비율이 낮다. 고령화 추세에서 노인들이 경험하게 되는 경제적 어려움은 과거 유지되어 온 노인부양 의식 및 가족의 부양 가능성 약화가 진행되는 상황에서 더욱 커질 것이다.

OECD 각 국가에서 "인구 고령화 시기"[14])에 노후소득 보장을 위한 사회안전망으로서 중요한 기능을 수행했던 국민연금제도가 우리나라에는 도입된 지 불과 20여 년밖에 되지 않았기 때문에 고령화의 심화에 따른 노인빈곤 및 노인 간 소득 불평등의 문제는 더욱 심각하다. OECD 국가의 경우 고령화가 진행되는 상황에서도 성숙된 연금제도를 통해 노인들의 소득을 보장함으로써 노인빈곤을 감소시킨 반면에, 우리나라의 경우 공적인 노후소득 보장제도가 아직 정립되어 있지 못함으로써 노인빈곤 수준이 높고 노인의 개별적인 특성에 따른 빈곤 가능성의 차이는 매우 높게 나타난다.[15]) 특히 현세대 노인들에게 공적인 노후소득 보장제도의 실효성이 매우 낮아 대다수가 사각지대에 놓여 있으며, 이 때문에 노인의 상당수가 빈곤상태에 처해 있는 등 '빈곤의 고령화'가 심각하게 진행되는 것으로 알려졌다.[16])

선진국들은 사회보장정책을 중심으로 각종 사회경제정책을 급격히

---

14) 고령화는 단순한 인구학적 요인에 따르는 변동으로 볼 수 없다. 1987년 이후 기업들이 작업장 차원에서 급속히 커진 노동조합의 영향력을 약화시키고 비용을 절감하기 위해 아웃소싱이나 소사장제와 같은 외부화 전략을 취함으로서 신규 입장이 제한되어 왔다는 점, 노동절약적 생산조직으로 변화하고 생산성이 향상됨에 따라 신규 고용의 필요성이 약화되었다는 점, 노동력의 수급구조가 변화해도 고용안정에 대한 노동조합의 통제력이 커짐으로써 기존의 고용관계에 대한 제도적 보호가 신규 입직에 대한 제한으로 나타났다는 점 등이 작용한 결과이다(김재훈, 「생산직 노동자의 고령화와 초과노동」, 김재훈·조효재,『노동과 조직 그리고 민주주의』, 한울, 2005, 132-133쪽).

15) 최현수, 「노인과 빈곤: 우리나라의 노인빈곤동향 및 빈곤구성 실태」, 한국사회연구소 편,『한국사회의 신빈곤』, 한울, 2006, 298쪽.

16) 석재은, 「공적연금 사각지대: 실태, 원인과 정책방안」,『한국사회복지학』제53호, 한국사회복지학회, 2003.

늘어난 노인 인구에 맞춰 조정해야 하는 과제에 직면해 있고, 사회보장제도가 없거나 부족한 국가들은 젊은이들이 선진국으로 대거 이주한 상태에서 노인의 주요 부양원인 가족의 전통적 역할이 약화된 상황이 겹치면서 노인들의 고통이 가중되고 있다는 것이 국제사회의 현실 진단이다. 따라서 노인 빈곤화 현상은 다음과 같이 정리할 수 있다.

첫째, 노인 인구 동향과 관련하여 1990년 이후 노인집단의 절대빈곤은 다른 연령집단과 마찬가지로 급격하게 높아졌던 경제위기 이후 감소하다가 2003년 다소 증가했으며, 여전히 연령집단 가운데 가장 높은 수준을 나타내고 있다.

둘째, 2000년 이후 우리나라 노인 빈곤은 매우 심각하다. 65세 이상 노인 인구의 절대 빈곤율은 2000년 28.44%, 2005년 32.15%로 노인집단의 약 3분의 1이 빈곤상태에 놓여 있으며, 아동 빈곤율에 비해 3배 이상 높은 것으로 나타났다.

셋째, 여성 노인의 빈곤율과 빈곤 위험도가 남성 노인에 비해 모두 높게 나타났고, 학력이 낮을수록 빈곤율이 높게 나타나 다른 연령집단 및 전반적인 빈곤경향과 유사한 결과를 보여준다.

넷째, 노인이 생활하고 있는 가구유형이 노인의 빈곤 여부에 있어서 중요한 요인임이 밝혀졌다. 경제활동연령대의 가구원이 한 명이라도 같이 살고 있는 노인의 절대 빈곤율과 상대 빈곤율은 나머지 가구유형에 비해 월등히 낮은 수준이었고, 빈곤 위험도도 가장 낮았으며, 소득 충족률은 최저생계비 대비 85% 수준으로 상대적으로 매우 높았다. 또한 대부분의 선행연구에서 빈곤 가능성과 정도가 가장 큰 것으로 알려진 여성 노인 단독가구의 빈곤문제는 우리나라의 경우에도 심각한 수준이었다.

다섯째, 우리나라의 경우 65-74세 저령 노인의 빈곤율이 75세 이상 고령 노인보다 높았고 빈곤위험도 역시 저령 노인이 더 높았다.[17] 이렇듯 우리나라 노인의 빈곤화 현상은 아주 심각한 사회적 문제로 대두되고 있으며 이에 대한 사회안전망을 하루 빨리 마련해야 하는 과제를 안고 있다.

2) 연금복지재정의 문제

한국의 연금복지 개혁은 지지부진한 편이다. 여전히 국내총생산 대비 공공사회 진출 비율은 6.1%(2005년 8.6%)로 경제협력개발기구 중에서 가장 낮고, 지출구성도 낮은 수준의 현금급여에 편중되어 있다. 대부분의 나라에서 어린이에 대한 재정적 책임과 부담보다는 노인들에 대한 부담이 훨씬 크다. 특히 과거 가족에서 보호되었던 노년층 인구가 자녀가 없거나 있어도 도움을 받기 어려운 경우가 급속히 증가하고 있다. 통계청에 따르면, 2006년 노년부양비는 7.6명이다. 노년부양비는 65세 이상 고령자 1명을 부양하는 데 15-64세 사이의 생산가능 인구가 몇 명이나 동원되어야 하는지를 보여주는 수치이다. 오는 2030년에는 생산가능 인구 2.7명이 고령자 1명을 먹여 살려야 할 것으로 예상된다고 통계청은 밝혔다. 또한 고령자들을 위한 사회적 지출도 늘어나는 추세이다. 2006년 노인복지와 관련된 정부예산은 5,910억 원(0.4%)으로 전년에 비해 626억 원이 증가했다. 2005년 기준 65세 이상 고령자 중 공적연금 수급자는 총 73만 7천 명으로 16.8%의 수급률을 보였다. 이는 전년 대비 2.9%포인트 오른 수치이다. 건강보험 지출액에서 65세 이상 고령자에게 지급된 의료비는 전체 의료비의 24.4%에 해당하는 6조 556억 원이다. 이는 2000년의 2조 2,893억 원(17.4%)에 비해 4조 원(7%포인트)가량 상승한 것이다.

OECD 각국의 연금제도의 특징과 연금수령 시기, 최고한도 등을 비교분석한 보고서에서는 가장 강조된 결론을 내렸다. OECD는 이

---

17) 최현수, 앞의 글, 327-329쪽.

보고서를 토대로 '연금지급 연령의 현실화' 방안을 제시하였다. OECD에서 다른 중요한 문제는 '정년연장 방안'이다. 조사결과 OECD 국가에서 50-64세 인구 중 직업을 갖고 있는 비율은 평균 60% 미만인 것으로 밝혀졌다. 또한 OECD 각국이 현행 정년 연령을 그대로 유지할 경우(2000년 기준), 향후 50년 후 일본은 말할 것도 없고(현재 60% 수준으로 떨어짐), 유럽연합 등 잘사는 나라 대부분이 심각한 노동력 부족 사태에 이르게 된다. 다만 미국은 50년 이후 오히려 30% 이상 늘어나는 것으로 조사되었다. 젊은 피의 부족 사태가 발상의 전환과 혁신적 사고를 둔화시켜 종국에 가서는 사회경쟁력 또는 활기를 잃어버리게 할 수 있다는 것이다.[18]

베이비 붐 세대는 2005년에서 2015년 사이에 대거 노동시장을 떠날 것으로 예측된다. 문제는 이들을 대체할 젊은 노동력이 충분하지 않다는 데 있다. 따라서 베이비 붐 세대의 은퇴는 현재의 고령화 추세와 맞물리면서 멀지 않아 심각한 노동력 부족 현상을 초래할 것으로 보인다. 부양해야 할 고령 인구는 지속적으로 늘어나고 있는데 이들을 부양할 경제인구가 거꾸로 줄어드는 상황은 복지국가에 엄청난 부담을 안겨줄 것이다. 특히 연금재정 문제는 '시한폭탄'이라 할 만큼 심각한 상태에 놓여 있다. 상당수의 유럽 국가들은 지속적인 고실업을 해결하기 위한 고육책으로 준 고령 노동자의 조기은퇴를 유도해 왔고 그 결과 연금재정에 대한 압박은 더욱 커졌다.[19] 선진국에서는 사회가 고령화되는 과정이 길었지만, 연금을 둘러싼 노인 세대와 젊은 세대 간의 갈등이 돌출되는 등 여러 문제를 보여 왔다. 인구가 지나치게 빨리 노화되는 우리나라의 경우 노인의 최소생계보장 문제부터 경제활동이 가능한 젊은 층의 부족, 남아도는 노인 인구의 경제 참여 방법, 연금제도를 둘러싼 세대 간 갈등 등 여러 문제가 한꺼번

---

18) 「특집: 100세 시대 老테크」, 『시사저널』 제849 · 850 합병호, 51쪽.
19) 김종일, 『서구의 근로연계복지: 이론과 실천』, 집문당, 2006, 34-35쪽.

에 닥칠 것이다. 지금부터 20여 년간 나름대로의 문제의식을 갖고 해법을 준비해야겠지만, 아직까지 고령화 사회에 대한 문제의식조차 심화되지 않은 상황에서 안정된 사회적 해법을 기대하기는 어려울 것이다.

정부의 추산에 따르면, 현행 국민연금의 요율(9%) 및 지급체계(노령연금 6%)가 그대로 유지될 경우 2036년에 수지 적자가 발생해 급기야 2047년에 기금이 완전히 바닥날 것으로 전망된다. 더구나 우리나라는 출산율이 급격히 떨어지고 고령화 속도가 세계에서 유래를 찾기 어려울 만큼 빠르다. 연금을 내야 할 경제인구는 점점 줄어들고 있지만, 연금을 받을 수령자는 기하급수적으로 늘어나는 극심한 수요와 공급 불균형이 빚어질 것으로 예상된다. 따라서 노년을 윤택하게 보내려면 개인연금보험이나 퇴직연금을 들어 보완해야 한다.[20] 이런 문제를 해결하기 위해 경제활동인구를 늘려야 하는 과제를 안고 있다. 지금까지는 여성의 노동시간 참가율이 높아지면서 노동력 공백의 부족을 메울 수 있었으나, 이것도 한계에 도달한 것으로 보인다. 이런 상황에서 나온 구호가 적극적 노년(active ageing)이다. 이 구호는 가능한 한 일할 수 있는 나이까지 일하면서 건강하고 적극적인 노년을 보내자는 주장이다. 적극적 노년이라는 구호는 선진 자본주의 복지국가 전체를 관통하는 적극적 복지국가 또는 활성화/능동화 추세와 일치한다. 즉 경제적으로 비활동 인구가 늘어나면서 복지국가의 재정압박이 가중되는 상황을 해소하기 위해서는 젊은이든 노인이든 모든 인구집단의 노동시장 참가율을 높이자는 것이다.[21] 또한 경제발전의 성과를 전체 국민이 함께 누리는 '사회복지의 사회화'가 중요하다. 따라서 지속 가능한 한국형 복지국가를 위해서는 사회서비스 확충을 통한 보편주의적 복지국가를 지향할 필요가 있다.

20)「특집: 100세 시대 老테크」,『시사저널』제849 · 850 합병호, 47쪽.
21) 김종일, 앞의 책, 35쪽.

3) 건강관리 및 질병의 문제

우리나라의 평균수명은 2005년 현재 전체로는 77.5세이고 남성은 73.9세, 여성은 80.8세이다. 또 2005년 11월 현재 만 100세를 넘은 고령자는 961명인 것으로 나타났다. 고령자의 사망원인 1위는 암이 차지했으며 그 뒤를 뇌혈관질환, 신장질환이 이었다. 암 종류별 사망률에서는 폐암이 1위를 차지했으며 그 다음은 위암, 간암 순이다. 한편 2006년 고령자의 이혼건수는 남성 기준으로는 2,612건, 여성 기준으로는 922건으로 10년 전인 1996년에 비해 각각 4.4배, 6.7배 증가했다. 고령자의 재혼건수는 남성 기준 1,573건, 여성 기준 414건으로 1996년 대비 각각 1.7배, 2.4배 증가했다.

노년기의 대표적인 질환인 심장, 순환기(혈관) 및 신장 질환의 예방과 치료를 위한 비용은 과거 후진적 질병이었던 전염병, 호흡기 질환 및 기생충병 등의 예방과 치료에 드는 비용보다 훨씬 커졌다.[22] 의료기술의 발달로 인간의 수명이 연장되었지만, 수많은 질병에서 완전히 해방된 것은 아니다. 지난 2003년 건강보험의 65세 이상 노인들의 의료비는 4조 3,700억 원으로 전체 의료비 20조 5,300억 원 중 21%를 차지하였다. 2002년에 비해 18.8% 증가한 수치인데 이는 전체 의료비 증가율 7.7%를 크게 넘어선다. 특히 80세 이상이 되면 질병에 대한 저항력이 확연히 떨어진다. 치매 환자수를 보아도 85세 이후 환자가 거의 절반을 차지하고 있다.[23] 따라서 65세 이후부터 80세까지에 대한 노후계획과 80세 이후의 노후계획을 구분하여 건강관리, 질병에 대한 경제적 대비 등을 고려해야 할 것이다.

국제사회는 지구적 차원에서 고령화 문제를 논의하기 위해 두 차례에 걸쳐 모였다. 1982년 비엔나 회의와 2002년 마드리드 회의가

---

22) 박상태, 앞의 글, 97-98쪽.

23) 「준비 없는 100살은 재앙이다」, 『이제는 재무설계다』(『한겨레 21』 627호 별책부록), 한겨레신문사, 2006, 23쪽.

그것이다. 비엔나 회의가 선진국의 고령화 문제를 주로 다루었다면, 마드리드 회의는 고령화가 단지 선진국의 문제만이 아니라는 인식 위에서 진행됐다. 비엔나 회의는 노인에 관한 최초의 국제문서라 할 '고령화에 관한 비엔나 행동계획'을 채택했고, 마드리드 회의는 '고령화에 대한 정치선언과 행동계획'을 채택했다. 그리고 이 두 회의 사이에 유엔총회에서 채택된 것이 '노인을 위한 유엔원칙'이다. 고령화와 노인 인권에 관한 논의의 뼈대를 이루고 있는 이 원칙은 총 18개 항으로 구성되어 있으며 그것은 다시 '독립, 참여, 돌봄, 자아실현, 존엄'[24)이라는 5개 범주로 나누어진다. 이 원칙 속의 항목들은 서로 뗄

---

24) 노인을 위한 유엔원칙(1991년 12월 16일, 유엔총회결의 46/91)

독립(Idnependence) : ① 소득, 가족과 지역사회의 지원 및 자조를 통하여 적절한 식량, 물, 주거, 의복 및 건강 보호에 접근할 수 있어야 한다. ② 일을 할 수 있는 기회를 제공받거나, 다른 소득을 얻을 수 있는 기회에 접근할 수 있어야 한다. ③ 직장에서 언제, 어떻게 그만둘 것인지에 대한 결정에 참여할 수 있어야 한다. ④ 적절한 교육과 프로그램에 접근할 수 있어야 한다. ⑤ 개인의 선호와 변화하는 능력에 맞추어 안전하고 적응할 수 있는 환경에서 살 수 있어야 한다. ⑥ 가능한 오랫동안 가정에서 살 수 있어야 한다.

참여(Participation) : ① 사회에 통합되어야 하며, 그들의 복지에 영향을 미치는 정책의 형성과 이행에 적극적으로 참여하고, 그들의 지식과 기술을 젊은 세대와 함께 공유하여야 한다. ② 지역사회 봉사를 위한 기회를 찾고 개발하여야 하며, 그들의 흥미와 능력에 알맞은 자원봉사자로서 봉사할 수 있어야 한다. ③ 노인들을 위한 사회운동과 단체를 형성할 수 있어야 한다.

돌봄(Care) : ① 각 사회의 문화적 가치체계에 따라 가족과 지역사회의 보살핌과 보호를 받아야 한다. ② 신체적, 정신적, 정서적 안녕의 최적수준을 유지하거나 되찾도록 도와주고, 질병을 예방하거나 그 시작을 지연시키는 건강보호에 접근할 수 있어야 한다. ③ 그들의 자율과 보호를 고양시키는 사회적, 법률적인 서비스에 접근할 수 있어야 한다. ④ 인간적이고 안전한 환경에서 보호, 재활 및 사회적, 정신적 격려를 제공하는 적정수준의 시설보호를 이용할 수 있어야 한다. ⑤ 보호시설이나 치료시설에서 거주할 때도 그들은 존엄, 신념, 욕구와 사생활을 존중받으며, 자신들의 건강보호와 살의 질을 결정하는 권리도 존중받는 것을 포함하는 인간의 권리와 기본적인 자유를 향유할 수 있어야 한다.

자아실현(Self-fulfillment) : ① 자신들의 잠재력을 완전히 발전시키기 위한

수 없는 관계에 있다.

고령은 사회로부터 분리된 삶을 뜻하는 것은 아니며 치료의 대상
도 아니다. 이는 사회 속에서 삶이 지속되는 과정으로 받아들여야 한
다. 그렇게 되려면 노인이 독립적인 삶을 누릴 수 있도록 소득과 교
육 등에 대한 접근이 보장되어야 한다. 노인의 사회참여에 대해 일부
언론은 단지 풍부한 경험에서 우러난 높은 생산성이라는 경제적 차
원에서만 접근한다. 물론 노인의 지속적 고용과 그로 인한 사회통합
은 경제적 차원에서도 중요한 문제이다. 하지만 노인의 사회참여는
생계를 위한 노동, 그 이상의 것이다. 그것은 일상생활의 영위, 각종
자원봉사활동, 지역사회활동 참여 등을 포함하는 것이어야 한다. 특
히 노인 자신을 위한 사회운동과 단체의 형성 및 참여가 적극적으로
이루어져야 한다. 인권운동 진영이 주목해야 할 대목도 이 부분이다.
고령화 대책은 모든 노인을 포함해야 한다. 즉 상당히 몸이 약해서
돌봄이 반드시 필요한 노인들을 포함해야 하는 것이다. 그렇지 않을
경우 고령화 정책이 초고령층을 배제하고 상대적으로 젊고 활동적인
노인에게 초점을 맞출 위험이 있다. 또한 육아, 가사, 돌봄과 관련된
여성의 노동이 생애 전반에 걸쳐 제대로 된 평가를 받지 못했다는 점
을 감안하면 여성 노인에 대해 특별히 유의할 필요가 있다.[25]

기회를 추구하여야 한다. ② 사회의 교육적, 문화적, 정신적 그리고 여가에
관한 자원에 접근할 수 있어야 한다.
존엄성(Dignity) : ① 존엄과 안전 속에서 살 수 있어야 하며, 착취와 육체적
정신 학대로부터 자유로워야 한다. ② 나이, 성별, 인종이나 민족적 배경, 장
애나 여타 지위에 상관없이 공정하게 대우받아야 하며, 그들의 경제적 기여
와 관계없이 평가되어야 한다.
25) 인권운동사랑방, 『인권오름』 23호.

4. 고전적 노동의 소외: 마르크스의 노동의 인간학

오늘날 서비스와 생산에 있어서 기계가 점차 인간 노동력을 대체하는 역사상 유래 없는 새로운 시기로 진입하고 있다. 제조업을 넘어서 서비스 분야까지 확산되고 있는 자동화의 경향은 곧 노동으로부터의 해방이라는 인류의 염원을 실현시킬 수 있는 것처럼 보인다. 만약 새로운 유토피아에서 생산이 자동화된다면, 노동자가 거의 없는 공장이 현실로 다가온다면, 노동은 인간에게 어떤 의미를 가지는 것인가?

"인간을 고통스러운 노동"[26]으로부터 해방시키려는 기술혁신이 노동의 종말을 초래한다는 인식은 우리에게 재차 노동의 의미를 반성하도록 만들고 있다.[27] 노동시장의 불안정이 하층계급을 넘어서 상층계급으로까지 파급된 지 이미 오래이며 이제 우리 시대의 지표가 되었다. 점점 과거의 평생직장은 소멸의 위협을 안고 진행되고 있다.[28]

철학자 로크(J. Locke)는 노동을 소유와 관련된 개념으로 보았고, 영국의 경험론자 흄(D. Hume)은 노동을 통해 인간과 동물을 구분하고자 하였다. 또한 튀르고(A. Turgot)나 캉티용(R. Cantillon) 이후 노동의 양은 가치의 측정을 위해 사용되었다. 그러나 이 경우 노동은 상대적인 것이었고 다른 것으로 얼마든지 환원 가능한 척도였으며 실질적으로 절대적 준거역할을 한 것은 의식주와 관련된 사용가치였

---

26) 노동이란 어휘는 속박이나 고문에서 유래한다. 프랑스어 'travail'의 어원은 'tr-pilium(3개의 말뚝)'이다. 이 3개의 말뚝은 소나 말에게 편자를 박을 때, 이들을 묶어놓는 기구, 즉 말뚝을 의미한다. 'travail'에서 노동하는 사람 'travailleor'이 나오고 현재의 'travailleur'로 변한다. 'travailleur(노동자)'란 직공(artissan)을 의미하는 것이 아니라, 체형을 집행하는 형리, 고문을 의미한다. 'travail'란 체형 집행인이 죄인의 팔다리를 고문하는 것, 산모가 진통 중에 있는 것을 뜻한다. 라틴어 'labor'는 프랑스어 'peine'와 마찬가지로 노동(travail)과 고통(soufrance)을 의미한다.

27) 제레미 리프킨, 이영호 옮김, 『노동의 종말』, 민음사, 1996,

28) 울리히 벡, 정일준 옮김, 『적이 사라진 민주주의』, 새물결, 2000, 124쪽.

다.[29] 이를테면 "가격의 척도는 식품이었으며, 이 점에서 농산생산과 밀과 토지에 절대적 특권이 부여되었던 것이다." 노동은 본질상 자연 속에서 살아남기 위한 인간의 고통스런 노력을 뜻하며, 인간의 속박과 노예상태를 표현한다. 노동은 어떠한 희생을 치르고서라도 적응해야 하는 냉담하고 적대적인 자연 속에서 방황하는 인간의 소외의 표시이다.

마르크스(K. Marx)는 사회법칙을 지배하는 법칙을 발견함으로써 노동계급에게 사회적 압제를 떨쳐버리고 삶의 존엄성, 즉 인류복지와 각 개인의 육체적, 정신적 재능의 자유롭고도 전면적인 발전을 위한 필요조건을 창출해 낼 수 있도록 그 진정한 길을 제시해 준 최초의 사상가로 기억된다. 산업혁명을 통한 생산력의 급속한 성장 속에서 인간에 의한 인간의 착취를 종식시키고 노동을 해방시켜야 한다는 거대한 역사적 과업을 수행해 나갈 수 있는 현실적 기초를 그는 마련하였다. 이러한 점에서 마르크스의 노동의 문제는 노동의 인간학이나 생산의 유물론에서 찾을 수 있다. 마르크스가 말하는 소외는 바로 경제구조에서 인간의 소외를 의미한다. 마르크스가 살던 시대는 산업사회가 점차 자리를 잡아가게 되었다. 이전의 농촌사회에서 이제는 도시사회, 산업사회로 바뀌어갔다. 농업기술이 발달하게 되자 적은 일손으로 많은 생산을 할 수 있게 되었고, 그러자 농노들은 도시의 노동자로 탈바꿈하게 되었다. 공장은 적은 투자로 많은 이득을 보고자 하는 자본주의를 극대화하는 장치가 되었고, 거기서 인간, 즉 노동력은 수단일 수밖에 없었다. 자본가에게 노동자의 육체와 시간은 모두 저당 잡혔다.

사회적 노동과 유적(類的) 역사의 개념, 그리고 역사적 유물론은 마르크스가 일생을 두고 몰두한 작업이다. 마르크스의 노동의 인간학

---

29) 이진경, 『미래의 맑스주의』, 그린비, 2006, 55쪽.

은 인간의 본질을 노동에 의해 정의하였다. 실제로 노동의 인간학을 구성하는 요소들이 만들어진 것은 부르주아 사상가들에 의해서였다. 예를 들어 노동을 모든 가치의 척도로 정의함으로써 정치경제학의 탄생을 알린 사람은 스미스(A. Smith)였고, 그것이 모든 가치를 생산하는 가치의 원천이라고 말한 사람은 리카도(D. Ricardo)였다. 또 이러한 노동개념을 확장하여 절대정신의 활동에까지 적용한 사람은 헤겔(G. W. F. Hegel)이었다. 노동이란 개념을 경제학적으로 제기한 인물은 스미스였지만, 그것을 철학적으로 일반화했던 사람은 헤겔이었다. 즉 인간의 본질은 노동이라는 청년 마르크스의 명제는 이러한 스미스나 리카도, 헤겔의 영향을 받은 것이다.

"헤겔은 노동의 본질을 파악하고 있으며, 대상적인 인간을 자신의 고유한 노동으로 파악하고 있다."[30]

헤겔에게 노동이란 세계를 변화시키는 합목적적 활동이다. 다시 말해 헤겔은 노동이란 인간의 합목적적 활동이라는 인간학적 정의를 끌어들인다. 헤겔은 "노동이 타인의 의사에 의해 행해진다."는 것을 알고 있었다. 죽음의 공포 앞에서 굴복한 노예가 주인의 의지에 따라 어떤 행동을 할 때 그것이 바로 노동이다. 그러면서 동시에 그는 이를 목적성에 따라 자신의 의지를 밖으로 드러내는 활동으로 일반화한다. 비를 막으려는 목적성이 지붕을 만들고, 바람을 피하려는 목적성이 벽을 만들듯이, 정신 안에서 형성된 목적성은 정신 외적인 존재로 변화된다. 이로써 "노동은 정신의 활동방식인 '외화(外化)'가 된다. 역으로 이 개념은 이제 외적인 형태로 존재하는 모든 것을 정신적인 목적성으로 인해 생긴 것으로 역추론하고, 그럼으로써 그 모두

---

30) 칼 맑스, 최인호 옮김, 『1844년의 경제학 철학 초고』, 박종철출판사, 1991, 185쪽.

를 정신의 내부로 포섭한다."[31]

마르크스가 새롭게 찾아낸 노동의 정의는 자본과의 관계에서 발생하는 '사회적인 본질'을 지적하는 것이다. 헤겔은 노동을 인간의 본질로서 자기를 입증하는 것으로 파악한다.[32] 헤겔적인 노동의 개념은 노동과 노동자를 역사적 발전과정 속에서 포착하는 것을 가능하게 한다. 헤겔은 주인과 노예의 변증법에서 이를 충분히 보여주었다. 인정투쟁에서 패배하여 노예가 된 자는 주인의 의지에 따라 노동을 해야 한다. 노동의 과정에서 노예는 금욕주의나 회의주의 혹은 불행한 의식에 빠지기도 하지만, 동시에 노동을 통해 물질적 세계의 법칙을 파악하고 그것을 통제할 능력을 얻는다. 그것을 통해 실질적으로 변화시켜 가는 존재로서 자기의식을 획득하게 된다. 즉 자신이 세계의 실질적인 주인임을 의식하게 된다. 이제 남는 것은 자신의 주인에게 자신을 노예가 아니라 자립적 의식으로서, 주인으로서 인정받는 것뿐이다.[33] 이런 점에서 "자립적 의식의 진리는 결국 노예의식이다."[34] 주인은 노예를 통해서 간접적으로 사물에 관계한다.[35] 주인은 노예 없이는 살 수 없는 노예의 노예가 된다. 그러나 이 같은 매개적 역할을 하는 부정적 행위인 노동을 통해서 노예는 "자기 테두리를 벗어나서 지속적인 존재의 터전으로 자기의 자리를 마련해 들어간다. 그렇게 하여 노동하는 의식은 자기 밖의 자신의 노동에 의해 현존하는 자립적 존재가 바로 자기 자신임을 직관하게 된다."[36] 이렇게 하여 노예는 진정한 주인이 된다.

마르크스의 노동소외론은 헤겔의 주인과 노예의 노동론을 발전시

---

31) 이진경, 『자본을 넘어선 자본』, 그린비, 2004, 136쪽.
32) 칼 맑스, 『1844년의 경제학 철학 초고』, 185쪽.
33) 이진경, 『미래의 맑스주의』, 59쪽.
34) 게오르그 루카치, 이춘길 옮김, 『청년 헤겔 2』, 동녘, 1998, 128쪽.
35) G. W. F. 헤겔, 임석진 옮김, 『정신현상학』, 지식산업사, 1989, 24쪽.
36) 같은 책, 269쪽.

킨 것이었고, 헤겔의 노동론은 고대 그리스의 사회적 전통을 개념적으로 사유한 플라톤 이론을 수정, 보완한 것이다. 헤겔은 노동을 인간의 자기산출, 혹은 자기생성의 과정으로 파악한다. 즉 "대상화를 탈대상화로, 외화로, 이러한 외화의 지양"[37]으로 본 관점은 탁월하다. 그는 노예의 노동이야말로 세상을 만들어가는 힘이며, 그것이 주인의 인정을 받는 진정한 주인이 되는 기초라고 하였다.[38] 인간은 본질적으로 노동하는 존재로서, 더 정확히 말하자면, 인간의 본질적 활동은 노동에 의해 정의된다. 그의 노동은 단지 개인적인 차원에서의 노동이 아니라 좀더 넓은 의미의 사회적 노동을 의미한다. 왜냐하면 사회적 노동은 숙련도나 노동의 강도에 있어서 사회적으로 평균적인 노동을 뜻하기 때문이다. 예를 들어 마르크스가 말하는 사회적 노동은 예쁜 질그릇을 만들기 위해 많은 노력과 시간을 들이는 도예가의 노동이 아니라, 도·소매시장에 내다 팔기 위해 질그릇을 만드는 도자기공의 사회적 노동을 가리키는 것이다. 마르크스의 초기 사상이 나타난 『경제학 철학 수고』, 『독일 이데올로기』 등의 저서에서 휴머니즘적 요소를 마르크스 사상의 핵심으로 파악할 수 있다. 노동의 인간학을 통한 소외론은 그의 철학의 주요한 특징이라 말할 수 있다. 마르크스는 『경제학 철학 수고』에서 노동의 소외, 자연으로부터의 소외, 인간의 소외를 다루고 있다. 이것은 독자적인 형태의 소외가 아니라 어디까지나 노동소외라는 노동의 인간학으로부터 도출하고 있다. 마르크스는 명시적으로 노동활동을 인간의 본질을 실현시키는 실천이자 중심범주로 생각하였다.[39]

마르크스는 자본주의 사회에서 생산되는 생산품은 교환되고 유통되는 상품이란 점에 유독 주목한다. 자신의 삶 속에서 직접 소비되거

---

37) 칼 맑스, 『1844년의 경제학 철학 초고』, 317쪽.
38) 이진경, 『미래의 맑스주의』, 54쪽.
39) 최형익, 『마르크스의 정치이론』, 푸른숲, 1999, 75쪽.

나 사용되지 않는 상품을 생산하는 노동자는 결국 자기 자신을 상품으로 전락시킨다. "노동이 생산하는 대상, 즉 생산물은 낯선 존재로서 그리고 생산자와는 무관한 권력으로서 노동에 대립한다."[40] 마르크스는 이러한 현상을 생산물로부터의 소외라 규정한다. 따라서 그는 노동의 소외야말로 그 밖의 다른 사회적, 인간적 소외를 발생시키는 원인으로 고정시킨다고 보았다. 마르크스에게서 인간의 본질은 정신이 아닌 노동에 있기 때문에 노동을 통해 인간은 자아를 실현하는 것이라 생각하였다. 여기서 마르크스는 인간의 본질은 노동이라고 하는 노동의 인간학이라는 명제를 제안한다. 그런데 이 사회는 노동으로 인해서 오히려 인간을 비인간화 내지 소외화시키고 있다는 것을 깨달았다. 예를 들어 내 땅에서 열심히 벼농사를 지은 농부는 자기가 노동으로 키운 벼를 통해서 자부심과 삶의 충만함을 느낀다. 그러나 노예는 그 사정이 다를 수도 있다. 노예는 주인이 시키는 것만 일하거나 죽지 않기 위해서 일할 뿐이기 때문에 노동은 고통만을 낳는다. 자본주의 사회가 진행되면서 사람들의 노동을 노예와 같은 상황으로 만들어버렸다. 자신이 생산한 물건은 대부분 자기 자신의 능력으로 살 수도 가질 수도 없다. 단지 노동은 최소한의 생계를 유지하기 위해 치러야 할 고통일 뿐이라는 것이다. 그래서 그는 자본주의 사회 아래서는 고통이 증가되기 때문이 자본주의가 파괴되어야 한다고 믿었다. 자본주의 사회에서 노동자의 운명은 점점 더 악화될 것이라는 생각이다. 그는 자본주의는 일종의 기계와 같고 그 안에 포섭된 노동자들과 마찬가지로 붙잡힌 몸이며 기계가 그들에게 명령하는 것 이외에는 아무것도 할 수가 없다고 하였다. 이러한 의미에서 자본주의 사회의 인간은 노동으로부터 소외되어 있다고 말한다.

마르크스의 노동과 실천에 대한 새로운 문제의 설정은 『포이어바

---

40) Karl Marx, *Ökonomisch-philosophische Manuskrift(1844)*, MEW. 40, Berlin, 1985, 512쪽.

흐에 관한 테제』(1845)에서 잘 드러나 있다. 이 테제는 인간의 본질은 무엇이며 이것이 어떻게 소외되었는가라는 문제의 설정을 비롯하여, 인간 실천 활동의 결과라는 '실정성'에 대해 파악하는 계기를 마련하였다. 마르크스의 실천에 대한 새로운 문제설정은 이 세계에 대한 이해를 넘어서 세계를 변화시키는 데 있었다. 그래서 그는 테제 11번째에서 다음과 같이 언급한다.

"이제까지의 철학자들은 단지 세계를 해석해 왔을 뿐이다. 문제는 이 세계를 변혁시키는 데 있다."

이 문구는 후에 마르크스 자신뿐만 아니라 그를 추종하는 많은 사람들에게 광범위한 영향력을 발휘하였다. 이 말은 마르크스 혁명이론의 핵심을 이루고 있다. 마르크스에게 역사는 자본주의에서 사회주의로 발전하는 혁명을 향해서 움직여 가고 있다. 자본주의 사회는 무의미한 노동과 메마른 가정생활 속에 가두어놓는다는 사실을 깨닫는 것만으로는 충분하지 못하다는 것이다. 중요한 것은 현재의 상태를 완전히 뒤집어놓는 혁명이다. 그는 사회주의로 향하는 역사이론, 계급이론을 형성한 지 몇 년 후에 경제이론을 발전시켰다. 그의 경제이론은 자본주의의 역사발전이 사회주의를 가능하게 하는 조건을 마련한다는 것을 명백하게 하려고 하였다. 마르크스는 자본주의를 정의하기를, 노예도 농노도 아니며 자유민인 노동자의 노동을 이용하여 생산수단을 소유하는 자의 사적 이윤을 위해 그 생산수단이 작용하는 사회제도라고 하였다. 따라서 노동자 계급이 곧 닥칠 투쟁에서 승리를 쟁취할 것이라 생각했다. 현재 소외에 대한 의식이 보편화되어 있는 상황에서 그의 이론은 여전히 많은 시사점을 던져주고 있다.[41] 그

---

41) 양해림, 「마르크스의 행복관: 인간은 노동을 통해 행복을 느낀다」, 『행복이라 부르는 것들의 의미: 행복의 철학적 성찰』, 철학과현실사, 2001, 107-110쪽.

는 노동소외의 유형을 다음과 같이 나누었다.

(1) 생산물로부터의 소외 : 노동이 생산하는 대상 즉 생산물은 낯선 실체(fremdes Wesen)로서 그리고 생산자와는 무관한 권력으로서 노동에 대립한다.42)

(2) 노동으로부터 노동자의 소외 : 그래서 노동자는 노동의 밖에서 비로소 자기 자신을 느끼고 노동함에서 있어서 자기의 외부에 있다 (Arbeiter fühlt sich erst daher erst außer sich).43)

(3) 인간에 의한 인간의 소외 : 노동의 생산물이 노동자에게 속하지 않고 그에게 낯선 세력으로 대립되어 있다면 그것은 생산물이 노동자 이외의 다른 사람들의 소유가 되었기 때문에 가능하다.44)

(4) 인간의 유적 존재로부터의 소외 : 인간은 자기 자신 속에서 모든 살아 있는 인간의 본성을 발견하고 전 자연을 인간 자신의 비유기체적 육체로 만드는 유적 존재(類的 存在, Gattungswesen)이다. 그러나 소외된 노동은 이러한 인간과 자연의 관계를 전도시키고 인간의 본질을 실존의 수단으로 전락시킨다. 본질은 더 이상 삶의 목표나 내용이 아니기 때문에 삶은 단지 삶의 수단으로 변질된다.45)

마르크스는 노동과 노동자들에 대한 자본가들의 부당한 태도를 고발하기 위해 이러한 노동의 소외 개념을 그의 『경제학 철학 수고』에서 연구하였다. 또한 그는 노동자가 자신의 상태를 자각하고 소외를 근본적으로 해소할 수 있는 방안에 몰두하였다. 마르크스에게 있어서 소외를 제거하려는 인간은 노동으로 삶을 개선하면서 노동을 통해서 자기 자신을 생성한다. 마르크스는 노동의 산물을 물질적 대상화의 결과물로 보았다. 인간은 그의 노동과정 속에서 구체적인 계획을 대

---

42) Karl Marx, *Ökonomisch-philosophische Manuskrift(1844)*, 511쪽.
43) 같은 책, 514쪽.
44) 같은 책, 517쪽.
45) 같은 책, 516쪽.

상화한다. 대상화된 현실은 "인간의 본질능력들이 대상화된 것이다." 대상적 세계는 "인간의 대상적 본질을 현실적으로 자기화"[46]한 것이며 "인간적 대상화의 현실이자 작품화된 인간의 본질적 힘들은 진정한 인간적 현실이다."[47]

인간소외가 노동현장에서 나타나는 문제는 생산성과 안전의 관점에서 뿐만 아니라 일하는 사람들의 건전한 성장이나 사회생활을 위해서도 반드시 극복되어야 할 과제이다. 따라서 노동소외의 문제를 극복하기 위해서는 노동의 가치의식의 변화, 욕구의 다양화, 자유의사와 자발성, 자율성과 개성능력의 발휘 등이 충분히 고려되어야 한다. 마르크스에게서 좋은 노동은 인간 본질의 실현이지만, 자본주의적 소유구조는 인간의 본질을 그 자신과 대립하여 비인간적으로 대상화되었다는 것이다. "노동이 노동자에게 외적이고 그의 본질에 속하지 않는다는 것은 자유로운 육체적, 정신적 에너지를 발휘하는 것이 아니라 고행으로 그의 육체를 쇠약하게 만들고, 그의 정신을 파멸시킨다."[48] 이렇듯 마르크스는 본래적으로 존재해야 할 인간이 이렇게 자본의 노예가 되고, 비참한 도시생활을 하게 되는 것을 보고 인간이 '소외'되었다고 하였다. 마르크스는 자본이 기계를 이용해 노동을 지배하려고 한다는 것은 실질적인 부의 창조가 노동시간이나 고용된 노동력에 의존하기보다는 과학의 일반적 발전상태와 기술혁신에 의존하게 된다는 의미가 되리라 예언하였다. 즉 생산의 핵심요소가 과학기술의 혁신에 필요한 사회적 지식이 될 것이라 보았다. 또한 마르크스는 오늘날과 같은 정보사회를 예견하였다.[49] 따라서 그는 과학기술이 향후 시장관계를 더욱 공고화할 것이라 보았다.

---

46) 같은 책, 328쪽.
47) 같은 책, 316쪽.
48) 칼 맑스, 『1844년의 경제학 철학 초고』, 217쪽.
49) 닉 다이어-위데포드, 신승철·이현 옮김, 『사이버-맑스』, 이후, 2003, 26-27쪽.

5. 노동의 소외에서 노동의 종말 시대로

문명은 태초부터 주로 노동의 개념을 중심으로 형성되었다. 노동은 구석기 시대의 사냥과 채집, 신석기 시대의 농부, 중세의 장인, 현재의 조립 라인 노동자에 이르기까지 매일 생존을 위한 핵심적인 부분이었다. 인간의 노동은 현재 처음으로 생산과정으로부터 체계적으로 제거되고 있다. 1세기 이내에 시장부분의 대량노동은 사실상 세계의 모든 산업국가에서 사라져갈 것이다.[50] 21세기 들어 고령화와 더불어 핵가족화가 심각하게 증가하고 있다. IT(Information Technology: 정보기술) 산업의 급성장에서 보듯이, 한국은 변화를 수용하는 속도가 굉장히 빠르게 진행되고 있다. 고령사회에 대한 인식도 일본보다 훨씬 진취적인 경향을 나타낸다. 혼자 사는 노인 인구도 일본보다 훨씬 빠르게 증가하고 있다. 50세만 넘으면 이미 실버산업의 직·간접적인 수요층에 포함되므로 엄청난 시장이 형성될 것이다. 현재 53%의 노인이 자녀와 떨어져 살고 있다.

노동시간당 창출하는 가치, 즉 생산성은 일반적으로 저임금 국가보다 일찍 산업화한 국가에서 더 높다는 것은 의심의 여지가 없다. 하지만 이런 사실조차 서구인들에게는 미미하고 일시적인 위로로밖에 들리지 않는다. 한편으로 저임금 국가들의 생산성이 가파르게 상승하고 있기 때문이다. 예를 들어 중국의 경우 생산성은 10-15%까지 상승하고 있다. 다른 한편으로 생산성이 향상됨으로써 이들 국가가 지불하게 되는 임금은 그에 미치지 못하는 형편이다. 그리하여 생산성의 차이를 고려하더라도 아시아나 동유럽 국가에서 생산할 때보다 인건비의 3분의 2를 절약할 수 있다.[51]

리프킨은 『노동의 종말(*The End of Work*)』에서 우리들을 노동이

---

50) 제레미 리프킨, 앞의 책, 59쪽.
51) 마인하르트 미겔, 앞의 책, 97쪽.

거의 필요 없는 세계로 몰아가는 기술혁신과 시장의 힘을 다루고 있다. 세계적으로 농업, 제조업, 서비스 부분에서 노동의 감소가 발생하고 있고, 노동자의 숫자를 급격하게 감소시키는 거대한 기술 및 조직의 변화를 겪고 있다. 그리하여 북미, 유럽, 일본에서 실업자와 잠재실업자의 대열이 나날이 증가하고 있다. 심지어 개발도상국가들도 기술적 실업의 증대를 경험하고 있다. 왜냐하면 다국적기업들이 전 세계적으로 하이테크 생산설비를 채용하면서 비용 효율성, 품질관리, 분배속도 등에서 더 이상 경쟁이 안 되는 수백만의 노동자들을 해고하기 때문이다.[52]

첨단기술의 자동화로 인해 촉진된 실업에 대한 공포는 노동자의 목에 들이댄 칼과 같다. 실업은 파업을 벌이는 노동조합의 힘을 침식할 뿐만 아니라 경영자들이 피고용인들에게 협력을 강요하고, 악랄한 파업 파괴자들을 고용하며, 임금과 노동조건을 저하시킬 수 있도록 만들어준다. 노동자들이 서로 고용되려고 경쟁할 때, 자본은 그들을 다양한 계층으로 뒤바꾸어 버린다. 상층 노동자들은 이전보다 더 힘들고 더 빠르게 일해야 하며, 비참한 하층으로 떨어지지 않기 위해서라도 더 고분고분해진다. 하층 노동자들은 초과 착취되는 것을 대가로 해서만 생존을 구매할 수 있다.[53] 이렇게 점점 심각해져 가는 현대사회에서 노동은 이중적인 의미를 가진다. 정보화와 자동화로 특징지어지는 최첨단의 하이테크 덕택으로 실현되는 '노동 없는 세계'는 "한편으로 고되고 정신없는 반복적 노동으로부터 인간을 해방시키는 역사상 새로운 시대의 시작을 의미한다. 다른 한편으로 구조화된 대량실업과 고착된 사회적 불평등의 모습으로 나타나는 위험사회를 예고한다."[54] 자동화와의 물결이 블루칼라의 노동자에게 커다란 충격

52) 제레미 리프킨, 앞의 책, 61쪽.
53) 닉 다이어-위데포드, 앞의 책, 410쪽.
54) 이진우, 「정보화 시대의 노동과 인간소외」, 『이성정치와 문화민주의』, 한

을 주었다면, 정보화의 물결은 리엔지니어링과 다운사이징을 통해 화이트칼라 중산층의 토대를 침식시키고 있다.[55]

카스텔(M. Castells)에 따르면, 1990년 모든 G7 국가에서 제조업 고용에 대한 정보처리 고용의 비율이 1을 넘지 않았으며, 특히 정보화에 선진적이었던 일본의 경우 1920-1970년 사이에 비율이 0.3%에서 0.4%로, 1970-1990년 사이에는 0.4%에서 0.5%로 미비하게 증가했다. 그래서 "정보 고용의 증가와 정보사회의 발전은 상호 관련되는 과정이기는 하지만, 다른 과정이다."라고 말한다. 다시 말해 정보혁명을 통해 경제를 작동시키고 사회를 조직하는 데 정보가 매우 중요한 요소가 되기는 하지만, 그것이 정보관련 고용과는 별로 직접적인 연관이 없다는 것이다.[56] 이렇듯 정보화가 새로운 고용 없이 거대한 정보관련 이윤의 증가를 가능하게 하였다면, 자동화는 개별공장에서 직접적인 노동자 고용의 감소를 초래하였다. 미국이나 이탈리아, 프랑스와 같은 선진국에서 로봇은 처음부터 노동을 경제적으로 절약하려는 목적으로 도입되었다. 그러한 결과로 인해 상대적으로 적은 수의 로봇이 많은 노동자를 대체하게 되었다. 예를 들어 미국의 경우 1970-1984년 사이에 5천-7천 대의 로봇이 도입되어 1만-1만 5천 명의 노동자를 대체하였고, 프랑스는 800대의 로봇이 1천 명의 노동자를, 이탈리아는 800대의 로봇이 2,400명의 노동자를 대체하였다. 로봇 한 대로 대체되는 노동자의 수는 대략 3-4명 정도이며, 로봇 한 대를 유지하기 위해 필요한 노동자의 수는 가장 적은 경우 0.1명 정도에 지나지 않는다. 즉 한 명의 노동자가 10대의 로봇을 관리할 수 있다.[57] 1978년 7천 대에 불과했던 전 세계 로봇의 숫자는 1981년 1

길사, 2000, 297쪽.

55) 제레미 리프킨, 앞의 책, 231쪽.

56) 마뉴엘 카스텔, 김묵한 · 박행웅 · 오은주 옮김, 『네트워크 사회의 도래』, 한울, 2003, 288-289쪽.

만 5천 대로 2배나 증가하였으며, 1989년에는 1981년의 15배가 넘는 25만 대로 증가하였다.[58] 이러한 증가의 속도는 해가 거듭될수록 늘어났으며, 이 증가속도에 발맞추어 자본가는 공장에서 노동자를 내몰았다. 또 다른 실례로서 미국 최대의 철강회사인 유에스 스틸(Us Steel)은 1980년 12만 명의 노동자를 고용하고 있었으나, 1990년에는 단 2만 명의 노동자로 거의 동일한 양의 철을 생산하였다. 미국의 전자회사인 제너럴 일렉트로닉은 판매액은 3배 증가하면서도 1981년 40만 명을 고용하던 것을 1993년 23만 명으로 줄였고, 일본의 빅터사는 150명의 노동자가 일하던 캠코더 공장에 자동화 설비를 도입함으로써 단 2명의 노동자만을 남겨두었다.[59]

거대한 실업사회의 예고를 경고하는 리프킨은 "컴퓨터 혁명과 작업장 리엔지니어링 효과는 제조업 부분에서 가장 심각한 실정이다. … 1981년에서 1991년 사이에 미국의 제조부분에서 180만 개의 일자리가 사라졌다. 독일의 제조부분의 경우 1992-1993년 단 12개월 동안에 50만 개의 일자리가 사라졌다."[60]고 밝히고 있다. 지난 1996년 독일의 실업자 수는 6백만 명을 넘었다. "독일의 유명한 경영자문회사인 룰란트 베르거에서는 향후 10년 안에 제조업에서만 150만 개의 일자리가 사라질 것이라 내다보고 있다. 게다가 중간 관리자층에서도 두 명 중 한 명은 일자리를 잃게 될 것"[61]이라 전망한다. 2004년 1월에 집계된 독일의 실업자 수는 459만 명에 달하며, 이것은 실업률 11%에 해당하는 수치로서 독일 역사상 최고이다. 또한 이는 1990년의 실업률 6.4%에 비해 14년 만에 두 배가 된 수치이며, 지난

---

57) 마뉴엘 카스텔, 최병두 옮김, 『정보도시』, 2001, 247쪽.
58) 박형준, 『현대노동과정론: 자동화에 대한 연구』, 백산서당, 1991, 189쪽.
59) 제레미 리프킨, 앞의 책, 185-191쪽.
60) 같은 책, 26쪽.
61) 한스 페터 마르틴·하랄트 슈만, 강수돌 옮김, 『세계화의 덫』, 영림카디널, 1997, 28쪽.

12월 한 달 동안에만 28만이 넘는 새로운 실업자가 집계되었다.[62] 2006년 1월 독일의 실업률(계절변동조정 후)은 전월의 10.8%에서 11.4%로 급등하여 1997년 10월(11.8%) 이후 9년여 만에 최고수준을 기록함에 따라 그동안 슈뢰더(Schröder) 총리가 추진해 온 노동시장 개혁의 유효성뿐만 아니라 실업자 수 급증원인을 둘러싼 논란이 야기되고 있는 것으로 나타났다.

리프킨은 대다수의 산업국가 노동력의 75% 이상이 단순 반복 작업에 종사하고 있다고 말한다. 그리고 이러한 작업은 자동기계나 로봇, 컴퓨터 등에 의해 점점 더 대체될 것이라고 전망한다. 즉, "더 정교한 컴퓨터의 도입으로 인해 마치 농경시대에 말의 역할이 트랙터에 의해 감소되고 제거된 것처럼, 가장 중요한 생산요소로서 인간의 역할이 감소될 것이다."[63] 이러한 과정을 거쳐서 결국은 노동자가 대부분 공장에서 쫓겨나 실업자로 살아가야 하는 사회에 이르게 되는 우울한 전망을 묘사한다. 이렇게 어두운 미래를 리프킨은 '노동의 종말'이라는 말로 표현하고 있다. 따라서 인간이 노동으로부터 안전히 해방되는 유토피아를 추구하지 않는 한, 인간의 노동력을 대체할 수 있는 기술의 발전은 불가피한 것이다. 이러한 과정 속에서 얻은 노동의 본질은 다음과 같이 요약할 수 있다.

첫째, 인간의 노동은 인간적 행위이고, 인간의 전인적 활동이므로 단지 사회경제적 차원에서 그 가치를 평가할 것이 아니라 진리추구와 윤리적 행위 그리고 종교적 소명을 실현하는 차원에서도 이루어져야 한다.

둘째, 자본주의의 모순이라 할 노동과 자본의 대립, 그에 따른 노

---

62) 독일 경제가 2006년 2.5% 성장하고 내년 실업자 수는 400만 명 이하를 기록할 것이라는 전망이 제기되었다. 독일 일간지 『프랑크푸르트 알게마이네 차이퉁』은 내년 실업자 수는 400만 명 이하로 감소할 것이라고 밝혔다.

63) 한스 페터 마르틴 · 하랄트 슈만, 앞의 책, 24쪽.

동소외 문제는 자본과 노동의 양자택일이 아니라 양자의 주인인 인간을 우위에 둔 원리를 기반으로 사회정의 이념으로 해소해야 한다.

셋째, 어떤 규제 없이 자본이 시장의 원리에 따라 자유롭게 이동하면, 최선의 방식으로 자본과 재화가 가장 필요한 곳으로 유입되어 세계를 최선의 방식으로 발전시킬 것이라는 신자유주의적 신화는 감당할 수 없는 국가운명의 위기와 빈곤계층의 생존위협으로 나아갈 수 있다.[64]

넷째, 인간이 평생 동안 행하는 노동을 통해 자신을 완성해 가기 위해서 노동에 내포되어 있는 인격적 차원을 존중해야 한다. 즉 노동은 가능한 한 인간이 그것을 통해서 더욱 인간적이 되도록 형성되어야 한다. 인간의 노동은 유용한 상품을 제작해 내는 것만으로 충분하지 않다.

6. 맺는 말

앞 절에서 고찰하였듯이, 노동소외는 노동문제의 핵심이다. 사회체제로부터의 배제와 고립은 노동계급이 갖는 대부분의 문제를 포괄한다. 한국사회는 근대화를 거치면서 급속도로 발전해 왔고 지금도 빠른 속도로 발전 중이다. 끊임없는 양적 경제발전 속에서 고령화 시대의 여러 소외된 사람들에 대한 사회적 안전망은 여전히 미비한 상태이다. 그리고 빠른 고령화 사회 속에서 독거노인의 급속한 증가에 대한 공급은 턱없이 부족한 실정이다. 노인문제의 해결은 노인들의 요구에 기초한 복지정책을 통하여 이루어져야 한다. 2006년 통계청에 의하면, 전체 노인들 중의 79.2%가 건강악화, 79.5%가 생활비 마련의 어려움, 81%가 배우자의 사망 등으로 고통받고 있는 만큼, 노인

---

64) 김용해, 「인간은 노동을 통해서 자신을 실현시키는가?」, 『철학연구』, 대한철학회, 2006, 65-66쪽.

문제의 핵심인 질병, 빈곤, 소외 문제의 해결이 가장 절실하다. 빈곤과 질병을 위해서 물질적 원조가 필요하고, 고독을 해결하기 위해서는 정서적 원조가 필요하다. 노인들의 경제적 문제를 해소하기 위해서는 정년의 연장, 연금제도의 확대와 일터의 제공 등 다양한 소득보장정책과 공적 부조가 절실하며, 건강을 유지하기 위한 의료보험의 확대 및 사회재활 프로그램의 확충 등이 필요하고, 심리적 고독감을 해소하기 위해 노인 공동체 문화 등을 형성하도록 노력해야 한다. 이러한 노동문제를 극복하기 위한 방안에서는 다음과 같은 원칙을 중요시한다.

첫째, 사회 대다수 구성원의 생존권과 복지권을 확고하게 보장할 수 있어야 한다. 즉 노동생활의 질을 향상하는 것이 필요하며, 이를 실현시키기 위해서는 경제권력의 집중을 배제하고 사회구성원의 폭넓은 참여를 보장하는 경제민주주의 내지는 산업조직에 민주주의의 원리를 적용해야 한다.

둘째, 기술혁신에 따른 노동강화와 노동의 단조로움 및 세분화 그리고 기술적 실업의 발생 등의 역기능의 문제와 기술이 갖는 생산성 향상 등의 순기능 측면의 양면성을 조화시켜 나가야 한다. 고령화 사회는 노인 복지능력 향상, 노인의 양적 팽창 수용, 노동시장의 생산성 둔화, 노인 관련 산업의 발달이라는 여러 요인을 야기하였다.

셋째, 조직의 관료제화와 노동의 질적 변화에 따른 노동의 소외를 해소해야 한다. 이를 위해서는 마르크스가 주장한 것처럼, 작업조직 내에서의 인간존엄성을 바탕으로 하는 노동의 인간화가 요구된다. 즉 노동자의 의사결정과정에의 적극적인 참여를 비롯하여 자주적인 역할 수행, 인간관계의 강화, 직업인으로서의 자아실현, 그리고 각종 형태의 경영참여 방안 등을 마련해야 한다.

노인문제의 책임소재에 대한 조사결과를 보면, 1980년에는 자신(54.7%), 가정(33.35%), 국가(15.3%)라고 하였으며 1994년의 경우 자신(40.6%), 가정(18.9%), 사회(15.9%), 국가(24.6%)로 나타나 사회적 및 국가적 차원의 노인복지에 대한 요구가 급증하고 있다. 또한 자식과의 동거희망에 대해서도 1981년의 83.3%에서 1994년에는 36.7%로 급격히 줄어들고 있어 자녀에 대한 의존보다는 독립적인 노후생활의 영위를 선호하는 추세로 바뀌고 있다. 이에 따라 더 이상 노인문제는 가족의 문제가 아닌 국가적, 사회적 차원의 문제이며 이에 대한 대처가 시급하다. 그러나 한국은 국가예산대비 노인복지예산이 1988년 0.02%, 1990년 0.17%, 1994년 0.11%, 2001년에는 0.26%로 아주 미미한 실정이다. 사회변동과 함께 노인들을 가족이라는 전통적인 사적 부양제도에 더 이상 방치할 수만은 없으므로, 국가나 사회에 의한 사회적 노인복지기구의 확충과 공공복지의 확대가 필수적인 상황에서 국가의 제도적인 대책이 절실히 요구된다. 복지국가의 기본이념이라고 할 수 있는 최저생활의 보장과 기회균등의 제공이 노인들에게 일차적으로 구현되도록 해야 하며, 이를 통한 노후생활이 안정화되도록 노력해야 할 것이다.

현재 국제사회의 목표는 '모든 연령을 위한 사회(the society for all ages)'이다. 모든 사람은 태어나면서부터 평생에 걸쳐 나이 드는 과정을 겪는다. 따라서 고령화에 대한 고민은 우리 모두의 미래에 관한 것이지 노인 인구만을 위한 것은 아니다. 모두가 당사자라는 자세로 전 세대의 문제로 바라보는 태도가 시급하다. 바람직한 규범의 확립은 출산에 대한 문화적 가치를 사회구성원이 모두 받아들일 때 가능하다. 문화적 가치는 사회적 조건에 따른 국민정서의 기초 위에 형성된다. 자녀를 가지면 직장을 계속 다닐 수 없거나 자녀가 더 이상 사회가 인정하는 울타리(자산)가 아니고 부담만이 있을 때, 출산에 대한 긍정적인 정서가 형성될 수 없다.[65]

---

65) 박상태, 앞의 글, 99-100쪽.

결국 고령화 사회에 대한 대응은 모든 연령과 세대를 위한 사회를 만드는 과정이다. 그리고 이런 과정에서 ① 노약자가 안전하고 편안하게 이동하고 일상생활을 누릴 수 있는 환경, ② 노인의 의사와 선택의 존중, ③ 장기적이고 집중적인 돌봄이 필요한 노인을 가족의 부담에만 떠맡기지 않는 것, ④ 고용, 교육, 여가, 조직 등에 대한 노인의 지속적인 참여 등이 필수적인 요소로 지적돼 왔다. 하지만 이런 원칙들이 구호로만 다가올 뿐 현실감을 느낄 수 없는 것이 우리의 현실이다. 현재 우리 사회는 단지 고령화의 진행속도를 측정기로 재며 계산기 두드리기에도 바쁜 상황이다. 이런 현실에서 노인의 복지정책을 경제적, 사회적 논의 속에 포함시키는 것 자체가 쉽지만은 않다. 하지만 이런 원칙들은 실제 삶에서 제기되는 문제 속에서 더 늦기 전에 구체화시켜야 한다. 그리고 이런 난제를 풀어가는 과정은 우리 사회가 성숙되는 과정임을 알리는 것이다.

주지하듯이, 노인문제는 갑작스럽게 우리에게 다가온 문제가 아니라 산업화 및 도시화의 과정 속에서 가족제도의 형태가 바뀌면서 노인이 전통적인 어른의 기능을 상실하게 됨으로써 발생한 문제라고 볼 수 있다. 노인문제가 우리가 산업화의 과정에서 필연적으로 겪는 문제라고 한다면, 이를 현명하게 해결해 가야 하는 것도 우리에게 남겨진 몫이다. 현재의 노인들은 한국의 정치, 사회, 경제, 발전을 이끌어온 주역들이므로 국가와 민족과 후손의 번영과 발전에 기여해 온 자로서 마땅히 존경을 받아야 하고 건전하고 안락한 생활이 보장되어야 한다. 향후의 노인복지는 단순히 빈곤, 질병, 고독에 시달리고 있는 소수의 노인을 수동적으로 보호하는 것뿐만이 아니라 좀더 적극적으로 노년을 개발하는 차원에서 우리 사회에 노인의 제 기능을 찾아주는 방향으로 복지정책이 수행되어야 할 것이다.

제 15 장

노동자의 비정규직화와 사회 양극화,
어떻게 대처할 것인가? *

1. 들어가는 말

오늘날 사회의 양극화가 심화되고 빈곤이 세계적으로 확산되면서 신자유주의에 대한 분노가 자본주의 시장경제에 대한 "대중적 반감으로 점차 고조"[1]되고 있다. 신자유주의적 지구화는 전 세계적 차원에서 부의 양극화 현상을 가져왔을 뿐만 아니라, 선진 자본주의 국가 내부에서도 놀랄 만한 사회적 불평등의 증대를 가져왔다. 즉, "세계 각국이 계층 간 빈부격차가 극심해지는 양극화 확대"[2]로 인해 심한

---

* 이 글은 민주화를 위한 전국교수협의회 창립 20주년 기념 심포지엄(2007년 6월 20일)에서 「한국사회의 발전방향과 민교협 운동」이라는 주제 하에 발표한 것이다.

1) 정성진, 「21세기 사회주의와 참여계획경제의 가능성」, 『진보평론』 제30호, 2006, 100쪽.

2) 세계 인구의 상위 1%가 하위 57%가 소유한 만큼 가지고 있으며, 전 세계 인구의 절반인 30억이 빈곤선인 하루에 2달러 미만으로 생계를 꾸려가고 있다. 그리고 10억 이상이 하루에 1달러 미만으로 살아가고 있는 것으로 집계되었다. 더 심하게는 8억 명 이상이 영양부족으로 고통받고 있는 것으로 보고되고 있다(UNDP, 2001; 박길성, 『한국사회의 재구조화』, 고려대 출판부,

몸살을 앓고 있다. 무엇보다 이는 경쟁지상주의적 신자유주의의 확산에 따른 공통적 현상으로 나타나고 있다. 예를 들어 "유럽 국가들의 경제는 지난 20년 동안 인구증가의 속도보다 빨리 성장했다. 그 결과 이들 사회는 50-70% 더 부유해졌음에도 불구하고, 약 2천만 명의 실업자, 거의 5천만 명에 이르는 빈곤계층, 그리고 약 5백만 명의 집 없는 사람들이 존재한다. 풍요 속의 빈곤은 역설적이게도 유럽연합이 구호로 내건 '사회적 유럽'의 한 단면으로 자리 잡았다."[3]

그렇지만 사회와 경제의 양극화를 우려하는 목소리는 새삼스럽게 어제 오늘 듣던 말은 더 이상 아니다. 이는 우리 사회에서도 1997년 외환위기 발생 이후 지속적으로 강화되는 추세를 보이고 있다. 특히 IMF 위기 속에서 한국의 계급구성은 완전히 다른 방식으로 전개되어 갔다. 노동자 계급 내부의 분화는 "정규직과 비정규직이라는 형상으로 두드러졌고, 여성들의 사회진출, 외국인 노동자들의 진입, 실업자

2004, 103쪽 재인용). 즉, 1990년에는 8억 2,200만 명, 그 후 1999년에는 8억 2,800만 명, 2005년에는 8억 5천만 명이 기아상태에 있는 것으로 보고되고 있다. 이러한 수치의 해석은 첫째, 기아로 사망하는 사람들의 수가 특히 남반구에서 끊임없이 증가하고 있으며, 둘째, 극심한 영양실조를 앓고 있는 사람들의 수를 인구증가율과 비교하면, 기아인구의 비율이 약간 줄었음을 확인하게 된다(장 지글러, 유영미 옮김, 『왜 세계의 절반은 굶주리는가?』, 갈라파고스, 2007, 32쪽). 부국과 빈국 사이에는 거대한 차이가 있다. 부국들은 큰 시장을 이용하여 신기술 마케팅을 가능하게 하여 생산성을 더욱 확대시킨다. 북아메리카와 유럽 그리고 동아시아의 부국들의 경제성장의 핵심을 차지하는 것은 대규모 연구개발 투자에 이어 대규모 시장에서의 특허제품 판매로 이어지는 과정이다. 이에 반해 경제규모가 작은 나라에서는 혁신과정이 시작되지도 않는다. 빈곤한 정부들은 정부와 연구소와 대학들에서 이루어지는 기초과학을 후원할 여력이 없기에 과학자들은 조건이 좋은 나라로 떠난다. 오늘날 저소득국들이 세계 인구의 37%와 세계 GDP의 11%를 점유하고 있지만, 이 나라들은 2000년 미국에 등록된 특허권의 1%도 차지하지 못한다(제프리 D. 삭스, 김현구 옮김, 『빈곤의 종말』, 21세기북스, 2007, 100-101쪽).

3) 구춘권, 『지구화, 현실인가 또 하나의 신화인가』, 책세상, 2004, 30쪽.

의 양산 그리고 다양한 차이"4)들로 인해 분화가 급속히 진행되었다.

최근 당국자를 거의 공황상태로 몰고 가고 있는 서울 강남지역과 수도권 신도시의 "부동산 가격 급등은 여러 가지 복합적 요인과 아울러 경제·사회의 양극화가 주요 요인의 하나로서 발생한 것이다."5) 즉 고소득자 및 초고소득자가 증가함에 따른 새로운 주택수요가 발생하였으며 이는 결과적으로 타워팰리스를 비롯한 대형 초고급 주택의 가격상승을 초래하였다. 향후 이러한 고소득 계층의 수요에 부응하는 주택시장이 계속 팽창한다고 할 때 주택의 대형화, 고급화 그리고 이에 수반하는 가격상승이 진행될 수밖에 없다.

최근 점차 벌어지고 있는 20 : 80의 양극화 현상은 분열된 한국사회를 상징하는 또 다른 모습을 보이고 있다. 또한 비정규직 노동자가 경제활동인구의 40%를 넘어선 것에서 단적으로 드러나듯이 2005년부터 지금까지 사회의 양극화가 더욱 급격하게 진행되었다. 예컨대 비정규직의 경우 노동수준은 정규직과 동일하지만 시간당 임금은 많게는 정규직의 70.5% 적게는 48%(2004년 노동계 주장)에 지나지 않아 노-노 갈등까지 빚어지고 있는 실정이다.6) 또한 아무런 대책 없이 350만 명의 농민에게 심각한 타격을 가하는 한미 자유무역협정(FTA)이 체결되어 향후 양극화가 더욱 심화될 것이며, 언제나 희생을 강요받았던 농민들의 삶은 더욱 어두워져 가게 되었다. 따라서 1990년 이래 우리 사회의 특징적 현상은 신자유주의의 일반화와 함께 부동산

---

4) 윤수종, 「새로운 주체(대중)의 등장과 사회운동의 방향」, 『대한철학회 2007년 봄 학술대회 자료집』, 2007년 5월 19일, 50쪽.

5) 이종오, 「대학정론: 부동산 문제와 사회통합의 과제」, 『교수신문』, 2005년 06월 20일자.
외환위기 이후 7년 동안 우리 사회의 양극화 정도가 2.4배 심해졌고, 이는 근로소득보다는 부동산과 같은 비근로소득의 격차가 벌어졌기 때문이라고 분석하였다(「부동산소득이 양극화 주범」, 『한겨레신문』, 2007년 6월 12일자).

6) 2005년 한국노동연구원 발표.

가격 상승, 비정규직 노동자의 증가, 농업의 붕괴, 주주 자본주의의
강화, 세대 간 불균형 등으로 압축할 수 있다. 이로 인해 중산층의 일
부분을 경제 하단부로 밀어내면서 기본적인 생존권 문제에 부딪히는
사람들을 크게 증가시켰다.

주지하듯이, 비정규직 차별은 사회 양극화와 하위계층 빈곤화의 중
요한 원인으로 지적되고 있다. 사회통합을 이루어내고 계층 간의 갈
등과 대립을 최소화하기 위해서라도 현재 극심하게 신행되고 있는
양극화와 이로 인한 빈곤화를 퇴치하여야 할 것이다. 이 글에서는 우
리 사회 노동자들의 비정규직화와 이로 인해 심화되고 있는 사회 양
극화의 타개방안을 모색해 보고자 한다.

2. 한국사회의 양극화 현상

1) 양극화 현상

세계 주요 선진국들에서도 1980년 이후 일정하게 양극화 양상이
확인되고 있다. 특히 영국이나 미국은 그 정도가 아주 심각하다. 한
국은 2002년 경제협력개발기구(OECD)에서 미국, 멕시코와 함께 "3
대 양극화 국가"[7]로 기록되고 있다. 경제활동인구 조사에서 상위
10%와 하위 10% 사이의 임금격차를 계산하면, 한국의 임금소득 불
평등도는 2000년 4.9배, 2001년 5.2배, 2002년 5.5배, 2003년 5.6배로
증가하고 있고, OECD 국가 중 임금소득 불평등이 가장 심한 것으로

---

7) 한국은 OECD가 발표한 「2007년 고용전망 보고서」에서도 조사대상 회원국
(20개국) 가운데에서 소득격차가 세 번째로 큰 나라로 드러났다. 이 보고서
는 상용직 임용생활자의 하위 10%에 견주어 상위 10%의 평균소득이 얼마
나 많은지를 나타내는 소득 10분위 배율을 통해 격차 정도를 평가했다. 이
조사에서 한국은 2005년 소득 10분위 배율이 4.51로, 헝가리(5.63), 미국
(4.86) 다음으로 높았다(「한국 양극화 3위… 사회적 지출 꼴찌」, 『한겨레신
문』, 2007년 6월 21일자).

알려진 미국(4.3배)[8]보다 크게 높을 뿐만 아니라 매년 증가하고 있다는 점에서 뚜렷한 특징을 보이고 있다.[9] 도시 근로자 상위 20%와 하위 20%의 소득격차(1/4 기준)는 1997년 4.81배에서 2005년 5.87배로 뛰었다. 1990-1996년 평균 7.9%였던 경제성장률은 2005년 4%로 둔화되었지만, 개인소득 증가율은 이 기간에 7%에서 0.5%로 떨어졌다. 노동소득(임금 및 자영업자 소득)이 차지하는 비율은 1990-1996년 평균 81.6%에서 2004년 69.4%로 낮아졌지만, 자본소득은 그 사이 18.1%에서 31.6%로 높아졌다. 소득 양극화가 갈수록 커지고 있다. 그리고 한국은 조세부담률에서 멕시코를 제외하고는 OECD 국가들 가운데 가장 낮은 비율을 기록하고 있으며, 역시 멕시코와 더불어 가장 낮은 사회복지 지출을 기록하고 있다. 그나마 IMF 위기 이후 사회안전망의 확대로 증가했던 사회보장 및 복지예산 비율이, 복지수요가 급증해 온 사회적 현실과는 반대로 현 정부에 들어와 하락 혹은 정체의 추세를 나타내고 있다.[10]

---

8) 현재 미국의 노동자들에게 가장 심각한 위협은 고용불안정이다. 고용불안정은 주로 정규직의 비정규직화로 이야기되는 노동의 유연화와 연관되어 있다. 미국의 노동세계에서는 수많은 비정규직 노동자들이 생계를 유지하기 위해 애쓰고 있다. 독립계약 노동자, 호출 노동자, 파견 노동자, 계약업체 노동자 등으로 구성되는 미국의 대체고용은 1990년대 이후 빠르게 증가하여 1997년 전체 고용의 10% 수준인 1,260만 명에 달했다. 특히 파견 노동의 증가는 1989-1995년에 48% 증가하여 130만 명에 이르게 되었다. 또한 파트타임 노동도 빠르게 증가했다. 미국에서 노동시간이 주당 35시간 미만인 파트타임 노동자의 비중은 1995년 전체 노동자의 30%에 이르렀다(정건화, 「1980년대 이후 미국노동시장 구조 변화의 배경과 특징」, 『동향과 전망』 제42호, 한국사회과학연구소, 1999, 142-145쪽). 그 밖에도 장기계약을 맺지 않고 임금을 받으며 노동하는 한시적 노동자는 1995년에 630만 명으로 전체 고용의 약 5%를 차지했다(장시복, 『세계화시대 초국가적기업의 실체』, 책세상, 2005, 98쪽).

9) 김유선, 『노동시장 유연화와 비정규직 고용』, 한국노동사회연구소, 2004, 172쪽.

10) 최장집, 『민주주의의 민주화』, 후마니타스, 2006, 137쪽.

진보정치연구 조사에 의하면, "노동 자영업 계층의 주머니에 들어간 돈은 더 줄었고, 고용 없는 성장이 길어지면서 계층 간 소득 불평등이 벌어지는 추세"라는 분석이다. 법정 최저임금(시간당 2,840원)을 못 버는 사람이 2005년 8월 기준으로 121만 명(8.1%)에 달하는 등 빈곤도 고착화되고 있다. 양극화의 현상은 2005년 840만 명에 이르렀고 매년 증가세인 비정규직에서 찾아볼 수 있다. 정규직을 100으로 했을 때 비정규직의 임금 총액은 2004년 51.9%에서 2005년 50.9%로 악화되었다. 현재 직장 내 사회보험(국민연금, 건강보험, 고용보험)의 가입률은 정규직 83%, 비정규직 31.3%이다. 이들의 열악한 처우와 고용불안은 극단적 투쟁으로 나타난다. 최근 격렬했던 노동쟁의는 대부분 출구 없는 비정규직 노동자들에 의한 것이었다. 참여정부 들어 크레인 점거와 한강 투신, 방화를 낳은 화물트럭, 하이닉스, 포스코 사태가 그 대표적인 예이다. 2005년 비정규직 비율이 40.8%까지 올라간 공공 서비스업은 정부의 언행 불일치를 보여주는 단적인 예이다.11) 따라서 양극화 원인의 핵심은 비정규직인 셈이다. 이렇듯 한국사회의 양극화 현상은 아주 심각하게 전개되고 있다. 첫째, 양극화가 사회의 여러 영역에서 광범위하게 일어나고 있다. 산업부문 간, 기업규모 간, 업종 간, 노동시장 간 이윤 및 소득 양극화가 뚜렷하게 나타나고 있으며, 교육, 의료, 주거 등의 소비지출에서도 심각한 수준의 양극화가 확인되고 있다. 둘째, 양극화가 점차 구조화되고 있다. 양극화는 경기순환과 무관하게 진행되고 있으며, 정부의 단기정책들에도 그다지 영향을 받지 않고 있다. 셋째, 양극화가 매우 빠른 속도로 진행되고 있다.12)

---

11) 경향신문 특별취재팀, 『민주화 20년의 열망과 절망』, 후마니타스, 2007, 15쪽.

12) 구인회, 『한국의 소득 불평등과 빈곤』, 서울대 출판부, 2006; 김홍종·김균태·오형범·나수엽·하유정, 『전세계적 양극화 추세와 해외 주요국의 대응』,

2006년 3월 한국노동연구원의 한국사회의 빈곤실태에 의하면, 현재 1차적 사회안전망인 기초생활보장제도는 최저생계비 이하 인구 7% 중 2.9%만 지원하는 데 그치고 있고, 전 국민의 25%가 국민연금을 납부하지 못한다고 분석하였다. 즉 최근의 빈곤층은 능력과 의지가 있는데도 성장에 동참할 기회를 박탈당한 계층이거나 동참하더라도 사회적으로 적정한 생활수준을 보장받지 못하는 근로 빈곤층의 형태로 나타나고 있다.[13] 따라서 대내적 산업연관 강화, 중소기업 혁신, 인적자본 육성, 사회안전망 확충 등을 통해 양극화에 대해 동시 다발적으로 노력해야 한다.

2) 중산층의 몰락

신자유주의에서 나타나는 대표적인 부작용은 부의 집중과 사회의 양극화 현상이다. 특히 세계화와 신자유주의를 신봉하는 미국과 영국의 소득 불평등과 빈곤의 실태를 살펴보면, 신자유주의에 따른 사회 계층의 변화를 더욱 명확하게 이해할 수 있다. 세계화와 자유주의의 물결 속에서 외환위기 이후 우리나라에서는 소득 양극화 현상이 심화되어 중산층이 줄어들고 빈곤층이 점차 증가하고 있다. 그렇다면 중산층이란 과연 누구를 일컫는 것인가?

중산층이라는 말은 1960년대 중반 군사독재체제하에서 만들어진 독특한 사회과학 용어이다. 중간층도 아니고 중산계급도 아닌 중산층은 계급이라는 사회과학 개념이 정치적으로 탄압되었던 시기에 사회과학자들이 사용한 용어이다.[14] 중산층에 관련된 용어는 중간층, 중간계층, 중류층, 중간계급 등으로 아주 다양하며, 그것의 정의나 개념

정책자료, 대외경제정책연구원, 2005; 고병권, 「한미 FTA와 한국사회의 양극화」, 『한미 FTA 국민보고서』, 그린비, 2006, 86쪽.

13) 『교수신문』, 2006년 3월 20일자.

14) 신광영, 『한국의 계급과 불평등』, 을유문화사, 2004, 246쪽.

규정도 명확하지 않다.

굳이 정의하자면, 소득이 일정수준에 달하여 경제생활이 안정되고, 노동자나 농민들의 수준을 훨씬 뛰어 넘는 여가 및 소비 생활을 영위하는 집단을 말한다. 그러나 중산층은 언제나 상대적인 개념이며 시대에 따라 그 규모와 정의의 성격도 달라질 수 있다.[15] 이들 용어는 상호교환적으로 쓰이고 있으며, 더 전문적인 용어의 접근이 필요하다. 대체로 중산층이란 전기(前期) 산업사회에서 보편적 현상이었던 자기 자본을 갖고 독립적으로 자영하는 수공업자, 중소 상인, 중소 관공업자 및 자영농민과 같은 쁘띠 부르주아지와 후기 산업화 과정에서 급속히 증가된 경영관리직, 행정 및 기업 분야의 관료 및 전문기술직 같은 화이트칼라, 즉 신구 중산계급을 통칭해서 말한다. 이른바 중산층은 계급개념이나 계층개념으로 파악할 수 있다. 전자의 경우에는 중산층이라는 표현보다는 중간계급이라는 용어가 더 적절하다. 여기에는 농민, 자영업자와 같은 구중간계급과 화이트칼라, 전문기술직 종사자와 같은 신중간계급이 포함된다.

계층으로서의 중간층은 보통 상류층과 하류층에 대한 상대적 의미에서 사용되며 이때 사용되는 지표로는 소득, 직업, 사회적 지위 등이 있을 수 있다.[16] 또한 중산층의 개념설정이나 방향은 다음과 같은 세 갈래로 나누어 설명할 수 있다. 하나는 '소득수준, 생활수준이 중간쯤 되는 사람들'이라고 하는 순수한 계층론적인 소득계층의 개념으로 가는 길이며, 다른 하나는 신중간계급처럼, 계층이론적으로 수정한 '새로운 계급'의 개념으로 가는 길이다. 일반적으로 중산층을 신구 중간계급으로 구분하는 것은 외형적인 변화, 즉 구중간계급이 자기 자본을 소유하고 있는 소규모 자영업자인 데 반해 신중간계급을

---

15) 같은 책, 247쪽.

16) 이정우, 「소득 및 자산의 분배」, 석현호 외, 『한국사회의 불평등과 공정성 의식의 변화』, 성균관대 출판부, 2004, 81쪽.

구성하는 사람들은 화이트칼라라는 점 이외에 이들 계층의 시대적 역할과 기능 역시 변화되었기 때문이다.[17] 셋째로 마르크스의 중간계급 개념으로 복귀하는 길, 즉 중산층적 노동자는 노동계급 상층이라고 간주하는 길이다.[18] 세 번째의 길은 오늘날 통념화된 중산층의 개념과는 거리가 멀고 사실상 중간층의 개념을 폐기하는 길이라고 할 수 있기 때문에 무리가 따를 수 있으며, 제시한 방향 중에서 두 번째의 길이 가장 무난하다고 할 수 있다. 중산층의 기준변수 중에서 소득은 가장 가시적이고 객관적인 근거를 제공한다. 일반적으로 특정조건에 의해 분류된 각 집단들의 평균소득을 기준으로 하여 소득 10분위 분포에서 상위 20%와 하위 40%를 제외한 계층을 중산층 기준으로 삼는 경우도 있고, 최저생계비의 일정비율, 이를테면 2-2.5배 이상 계층을 경제적 중산층으로 말하기도 한다.[19]

2005년 12월『중앙일보』가 실시한 여론조사에 따르면, 우리나라의 경우 스스로를 중산층이라고 생각하는 사람의 수가 경제위기 이후 크게 줄었다. 이 비율은 1984년 70%를 넘었지만, 외환위기 이후인 1990년에는 약 45%로 급락했고, 2005년에는 약 56%에 머물렀다.[20] 『동아일보』가 2007년 3월 실시한 우리나라 국민의식 조사결과를 보면, 국민이 피부로 느끼는 경제사정이 매우 나빠졌다는 사실이 확연히 드러난다. 스스로를 저소득층이라고 답한 사람이 47.9%, 빈민층이라고 밝힌 사람도 7.3%나 된다. 살림살이의 양극화 양상도 드러났다. 실제 소득을 기준으로 상층(월 소득 401만 원 이상)에 속한 사람들은 30%가 '나아졌다'고 응답한 반면 하층(월 소득 200만 원 이하)에서

17) 문숙재 · 최혜경 · 정순희,『한국중산층의 생활문화』, 집문당, 2000, 45-46쪽.
18) 유팔무 · 김원동 · 박경숙,『중산층의 몰락과 계급양극화: 1990년대 한국 중산층에 관한 연구』, 천하, 2005, 41쪽.
19) 문숙재 · 최혜경 · 정순희, 앞의 책, 46쪽.
20) 「2006 연중기획, 중산층을 되살리자」,『중앙일보』, 2006년 1월 2일자.

는 2명 중 1명 이상(53.1%)이 '악화됐다'고 답했다. 이는 최근 한국 보건사회연구원이 「사회 양극화 실태와 정책과제 보고서」에서 지난 10년간 중산층이 크게 줄어든 대신 상·하류층은 늘어났다고 밝힌 연구결과와도 일맥상통한다.[21)

한편 2007년 5월 24일 삼성경제연구소와 성균관대학교 리서치센터가 전국 성인 1,605명을 대상으로 조사한 연구보고서에 의하면, 74%는 자신이 중산층에 속한다고 답했다. 하층이라는 응답은 24%, 상층이라는 답변은 2%였다. 특히 스스로를 하층에 속한다고 생각하는 사람이 3년 사이에 크게 늘어난 것으로 나타났다. 중산층에서 자본주의에 대한 부정적 이미지도 더 퍼졌다.[22)

최근 비정규직 확대 등으로 상징되듯이, 노동시장의 구조변화가 급속하게 진행되어 왔다. 과거에 비해 저숙련 근로자를 둘러싼 경제적 여건이 크게 악화되었다. 이러한 노동시장의 여건변화가 소득 불평등의 심화, 빈곤의 증대로 이어지고 있다는 논의는 더 이상 특별한 사실이 아니다. 최근 연구는 중산층의 몰락의 추세가 나타나고 있음을

---

21) 『동아일보』 조사에서 살림살이가 5년 전에 비해 나아졌다고 답한 사람은 10명 중 2명이 채 되지 않았다. 5년 전과 비교해 '악화됐다'(36.2%)는 비율이 '개선됐다'(16.5%)보다 20%가량 높았다. '그 전과 비슷하다'는 응답(46.3%)을 포함하면 10명 중 8명 이상(82.5%)이 살림살이가 나아진 것이 없거나 오히려 퇴보했다고 생각한다. 사회발전을 따라가지 못하는 비효율적인 정치구조와 불안정한 노사관계에 대한 한국인들의 우려는 이번 조사에서도 명확하게 확인됐다. 한국 경제의 성장과 발전을 저해하는 첫 번째 원인을 고르는 질문에서 응답자 4명 중 1명(24.9%)이 비효율적인 정치구조를 꼽았다. 불안정한 노사관계(21.9%)와 비효율적인 인재양성 시스템(11.1%)을 지적하는 목소리도 컸다. 경제발전을 저해하는 요인을 보는 시각은 이념 성향에 따라 다소 달랐다. 보수층은 노사관계(26.4%)와 정치구조(24.9%)를 비슷한 비율로 꼽았다. 반면 진보성향의 응답자들은 정치구조를 탓하는 시각(32.1%)이 불안정한 노사관계(17.5%)보다 훨씬 많았다. 당장은 살기 힘들지만 5년 후의 살림살이에 대해서는 막연하나마 기대감을 내비쳤다(『동아일보』, 2007년 3월 30일자).

22) 「4명 중 1명, 나는 하층」, 『한겨레신문』, 2007년 5월 25일자.

시사하고 있다.[23)]

삼성경제연구소에 따르면, 중산층의 가정경제 만족도는 참여정부 초·중반기인 2004년부터 3년 연속 40%대를 밑돌았다. 지난 2003년 52%에 달했던 중산층(월 소득 200만-499만 원) 비중도 지난해에는 절반 이하(49%)로 줄었다. 저소득층이 지난 2005년 처음으로 만족도 20%를 돌파한 이후 2년 연속 올랐고, 상류층도 같은 해 처음으로 60%를 웃돈 조사결과와는 대조적이다. 통계청 조사에서도 도시근로 자 중 5분위(소득 상위 20%) 계층은 지난 4년(2003-2006년) 동안 월 소득이 37% 올랐지만, 같은 기간 중산층에 해당하는 2-4분위 계층의 소득은 33% 오르는 데 그쳤다. 갈수록 소득격차가 벌어지고 있다.

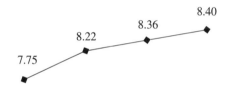

소득 5분위 배율 (배) = 상위 20% 계층의 소득 ÷ 하위 20% 계층의 소득

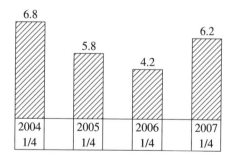

소득 증가율 (%)

전국 가구의 소득 증가율과 빈부격차 추이

23) 김진욱, 『새로운 빈곤층의 대두와 정부의 정책과제』, 집문당, 2006; 이정우, 「경제위기 이후의 분배정책 방향」, 『소득분배와 사회복지』, 여강출판사, 2003, 20-64쪽; 유팔무·김원동·박경숙, 『중산층의 몰락과 계급양극화』, 천하, 2005; 최희갑, 「외환위기와 소득분배의 양극화」, 『국제경제연구』8(2), 2002, 1-22쪽.

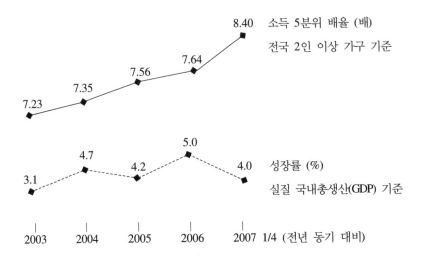

경제성장률과 소득 5분위 배율 추이 (자료: 한국은행 통계청)

사회 전반에 양극화 현상이 확산되면서 한국사회가 상류층과 (저소득층을 포함한) 서민층으로 뚜렷이 재편되고 있다. '잘살거나 혹은 못살거나'의 이분법인 셈이다. 이 때문에 '중산층'이란 표현이 이제 죽은 말처럼 들릴 때가 많다. "80 대 20의 법칙은 교과서에나 나오는 말이 됐다."[24] 피부로 느끼는 수준은 최소 90 대 10, 아니면 95 대 5로 보아야 할 정도이다. 우리 사회에 허리역할을 하는 계층이 사라지고 있다는 이야기이다.

그렇다면 왜 우리나라의 중산층들은 수년째 날개도 없이 추락만 하는 것일까? 단기적으로는 최근 몇 년간의 경기침체, 장기적으로는 세계적인 양극화 현상이 중산층을 "신빈곤층"[25]으로 내몰고 있다. 주

24) 20 대 80의 사회에 대한 자세한 내용은 다음을 참조. 한스 페터 마르틴·하랄트 슈만, 강수돌 옮김, 「20 대 80의 사회」, 『세계화의 덫』, 영림카디널, 2003, 21-40쪽 참조.
25) 우리 사회에서 현재 신빈곤의 특성은 네 가지로 고찰할 수 있다. 첫째, 경제

지하듯이, 그동안 참여정부의 경제·사회정책은 다소 저소득층에 집중된 측면이 있다는 비판을 받아왔다. "중산층의 파워를 되살리려면 성장과 시장, 일자리 등에 초점을 맞춘 정부의 경제회복 의지가 중요하다. 실제로 근로장려세제(EITC), 저소득층 보육료 지원, 빈곤층을 위한 사회안전망 강화 등 각종 사회복지정책이 참여정부 하에서 집중적으로 추진·시행되고 있지만, 정작 전 국민의 절반 가까이에 해당하는 중산층들은 세제 등 정책 수혜 대상에서 철저히 소외당해 왔다."[26]

따라서 정부는 중산층 몰락(M자형 분배) 현상을 면밀히 검토하고 저소득층에 대한 정책지원과 함께 중산층이 잘살 수 있는 경제 활성화 프로그램 마련에 더욱 고심하고 노력을 기울여야 할 것이다.

3. 비정규직 노동자의 실태

1) 비정규직 노동자란?

비정규직 노동자를 개념적으로 정의하는 것은 쉽지 않다. 비정규직 노동을 지칭하는 영어도 nonstandard work, contingent work, atypical employment, precarious labor 등으로 다양할 뿐 아니라, 그 개념을 지칭하는 대상도 다양하다. 대체로 정규직 노동이란 20세기의 지배적인 노동형태라 할 수 있는 풀타임(full time)의 상용(permanent)으로

활동에 참여하면서도 빈곤에서 헤쳐 나오기 어려운 '노동빈곤'의 형태를 띤다는 점, 둘째, 절대적 빈곤이 점차 완화되는 상황에서 빈부격차의 심화로 고통받는 상대적 빈곤이 중시된다는 점, 셋째, 경제적 차원의 물질적 결핍뿐만 아니라 사회적 배제, 문화심리적 소외 등의 중첩된 다차원적이고 복합적인 빈곤의 형태를 띤다는 점, 넷째, 공간적 격리 및 사회적 배제와 결부된 심리적 고립을 보인다는 점 등이 그것이다(장세훈, 「한국사회에 신빈곤은 존재하는가?」, 한국도시연구소 편, 『한국사회의 신빈곤』, 한울, 2006, 44쪽).

26) 「우리 사회 중산층 있나?… 박탈당한 중산층의 꿈」, 『헤럴드 생생뉴스』, 2007년 6월 1일자.

직접 고용된 노동력을 가리키며, 이들은 고용이 안정적이고 상당한 수준의 임금과 교육훈련, 그리고 기업복지를 제공받는다.27) 이에 비해 비정규직 노동은 파트타임 노동자, 임시·한시적 노동자, 계약직 노동자, 일용노동자, 직접고용 임시직, 계절노동자, 파견 및 용역 노동자, 독립도급 노동자, 가내근로자, 자영직 근로자, 호출노동자, 프리랜서 등 전통적 정규노동과 다른 고용형태로 근무하면서 고용안정성이나 근로조건이 상대적으로 열악한 노동자 집단을 말한다. 이런 점에서 비정규직 노동은 정규직 노동과 다음과 같은 두 가지 측면에서 구별된다. 첫째는 고용형태이다. 즉 정규직 노동이 풀타임, 상용, 직접고용인 것에 비해서 비정규직 노동은 파트타임, 임시적 고용, 간접고용의 형태를 취한다.

둘째는 고용의 지위이다. 정규직과는 다르게 비정규직 노동은 고용이 불안정하고, 임금, 복지 및 근로 조건이 상대적으로 열악하다. 다시 말해 비정규직은 정규직에 비해 차별적으로 관리되고 대우되는 노동자 집단이다.28) 따라서 고용이 불안정한 노동자는 고용이 안정적인 노동자에 비해 고용지위가 낮은 것으로, 그리고 임금이 낮은 노동자는 임금이 높은 노동자에 비해 고용지위가 낮은 것으로 본다.

2) 비정규직 증가의 원인

비정규직 증가는 세계적, 보편적 현상이며, 그것을 촉진하는 요인으로 세계화와 정보기술혁명, 그에 다른 기업조직의 변화와 노동시장의 유연화 추세를 꼽는다.29) 1980년대 이후로 비정규직이 증가한 원인을 분석한 결과를 요약하면 다음과 같다.

---

27) J. Mangan, *Workers without Traditional Employment*, Cheltenham, UK: Edward Elgar, 2000.

28) 정이환 외, 『노동시장 유연화와 노동복지』, 인간과 복지, 2003, 69쪽.

29) 송호근, 『21세기 한국고용의 고용구조변화와 비정규직 근로자 대책』, 2000.

첫째, 노동시장(노동공급과 노동수요)과 행위주체(기업전략, 노사관계) 모두 비정규직 증가에 유의미한 영향을 미쳤다. 김영삼 정권 이후로 "노동시장 유연화 정책"[30]이 추진되고 IMF 이후 기업의 시장형 인사관리 전략이 확산되었으며, 이에 대한 노동조합의 저항이 강화되면서 점차 행위주체 요인이 미치는 영향이 커지고 있다.

둘째, 비정규직 증가원인과 관련된 6개의 가설들, 즉, 인적 구성 변화, 경제환경 변화, 정규직 보호 완충장치, 인사관리전략 변화, 노사 간의 힘 관계 변화, 산업구조 변화가 그것이다.

먼저 노동공급의 측면에 주목하는 인적 구성의 변화, 노동수요 측면에 주목하여 세계화에 그에 따르는 경쟁의 격화, 수요의 불확실성 증가를 강조하는 경제환경의 변화, 수요의 변동설과 불확실성으로부터 정규직을 보호하기 위해 비정규직을 사용한다는 정규직 보호 완충장치 가설은 기각되고, 인사관리전략의 변화, 노동조합의 저항력에 주목하는 노사 간의 힘 관계 변화 가설은 지지되며, 기술구조와 제품 수요의 변화로 제조업에서 서비스 산업으로 고용이 이동했다는 산업구조 변화 가설은 노태우, 김영삼 정권 때는 지지되고 전두환, 김대중 정권 때는 기각된다. 즉 비정규직 증가원인을 노동시장에서 찾는 가설은 대부분 기각되고 행위주체에서 찾는 가설은 지지된다. 이것은 정부의 노동시장 유연화 정책, 기업의 인사관리전략 변화, 노조 조직률 하락 등 행위주체 요인이 비정규직 증가를 초래한 주요인이며, 이 문제의 해결 역시 행위주체의 노력을 통해서만 가능함을 의미한다.

셋째, 노조 조직률은 미약하게나마 증가할 것이며, 다른 조건의 변화가 없는 한 지금보다 비정규직 비율은 소폭 감소할 것이다. 하지만 현행 노사관계 제도와 고용관행을 개선하지 않는 한 50% 안팎에서

---

30) 『포브스(Forbes)』지의 조사에 의하면, 한국의 노동시장의 유연성은 OECD 전체 국가 중 미국과 캐나다 다음으로 높은 3위라고 보고했다("The World's Freest Labor Markets", in: Forbes, 2003년 1월 30일).

구조화될 것으로 전망된다.[31] 따라서 비정규직은 신자유주의 정책에 입각한 정부의 '노동시장 유연화 정책'과 기업의 '인건비 절감에 기초한 단기수익 극대화'의 전략이 함께 어우러져 산출된 결과라 볼 수 있다. 기업은 한국의 고임금과 규제 때문에 생산기지를 해외로 이전한다든지 부품조달 등을 해외로 확대하고 있다. 이러한 상황에서는 양질의 일자리는 줄고 비정규직, 저임금 일자리가 증가하면서 저임금 계층이 지속적으로 양산될 가능성이 높다. 고용이 확대된다고 하더라도 비정규직이 증가하면 오히려 노동소득 분배율은 더욱 악화될 것이고, 고용이나 임금의 양극화가 증가하여 고착화될 수 있다. 노동자 계층의 임금이 하락하면 내수기반을 잠식하면서 가계부채가 증가할 가능성이 높다. 반면 노동자 계층과 자본가 계층 사이의 갈등이 심화되어 계층 간 위화감이 조성된다. 가계부채가 증가되어 민간소비가 위축되고, 인적 자본에 투자할 여유가 없어진다. 그리고 계층 간 위화감으로 기업은 설비투자 의욕이 저하되므로 투자가 위축되고 노사 간의 갈등을 야기한다. 노사관계의 악화는 사회적, 경제적 갈등을 확산시키고 사회통합을 저해하는 요인으로 작용할 것이다.[32]

이론적으로 보았을 때 비정규적 고용의 확대는 노동시장의 분절화와 유연화라는 두 가지 개념으로 해석할 수 있다. 한편으로, 일용직 노동자 등 전통적인 불안정 취업자들은 노동시장 분절론(theory of labor market segmentation)에 의해 설명된다. 이 이론에 따르면, 기업은 기술의 특수성, 관습적 규칙, 노조와의 계약, 자원을 동원할 수 있는 경영능력 등을 고려하여 기업단위 노동시장을 내부노동시장과 외부노동시장으로 구성한다.[33] 내부노동시장은 시장지배력이 높은

---

31) 김유선, 『노동시장 유연화와 비정규직 고용』, 127-128쪽.

32) 김유선, 「한국의 노동: 진단과 과제」, 한국노동연구소 창립 10주년, 월간 사회노동 100호 기념 심포지엄 발표자료, 57쪽.

33) 이미나, 「이중노동시장과 임금수준으로의 교육정책」, 송호근 편, 『노동과 불

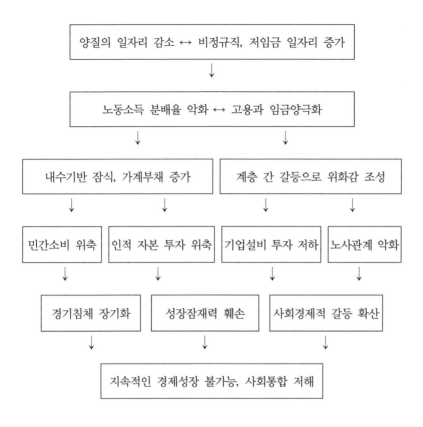

비정규직 상승에 따른 사회·경제적 영향

대기업을 중심으로 형성된다. 이러한 기업들은 평균수준 이상의 이윤을 추구함에 따라 노동자들은 높은 임금수준과 고용안정성, 그리고 승진 가능성을 보장받는다. 반면에 외부노동시장은 시장의 경쟁관계에서 열악한 조건에 있는 사업체 종사자들로 구성되는데, 이들은 일차노동시장에 비하여 불안정한 고용조건에서 낮은 수준의 임금과 복지혜택을 제공받는다.[34] 다른 한편으로 최근에 급격히 증가하고 있는

평등』, 나남출판, 1990.
34) 방하남, 「IMF 경제위기 이후의 노동시장과 실업현황」, 박준식 편, 『실업과 지역사회』, 한림대 출판부, 2000; 정이환, 「주변노동자의 동원화·조직화」,

비정규직 고용이나 파견, 용역 노동과 같은 새로운 고용형태라 할 수 있는 노동의 유연성이라는 개념을 통해 설명된다. 선진 자본국가들은 1980년대 초반의 석유위기를 전후하여 확산된 경영위기를 타개하기 위해 노동시장의 유연성을 강화하였다. 한국의 경우에도 정부는 경제위기에서 벗어나기 위해 노동시장의 유연성을 도입하였다.[35)

OECD 국가들은 대부분 시간근로제인 파트타임이 비정규직의 대다수를 점하지만, 우리나라에서 시간제 근로비중은 2003년에 6.6%, 2004년에 7.3%로 그다지 높지 않다.[36) 한편 비정규직 96.0%가 임시근로 내지 이에 준하는 근로형태로 추정되어 다른 나라와 상이한 형태를 보이고 있다. 비정규직 증가의 원인은 공공부분 때문이라고 분석한 결과가 발표되었다. 공공부분에서 비정규직 근로를 본격적으로 활용한 시기는 1998년 '작은 정부'를 표방한 '국민의 정부'에서 정부혁신위원회가 본격적으로 활동하기 시작한 때와 일치한다. 1997년 93만 6천 명이던 공무원 정원은 1998년에 88만 8천 명으로 5.1% 감소하였는데, 대부분 지방공무원(4만 2천 명)이었다. 이듬해인 1999년과 2000년에도 1.4%와 0.7%씩 감축되어 2000년에는 98만 9,600명으로 줄어들었다. 그러나 참여정부 출범 이후 '작은 정부'만을 내세우지 않고 인력활용의 경직성을 완화해 주었다. 그런데도 2004년 이후에도 공공부분의 비정규직이 지속적으로 증가하고 있다.[37)

『한국사회학』 제34집, 2002 겨울.

35) 이성균, 「노동유연성과 비정규직 고용」, 강정구 외, 『한국사회발전연구』, 나남출판, 2003, 267쪽.

36) 김진욱, 『새로운 빈곤층의 대두와 정부의 정책과제』, 집문당, 2006, 211쪽.

37) 김유선, 「비정규직 규모와 실태: 통계청, '경제활동인구조사 부가조사'(2004. 8) 결과」, 『노동사회』 제93호, 2004.

3) 비정규직 노동자: 대학 시간강사의 처우 실태

[사례 1] 대구에 사는 강사 A씨는 현재 진주, 청주, 용인을 오고가며 강의를 한다. 차비가 많이 들기 때문에 청주대 강의도 3시간 연강으로 잡고, 청주에서 강의가 끝나면 바로 용인으로 가서 강의를 한후에 다시 대구로 돌아온다. 새벽이슬을 맞으며 5시 반에 집에서 나와 집으로 돌아오는 시각은 밤 12시다. 이렇게 하루 종일 돌아다니며 강의를 하고 손에 들어오는 급여는 한 달에 120만 원 선이다. 물론 방학 때는 '0원'을 받는다. A씨는 "강의가 없는 날에는 인터넷을 기웃거리며 학술진흥재단 프로젝트 공고를 확인하고 문화재단에서 또 연구자 관련 진흥사업은 없는지, 번역지원은 없는지 살피는 것이 중요한 일과다."라고 하며 "강의료로 생계유지가 힘든 강사들은 학술진흥재단 프로젝트에 목을 매게 되는 것이 현실인데 요즘은 각종 프로젝트들도 인문학보다는 과학기술 쪽에 더 초점이 가 있어서 인문학 전공 시간강사들은 더 어렵게 됐다."라고 말한다.

[사례 2] 전직 시간강사 B씨는 1995년부터 시작했던 시간강사 생활을 끝낸 후 현재는 논술학원 강사로 직종을 전환했다. B씨는 시간강사 시절 급여가 안 나왔던 방학 때는 "밥값, 차비를 아끼기 위해 가급적 돌아다니지 않고 집에 있으면서 학회에 낼 원고를 쓰거나 강의 때문에 학기 중에 하지 못했던 연구를 했다."라고 말했다. 또한 "그 시절에는 읽고 싶은 책 살 돈도 없어 동네 도서관에서 책을 신청해 읽었다."라며 시간강사 시절의 곤궁함에 대해 말했다. 당시에는 지방대 겸임교수까지 하고 대전, 청주, 수원 등을 오가며 4개 대학에 출강을 했는데도 한 달에 2백만 원을 못 벌었지만, 지금 논술학원에서는 매달 3백만 원 이상을 번다고 한다. B씨는 현재 유명 논술학원 첨삭팀장으로 있는데 강사를 한 번 모집할 때마다 박사학위를 가진

사람들도 2-3명씩은 꼭 온다며, "학자로서의 꿈을 안고 있던 이들이 결국 논술학원으로 흘러 들어올 때의 그 절박함, 제도적인 미비로 인해 이들이 꿈을 이루지 못하는 모습에 안타깝다."라고 말했다.[38]

시간강사의 처우와 관련해서는 언제나 다양한 얘기가 있어 왔지만, 여전히 변한 것은 없다. 시간강사 강의료는 지난 2002년 2만 원 선에서 4만 원 정도로 100% 이상 인상된 이후 다시 제자리걸음이다.[39] 따라서 현재 시간강사 강의료가 타 직종에 비하면 생계유지도 힘든 수준이 단지 특정 대학 강의료가 1, 2천 원 많고 적음이 중요한 것이 아니라 교양강의의 50% 이상, 전공강의의 30% 이상을 담당하고 있는 교육자에 대한 현재의 처우가 과연 적절한 것인지에 대한 근본적 고민이 필요하다. 이와 별개로 비정규직 시간강사 개인들도 '박사는

---

38) 박수진, 「시간당 평균 3만원 선⋯ "생계유지도 힘들다"」, 『교수신문』, 2006년 11월 13일자.

39) 2006년 각 대학 시간 강사료는 성균관대가 5만 1천 원으로 가장 높고, 한국정보통신대가 5만 원, 연세대가 4만 6,200원, 경북대 4만 6천 원 순이다. 국회교육위 소속 이주호 의원(한나라당)이 최근 발표한 「전국 4년제 대학 시간강사 실태 분석」에 따르면, 국립대 평균 시간 강사료는 3만 9,960원인 반면, 사립대 평균은 3만 605원으로 1만 원 정도 차이가 난다. 시간당 강의료가 가장 낮은 대학은 진주국제대로 1만 7천 원, 다음은 건동대 1만 9천 원이다. 전임강사와 시간강사 간 급여 차도 크다. 국공립대 시간당 강의료를 4만 원으로 9시간 강의한다고 했을 때 연간 강의료는 1,080만 원으로, 2005년 9월 기준 국공립대 전임강사 평균 연간 강의료인 4,560만 원과 4.2배 차이가 난다. 사립대 시간당 강의료를 3만 원으로 9시간 강의한다고 가정했을 때 연간 강의료는 810만 원으로 사립대 전임강사 평균 연간 강의료인 4,020만 원과 4.9배, 즉 약 5배가량 차이가 난다. 이주호 의원이 분석한 바에 따르면 전임강사와 시간강사의 강의평가 결과를 보면 교양에서는 시간강사가 다소 나은 평가를 받고 전공에서는 전임교원과 시간강사의 차이가 거의 없는 등 학생들이 평가하는 전임강사와 시간강사의 강의력에 차이가 거의 없는 것으로 드러났다. 결국 강의의 영역에서 보면 '같은 일을 하고서도 현저히 차이 나는 급여'를 받는 불합리함이 여전히 고쳐지지 않고 있는 것이다(『교수신문』, 2006년 11월 13일자).

대학교수'라는 등식에서 벗어나 자신이 축적한 전문성을 바탕으로 창업이나 기업체 취업 등 다양한 대안적인 진로를 적극적으로 개척할 수 있어야 한다.40) 물론 정부는 여성박사나 인문계열 박사들의 경우 취업상황이 심각하기 때문에 불완전 취업상황을 앞장서서 노력해야 한다. 박사인력의 양성과 활용 문제는 박사 개인들의 삶의 질 문제 측면에서 중요성을 지닌다. 고급인력의 양성과 활용이 글로벌화되고 첨단기술경쟁이 격화되는 사회에서 국가경쟁력의 관건이 된다는 점에서 정부정책이나 대학 차원의 개혁에서도 이 문제를 조명하는 작

40) 우리나라 대학의 시간강사나 임시직, 미취업 등 미활용 박사인력의 규모는 약 3만 3천여 명으로 전체 박사 가운데 23.7%를 차지하고 있다. 전체 박사 중 강사/미활용 비중은 2000년도에 비해 약 1만 5천여 명 정도 증가했고 박사 전체 비중에서 약 23%를 차지하고, 이는 2000년도에 비해 4% 포인트 이상 증가하였다. 이 규모는 2000년의 1만 2천 명의 약 2배 이상 증가한 것이다. 지난 5년간의 박사인력 수급을 고려할 때, 공급은 급증한 데 비해 수요는 그것에 부응하지 못해 수급 간의 격차가 더욱 심화된 것으로 나타났다. 이와 같은 미활용 인력의 증가는 박사졸업자 대상의 취업조사 결과에서도 재확인된다. 박사학위 취득자들의 취업실태를 살펴보면, 박사학위 취득 후 1년 반 이상이 경과한 시점에서 박사학위 취득 이후 새로 취직해야 하는 박사 10명 중 4명이 비정규직이나 시간강사를 하고 있는 불완전한 취업상황에 있기 때문에 박사학위자의 취업이 상당히 어려운 문제가 되고 있음을 보여준다. 특히 여성 박사나 인문계열 박사들의 경우 불완전 취업 상황은 더욱 심각한 것으로 나타난다. 파트타임(강사)의 소득은 1천 7백여만 원으로 학사들의 평균소득에도 미치지 못하고 있다. 양적 측면에서 인력의 미활용도 심각한 문제지만, 질적 측면에서의 인력 미활용 문제도 심각한 상황이다. 즉 취업한 박사들 가운데 3분의 1 정도가 자신의 박사학위 수준보다 낮은 일을 담당하고 있었다. 이와 같이 박사 후 2-3년간의 불안정한 시기는 박사취득자 개인적으로도 매우 어려운 시기가 된다는 개인적인 측면뿐만 아니라, 고급인력의 활용이라는 국가 인적자원 관리라는 관점에서도 지원 방안을 강구할 필요가 있음을 보여준다. 급격한 박사의 증가와 이에 미치지 못하는 수요 간의 격차로 인한 박사인력의 미활용 문제는 '미활용 인력을 어떻게 할 것인가'라는 문제와 '향후 인력의 수급 격차를 조정하기 위하여 어떻게 해야 하는가'라는 두 가지 측면의 정책적 과제를 던진다(진미석, 「신규박사 10명 중 4명 '비정규직 • 강사': 박사인력의 양성과 활용 실태」, 『교수신문』, 2007년 4월 16일자).

업이 매우 중요하다. 또한 정부는 박사인력의 수급 격차를 줄이기 위해서 인력활용과 양성에 대한 통계 인프라 구축을 통해 박사 인력수급에 대한 전망을 제시해 대학이나 개인들이 합리적인 선택을 할 수 있는 시그널을 제공해 주어야 할 것이다.

4) 비정규직 노동자: 중소기업의 처우 실태

[사례 3]　중소 전자업체에서 8년 동안 정규직으로 일했던 P씨(38세)는 외환위기의 후폭풍으로 2001년 회사가 파산하며 일자리를 잃었다. 일할 곳을 찾아다녔지만 정규직을 뽑는 곳은 거의 없었다. 정규직을 포기한 그는 2002년 서울 구로디지털산업단지의 위성라디오 제조업체에 '파견 노동자'로 재취업했다. "회사에서 일만 열심히 하면 정규직을 시켜준다고 하더군요. 헛된 꿈이었죠." P씨는 넉 달 뒤 파견직에서 계약직으로 전환되었다. 회사에 직접 고용됐으니, 그래도 운이 좋았다. P씨는 정규직을 꿈꾸며 100만 원 남짓한 월급에도 땀 흘려 일했다. 2005년 9월, 그는 해고통지서를 받았다. 그리고 지금까지 실업자다.

[사례 4]　2000년 6월부터 서울 중구 소공동에 있는 L호텔에서 7년째 룸메이드로 일하고 있는 K씨(47세)는 계약직으로 입사했다. "월급은 적었지만 호텔 직원으로 자부심을 갖고, 내 집처럼 쓸고 닦았어요. 솔직히 정규직이 될 수 있지 않을까 기대도 있었죠. 지금은 꿈도 꾸지 않고 있지만 …." 2001년 8월 룸메이드 업무가 외주로 바뀌면서 소속 용역회사가 바뀐 것만 네 차례다. K씨는 "월급도 불만이지만 고용불안에 정말 힘들다."고 토로했다.

[사례 5]　구미공단 K업체에서 10년 동안 일해 온 D씨(39세)는 지

난 2003년 회사가 문을 닫으면서 일자리를 잃었다. 그 뒤 2년여 동안 동료들과 벌인 '공장 정상화' 운동도 실패하고 2006년 4월 택배회사에 취업했다. 월 300만 원 가량 되던 급여는 180만 원으로 떨어졌다. 노동강도도 심해져, 새벽 5시 30분부터 저녁 8시까지 일했다. D씨는 이달 초 학원버스 운전사로 일자리를 옮겼다. 월급 140만 원이 부족해 새벽에 우유배달로 35만 원을 더 번다.

구미공단만 해도 최근 2년 사이 D씨가 다닌 K업체뿐 아니라, 한국전기초자, 엘에스(LS)전선 등 기업 10여 곳이 폐업하거나 구조조정을 실시해 많은 노동자들이 일자리를 잃었다.

위 사례들에서 보듯이, 우리 노동시장에서 비정규직은 한 번 빠지면 헤어 나올 수 없는 '수렁'이라는 실증적 통계가 처음으로 나왔다. 이 통계에 의하면, 구조조정이나 폐업 등에 따른 제조업의 일자리 감소가 소득구조의 양극화 현상을 심화시켰다.

2007년 4월 한국노동연구원이 펴낸 「사회적 배제 시각으로 본 비정규직 고용」 보고서를 보면, 비정규직이 되면 정규직 이동이 쉽지 않고 도리어 실업상태로 될 확률이 높다. '노동패널' 1998-2005년 자료를 통해 8년 동안 비정규직 노동자의 일자리 이동현황을 보면, 정규직 전환은 12.8%에 머물렀고, 62.7%는 계속 비정규직이었으며, 20.3%는 실업상태였다. 또 개인 추적조사를 통해 처음 비정규직으로 취업한 사람의 일자리 이동을 분석한 결과도 7%만이 정규직으로 전환됐다. 지난해 통계청의 경제활동 부가조사에서도 비정규직이 1년 뒤 정규직으로 이동하는 비율은 10%였고 실직 가능성은 20.1%에 이르렀다. 또 비정규직 노동의 장기화는 빈곤문제도 낳는다. 8년 동안 비정규직을 벗어나지 못한 노동자들 가운데 절반에 가까운 48%가 86만 원 미만의 임금을 받고 있었다. 또 국민연금 가입률은 12%, 고용보험은 15% 수준에 머물렀다. 저임금에다 사회보험의 사각지대에 놓이는 셈이다.[41] 따라서 비정규직에서 정규직으로의 이동 통로는 거의 차단되어 있다고 보아도 무리가 없으며, 비정규직이 정규직으로 가는 다리가 아니라 수렁이 되고 있는 현실에 대한 더 본질적인 대책을 마련해야 한다.

한편, 한국노동연구원 자료를 보면 국내 취업자의 월평균 근로소득은 지난 2001년 122만 원에서 2005년 156만 원으로 늘었다. 하지만, 최상위 집단(10분위)과 최하위 집단(1분위) 간의 월평균 근로소득의 격차는 2001년 6.4배에서 2005년 8.2배로 커졌다.[42]

지난해 다소 감소했던 비정규직 노동자 수가 다시 늘어났다. 전체 임금 근로자가 지난해 8월에 비해 38만 명 증가한 가운데 비정규직 규모도 32만 명이 증가한 것으로 확인됐다. 지난해 '경제활동인구 부가조사' 결과를 발표하며 통계청이 "2001년 통계집계가 시작된 이래 처음으로 비정규직이 감소했다."고 밝힌 것을 무색하게 하는 결과이다. 통계청은 예년까지 매년 1회 시행하던 경제활동인구 부가조사를 올해부터 연 2회로 확대했다. 따라서 통계청은 "대학 졸업생들이 구직활동을 많이 하는 계절적 특성으로 인해 3월에는 일시적으로 늘어날 수 있으며 기존 부가자료와 단순 비교하기는 어렵다."고 설명했다. 통계청이 23일 발표한 '경제활동인구 부가조사' 결과에 따르면 올해 3월 전체 임금 노동자 1,573만 1천 명 가운데 비정규직 노동자는 577만 3천 명으로 36.7%를 차지했다. 지난해 8월의 경우 전체 임금 노동자 가운데 비정규직 비율은 35.5%(545만 7천 명)였다.[43]

---

41) 김소연, 「비정규직 헤어날 수 없는 수렁」, 『한겨레신문』, 2007년 4월 13일자.

42) 황보연, 「제조업 일자리 줄어 양극화 심화」, 『한겨레신문』, 2007년 5월 22일자.

43) 최우성, 「비정규직 임금, 정규직의 64% 통계청 조사 "비정규직 늘어"」, 『한겨레신문』 2007년 5월 24일자, 20쪽.

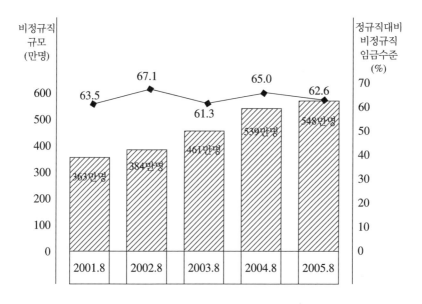

비정규직 증가와 정규직 대비 임금격차

고학력 비정규직의 비율도 늘어났다. 대졸 이상의 고학력 비정규직 노동자는 지난해 28.6%에서 30.7%로 2.1%(21만 명) 증가했다. 이는 통계청 설명대로 3월이 대학 졸업생들이 대거 쏟아져 나오는 시기라는 점이 반영된 것으로 보인다. 고졸 비정규직은 지난해에 비해 다소 줄었지만 여전히 대졸 이상이나 중졸 이하에 비해 가장 비중이 높은 42.3%(244만 1천 명)를 차지했다. 중졸 이하의 저학력 비정규직은 지난해에 비해 7만 명가량 늘었다. 비정규직 가운데는 '계약기간이 정해져 있거나 비자발적인 사유로 계속 근무를 기대할 수 없는' 한시적 근로자의 비율이 63.1%로 가장 높았다. 연령별로 보면 40대가 25.2%(145만 2천 명)로 가장 비정규직이 많았고, 30대도 24.7%(142만 400명)으로 40대와 비슷했다. 직업별로는 기능, 기계조작, 조립, 단순노무 종사자가 47.9%(276만 5천 명)로 가장 비정규직 비율이 높았고, 서비스·판매(19.8%), 전문·기술·행정 관리자(18.1%), 사무 종사자(13.3%)의 순이었다.

이번 조사결과 복지혜택에서 정규직과 비정규직 간 격차도 상당한 것으로 밝혀졌다. 정규직 가운데 퇴직금과 상여금의 혜택을 받는 사람은 각각 68.9%, 69.5%였지만, 비정규직은 각각 33.7%, 31.4%로 절반 수준이었다. 시간외 수당의 경우에는 정규직은 43.2%, 비정규직은 24.3%가 그 혜택을 받는 것으로 나타났고, 유급휴가는 정규직이 48.0%, 비정규직이 27.3%였다. 국민연금 등 사회보험의 가입비율도 정규직과 비정규직이 확연한 차이를 보였다. 정규직의 경우 국민연금 76.0%, 건강보험 76.6%, 고용보험 65.4%로 가입비율이 모두 70% 안팎이었지만, 비정규직 노동자는 국민연금 39.3%, 건강보험 41.8%, 고용보험 38.8%로 40% 내외 수준이었다. 월평균 임금의 경우 전체 임금 노동자의 월평균 임금은 172만 4천 원이었다. 정규직의 평균 임금은 198만 5천 원, 비정규직은 127만 3천 원이었다.[44] 따라서 비정규직이 받는 임금이 정규직에 비해 3분의 2에도 못 미치는 것으로 나타났다. 더욱이 임금 이외에 퇴직금, 상여금, 시간외 수당 등 기타 복지혜택 수혜를 기준으로 하면 정규직과 비정규직의 격차는 두 배를 훨씬 넘었다.

4. 맺는 말: 어떻게 대처할 것인가?

참여정부 임기 내내 시달려 온 망령 중 하나가 양극화의 문제이다. 이미 우리 사회는 양극화의 수렁에 깊이 빠져든 지 오래이다. 경제규모는 20년 전보다 6배나 넘게 비대해졌지만 양극화는 심화되었고, 사회적 신뢰는 깨져버렸다. 산업, 기업, 노동, 소득, 교육, 문화, 주택, 의료, 정보 등 수많은 분야에 걸쳐 표출되는 이 양극화의 망령은 쉽

---

44) www.pressian.com/2007-05-23.

사리 가라앉을 조짐을 보이지 않는다. 양극화는 단순히 불평등의 심화를 의미하지 않는다. 그것은 계급이나 계층처럼 완전히 고착된 것은 아니지만, 특정집단 안에는 동질감을 이루고, 타 집단 간에는 이질감이 상당 정도 형성되어 감을 뜻한다. 이것이 양극화가 심각한 이유이다. 따라서 양극화에 대한 처방도 단일한 처방이 아니라 다양한 처방을 각 분야에서 내려야 한다.

지금까지 양극화의 완화를 위한 지난 참여정부의 노력이 전혀 없었다고 평가할 수는 없다. 그렇다고 적재적시에 강도 높은 방책을 강구했다고는 더더욱 말할 수 없다. 수출 및 대기업 위주의 시장지배력은 여전하고 혁신 중소기업 성공모델의 확산 효과는 요원하기만 하다. 부동산값 안정화의 실패로 자산재분배의 불평등은 회복할 수 있는 임계치를 넘었다. 최저임금 현실화나 동일노동 동일임금제에 대한 고려 없이 비정규직 입법으로 노동임금의 차별구조가 개선되리란 보장도 없다. 5백만 명 이상의 일하는 빈곤층을 근로소득 보전세제와 사회적 일자리로 대처하기에는 미진하다. 이러한 상황에서 정부는 양극화 해소를 위한 뼈대를 새로이 구축하는 작업에 관심을 집중할 필요가 있다.

첫째, 정부의 소득 재분배 기능의 제고이다. 즉 정부는 중간층을 위한 "일자리 복지를 비롯하여 사회복지"[45]의 예산을 더욱 확충하고

---

45) 이태수 교수(꽃동네 현도사회복지대)는 학습복지(learnfare)와 일자리 복지(jobfare), 그리고 사회복지(welfare)를 유기적으로 연계하는 삼각복지(3-fares) 체제를 구축하자고 말한다. 첫째로, 학습복지는 양극화 구조를 분출해 내는 세계화와 국내 경제구조의 본성을 생각해 각 개인을 우수한 지식노동자로 만들자는 것이다. 둘째로, 일자리 복지는 일자리의 창출이 더 이상 민간부문에 의해서만 이루어질 수 없다는 인식 아래 공적 사회 서비스의 확대 효과, 국민경제 안에 일자리 창출 효과 및 사회적 임금 지급 효과를 동시에 거둘 수 있는 묘책이다. 셋째로, 사회복지는 학습복지와 일자리 복지로 개인이 돌파구를 마련할 때까지 그의 노동력과 가족의 보전가치를 해치지 않도록 한다. 사회보험의 충실한 발동으로 패자부활전이 가능하도록 하는 기능도 중요

빈곤층에 대한 지원을 더 늘려야 한다. 우리나라는 외환위기 이후 소득 불평등과 소득 양극화로 상위계층과 하위계층 간의 소득격차가 커지고 빈곤층의 규모가 계속 증가하고 있기 때문이다. 우리나라의 "복지국가의 성격은 사회지출의 구조상 공공지출의 비중이 매우 낮고 민간지출의 비중이 높다는 것이다. 한국의 민간지출 수준은 호주, 캐나다, 영국, 일본과 유사한 것으로 나타나고 있으나, 공공지출의 비율은 현저히 낮다."[46] 개인의 상대적 빈곤화는 그 자체로 그치지 않는다. 소득감소는 결국 소비감소와 내수시장 위축을 가져와 앞으로 경제성장의 걸림돌로 작용하게 된다. 최근 "현대경제연구원은 한국경제가 중진국에서 더 이상 나아가지 못하는 중진국의 함정에 빠졌다고 경고했다."[47] 지나치게 높은 수출 의존도를 벗어나 내수를 활성화시키지 않으면 선진국으로의 진입은 어렵다는 주장이다. 사회 양극화를 막고 빈곤층으로 추락하는 국민들을 건전한 중산층으로 일으켜 세우는 일이야말로 정부가 해야 할 가장 시급하고도 중요한 과제이다. 참여정부는 기회 있을 때마다 양극화 해소를 외쳐 왔지만, 실제로는 경제성장률을 높이는 데에만 관심을 기울여 왔다. 정작 중산층과 서민의 몰락을 막고 이들의 소비 여력을 높이기 위한 대책은 내놓지 못했다. 국민의 희생을 기반으로 한 경제성장론은 한계가 있다.

하며, 아동과 장애인, 노인에 대한 양육과 부양의 부담을 줄여주는 것도 필수적이다. 그러나 이러한 세 가지 복지기능이 한 개인과 가정의 입장에서 유기적으로 결합되어 발휘되어야 한다. 이를 위해 중앙정부와 지방정부 안에서, 그리고 민간과도 상호조정과 협력이 잘 이루어져야 한다. 이를 원숙히 수행할 수 있는 전문인력의 확보도 더욱 절실하다(이태수, 「삼각복지 체제로 양극화 해소해야」, 『한겨레신문』, 2007년 3월 13일, 30쪽).

46) 노대명, 「신빈곤 극복의 대안적 복지체제 모형연구」, 신영복·조희연 편, 『민주화·세계화 '이후' 한국민주주의의 대안 체제 모형을 찾아서』, 함께읽는책, 2006, 308쪽.

47) 「사설: 외환위기 10년, 중산층 서민 대책 무엇 있었나」, 『한겨레신문』, 2007년 3월 26일자.

중산층과 서민을 살리려는 시도가 바로 성장 동력을 확충하는 길이다.

둘째, 근로빈곤 문제와 노동시장의 양극화를 해결하기 위해 "비정규직의 증대를 억제하고 적극적인 노사관계 및 노동시장 정책"48)을 도입해야 한다. 지금까지 살펴보았듯이, 우리나라의 비정규직 노동자의 문제는 소득분배 악화와 빈곤문제의 핵심원인이다. 불행하게도 우리나라의 비정규직을 포함한 노동시장의 유연성은 세계 최고수준인 것이다. 지금까지 정부의 양극화 해소대책을 보면 연대임금 구축, 비정규직 문제 해결, 산별 교섭체제, 노조 조직률 향상, 근로기준의 국제적 수준으로의 향상 등 양극화 해소를 위해 반드시 손대야 할 노동시장 및 노사관계 정책이 거의 언급되지 않았다. 대부분의 하층 노동자는 그 처지가 열악하고 직업이 불안정한 반면에, 소수의 대기업 노조는 경직되어 있으며 해고가 어렵고 자신의 이해만을 추구한다는 것이다. 다시 말해 비정규직 문제는 "노동자, 기업 및 정부가 함께 고민"49)해야 한다. 노동계는 '비정규직의 정규직화', 즉 철폐를 이야기하고 있지만 그것이 과연 현실적인 대안이 될 수 있을지는 회의적이다. 가장 큰 관심사는 민간부문 사용자들이 어떤 대응을 할 것인가이다. 자칫 법을 악용하거나 회피해서 비정규직을 계속 양산할 소지가 다분히 있다. 기업이나 은행에서 계약직의 상용직화를 시행했을 뿐 대부분의 사용자들은 기간제 노동자를 2년마다 해고하면서 돌려쓰거나 그것도 번거로우면 아예 업무를 도급이나 용역으로 되돌리려 시도하고 있다. 이렇게 되면 비정규 노동자들의 처지는 지금보다 더 열악해질 것이다. 우려했던 대로 비정규직 보호법이 '비정규직 고통법'이 될 확률이 높다. "이제 법에도 기댈 수 없게 되었으므로 남은

---

48) 이강국, 『가난에 빠진 세계』, 책세상, 2007, 185쪽.
49) 김정수, 「노동시장 양극화 진단은 일치, 처방은 각각」, 『한겨레신문』, 2007년 2월 17일자.

것은 투쟁뿐"이라는 어느 비정규직 노동자의 절규와 같은 선언에 깊이 공감하지 않을 수 없다.

하지만 비정규직 노동자들의 투쟁을 이끄는 노동운동의 대안도 총체적 해결책은 아니다. 주지하듯이, 비정규직 문제에 대한 노동운동의 핵심요구는 정규직화이다. 이것은 비정규직 노동자들의 소망을 반영한 것이기도 하고 어느 정도 성과를 내기도 했다. 그러나 이것이 전체 비정규직 노동자를 포괄하는 대안이 되기는 어렵다. 특히 노동계가 말하는 정규직이 단지 상용으로 고용된 사람을 가리키는 것이 아니라 '정규직'이라는 이름에 준하는 대우를 받는 사람을 가리키기 때문에 그러하다. 비정규직의 정규직화가 실질적 대안이 되기 어려운 것은 단지 사용자들의 탐욕이나 노동운동의 역량부족 때문만이 아니다. 좀더 근본적으로 그것은 기존 노동시장 체제에 내재된 문제점 때문이다.[50] 하지만 노동시장 체제의 변화는 하루아침에 이루어질 수 있는 일은 아니다. 연대임금 정책이나 임금체계 개편과 같은 중간과제들을 수행하는 과정에서 그 구조 자체도 변화해야 한다. 따라서 이러한 문제는 어렵고 오랜 시간이 걸리는 것이다.

셋째, 바람직한 사회의 이상형을 지향하는 고대 그리스의 아리스토텔레스를 비롯하여 롤즈와 왈쩌 같은 현대 정치철학자들에 이르기까지 분배와 관련된 문제들을 정의(just)의 개념과 연관시켜 성찰해야 한다. "분배적 정의는 많은 덕목 중에서 도덕성을 띤 덕목의 한 가지"[51]로 간주되어 왔다. 다시 말해 많은 철학자들이 바람직한 사회를 위해 정의로운 분배를 강조하였다면, 경제학자는 좀더 실현 가능한 개념으로서의 공평한 분배를 강조해 왔다고 할 수 있다. 하지만 양자의 차이는 본질적인 문제라기보다는 뉘앙스의 차이이기 때문에 사회

---

50) www.pressian.com/2007-04-26.

51) 정의 문제에 대한 자세한 내용은 존 롤즈, 황경식 옮김, 『사회정의론』, 서광사, 1998 참조.

472

의 문제해결의 이론으로서 상호협력이 가능하다. 특히 분배문제와 관련된 불평등의 논의는 현재 사회적 양극화가 심화된 계층 간 소득격차에 대한 불평등한 추이를 평가하는 데 있어서 중대한 문제로 작용할 수 있다. 이 문제와 관련하여 계층 간 소득격차가 벌어지고 있느냐 또는 줄어들고 있느냐의 문제를 놓고 소득 불평등에 관한 논쟁을 벌여 왔다. "기술의 발전은 부와 교육, 건강 등 다양한 불평등을 해소할 때에야 비로소 그 가치를 인정받을 수 있다."고 말한 장본인은 다름 아닌 세계최대 재벌인 빌 게이츠였다는 것을 상기해야 한다. 특히 불평등 문제의 개선을 위해서는 사람 중심의 경제와 고용 있는 성장을 지향해야 할 것이다. 재벌과 대기업 중심의 경제구조가 양극화의 주범일 뿐만 아니라 사람을 도구화하는 원인이라는 관점에서 성장과 분배를 배타적으로 보는 낡은 시각에서 벗어나 '고용 있는 성장'을 추구해야 한다. 이것은 '인간의 얼굴을 한 자본주의'이자 '노동의 인간화'를 의미한다. 노동의 인간화란 "노동자 측면에서는 비정규직이나 저임금 일자리보다는 양질의 일자리를 선호하고 이러한 일자리에 취업함으로써 노동소득 분배율을 향상시키고, 임금소득의 분배를 개선하는 것이다."[52] 따라서 정부가 실시할 수 있는 바람직한 비정규직 정책은 노동자를 위해 최저임금을 현실화하고 기업에게는 정규직 위주의 양질의 일자리를 창출할 수 있도록 제반 여건을 마련해 주는 것이어야 한다.

넷째, 노동의 중심세력인 '비물질적 노동'에 주목하고자 한다. 여기서 비물질적 노동은 물질적 재화와는 다르게 서비스, 문화, 상품, 지식, 소통과 같은 비물질적 재화를 생산하는 노동을 의미한다. 비물질적 노동이 지배적이 되면서 대중의 사회적 구성과 기술이 변하여 왔다. 현실에서 비물질적 노동은 전 지구적으로 소수이지만, 비물질적

---

52) 김진욱, 『새로운 빈곤층의 대두와 정부의 정책과제』, 집문당, 2006, 212쪽.

생산의 질과 성격이 다른 형태와 전체 사회를 바꾸는 경향이 있다. 네그리와 하트에 따르면, 이러한 비물질적 노동은 물질적 재화와는 다르게 집단적 사회노동과정에서 언어, 소통, 정보, 관계 혹은 감정적 반응과 같은 정서적 네트워크를 구성하고 협동적 상호작용을 한다.[53] 이렇게 하여 비물질적 노동은 소통, 협력, 정서적 관계에 기반한 사회적 네트워크 형식을 띤다. 이러한 특징들은 대중들이 노동의 측면에서 공통성을 만들어 나간다는 것을 의미한다.[54] 이러한 비물질적 노동은 사회적 노동과정에서 형성된 네트워크와 협동적 상호작용을 통해 자기 자신의 창조적 에너지를 표현할 수 있는 기초를 형성하며 초보적인 코뮤니즘을 만들 수 있는 자생력을 키워 나가야 한다. 따라서 비물질적 노동이 구성하는 다중의 주체성은 분출하는 정치적 사건에서 삶과 노동의 세계를 변형하여 미래사회를 만들어 나간다.

---

53) 안토니오 네그르 · 마이클 하트, 윤수종 옮김, 『제국』, 이학사, 2001.

54) Negri-Hardt, *Multitude: War and Democary in the Age of Empire*, The Penguin Press, 2004, 66-67쪽.

제 16 장

한국사회의 생명공학에 대한 성찰 *

황우석 사태를 중심으로

1. 들어가는 말

최근 몇 년간 세간을 온통 떠들썩하게 만들었던 서울대 황우석 교수가 난치병 환자의 구세주로 복귀할 가능성은 거의 사라졌다.『사이언스』논문이 철회되면서 줄기세포의 선구자는 나라망신의 대명사가 되고 말았다. 그리고 국가의 대명사이자 영웅에서 과학 사기꾼이라는 오명을 뒤집어쓰고 말았다. 이러한 황우석 사태는 갑작스레 터진 일이 아니다. 그 원인은 기본적으로 지난 1960년대 박정희 정권 이후로 40년간 유지되어 왔던 과학기술 정책레짐(제도)의 산물로 볼 수 있기 때문이다. 여기서 정책레짐이란 "정책결정을 둘러싼 참여자 간에 근사적으로 공유되는 암묵적이나 명시적인 원리, 규범, 규칙, 그리고 의사결정절차의 집합"[1]으로 정의된다. 그리고 "정책의 기본적 틀 내지

---

* 이 글은「충남대학교 대덕밸리 바이오인력사업단: 제2회 생명윤리 특강」에서 발표(충남대, 산학연, 2007년 4월 4일)한 것으로서『인문학연구』제34권 제2호, 충남대학교 인문과학연구소, 2007, 295-323쪽에 실렸다.

1) 최장집,『민주화 이후의 민주주의: 한국 민주주의의 보수적 기원과 위기』, 후

는 구조와 내용을 의미하는 것으로써 정책을 주도하는 특정의 가치와 이념, 이를 이론화하고 체계화하는 독트린, 이를 수행하기 위한 정책수단들, 이 정책이 가져오는 정치적, 사회적 결과 등의 요소들을 포함하는 것"[2]으로 정의되기도 한다. 일반적으로 개별정책이 가변적이고 한시적이라면, 정책레짐은 개별정책의 방향과 특징을 규정하는 거시적 틀이라고 할 수 있다. 지금까지 추진해 온 우리나라의 과학기술 정책레짐의 핵심은 성장지상주의와 권위주의라는 개념으로 크게 요약할 수 있다. 1960년대부터 틀을 다진 성장지상주의적이며 권위주의적인 과학기술 정책레짐의 기조는 1990년대와 21세기 참여정부에 들어와서도 변함없이 추구되었다. 다시 말해 지난 40년 동안 정권의 교체와 민주화의 진전에도 불구하고 경제성장의 도구로써 과학기술을 바라보는 성장지상주의적 과학기술 정책관과 권위주의적 정책결정 방식은 그다지 바뀌지 않았다는 것이다.[3]

성장지상주의는 참여정부의 과학기술 투자가 기초과학이나 시민의 삶의 질 향상을 위한 기술에 비해 산업적 응용 가능성과 시장잠재력을 지니며 자본이 되는 과학기술 쪽으로 압도적으로 기울어지는 결과를 낳았다.[4] 1960년 이후 우리나라는 과학기술을 발전시키고 개발할 때 무엇보다 경제성장에의 기여라는 경제적 가치를 우선시하였다. 과학기술정책이란 기본적으로 경제정책, 산업정책의 성격을 지닌다.

마니타스, 2005, 19쪽.

2) 김정수, 「정책레짐을 이용한 미국 통상정책의 제도적 변화분석」, 『국제정치논총』, 36. 1, 2006.

3) 이러한 시각은 일단 황우석 사태를 '박정희 패러다임'의 산물로 보는 시도나 '박정희 체계'의 산물로 보고자 하는 시도와 내용적으로 유사하다(홍성태, 「황우석 사태와 한국사회: 정언학 유착망과 박정희 체계의 덫」, 민주정책연구원 주최 토론회, 『황우석 사태로 보는 한국의 과학과 민주주의』, 서울 민주화운동기념사업회 교육장, 2006년 2월 2일).

4) 이영희, 「황우석 사태와 과학기술정책」, 김세균 외 편, 『황우석 사태와 한국사회』, 나남출판, 2006, 92쪽.

하지만 과학기술정책의 성장지상주의적 시각은 분명히 편향적이다. 이러한 성장지상주의적 시각은 정부의 과학기술자 인력관리정책이나 과학기술자 개개인으로 하여금 연구개발의 과정이나 절차, 혹은 연구개발 목표 자체의 가치에 대한 성찰보다는 유독 결과를 최고의 가치로 삼는다. 이것은 주로 산업화, 시장화 잠재력이 큰 결과만을 중시하는 성과주의의 가치관을 내면화하도록 하였다. 그 결과로 인해 성장지상주의와 성과주의는 동전의 양면과 같은 형태로 우리나라 과학기술 정책레짐의 핵심적 구성요소로써 자리 잡았다.

이러한 우리나라 과학기술 정책레짐은 권위주의를 토대로 한다. 성장지상주의가 과학기술 정책레짐이 추구하는 목표나 지향점을 지칭하는 개념이라면, 권위주의는 그러한 목표나 지향점이 실행되는 방식이나 스타일을 가리킨다. 그런데 권위주의란 두 가지 측면을 포함한다. 한쪽 측면은 과학자 사회 내부의 권위주의, 즉 '내적 권위주의'이다. 소수의 엘리트 과학기술자들이 연구비나 지위, 주요 과학기술정책 결정과정을 독과점하는 현상이나, 실험실 내에서 권위와 위계에 의한 착취와 억압 등 비민주적, 봉건적 행태가 난무하는 현실이 바로 과학자 사회 내부의 대표적 권위주의의 상징이라 할 수 있다. 다른 측면은 시민사회와 과학기술의 파워엘리트 즉, 과학기술자와 관련된 정치가들의 관계에서 찾을 수 있는 '외적 권위주의'이다. 외적 권위주의는 과학기술의 파워엘리트만이 과학기술정책 형성과정을 독점할수 있다는 아집이다. 외적 권위주의는 다른 사회분야와는 다르게 과학기술은 고도의 전문성이 요구되기 때문에 잘 훈련된 전문가만이 참여자격을 부여받는다는 전문가주의 논리로 정당화되었다.[5]

황우석 사태에서 다른 중요한 점은 한국 과학기술 보도에서 자주 드러난 강한 '애국주의'나 '민족주의'이다. 지금까지 황우석 지지자들

---

5) 같은 글, 95쪽.

이 주장하는 애국주의나 민족주의는 바로 국익으로 대변되는 성장지
상주의가 그 밑바탕에 깔려 있음을 숨길 수 없다. 이런 점에서 황우
석 사태의 이데올로기의 본질은 박정희 정권 시절부터 개발독재시대
에 뿌리를 둔 성장지상주의의 신화에 근거한다. 환자들의 희망으로
나타나는 인도주의는 저급한 경제주의 이데올로기에 비하면 부차적
인 것일 뿐이다. 세계 어느 나라보다도 민족주의가 힘을 발휘하는 한
국에서 애국주의가 과학기술 보도의 중요한 특징으로 지적되는 것은
어쩌면 당연한 일인지 모른다. 미국, 일본, 유럽과 같은 과학기술의
선진국에서 하지 못한 일을 우리나라 과학기술자가 이루었다는 사실
은 과학기술 연구 자체보다 훨씬 더 대중의 관심을 끌기 마련이다.
이런 측면에서 언론은 국제 과학잡지의 의례적인 통계기사도 국내
과학계를 칭찬하는 기사로 둔갑시켜 보도하기도 한다. 과학기술부는
2005년 10월 26일 배포한 보도자료에서 『네이처』가 "한국인 필자들
의 연구성과를 소개하며 별도의 기사를 통해 한국의 생명공학과 과
학기술에 놀라움을 표하고 있다."고 알렸고, 이를 일부 기자들은 그
대로 보도하였다.[6]

　그러나 과학기술부의 이러한 보도자료는 처음부터 사실 관계도 확
인하지 않은 사실무근의 기사였다. 이 기사는 『네이처』와 관계된 우
리나라의 관련 통계를 기사화한 것일 뿐이다. 이런 통계기사는 다른
학자들이 논문을 기고할 때에도 올리는 의례적인 것이다. 『네이처』의
이전 호에는 덴마크, 브라질, 스코틀랜드, 일본, 칠레 등의 통계가 똑
같은 형식으로 실려 있다.[7] 황우석 교수에 대한 보도에서 애국주의에
호소하는 대부분의 언론의 태도는 그 당시 절정에 달했다. "태극기를

---

6) 강양구 · 김병수 · 한재각, 『침묵과 열광: 황우석 사태의 7년 기록』, 휴머니타
　스, 2006, 82쪽.

7) 「『네이처』는 한국 생명공학에 놀란 적 없다」, 『프레시안』, 2005년 11월 4일
　자.

꽂고 왔다."는 제목이 등장한 것은 이 같은 태도를 가장 선정적으로 보여주는 좋은 실례라 할 수 있다.8) 황우석 교수는 대중과 언론의 생리를 누구보다 잘 알고 있었기 때문에 언론의 태도에 발맞춰 "과학에는 국경이 없지만 과학자에게는 조국이 있다."는 어투의 애국주의에 호소하는 말과 행동을 거침없이 쏟아내었고, 이 같은 황 교수의 말과 행동을 언론은 여과 없이 매번 대서특필했다. 이러한 애국주의에 대한 강조는 많은 오보를 낳기도 했다. 미국의 한 연구기관에서 1조 원 이상의 연구비를 제의했지만, 황우석 교수가 이를 거절했다는 소식도 한 실례이다. 이 소식은 『조선일보』, 『동아일보』, 『서울신문』 등 대부분의 언론을 통해 크게 보도됐다. 심지어 청와대 고위관계자도 "최근 미국의 한 주정부에서 황 교수를 유치하기 위해 1조 원 이상의 연구비를 제공하겠다고 제안했다."9)고 언급했다. 대부분의 국민들은 아직도 황 교수가 1조 원의 연구비 지원도 거부하고 조국에 남은 애국자라고 알고 있다. 이런 애국주의는 사대주의와 밀접한 연관관계를 맺고 있다.10)

위의 여러 실례들에서 보여주고 있듯이, 최근 몇 년간 한국사회에서 생명공학을 향한 미래는 황우석이라는 특정한 과학자에 의해 웃고 울었다. 우리는 지금껏 겉으로 드러나는 과학기술의 성과에는 열광했지만 그 이면에 드러난 여러 문제들에는 침묵으로 일관한 것은 아니었는지 진지한 반성을 해보아야 한다. 이러한 측면에서 이 글은 최근 몇 년간 한국사회에서 일어났던 생명공학의 허실을 고찰하고자 한다.

---

8) 「황우석 "미 생명공학기술 고지에 태극기 꽂고 왔다"」, 『동아일보』, 2004년 2월 9일자.
9) 「황우석 "줄기세포 복제기술 국가 위해 쓰여야"」, 『동아일보』, 2004년 8월 11일자.
10) 「『네이처』는 과연 오보를 인정했을까?」, 『프레시안』, 2004년 6월 8일자.

2. 배아인권의 논쟁

1) 인간배아의 도덕적 지위 논쟁

1990년대에 들어오면서 많은 나라들은 생명공학기술의 발전에 따른 부작용을 제어하기 위하여 다양한 입법조치들을 취하고 있다. 유럽의 경우 제2차 세계대전 당시 히틀러 정권이 범하였던 우생학적인 인종실험, 유태인에 대한 인종차별적 대량학살, 인체실험, 동성애자 살해, 장애인 학대 등의 역사적 경험이 있기 때문에 인간실험에 관한 과학적 실험에 대해서는 아주 민감한 반응을 보이고 있다.[11] 무엇보다 현재 생명공학 논쟁의 초점은 인간배아복제에 집중되어 있다. 여기서 문제의 핵심은 수정 후 14일 이전의 배아에 관한 도덕적 입장이다. 생명공학의 논쟁 중 임신중절의 문제에서 배아를 생명으로 볼 것인가가 논란의 주 대상이라면, 인간복제에서도 이와 유사한 사항이 쟁점이 되고 있다. 영국정부는 과감하게 인간배아복제를 허용하기로 했으나 독일을 비롯한 유럽 여러 나라는 대체적으로 부정적인 견해이다. 그렇지만 현재 인간배아의 줄기세포를 연구하려는 과학자들의 희망이 뜨겁게 달아올랐다.[12] 즉 줄기세포는 다른 장기나 조직의 말단세포로 분화하는 뛰어난 변신능력을 지니고 있어서 난치병을 치료할 21세기 의료혁명의 주인공으로 받아들여지고 있다. 이러한 세포의 연구는 신경세포, 파킨슨병, 알츠하이머병, 심장병 등을 가진 환자에게 유효하게 적용될 수 있다.[13] 과학자들은 "인간의 냉동 수정란을 이용한 배아줄기세포 연구(embryonic stem cell research)는 배아복제

---

11) 박충구, 「생명복제에 대한 법적 조치」, 『생명복제 생명윤리』, 가치창조, 2001, 125쪽.

12) 송상용, 「생명공학의 도전과 윤리적 대응」, 『생명공학시대의 철학적 성찰』, 제14회 한국철학자대회보(별책부록), 2001, 13쪽.

13) Rudolf Ian Wilmut, "Dont' Clone Humans!", in: Science, 30. March, Vol. 291, 2001, 25쪽.

의 윤리적 논란을 피하면서 심장조직, 신경조직, 알츠하이머병, 파킨 슨병 등 불치병 및 난치병을 극복할 새로운 의료기술을 개발하는 유 일한 길"[14]이라고 말한다.

주지하듯이, 배아는 언제부터 인간이라 할 수 있는가의 문제는 생 명윤리 논쟁의 출발점이다. 즉 생명윤리의 논쟁의 출발점은 인간배아 의 도덕적 지위를 어떻게 설정하는가에 따라 다르게 나타난다. 인간 배아는 태어난 인간과 마찬가지로 동등한 도덕적 지위를 갖고 있는 가, 아니면 배아의 소유자나 원인 제공자인 부모의 의지에 따라 마음 대로 좌우될 수 있는가? 한쪽 측면에서는 인간배아는 성인의 인간존 재와 마찬가지로 도덕적으로 동등하다는 주장이며, 다른 한편에서 인 간배아는 특별한 도덕적 지위를 갖고 있는 것이 아니기 때문에 그 소 유자인 부모의 뜻에 따라 어떠한 과학적 실험에도 사용할 수 있는 유 용한 물건일 뿐이라는 견해이다. 1978년 세계 최초의 시험관아기 루 이스 브라운이 태어나기 이전에, 나팔관에서 수정되어 자궁에 착상한 수정란이 38주 정도 지나 태어나는 임신과 출산만이 지극히 정상이 었던 시절, 인간배아의 도덕적 지위에 대한 논쟁은 불필요했다.

체외수정 성공의 확률을 높이기 위해 필요 이상의 난자를 적출하 고 착상한 후 남은 여분의 수정란을 냉동하면서, 냉동된 배아를 연구 재료로 이용하고 싶은 생명공학자들이 등장하면서 새로운 논쟁이 비 롯되었다. 다시 말해서 인간배아복제에 있어서 가장 논란이 되는 부 분은 배아의 지위에 관한 것이다. 인간배아에 대한 도덕적 지위의 관 점은 완전한 인간, 단순한 세포 덩어리, 잠재적 인간 등 크게 세 가지 로 나눈다.

첫째, 인간배아는 창출되는 그 순간부터 완전한 인간의 지위가 부 여되기 때문에 배아를 대상으로 하는 어떠한 연구도 절대 허용할 수

---

14) 『한겨레신문』, 2000년 11월 7일자.

없다는 주장으로서, 배아연구의 전면규제를 요구하는 비교적 소수인 극단적인 집단이 이에 해당한다.

둘째, 단순한 세포 덩어리에 불과한 인간배아는 도덕적으로 특별한 주의를 기울일 필요가 없으므로 배아를 대상으로 하는 모든 연구가 가능하다는 주장이다. 이는 배아연구의 방임을 천명하는 또 하나의 극단적인 집단이다.

셋째, 인간배아는 잠재적 인간으로서 출생 이후의 인간보다 낮은 특수한 지위를 가지는 까닭에 배아를 대상으로 한 연구로부터 얻은 이익이 배아의 도덕적 지위에 비해 높을 경우 까다로운 규제를 통해 공개적인 연구를 제한적으로 허용할 수 있다는 주장으로서 양 극단의 중간역할을 취하는, 규모가 가장 큰 집단이다.[15]

이렇듯 사람의 생명이 한 생명으로 완성되는 시기가 언제인가에 대한 명확한 규정은 아직 분명하게 알려져 있지 않은 상태에서 생명 옹호론자나 생명반대론자들은 제각기 의견이 분분한 채 논쟁을 계속하고 있다.

2) 황우석 사태에서 난자의 사용과 여성의 인권

2006년 2월 6일 국가생명윤리심의위원회의 중간보고서에 따르면, 2002년 11월 28일부터 12월 24일까지 총 4개 기관에서 119명의 여성으로부터 138차례에 걸쳐 채취한 총 2,221개의 난자가 황우석 교수팀에게 제공되었다고 한다.[16] 그 가운데 미즈메디 병원은 2002년 11월부터 2004년 12월까지 알선업체(DNA 뱅크)를 통하여 소개받은 여성 63명에게 1건당 약 150만 원을 지급하고 75건, 1,336개의 난자를 채취하여 연구팀에 제공했다. DNA 뱅크를 통해 난자를 제공한

---

15) 박병상,『파우스트의 선택』, 녹색평론사, 2005, 22쪽.

16) 국가생명윤리심의위원회,「황우석 교수 연구의 윤리문제에 대한 중간보고서」, 2006, 7쪽.

여성들의 평균연령은 24.4세로 자발적 공여자의 평균연령 32.6세에 비해 현저하게 낮았다.[17] 난치병 환자 자신 및 가족동반 등 자발적 공여자의 난자 제공은 2004년 1월부터 2005년 12월까지 미즈메디 병원 14명, 14건, 182개, 한나 산부인과 의원 11명, 12건, 230개, 한양대학교 병원 8명, 9건, 121개 등 총 33명으로부터 35건, 533개가 제공되었다. 이 가운데 DNA 뱅크를 통해 금전을 지급하고 난자를 얻은 것은 '생명윤리 및 안전에 관한 법률'에서 금지한 명백한 매매행위이다. 2회 이상 난자를 제공한 여성은 모두 15명으로 이 가운데 자발적 공여자는 4명, 체외수정을 위해 채취한 난자를 제공한 여성은 2명, 금전거래(매매)를 통하여 제공한 여성은 9명이었다. 어떠한 경위에서 난자를 제공했든 연구진과 담당의사들이 과배란 처치와 난자채취에 따르는 부작용에 대해 충분하게 설명하지 않은 점, 부작용이 나타났음에도 충분히 치료하지 않은 점 등은 여성의 건강과 인권을 침해한 중대한 문제이다. 국가생명윤리위원회는 이러한 점을 「황우석 교수 연구의 윤리문제에 대한 중간보고서」(2006년 2월 2일)에서 다음과 같이 판단하였다.

"황우석 교수의 연구에서 사용된 난자 수급 과정 전반에서 많은 윤리적 문제가 발견되었다. 모든 자료와 진술을 종합적으로 고려하였을 때, 적어도 금전을 지급받은 난자 제공자 중 일부는 금전적 대가를 받고 불임부부에게 난자를 제공하였다는 사실을 미루어 판단할 때 경제적, 사회적 약자였던 것으로 보인다. 미즈메디 병원, 한나 산부인과 의원 등에서 이루어진 대부분의 난자 동의과정에서 헬싱키 선언 등이 요구하는 충분한 정보(informed consent)에 대한 고려는 부족하였다. 과배란 환자에 대한 시간적, 사후적 보호조치 역시 연구의 전 과정에서 충분하지 않았다. 위원회는 황우석 교수의 연구에 사용된 난자의 수급

17) 황상익, 「황우석 사태와 생명윤리」, 『황우석 사태와 한국사회』, 나남출판, 2006, 74쪽.

과정이 피험자(난자 제공자)의 보호와 안전을 최우선으로 규정한 헬싱 키선언, 의사윤리지침, 식약청 임상시험 표준작업지침 등을 위반한 것으로 판단한다."[18]

황우석 사태로 체세포핵이식 연구가 여성의 건강에 심각한 부정적 영향을 미친다는 것에 대해 우리 사회에서는 심층적 논의가 진행되지 않았다. 긴급토론회 등이 마련되었지만, 여성 인권의 관섬에서 배아줄기세포 연구에 관한 근본적 성찰이 거의 이루어지지 않았다.[19] 난자채취의 부작용 때문에 국제적으로 난자채취는 1인당 한 번으로 제한하는데, 황우석 팀에 2회 이상 난자를 제공한 여성이 15명에 이르며, 그 중에는 4차례 이상 제공한 사람도 있었다.[20] 또한 제공자에게 난자 기증의 위험에 대해 충분히 설명하지 않고 연구용이라는 사실도 제대로 알리지 않은 경우도 있었다고 한다. 난자 기증 거래의 과정에서 여성들의 난자 추출이 몸에 미치는 영향에 대한 충분한 정보를 제공받고 스스로 자기 몸에 대한 권리를 행사할 수 있도록 그에 상응하는 절차와 연구가 마련되어야 한다.

"난자에 자극을 주어 난자를 얻어낸 과정을 거친 여성들의 0.3%에서 5%, 많게는 10%가 심각한 난소 과자극 증후군을 경험하는데, 여기에는 때로 병원에 입원해야 할 정도의 통증유발, 산부전증, 잠재미래

---

18) 국가생명윤리심의위원회, 「황우석 교수 연구의 윤리문제에 대한 중간보고서」.

19) 생명공학감시연대가 2006년 1월 18일 주최한 토론회『황우석 사태로 본 한국사회의 현대와 미래』에서 「황우석 열풍에 가려진 여성인권의 문제」, 「황우석 사태와 여성」 등의 글이 발표되었다.

20) 국가생명윤리심의위원회, 「황우석 교수 연구의 윤리문제에 대한 중간보고서」, 7쪽.
   실제로 2005년 국내에서 한 불임여성이 임신을 위해 과배란 유도제를 맞고 뇌출혈로 사경을 헤맨 적이 있다. 호르몬 때문에 혹이 생긴 뒤 생식기관을 다치는 수도 많다(이성주, 『황우석의 나라: 황우석 사건은 한국인에게 무엇을 남겼는가』, 바다출판사, 2006, 84쪽)

불임증, 심지어 목숨을 잃는 경우도 포함된다."[21]

난자의 권리포기에 대한 동의가 주된 내용을 이루고, 난자채취의 위험성과 부작용, 예후에 대한 설명이 불충분했던 것으로 드러났다. 세계 최초의 기술보유에 대한 열망, 과대 포장된 줄기세포 연구의 경제적 잠재성의 부각은 연구윤리의 소홀로 이어졌고, 이는 난자 제공 여성의 건강상 장애를 야기했다. 지금까지 보고된 과배란 후유증의 대표적인 사례는 빈혈이나 나팔관 염증, 복막 감염, 간기능 저하, 폐 응고 등을 꼽을 수 있다. 심할 경우 난소암 위험이 높아지고 불임에 이른다는 보고가 있지만, 국내사례는 발견되지 않았다. 해마다 난자 흡입술이 1천여 건이나 이루어지는 대형병원이 있지만, 대체로 최후의 임신수단으로 선택하기에 불임의 인과관계를 따지기 어렵다.[22] 따라서 황우석 사태 이후로 전 세계 줄기세포 연구자들은 난자 수급에 따르는 윤리적 문제를 어떻게 해결할 것인가에 대해 주목하였다.[23] 일부 연구자들은 성숙된 난자가 아닌 미성숙 난자를 배양하는 기술을 개발하는 등 현재의 난자채취 방식의 대안을 모색 중이다.[24]

우리의 경우 난자 매매는 현행 '생명윤리 및 안전에 관한 법'에서 금지하고 있지만, 금전거래가 아닌 난자 기증은 허용하고 있다. 영국도 불임환자가 아닌 난자 제공 여성을 스스로 데려오는 것은 허용한다. 단 "인간수정 및 발생기구(HFEA)에 등록해야 한다. HEFA는 최근 자문을 하면서 정자 기증은 한 해에 50파운드, 난자는 최고 1천

---

21) Magus and Cho, *Commentary in Science*, 2005,

22) 김수병, 「성스러운 여성이 신음하다」, 『한겨레 21』 제591호, 2006년 1월 6일, 16쪽.

23) Robert Steinbrook, "Egg donation and human embryonic stemcell research", in: *New English Journal of Medicin*, 354(4), 326쪽.

24) Carina Dennis, "Mining the secrets of the egg", in: *Nature*, 439(9), 2006, 652-654쪽.

파운드 정도를 적정 보상비로 제안했다. 미국의 경우도 난자를 제공한 여성에게 돈을 주는 행위는 법에 어긋나지 않는다. 통상 난자 수혜자가 제공자에게 2,500달러에서 1만 5천 달러를 지급한다. 난자 제공자를 신문광고 등을 통해 모집할 수 있다. 스웨덴, 뉴질랜드 등에서도 난자 제공자를 공식적으로 관리하고 있다."[25]

향후 배아줄기세포의 연구가 의료적 효과를 보기까지에는 수많은 실험과 실용화 과정을 거쳐야 하고 여기에는 수많은 난자가 필요하게 될 것이다. 과학발전을 위해 기꺼이 난자를 제공하는 여성들만으로 난자를 확보하기는 더욱 어려울 것이며, 궁극적으로 난자의 상품화와 상업적 거래를 막지 못할 것이다. 여성의 몸은 계급, 성별, 인종, 기술, 국가의 상호교차의 공간에 놓이게 된다. 어느 집단이 난자를 매매하게 되며, 어느 집단이 의료적 효과의 수혜자가 되는가의 문제는 생명공학의 장밋빛 미래에도 불구하고 전통적인 지배체계들인 계급, 성별, 인종, 국가의 구도 아래 놓인다는 점에서 변함이 없다.

3. 황우석 사태와 참여정부의 과학기술정책

1) 언론과의 유착관계

앞 절에서 우리나라 과학기술의 정책레짐은 성장지상주의와 권위주의를 기초로 한다고 밝혔다. 황우석 사태는 '과학기술동맹'이라 불러도 과언이 아니다. 과학기술을 매개로 하여 황우석 교수와 같은 과학자와 언론 그리고 정부가 서로 결합·유착돼 강고한 기득권 체제를 형성하였다. 이것은 언론의 사명이 사실에 기반을 둔 진실규명이라는 기본적인 원칙마저도 위반하게 했다. 단순히 애국주의적 과장을 넘어서는 부정직한 보도는 '과학기술동맹'을 통해서 가능했던 것이

25) 김영식, 「특집: 생명공학과 민중운동의 새로운 과제: 노동자 시각으로 임신-출산(생식)을 바라보자」, 『진보평론』 제26호, 2005 겨울, 23쪽.

다. 이러한 징후는 이미 이전부터 여러 차례 나타났다. 지난 2004년 황우석 교수의 첫 인간배아줄기세포 연구성과가 『사이언스』에 발표된 몇 개월 뒤 『네이처』는 「한국의 줄기세포 스타들, 윤리적 의혹에 시달리고 있다」라는 제목으로 황 교수의 난자 획득 경위, IRB 통과 문제, 청와대 정보과학 기술보좌관이 공동저자로 포함된 경위에 대한 의문 등 여러 가지 윤리적 의혹을 제기했다.26) 국내 언론이 황 교수 입만 쳐다보고 있을 때 『네이처』가 지적한 이런 중요한 내용에 대해서 『동아일보』, 『프레시안』, 『한겨레신문』을 제외한 대부분의 언론들은 제대로 그 내용을 소개하지 않았고, 황 교수의 반발과 해명을 그대로 싣는 모습을 보였다. 황 교수는 1999년 2월 영국, 미국, 일본, 뉴질랜드에 이어 세계에서 다섯 번째로 체세포복제에 성공했다고 발표하였다. 경기도 화성의 한 목장에서 복제 젖소 영롱이가 태어난 것이다. 국내 최초의 복제소 영롱이를 세상에 선보인 지 불과 몇 달이 지난 1999년 8월과 12월, 황우석 교수는 언론을 통해 백두산 호랑이 복제계획을 발표했다. 이듬해 4월에는 대리모에 호랑이 수정란을 착상했기 때문에 조만간 백두산 호랑이가 태어날 것이라는 얘기도 들리기 시작했다. 호랑이 난자를 구하기 쉽지 않기 때문에 다른 고양이과(科) 동물의 난자를 이용한 것과 같은 구체적인 방법까지 언론을 통해 소개됐다.27) 2001년 5월에도 황 교수는 거리낌 없이 다음과 같

---

26) 강양구 · 김병수 · 한재각, 앞의 책, 82-84쪽.

27) 황우석 교수의 이러한 복제실험의 발표와는 다르게 이를 뒷받침할 만한 논문이 하나도 없다는 데 문제가 있다. 학술지와 논문은 과학자가 세운 가설을 확증이나 반증하는 과학 시스템의 기본단위이다. 그는 2004년 『사이언스』지에 논문을 발표하면서 복제연구가에서 갑자기 줄기세포 연구의 대가로 불리기 시작했다. 주지하듯이, 이는 논문조작이라는 파문을 겪었다. 당시 보도를 보면, 대리모와 영롱이의 사진은 있는데 정작 체세포의 주인은 없다. 복제는 A가 똑같은 동물을 생산한다는 것이지만, A가 누구인지도 모르는 복제동물이 태어났다. 하지만 과학기술부나 언론 누구도 영롱이가 체세포 복제 송아지가 맞는지 묻지 않았다.

이 말했다.

"우리가 몇 년째 백두산 호랑이 복제실험을 하고 있는 거 아시지요? 앞으로 몇 십만 번 더 실험을 해야 할지 모릅니다. 과연 성공할 수 있을지도 장담 못합니다. 그래도 우리는 그 일을 합니다. 그게 과학자예요. 왜냐하면 우리가 해야 하고, 하고 싶고, 또 성공한다면 상당한 학문적 희열을 주는 일이니까요, 실패의 과정 속에서도 가치 있는 과학적 결과를 얻을 수도 있고요."[28]

황우석 교수는 영롱이 이후 연이어 실패한 호랑이 복제 외에는 눈에 띌 만한 과학적 성과를 제시하지 못했다. 하지만 그는 2003년 12월 10일에 광우병에 걸리지 않는 소를 세계 최초로 생산해 냈다는 발표를 통해 다시 한번 과학계가 아닌 언론과 대중의 주목을 받았다. 이러한 상황에 대해 과학평론가 이충웅은 『과학은 열광이 아니라 성찰을 필요로 한다』라는 책의 '광우병에 안 걸리는 소'라는 소제목에서 다음과 같이 쓰고 있다.

"프리온(prion)이라는 것의 실체와 '광우병'의 원인이 제대로 밝혀지지 않은 상황에서 그런 '쾌거'가 나왔다는 건 여러 모로 어리둥절한 일이다. 그 호들갑스런 뉴스와 기사들은, 그렇게 '생산'한 소가 광우병에 걸리지 않는다는 걸 어떻게 입증할 수 있느냐와 관련한 부분에 대해서는 이상할 만큼 침묵했다. 그리고 한국을 먹여 살릴 그 소가 정말 먹을 수 있는 소인가, 혹은 세계인이 그 소를 기꺼이 먹어줄 것인가라는, '유치한' 의문 또한 '당연히' 품지 않았다."[29]

---

28) 「복제소 '영롱이' 아빠, 서울대 황우석 교수」, 『동아일보』, 2001년 5월 25일자.

29) 이충웅, 『과학은 열광이 아니라 성찰을 필요로 한다』, 이제이북스, 2005, 209-210쪽.

언론은 이미 여러 해 전부터 각종 프로그램과 지면을 통해 프리온과 광우병[30])에 대해 다루었다. 스스로 학습을 해야 하는데도 황 교수가 광우병내성 소를 만들었다는 당시 광우병에 대한 보도는 놀라울 만큼 무지하였다. 우리 언론은 『네이처』가 『사이언스』의 경쟁지이고 특종을 놓쳤기 때문에 황 교수의 연구성과를 훼손시키려 한다고 크게 보도했다. 황우석 교수와 언론의 동맹관계는 여러 보도에서 적나라하게 드러났다. 황우석 교수와 언론이 맺어 온 관계를 살펴보았을 때, 언론의 과학기술 보도방향이 근본적으로 선회되어야 한다. 과학기술시대에 언론이 해야 할 일은 과연 무엇인가? 말할 것도 없이 언론은 현대에서 일어나는 과학기술 활동을 끊임없이 감시해야 하며 그것의 사회적 영향을 성찰하며, 그 감시와 성찰의 결과를 대중들과 공유하는 모습을 당연히 보여야 한다. 이것은 기자들이 항상 추구해야 할 사실에 대한 철저한 조사, 대담한 해석, 비판적 탐구의 연장선상에 놓여 있다는 점에서 비현실적인 요구라고 볼 수 없다. 이런 측면에서 황우석 교수가 한국 언론의 과학기술 보도에 기여한 가장 큰 공헌은 '기본으로 돌아가라'는 원칙을 다시 한번 상기시켰다는 것이다. 기본을 지키지 않은 언론은 뼈아픈 반성을 해야 하지만 그러지 못하는 상황이 기막힌 현실이다. 그 당시 '황우석 띄우기와 감싸기'에 주력해 왔던 '진보언론' 『경향신문』은 그나마 기본으로 돌아갈 것을 다짐하는 사과를 하였다.[31])

---

30) 광우병은 동물에게서 자연상태로 존재하는 프리온이라는 단백질이 변형되어 생긴 병이다. 1997년 노벨생리의학상을 받은 미국의 스탠리 프루시너는 마치 세균이나 바이러스처럼 전염된다는 점을 밝혀내고 '프리온 가설'을 만들어냈다(이성주, 『황우석의 나라』, 바다출판사, 2006, 122쪽).

31) "무너진 것은 '황우석 신화'만이 아니다. 진실추구라는 기본사명을 방치했던 언론도 그 신뢰의 근간을 잃어버렸다. 아직도 신화의 붕괴를 믿고 싶지 않은 국민들의 실망, 한 줄기 희망을 붙들었던 난치병 환자들의 절망을 이토록 키운 것은 바로 언론이기 때문이다. '황우석 신화'는 거짓과 조작으로 잉태되었으나 그것을 수립하고 확장해 온 것은 언론이다."(「언론의 본연을 되새긴

모름지기 과학과 언론은 모두 민주주의에 토대를 둔다. 이를 무시하고 오류 불가능한 영역을 만들기 시작하면 그때부터 언론의 본질은 크게 훼손된다. 언론이 비판 불가능한 영역을 만들어놓고 오류수정 시스템을 적극적으로 가동시키지 않으면 사이비 언론이거나 무늬만 언론이 되기 쉬운 것이다. 따라서 언론의 의사결정 시스템은 내부의 뼈저린 자성에서부터 시작된다.

2) 참여정부의 과학기술정책

참여정부의 과학기술에 대한 정책레짐은 황우석 사태의 발생과 어떠한 관련이 있는가?

주지하듯이, 황우석 교수가 세간에 이름을 널리 알린 시기는 1990년대 후반이다. 그는 임상수의학자로서 1990년대 초·중반에 농림부 등의 지원을 받아 수정란 분할을 통한 동물복제연구를 시작하고, 이어 수정란 핵이식을 통한 동물복제연구를 진행하였다. 1997년 2월에 영국 연구팀이 복제양 돌리를 창조했다는 사실이 알려지자, 그는 체세포핵이식 복제연구 쪽으로 관심을 돌린다. 그리고 과학기술부의 지원을 받아 1998년부터 체세포핵이식을 통한 소 복제에 나섰다. 그는 1999년 2월에 '영롱이'를 만들어 세계에서 다섯 번째로 체세포 동물복제에 성공했다고 언론에 보도되었다.[32] 그해 4월에는 복제한우 '진이'[33]를 연이어 탄생시킨 황 교수는 당시 언론의 조명과 김대중 대통

다」, 『경향신문』, 2005년 12월 24일자)

32) 영롱이가 체세포 복제소가 아닐지 모른다는 의혹은 그 이전부터 제기되었다. 이 복제소는 언론에 대대적으로 보도된 것과는 다르게 학술지에 연구논문으로 발표된 적이 없고, 관련자료도 제시된 적이 없다는 점이 의혹을 더욱 부채질했다. 지금까지도 영롱이가 진짜 체세포 복제소인지의 사실 여부가 확실하게 밝혀지지 않았다.

33) 당시 김대중 대통령이 "시대를 초월해 칭송받는 작품을 남긴 황진이처럼 국민의 사랑을 받는 소가 되라"는 뜻으로 손수 붙인 이름으로 알려졌다.

령의 신임을 받아 일약 '스타 과학자'의 반열에 오른다. 한 실례로서, 황 교수는 1999년에 처음으로 구성되었던 대통령이 주재하는 국가과학기술위원회에 출석하여 대통령과 과학기술 관련 장관들 앞에서 직접 복제소 탄생에 대해 보고하는 영광을 누렸다. 이렇게 명성을 얻은 황 교수는 2002년에는 정통부에서 연구비를 지원받아 3년간 43억 원으로 '광우병내성 소 개발사업'을 진행하고, 이종간 장기복제를 위한 면역거부반응이 제거된 무균돼지 복제연구에 착수하면서 점차 줄기세포 분야로 연구영역을 넓혔다. 이러한 일련의 과정에서 그가 스타과학자로서의 지위를 확고히 굳힌 것은 노무현 정부부터이다. 2002년 말 정권을 잡은 노무현 정부는 김대중 정부 때보다 더 적극적으로 집중과 선택을 통한 신자유주의 정책에 입각하여 황 교수를 지원했다. 정부는 2003년 8월에 황 교수를 국가과학기술위원회 장관급 민간위원으로 임명하고, 황 교수가 관여한 '바이오신약·장기' 분야를 10대 차세대 성장동력산업 중 하나로 선정하였다. 그리고 황 교수는 바로 그 바이오신약·장기 분과의 위원장을 맡는다. 박기영 순천대 교수는 2004년 1월에 노무현 대통령 과학기술보좌관으로 임명되면서 누구보다 황우석 교수 지원에 대대적으로 앞장섰다.[34] 박 교수는 '황우석 연구지원 모니터링팀'과 '황우석 지적재산권 관리팀'을 운영하고, 정부와 청와대 측 핵심인사들을 중심으로 '황금박쥐'(황우석 교수, 김병준 청와대 정책실장, 박기영 보좌관, 진대제 정보통신부 장관)라는 비공식모임을 결성하고 황우석 교수의 줄기세포 연구를 안정적으로 지원하기 위한 각종 방안을 마련하는 데 주도적 역할을 수행했다. 2005년 10월에 공표된 '최고과학자 연구비 지원사업'도 그 중의 하나였다. 이 사업은 황 교수가 2005년 5월에『사이언스』에 논문

---

34) 박기영 교수는 황우석 교수팀의 2004년『사이언스』논문의 공저자로 되어 있다. 그러나 실제로는 전공이 다른 박 교수가 논문에 기여한 바가 없다는 점에서 논문에 이름을 넣어주는 정치적 입김이 작용한 것으로 보인다.

을 발표한 뒤 갑자기 신설한 것으로써, 매년 30억 원씩 5년간 지원받는 '최고과학자' 제1호로 황 교수를 선정했다. 이 사업은 미리 황 교수를 최고과학자로 선정해 놓고 형식적으로 후보를 추천받아 들러리를 세우는 등의 '쇼'를 했다고 비판받기도 했다. 특히 민주노동당에서는 이 사업이 황 교수에게 막대한 연구비를 지원하기 위해서 젊은 과학자들에게 돌아갈 예산을 부당하게 적용한 것이라고 지적했다.[35] 2005년도 최고과학자 연구비 지원사업 예산부족을 메우기 위해서 박사 후 3년 이내의 젊은 우수연구자 10명에게 지원하기로 한 국가특별연구원제도의 예산 10억 원을 전용했다는 것이다. 이러한 측면은 황 교수를 스타 과학자로 만들기 위해 정부가 어떠한 행태를 보였는가를 잘 알 수 있는 대목이다.

한편 과학기술부는 2004년 황 교수에게 65억 원의 연구비를 지원한 데 이어 2005년에는 연구비 265억 원으로 확대 책정했다. 박재완 의원(한나라당)에 따르면, 과학기술부는 2004년 『사이언스』에 게재된 황 교수의 '체세포핵이식에 의한 인간 배아줄기세포 추출' 연구가 5백억 달러에 이르는 시장창출 잠재력을 갖는 것으로 평가했다면서 확대 책정한 예산을 승인할 것을 국회에 요구했다. 그러나 『사이언스』는 구체적 수치까지 언급하면서 시장잠재력 평가를 한 적이 없다. 따라서 과학기술부가 황 교수를 띄우기 위해 황 교수 연구의 시장잠재력을 가공하고 부풀린 셈이다.[36]

2004년에 제정된 '생명윤리 및 안전에 관한 법률'(2005년 1월 1일 발효)은 황 교수의 연구를 보호하기 위해 정부가 어떻게 개입했는가

---

35) 한재각, 「황우석 사태를 키워온 자 누구인가?: 정부와 정치권의 책임」, 생명공학감시연대 주최 토론회, 『황우석 사태로 본 한국사회의 현대와 미래』, 서울 사회복지모금회관, 2006년 1월 18일.

36) 허만섭, 「한나라당 박재완 의원, 황우석 예산의혹 제기」, 『신동아』 제557호, 2006.

를 잘 보여준다. 정부, 과학계, 종교계, 여성계, 시민사회계가 서로 각축하는 과정에 만들어진 위의 법률은 기본적으로 체세포복제배아에 관한 연구를 계속한 경력과 관련 학술지에 1회 이상 체세포복제배아에 관한 연구논문을 게재한 실적 등을 조항으로 제시하였는데, 사실상 여기에 제시된 조건을 충족하는 연구자는 황 교수뿐이었다는 사실은 이것이 황 교수의 연구를 지원하기 위해 특별히 '고안'된 것이었음을 말해 준다. 이는 현 정부가 무리수를 두면서까지 황 교수를 지원하고자 했음을 잘 보여주는 대목이다. 그러면 노무현 정부가 황 교수를 지속적으로 지원한 이유는 무엇일까?

한편으로 황 교수 지원을 통한 정부의 정치적 정당성 제고 효과에 대한 기대이다. 황 교수는 노무현 정부가 소리 높여 외쳤던 '2만 달러 시대', '과학기술 중심 사회'에 가장 잘 부합하는 상징적 인물이었다. 현 정권에 대한 정치적 지지율이 급격하게 떨어지는 상황에서 정부는 '2만 달러 시대'의 비전을 통해 국민의 지지를 만회하려 시도하였고, 막강한 국민적 신뢰와 지지를 받던 황 교수에 대한 지원을 통해 정부에 대한 국민의 지지를 끌어내려 했던 것이다. 노무현 대통령이 2005년 10월 19일 서울대병원에서 열린 세계줄기세포허브 개소식에 참석하여 즉석연설을 통해 "생명윤리에 관한 여러 가지 논란이 훌륭한 과학적 연구와 진보를 가로막지 않도록 잘 관리하겠다."라고 공언한 것은 바로 이러한 반증이다.

다른 한편으로는 지난 40여 년간 지속된 성장지상주의적 과학기술 정책레짐의 효과를 거론할 수 있다. 과학기술을 경제성장의 도구로만 인식하는 과학기술 정책레짐 아래서는 끊임없이 새로운 성장동력으로서의 새로운 과학기술을 찾아야 한다. 복제양 돌리의 탄생 이후 새로운 성장동력으로 생명공학(BT)이 논의되었다. 그런데 황 교수가 이 분야에서 세계적으로 두각을 나타내자 정부와 기업들이 황 교수를 스타 과학자로 만들어 생명공학의 일대 붐을 일으킴으로써 생명공학의 산업화를 추구하였다.[37] 이러한 성장지상주의적 과학기술 정책레짐 아래서는 과정이나 절차가 아니라 성과의 결과만을 중요한 것으로 받아들이기 때문에 2004년『사이언스』논문 발표 직후『네이처』나 국내 시민사회단체들에 의해 제기되었던 난자 구입을 둘러싼 의혹 따위에 정부는 전혀 관심을 보이지 않았던 것이다. 황우석 사태가 일어났던 초기에 참여정부가 선봉에 서서 황 교수를 비호한 것도 바로 이러한 성장지상주의적 과학기술 정책레짐의 결과인 것이다.

3) 황우석 사태와 책임의 문제

먼저 황우석 사태의 책임은 지식인의 문제와 연관되어 있다. 특히 미디어와 기자사회, 저널리즘은 사회적 커뮤니케이션의 일차적 구성 요소라는 점에서 황우석 사태에 책임이 크다. 그 당시 미디어는 지적, 대안적, 비판적 담론을 거의 제공하지 못했고, 한술 더 떠 권력과 신화, 선전의 도구로 전락했다. 심층적 논의와 개방된 소통 대신에 말초적 의혹과 일방적 풍문의 전달창구로 급급하면서 제대로 소임을 다하지 못했다.

황우석 사태에서 방송과 신문 매체는 별 차이가 없었다. 즉 조중동 (『조선일보』,『중앙일보』,『동아일보』)과 KBS, SBS, YTN의 모습도 크게 다르지 않았다. 물론 사건을 최초로 터뜨려 의제화한「PD수첩」의 저널리즘적 의미, 그리고 기자정신의 표본을 보여주었던 강양구 기자와『프레시안』의 언론적 의의는 분명하게 평가해야 한다. 중도적 성향을 취했던『한국일보』와 반담론의 반영에 일정한 노력을 기울인『한겨레』의 활동은 황우석 팀과 더불어 '파시즘의 대중심리'를 추종 및 조장하는 데 급급했던 보수 일간지들과 확연하게 구분될 수 있겠다. 그럼에도 불구하고 MBC가 다른 방송사보다 충실했다는 자기평

---

37) 이영희, 앞의 책, 98-99쪽.

가의 태도는 그다지 옳지 않다. 이번 사태는 사회 전반적 경향을 반영한 방송의 보수이념화를 확연하게 드러냈다. 따라서 조중동이 아닌 매체 전반의 주류에 포섭하는 흐름에 주목하고 이에 걸맞은 운동과 분석전략을 재구성해야 할 중대한 과제를 남겼다.

보수 일간지들에 의한 신화창조의 과정은 「PD수첩」이 방영되기 훨씬 이전부터 진행되어 왔다. 즉, '고난과 역경을 이겨내고 세계 최고의 과학자로 우뚝 선' 황 교수의 감동적인 이야기라든지 "자랑스러운 한국인으로서 오직 국가의 영광과 민족의 미래를 위해 분투하는 과학자가 되겠다."라는 황 교수의 약속이 오랫동안 신문과 방송을 도배하다시피 하였다. 신비주의 신화는 결코 일회적 작업이 아니라 이미지와 이야기들의 장기간의 축적을 통해 강력한 효과를 얻을 수 있다.[38] 한학수 PD가 조작에 대한 비판을 보도했을 때도 대부분의 미디어는 파편적으로 황우석 팀이 제공하는 '사실의 주장'만을 좇는 데 급급했고 대중에 영합하면서 진실이라는 핵심표적을 한참 비켜갔다. 결과적으로 고도의 선정주의로 나타나면서 복잡한 '사실'의 표면으로 본질을 은폐했다. 황 교수는 불구화된 '우리'를 마음만 먹으면 당장이라도 일으켜 세울 성인으로, 그리고 그의 연구행위는 미국과 일본 등 '그들'로부터 '우리'를 지켜줄 국가와 국익, 민족의 화신으로 우뚝 세워졌다.

궁극적으로 황우석 사건은 방송과 신문의 사건이다. 다시 말해 이 사건은 기회주의적 미디어의 사태이자 신화 기계적 저널리즘의 사태이다. 이는 한국 저널리즘의 총체적 무능을 드러냈을 뿐만 아니라 저널리즘의 정당성 위기를 더욱 심화시킨 결정적 계기를 만들어냈다. 단적으로 황우석 사건은 한국 언론사의 커다란 오점으로서 실패한 저널리즘의 효과는 매우 막대할 수밖에 없다. 그 효과는 진실의 회피,

---

38) 2005년 매일경제는 『세상을 바꾸는 과학자 황우석』이라는 책에서 황 교수를 '온 인류의 희망'으로 칭송하였다.

소통의 단절, 선전의 난무에 그치지 않고, 그로 인한 자본·국가·이념 권력의 재생, 민족·국인·애국 신화의 강화에 멈추지 않는다. 실패한 저널리즘은 공적 영역의 체계적 폐쇄를 가져오며, 결국 민주주의 후퇴라는 비극을 초래할 수 있다. 그리고 조직적 억압과 체계적 왜곡으로 지금 모두 체험하고 있는 섬뜩한 유사 파시즘의 반민주적 현실을 만든다. 이렇게 보았을 때 황우석 사건은 미디어의 문제, 저널리즘의 문제[39]를 정리한다는 의미로 받아들일 수 있다.

첫째, 저널리즘에 부여한 여론 대의의 역할에 대한 근원적인 의심을 해야 하며, 둘째, 기자와 저널리스트가 점유한 '전문가'적 지위에 대한 추궁을 해야 할 것이며, 셋째, 이들이 내놓는 부실한 뉴스와 기사에 기초한 소통과 판단양식에 대한 회의의 작업을 시작해야 할 것이다. 특히 KBS를 비롯한 방송을 조중동과 같은 신문보다 의미 있게 평가하는 잘못된 관습을 바꾸고 새로운 잣대를 제시해야 한다.[40] 주지하듯이, 황우석 사태와 관련하여 기자 저널리즘은 이념적, 정치적 측면과 주관적, 극적 측면을 은폐하는 심각한 오류를 낳았다. 과학의

---

39) 저널리즘 윤리회복은 민주주의 위기에 대한 정확한 인식을 기초로 다중의 역능발휘에 생산적으로 기여하고, 신자유주의 국가자본 권력에 의한 공적 영역의 실질적 포섭에 맞서는 사회적 커뮤니케이션으로서의 작동을 하게 해야 한다. ① 이성적이고 공개적인 소통, 언론, 여론의 공간으로 작동하고, ② 다중이 다양한 목소리로 정치실천에 참여토록 격려하며, ③ 그렇게 함으로써 민주주의를 일상적 언어과정으로 실현하도록 해야 한다. 그리고 황우석 사건은 한국사회 내 공적 영역이 사실상 부재하며, 지식인과 시민운동세력, 그리고 무엇보다 양식과 양심 있는 저널리즘의 실천을 통해 지속적으로 생성해야 함을 새삼 확인하게 했다. 저널리즘은 국가적인 것과 사적인 것 사이에서 '국익'이나 사익이 아닌 바로 공익(public, common interest)을 위해 기능해야 한다(전규찬, 「공통이익 보호, 민주언론 책임의 실패」, 김세균 외 편, 『황우석 사태와 한국사회』, 나남출판, 2006, 171-173쪽).

40) 원용진, 「두 방송 저널리즘, 기자 저널리즘」, 한국언론재단·전국언론정보학회 주최, 『황우석 신드롬과 PD수첩 그리고 언론보도의 문제 토론회 논문집』, 2005년 12월 13일.

문제에 관해 대다수 기자 저널리즘도 전혀 '과학적'이고 객관적인 공정한 태도를 보이지 못했다. 무엇보다 황우석 사태의 가장 큰 책임은 바로 황우석 자신에게 있다. 그가 '참 과학자'의 길을 올곧게 걷고자 했다면, '황우석 사태'라는 사건은 일어나지 않았을 것이다.[41] 황우석 사태의 핵심은 바로 '황우석의 사기'인 것이다. 그는 논문조작은 물론이고 연구윤리와 연구비 관리의 모든 면에서 커다란 잘못을 저질렀다. 가장 큰 잘못은 자신의 지지자들에게 과학적 태도를 당부하지 않았다는 것이다. 그는 과학자로서 최소한의 의무를 저버렸다. 최근 황우석 지지자들이 펼치는 '음모론'에서 잘 드러나듯이, 문신용 교수와 노성일 미즈메디 이사장을 비롯하여 거기에 연루된 모든 과학자들은 책임을 면할 수 없다.[42] 황우석 연구실의 많은 연구자들이 크든 작든 이 거대한 사기극에 연루되었다. 그들이 향후 진정한 과학자로 거듭나기 위해서는 이 잘못을 잊어버리는 누를 범해서는 안 되는 것은 두말할 나위가 없다. 우리 사회가 그들을 언제나 지켜보고 있다는 사실을 가슴 깊이 새기고 진정한 과학자가 되기 위해 최선을 다해야 할 것이다.

특히 간과할 수 없는 사실로서 황우석 지지자들의 책임도 무시할 수 없다.[43] 이른바 '황빠' 현상은 팬덤 문화의 한 양상으로 볼 수 있

---

41) 검찰의 수사결과에 의하면, 황우석 교수는 탁월한 '돈세탁' 실력을 갖고 있다는 사실이 밝혀졌다. "논문조작에 '탁월한' 솜씨를 발휘한 황 박사는 정부와 민간 후원단체 등에서 제공한 연구비를 횡령했는데, 그 솜씨도 수준급이었다. 황 박사는 가짜 세금계산서를 이용하거나 재료구입비를 과다 청구하는 수법 등을 써서 정부지원 연구비와 민간지원금 등 모두 27억 8,400만 원을 지원받거나 횡령했다. 63개 차명계좌를 이용해 연구원 인건비 명목으로 8억여 원을 빼돌리거나 재미교포에게 돈을 주고 미국에서 되돌려 받는 환치기 방법을 동원했다. 황 박사는 또 2005년 1월 생명윤리법 발효 이후 난자를 제공받는 과정에서 모두 25명에게 3,800만 원에 이르는 금품을 제공한 것으로 드러났다."(『시사저널』, 2006년 5월 18일)

42) 『세계일보』, 2004년 10월 11일자.

다. '황빠'는 황우석을 단순히 추종하는 사람들이 아니다. 그들은 스스로 의미를 생산하며 적극적으로 황우석을 보호하고자 한다. 이런 점에서 '유사 파시즘적'이라는 지적은 피상적일 수 있다. 우선 황우석은 '유사 파쇼'가 아니며, 자신의 지지자들에게 지시하지 않는다. 그는 다만 자신의 지지자들이 쉽게 받아들일 수 있는 말을 할 뿐이다.44) 다시 말해 황빠 현상이란 '스타덤'에 대응하는 스타가 아니라 팬이 지배하는 상태를 뜻한다. 스타덤이 수동적 팬을 상정한다면, 팬덤은 스타만큼이나 능동적 팬을 상정한다. 단순히 스타를 추종하는 팬이 아니라 적극적으로 스타를 옹호하고 규정하는 팬이 나타난 것이다. 이런 현상은 서태지의 팬으로부터 시작되었으며, 이른바 '노빠'는 정치권에서 나타난 최초의 팬덤 현상이다. 팬덤은 그 자체로만 보았을 때 그다지 나쁜 것이 아니다. 오히려 그것은 민주화 과정의 한 측면일 수 있다. 그러나 사기를 진실로 강변하고 진실을 폭력으로 억압하는 순간 팬덤은 자발적 맹신과 폭력의 발현으로 타락한다.45) 인도주의로 포장된 애국주의와 민족주의, 성장주의와의 약속이다. 이 약속의 강력한 힘은 바로 과학이다. 따라서 황우석의 약속은 과학주의의 약속이기도 하다.46) 황우석 지지자들은 이 약속을 적극적으로 해석했다. 이렇게 하여 황우석 사태라는 과학사기와 과학맹신의 이중주가 울려 퍼진 것이다. 이러한 전주곡은 우리 사회가 고도성장과 민주화라는 역사적 성취에도 불구하고 여전히 과거의 덫에 사로잡혀

---

43) 현재 황우석 지지자 사이에는 또 다른 '책임'을 놓고 내분이 일고 있다. 황우석 지지자와 숭배자 사이의 전략적 차이와 대응방법에 관한 전술적 차이가 이미 상당히 나타났다.

44) 홍성태, 「황우석 사태의 형성과 전개」, 김세균 외 편, 『황우석 사태와 한국사회』, 나남출판, 2006, 25쪽.

45) 같은 글, 27쪽.

46) 강신익, 「황우석 사태를 통한 한국의 과학문화 진단」, 민주정책연구원 주최 토론회, 『황우석 사건을 보는 한국의 과학과 민주주의』, 서울 민주화운동기념사업회 교육장, 2006년 2월 2일.

있음을 보여주는 명백한 증거이다.[47]

이러한 측면에서 이번 황우석 사태와 관련하여 정계, 언론계, 학계의 유착망의 문제는 대단히 중요하다. 이 유착망의 주체들은 과거의 덫을 보존하거나 변형하는 식으로 자신의 이익을 최대한 추구한다. 황우석 사태는 이런 모순상태가 빚은 극단적 결과이다. 기존 체계에 적응한 대중의 보수주의가 여기에 영향을 미치기도 했다. 그러나 대중의 보수주의를 핑계로 개혁을 유보하거나 폐기하는 것은 배신 이외의 어떤 것도 아니다. 이 점에서 황우석 사태는 이미 배신의 길로 깊이 들어섰는지 모르는 민주화 세력에 대한 강력한 정치적 경고로 받아들일 수 있다.

4. 맺는 말

지금까지 우리나라의 과학기술정책은 박정희 정권 이래로 참여정부에 이르기까지 성장주의와 권위주의, 애국주의와 민족주의를 기반으로 한 정책이 추진되어 왔다는 것을 살폈다. 따라서 우리의 과학기술정책은 성장지상주의와 권위주의와의 단절 내지 타파 그리고 사회적 책임의식의 고취 등을 통해 다음과 같이 새로운 길을 찾아야 한다.

첫 번째, 이번 황우석 사태를 거울삼아 이제껏 성장지상주의에 사로잡힌 우리나라 과학연구의 오래된 관행을 근본적으로 뒤바꾸어야 한다는 점이다. 향후에도 과학만능주의의 정책이 요지부동이라면, 성장과 성과의 결과만을 중시하는 과학기술정책은 제2, 3의 황우석 사태를 언제든지 불러올 소지가 다분히 있다. 다시 말해 성장지상주의적 과학기술 정책레짐이 지속되는 한, 황우석 사태에서 보여주었듯

---

47) 최종덕, 「기획적 속임과 자발적 속임의 진화발생학적 해부」, 민주정책연구원 주최 토론회, 『황우석 사건을 보는 한국의 과학과 민주주의』, 서울 민주화운동기념사업회 교육장, 2006년 2월 2일.

이, 난자 매매와 같은 비정상적 절차를 통한 연구수행이나 논문조작 같은 일탈행동은 얼마든지 다시 발생할 수 있다. 따라서 근본적으로는 이러한 성장지상주의적 과학기술 정책레짐이 과학기술의 경제적 측면만이 아니라 사회적, 윤리적, 인문적 측면 등을 포괄적으로 사유하고 실천하는 "새로운 '사회통합적' 과학기술 정책레짐으로 혁신"[48] 되어야 한다. 이런 측면에서 미국이나 유럽 일부 국가에서 폭넓게 적용되는 과학기술의 사회적 영향을 사전에 연구·검토하여 과학기술이 사회에 더 긍정적인 방향으로 연구·개발될 수 있도록 그 과정에 정책적으로 개입하여 '기술영향평가(technology assessment)' 제도나 연구자들의 '연구 진실성' 제고를 위한 제도를 적극적으로 도입해야 한다. 예를 들어 미국의 통합연구소(Office of Research Integrity)와 같은 제도를 우리 상황에 맞추어 충실하게 도입하는 것도 그러한 혁신을 위한 첫걸음이 될 수 있다.[49] 물론 유명무실하거나 때로는 들러리 역할을 한다고 비판받는 "각종 제도(IRB, 국가생명윤리자문위원회 등)"[50]도 이 기회에 근본적으로 내실화해야 한다. 또한 국가나 국

---

48) 이영희, 「황우석 사태와 과학기술정책」, 김세균 외 편, 『황우석 사태와 한국 사회』, 나남출판, 2006, 102쪽.

49) 같은 글, 103쪽.

50) 최근 과학기술정책 분야에서 활동하고 있는 자문위원회를 통한 시민참여의 대표적인 예는 '생명자문위원회'를 들 수 있다. 이 생명자문위원회는 우리나라에서도 인간배아복제와 같은 생명복제를 둘러싼 사회적 논란이 격화되자 과학기술부가 2000년 8월에 "최근 생명과학의 급속한 발전으로 야기되고 있는 생명윤리에 관한 여러 문제들을 논의하여 정부에서 마련하려는 생명윤리 관련법안의 근본 틀을 제시하는 것을 임무"로 하여 만든 것이다. 여기에는 인문사회과학자(5명), 시민단체(2명) 및 종교단체(3명) 대표, 생명과학자(5명), 그리고 의학자(5명) 등 총 20명의 자문위원이 참여하였다. 전체 20명 중 2명에 불과하지만 시민단체들도 여기에 참여하여 정책결정에 시민들의 목소리가 반영될 수 있도록 노력하였다. 그러나 이러한 시민참여 역시 상당한 한계를 지니고 있다. 왜냐하면 자문위원회는 말 그대로 장관에게 자문하는 역할만을 부여받고 있어 이 위원회에서 결정된 사항이 강제력을 갖는 것은 아니기 때문이다. 따라서 만약 자문위원회가 정부의 방침과는 상당히 어긋나는

민에게 중대한 영향을 끼칠 수 있는 보도에 대해서는 시민단체나 일부 국민, 또는 관련 공공기관이 대표하여 정정 보도를 청구할 수 있는 일종의 민중소송제도의 도입을 신중히 검토할 필요가 있다.

두 번째, 이를 뒷받침하기 위해 언론의 책임을 강화하는 개혁입법을 해야 한다. 물론 사법부의 기능이 본질상 소극적이고 보수적일 수밖에 없고, 언론의 자유를 보장하는 것도 중요하지만 민주화된 현재에는 언론의 사회적 책임이 더 중요한 의미를 가진다. 따라서 이번 황우석 사태로 언론에 대한 민주적 규제와 책임을 제도적으로 확대·강화하여 입법화의 공론의 계기로 삼아야 한다. 철학자 한스 요나스가 『책임의 원칙』에서 주장하는 바와 같이, 사회의 전반적인 책임윤리의식의 고양은 그 어느 때보다 시급한 실정이다. 책임은 도덕적인 전제조건이 되기도 하지만, 도덕 그 자체는 아니다. 책임의 전제조건은 인과적 권력을 지닌다. 행위자는 자신의 행위에 대해 책임을 져야 한다. 행위결과에 대한 책임은 일차적으로 법적인 의미이지 도덕적인 의미만은 아니다. 그 원인이 악행이 아니었고 결과가 의도된 것이 아니라고 하더라도 저지른 피해는 보상받아야 한다.51) 그러나 책임소재가 분명하고 결과가 예측할 수 없는 영역으로 사라지지 않을 정도로 행위와 밀접한 인과관계가 있을 때에만 그렇다. 따라서 책임의 가장 일반적이고 우리에게 근접해 있는 유형은 자기행위의 결과나 그 결과에 대해 관계되어 있다는 것이다.52) 행위를 수행하는

안을 정부에 가져올 경우 정부는 이를 완전히 무시할 수도 있다. 한편 과학기술부를 필두로 한 정부에서는 작년 말에 '과학기술기본법'을 제정하면서 "정부는 과학기술정책 및 추진 과정에 민간 전문가, 관련단체, 과학기술관련 비정부기구 등의 참여를 확대하고 일반국민의 다양한 의견을 수렴할 수 있는 방안을 강구해야 함"을 기본조항으로 명시했다.

51) Hans Jonas, *Das Prinzip Verantwortung. Versuch einer für die techonologische Zivilisation*, Frankfurt a. M., 1984, 174쪽. (이진우 옮김, 『책임의 원칙: 기술시대의 생태학적 윤리학』, 서광사, 1994)
52) 양해림, 「생태계의 위기와 책임윤리의 도전: 한스 요나스의 책임개념을 중심

데 있어서 그것을 세심하게 관찰하였을 때, 어떤 행위는 주의해야 함을 회피하는 것일 수 있다. 또한 행위 없이도 부주의함은 부정적인 원인을 제공하게 되고 그렇게 될 때 책임을 부과시킨다. 그렇기 때문에 인간배아복제가 세심한 주의 없이 부주의하게 진행된다면, 부정적인 인과적 행위의 책임이 될 수 있다. 무엇보다 책임은 행위의 주체자가 의도하거나 의도되지 않은 결과에 의해서도 나타난다. 책임은 나른 개인이나 사물과 관계되어 있는 구체적이고 기본적인 행위결과에서 진행된다.[53] 주지하듯이, 황 교수의 연구의 성공은 창의성 때문이 아니라 윤리적인 시비를 벗어나 복제연구를 할 수 있는 환경, 난자를 쉽게 구할 수 있는 환경, 연구원들의 축적된 기술 덕분인 측면이 강했다. 요컨대 책임의 주제를 황우석 사태로 대변되고 인간배아복제와 연관시켜 볼 때, 생명에 대한 책임은 단지 개인적 차원이 아니라 총체적인 연속성을 지녀야 한다. 즉 책임의 주제는 총체적이며 인류의 밝은 미래를 위한 영속적인 역사의 관점으로 접근해야 한다는 점이다. 따라서 책임의 과제는 총체적이고 영속적이며, 역사적이며, 현재는 물론 미래의 지평까지도 포함해야 한다.

세 번째, 과학자 사회 내의 비민주적이고 내적 권위주의적인 연구문화를 타파해야 한다. 우리나라의 과학기술 정책레짐은 내적 권위주의의 문제가 강하게 나타난다. 주지하듯이 황우석 사태는 우리나라 과학자 사회 내에 비민주적, 내적 권위주의적 연구문화가 만연했음을 보여주었다. 예컨대 황 교수가 실험실 내 여성 연구원들의 난자를 제공받았다는 점이 바로 그것이다. 특히 연구원이 '자발적으로' 난자를 제공한 사실도 윤리적 문제점을 떠안고 있지만, 연구원이 외압을 느껴 난자를 제공하지 않을 수 없었다는 것은 이러한 비민주적 실험실

으로」, 『철학』 제65집, 한국철학회, 2000 겨울, 247-253쪽 참조.

53) Günter Rophol, "Neue Wege, die Technik zu verantworten", in: *Technik und Ethik*, Stuttgart, 1993, 157쪽.

문화가 심각한 문제임을 증명해 준다.54) 무엇보다 실험실의 민주화는 한걸음 더 나아가 '과학자 사회의 민주화'가 매우 시급한 과제임을 단적으로 말해 준다. 따라서 과학자 사회의 내적 권위주의에 대항하는 실질적 민주주의 정착이 황우석 사태로부터 배울 수 있는 중요한 교훈이라 할 수 있다.

네 번째, 시민사회에 대한 과학기술 파워 엘리트들의 폐쇄성을 의미하는 외적 권위주의를 물리쳐야 한다. 외적 권위주위는 단지 형식적 민주주의가 확대되었다는 것을 뜻하며, 실질적 민주주의가 여전히 제자리에 머물러 있음을 보여주는 단적인 실례라 할 수 있다. 여전히 전문가들의 과학기술주의는 강고하고 뿌리 깊게 자리 잡은 전문가주의라는 '신화'에 기반한다. 과학만큼은 민주주의와 관계없다는 '과학예외주의'를 신봉하는 전문가주의에 기반한 외적 권위주의는 과학기술정책 결정과정의 투명성과 민주성이 담보되는 것을 방해하고, 밀실행정의 비밀주의를 부추김으로써 종국에는 황우석 사태와 같은 엄청난 부정적 결과를 낳았다. 오래 전부터 시민사회 일각에서 황 교수의 연구가 가져올 수 있는 사회적, 윤리적 문제점을 여러 번 제기했지만, 그때마다 정부는 앞장서서 그러한 문제제기를 생명공학에 대해 잘 알지 못하는 무지한 사람들의 발목잡기 정도로 취급했기 때문이다. 따라서 우리의 과학계도 1998년 11월 유럽에서 개발된 합의회의 모델을 전문가 집단 내에 더욱 확대해야 할 것이다.55) 향후 시민사회가 주도하는 시민참여 프로그램을 개발하여 정부의 최종적인 정책결정에 영향을 미치도록 해야 한다.

54) 이영희, 「황우석 사태와 과학기술정책」, 김세균 외 편, 『황우석 사태와 한국사회』, 102쪽.

55) 이영희, 「과학기술정책과 시민참여모델」, 참여연대시민과학센터 편, 『과학기술 · 환경 · 시민참여』, 한울, 2002, 33-34쪽.

참고문헌

[제 1 장] 철학에서 바라보는 문화교육

강내희, 「문화교육을 위한 대학학문제도의 개혁방향」, 심광현 편, 『이제, 문화교육이다』, 문화과학사, 2006.

강영안, 「문화개념의 철학적 배경」, 『문화철학』, 철학과현실사, 1996.

김문환, 『문화교육론』, 서울대 출판부, 1999.

김종래, 『유목민 이야기』, 자우출판, 2002.

김종헌, 『문화해석과 문화정치』, 철학과현실사, 2003.

김용석, 「문화 패러다임으로서 사이」, 『문화적인 것과 인간적인 것』, 푸른숲, 2000.

김욱동, 『포스트모더니즘의 이론』, 민음사, 1997.

니콜라스 네그로폰테, 백욱인 옮김, 『디지털이다』, 박영률출판사, 1995.

랄프 콘너스만, 이상엽 옮김, 『문화철학이란 무엇인가』, 북코리아, 2006.

마샬 맥루한, 김성기·이한우 옮김, 『미디어의 이해: 인간의 확장』, 민음사, 2002.

마이클 왈쩌, 송재우 옮김, 『관용에 대하여』, 미토, 2004.

마이클 왈쩌, 정원섭 외 옮김, 『정의와 다원적 평등: 정의의 영역들』, 철학과현실사, 1999.

메를로-퐁티, 『지각의 현상학』, 문학과지성사, 2002.

문화연대 문화교육위원회, 「21세기 문화교육운동 선언문」, 심광현 편, 『이제, 문화교육이다』, 문화과학사, 2003.

박신의, 「예술인가? 문화생산인가?」, 영상문화학회 편, 『이미지는 어떻게 살고 있는가』, 생각의 나무, 2000.

박이문, 「문화의 상대성과 보편성: 문화다원주의」, 『역사적 전환기의 문화적 재편성』, 철학과현실사, 2002.

박종식, 「칸트 철학과 리오타르의 포스트모더니즘」, 한국칸트학회 편, 『칸트 철학과 현대』, 철학과현실사, 2002.

박해용, 『서양 철학사』, 두리미디어, 2002.

백종현, 『철학의 개념과 주요문제』, 철학과현실사, 2007.

심광현, 『프랙탈』, 현실문화연구, 2006.

심광현, 「교육개혁과 문화교육운동: 지식기반사회에서 문화사회로의 이행을 위해」, 심광현 편, 『이제, 문화교육이다』, 문화과학사, 2003.

원용진, 「철학으로 영상보기/영상으로 철학하기」, 『철학과 현실』, 철학문화연구소, 2002 가을.

양해림, 「메를로-퐁티의 몸의 문화현상학」, 한국현상학회 편, 『몸과 현상학』, 철학과현실사, 2000.

양해림, 「매체의 해석학: 맥루한의 미디어의 이해를 중심으로」, 『해석학연구』 제18집, 2006 가을

양해림, 『미의 퓨전시대: 미·예술·대중문화의 만남』, 철학과현실사, 2001.

오트프리트 회페, 박종대 옮김, 『정의』, EjB, 2004.

이광세, 「포스트모더니즘, 다원주의, 그리고 지평선의 융합: 동과 서」, 『철학과 현실』, 철학문화연구소, 2005 봄.

이강수, 『대중문화와 문화 산업론』, 나남출판, 1998.

윤평중, 『포스트모더니즘의 철학과 포스트 마르크스주의』, 서광사, 1992.

정현선, 『다매체시대의 국어교육과 문화교육』, 역락, 2004.

존 롤즈, 장동진 옮김, 『정치적 자유주의』, 동명사, 2003.

찰스 테일러, 송영배 옮김, 『불안한 현대사회』, 이학사, 2001.

최혜실, 「영상, 디지털, 서사」, 영상문화학회 편, 『이미지는 어떻게 살고 있는가』, 생각의 나무, 2000.

한국철학사상연구회 편, 『삶과 철학』, 동녘, 1997.

M. 호르크하이머·Th. W. 아도르노, 김유동 외 옮김, 『계몽의 변증법』, 문예출판사.

Chirac, Jacques, French President, "Speech at the Inauguration of the 21st Session of the General Conference UNESCO", in: on Oct. 15. 2001.

Rawls, John, *The Law of Peoples*, Harvard University Press, 1999.

Rawls, John, *Political Liberalism*, Columbia University Press, 1993.

Taylor, Charles, *The Ethics of Authenticity*, Harvard University Press, 1991.

Vatttimo, Gianni, *Nihilism & Emancipation*, William McCuaig(Hg.), New York, 2003.

[제 2 장] 문화다원주의 시대는 보편적 정치윤리를 요구하는가?

김용환, 『관용과 열린사회』, 철학과현실사, 1999.

마이클 왈쩌, 송재우 옮김, 『관용에 대하여』, 미토, 2004.

마이클 왈쩌, 김용환 외 옮김, 「정치와 이성 그리고 열정」, 『자유주의를 넘어서』, 철학과현실사, 2001.

박구용, 『우리 안의 타자』, 철학과현실사, 2003.

박구용, 「다원주의와 담론윤리학」, 『철학』 제76집, 2003.

박이문, 「문화의 상대성과 보편성: 문화다원주의」, 『역사적 전환기의 문화적 재편성』, 철학과현실사, 2002

박정순, 「공동체주의의 정의관의 본질과 그 한계」, 『철학』, 한국철학회, 1999 겨울.

양해림, 「공동체주의와 자유주의 논쟁: 아펠의 선험적 의사소통공동체이론을 중심으로」, 『디오니소스와 오디세우스의 변증법』, 철학과현실사, 2000.

엄정식, 「하버마스와 롤즈의 정치적 자유주의」, 『자아와 자유』, 길, 1999.

오트프리트 회페, 박종대 옮김, 『정의』, EjB, 2004.

이상화, 「세계화와 다원주의」, 한국철학회 편, 『다원주의, 축복인가 재앙인가』, 철학과현실사, 2003.

임홍빈, 「인권 개념의 철학적 정당화와 문화다원주의」, 『철학연구』 제54집, 철학연구회, 2001.

장은주, 「문화다원주의와 보편주의」, 한국철학회 편, 『다원주의, 축복인가 재앙인가』, 철학과현실사, 2003.

지오반니 보리도리, 손철성 외 옮김, 『테러시대의 철학: 하버마스, 데리다의 대화』, 문학과지성사, 2004.

찰스 테일러, 송영배 옮김, 『불안한 현대사회』, 이학사, 2001.

황경식, 「대화와 관용」, 『개방사회와 사회윤리』, 철학과현실사, 1995.

황경식, 『자유주의는 진화하는가』, 철학과현실사, 2006.

홍성우, 「자아의 정체성과 선의 관련성 문제: 찰스 테일러의 견해를 중심으로」, 『범한철학』 제25집, 2002 여름.

Chirac, Jacques, French President, "Speech at the Inauguration of the 21st Session of the General Conference UNESCO", in: on Oct. 15. 2001.

Bielefeldt, Bielefeldt, "Muslimische Stimmen in der menschenrechtsdebatte", in: Raul Fomet-Betancourt(Hg.), *Menschenrechte im Streit zwischen Kulturpluralismus und Universalität*, Frankfurt a. M., 2000.

Forst, Rainer, "Toleranz im Konflikt, Geschicht, Gehalt und Gegenwart eines umstrittenen Begriffs", Frankfurt a. M., 2003.

Forst, Rainer(Hg.), *Toleranz -philosophische Grundlagen und gesellschaftliche Praxis einer umstrittenen Tugend*, Frankfurt a. M./New York: Campus Verlag, 2000.

Fraser, Nancy und Honneth, Axel, *Umverteilung oder Anerkennung?*, Frankfurt a. M., 2003.

Gutmann, Amy, "Das Problem des Multikulturalismus in der politischen Ethik", in: *Deutsche Zeitschrift für Philosophie*, 434(1995).

Habermas, Jürgen, *Die Einbeziehung des Anderen: Studien zur politische Theorie*, Frankfurt a. M., 1996. (황태연 옮김, 『이질성의 포용』, 나남출판, 2000.)

Habermas, Jürgen, "Kulturelle Gleichbehandlung -und die Grenzen des Postmodernen Liberalismus", in: *Deutsche Zeitschrif für Philosophie*, 51 (2003).

Habermas, Jürgen, "Religious Tolerance: The Pacemaker for Cultural Rights", in: *Philosophy*, Vol. 19, No. 307, 2004.

Habermas, Jürgen, "Werte und Normen", in: *Deutsche Zeitschrift für Philosophie*, 48(2000)

Hellesnes, Jon, "Toleranz und Dissens. Diskurstheoretische Bemerkungen uber Mill und Rorty", in: K.-O. Apel/Matthias Kettner, *Zur Anwendung der Diskursethik in Politik, Recht und Wissenschaft*, Frankfurt a. M., 1993.

Honneth, Axel, *Kampf um Anerkennung. Zur moralischen Grammatik so-*

zialer Konflikte, Frankfurt a. M., 1992. (문성훈 외 옮김, 『인정투쟁』, 동녘, 1996.)

Kersting, Wolfgang, *Recht, Gerechtigkeit und demokratische Tugend*, Frankfurt a. M., 1997.

Krebs Angelika(Hg.), *Gleichheit oder Gerechtigkeit*, Frankfurt a. M., 2000.

King, Preston, *Toleration*, New York, 1976.

Rawls, John, *A Theory of Justice*, Revisited Edition, Havard University Press, 1999. (황경식 옮김, 『정의론』, 이학사, 2003.)

Rawls, John, *Political Liberalism*, Columbia University Press, 1993. (장동진 옮김, 『정치적 자유주의』, 동명사, 2003.)

Rawls, John, *The Law of Peoples*, Havard University Press, 1999. (장동진 외 옮김, 『만민법』, 이끌리오, 2000.)

Reese-Schäfer, *Was ist Kommunitarismus?*, Frankfurt a. M./New York: Campus Verlag, 1995.

Stemmer, Peter, "Die Rechtfertigung moralischer Normen", in: *Zeitschrift für philosophische Forschung*, Bd. 58, Heft. 4, 2004.

Taylor, Charles, *The Ethics of Authenticity*, Harvard University Press, 1991.

Taylor, Charles, *Multikulturalismus und die Politik der Anerkennung*, Frankfurt a. M., 1993.

Thomä, Dieter, "Multikulturalismus, Deutschland; Nation zur Philosophie der deutschen Einheit", in: *Deutsche Zeitschrift für Philosophie*, 43(1995).

Walzer, Michael, "What does it mean to be an "American"?", in: *Social Research*, No. 3, 2004.

[제 3 장]   생태문화운동과 철학

김종철, 『간디의 물레: 에콜로지와 문화에 관한 에세이』, 녹색평론사, 2005.

김진, 『칸트의 생태주의적 사유』, 울산대 출판부, 1998.

닐 포스트먼, 김균 옮김, 『테크노폴리』, 민음사, 2001.

랄프 콘너스만, 이상엽 옮김, 『문화철학이란 무엇인가』, 북코리아, 2006.

머레이 북친, 구승회 옮김, 『휴머니즘의 옹호』, 민음사, 2002.

문순홍, 『생태학의 담론』, 아르케, 2006.

문순홍, 『정치생태학과 녹색국가』, 아르케, 2006.

박이문, 「21세기 문화 전망과 희망: 생태학적 문화를 위한 제언」, 한국철학회 편, 『문화철학』, 철학과현실사, 1996.

송근, 「한양주택, 제발 그대로 놔둬라」, 『한겨레 21』, 2006년 2월 14일자.

송명규, 『현대생태사상의 이해』, 따님, 2004.

오스발트 슈펭글러, 양우석 옮김, 『인간과 기술』, 서광사, 1998.

오용선, 「경제의 녹색화, 녹색경제 모델」, 문순홍 편, 『녹색국가의 탐색』, 아르케, 2006.

울리히 벡, 정일준 옮김, 「환경 나기아벨리즘 개론: 아래로부터의 녹색민주주의」, 『적이 사라진 민주주의』, 새물결, 2005.

원승룡, 『문화이론과 문화철학』, 서광사, 2007.

윤형근, 「생명을 위한 삶과 사회적 총체적 변혁」, 『녹색운동의 길잡이』, 환경과 생명, 2002.

이형수, 「미군만 좋은 용산 미군기지반환협상」, 『환경운동연합』, 2006년 9월호.

이해영, 『낯선 식민지 한미 FTA』, 메이데이, 2006.

조명래, 「욕망과 자연의 상품화와 신개발주의」, 조명래 외, 『新개발주의를 멈춰라』, 환경과 생명, 2005.

최준영, 「한양주택을 통해 상상하는 도시공간에서의 생태와 문화」, 『환경운동연합』, 2006년 5월호.

카트린 라레르, 「새로운 윤리?」, 베어드 캘리콧 외, 윤미연 옮김, 『자연은 살아있다』, 창해. 2004.

프린츠 브케티즈, 박종대 옮김, 『자연의 재앙, 인간』, 시아출판사, 2004.

한면희, 『초록문명론』, 동녘, 2004.

한상진, 「과학기술 운동: 전문가 독점에서 '기술 시민권으로」, 『환경운동의 길잡이』, 환경과 생명, 2002.

홍성태, 『대한민국, 위험사회』, 당대, 2007.

홍성태, 「폭압적 근대화와 위험사회」, 이병천 편, 『개발독재와 박정희 시대』, 창비, 2003.

헬레나 노르베리-호지 · 반다나 시바, 홍수원 옮김, 『진보의 미래』, 두레, 2006.

헬레나 노르베르-호지, 김종철 · 김태언 옮김, 『오래된 미래: 라다크로부터 배운다』, 녹색평론사.

클라우스 미하엘 마이어-아비히, 박명선 옮김, 『자연을 위한 항거』, 도요새,

2001.

『세계일보』, 2006년 8월 16일자.

『중앙일보』, 1998년 8월 30일자; 1998년 10월 19일자.

www.pressian.com/2006-08-24.

Bacon, Francis, *Novum Organum*, Bd. 28, London, 1983.

Jonas, Hans, *Das Prinzip Verantwortung, Versuch einer Ethik für die tech-nologische Zivilisation*, Frankfurt a. M., 1984.

Jonas, Hans, *Technik, Medizin und Ethik*, Frankfurt a. M., 1985.

Spengler, Oswald, *Der Untergang des Abendlandes, I, -Umrisse einer Morphoologie der Weltgeschichte*, München, 1923.

Toynbee, A., *Kultur am Scheidewege*, Ullstein/Berlin, 1948/1958.

Welsch, Wolfong, *Vernunft. Die zeitgenoessische Vernunftkraft und Konzept der transversalen*, Frankfurt a. M., 1997.

[제 4 장] 슈펭글러의 문화유기체론

강대석, 「슈펭글러」, 『새로운 역사철학』, 한길사, 1991.

그레이스 E. 케언즈, 이성기 옮김, 『동양과 서양의 만남: 역사철학』, 평단문화사, 1984.

노명식, 「슈펭글러의 사관」, 『현대역사사상』, 정우사, 1978.

안건훈, 「슈펭글러 · 토인비의 문명사관」, 『역사와 역사관』, 서광사, 2007.

요하네스 피셜, 백승균 옮김, 『생철학』, 서광사, 1987.

임희완, 『20세기의 역사철학자들』, 건국대 출판부, 2003.

정항희, 『서양역사철학사상론』, 법경출판사, 1993.

차하순 편, 『사관이란 무엇인가』, 청람, 1978.

R. G. 콜링우드, 김봉호 옮김, 『서양사학사』, 탐구당, 1984.

Sorokin, Pitirim, *Social Philosophies of an Age of Crisis*, 1950.

Spengler, Oswald, *Der Untergang des Abendlandes, I, -Umrisse einer Morphoologie der Weltgeschichte*, München, 1923.

Spengler, Oswald, *Der Mensch und die Technik*, Berlin, 1932,

Hughes, H. Stugart, *Oswald Spengler*, New Brunswick, 1992.

[제 5 장] 니체의 몸 철학

김정현,『몸의 철학』, 지성의 샘, 1995.

백승영,「니체읽기의 방법의 역사」,『니체가 뒤흔든 철학 1000년』, 한길사 2000.

백승영,『니체, 디오니소스적 긍정의 철학』, 책세상, 2005,

양해림,「니체의 디오니소스적 예술관 (II): 비극의 탄생에서 드러난 음악관 을 중심으로」,『칠학』 제60집, 1999 겨울.

이진우,『이성은 죽었는가』, 문예출판사, 1998.

이진우,「욕망의 계보학: 니체와 들뢰즈를 중심으로」,『니체연구』 제6집, 2004.

정화열,『몸의 정치와 예술, 그리고 생태학』, 아카넷, 2005.

페터 슬로터다이크, 이진우·박미애 옮김,『냉소적 이성비판』, 에코리브르, 2005.

프리드리히 니체, 김정현 옮김,『선악의 저편/도덕의 계보』, 책세상, 2002.

하버마스, 이진우 옮김,『현대성의 철학적 담론』, 문예출판사, 1997.

홍은영,『푸꼬와 몸에 대한 전략』, 철학과현실사, 2004.

Abel, G., *Die Dynamik der Willen zur Macht und die ewige Wiederkehr*, Berlin, 1984.

Bernard, B., "Nietzsche and the New", in: *Nietzsche-Studien*, Bd. 33, 2004.

Buchheim, Th., "Die Grundlagen der Freiheit: Eine Einführung das Leib-Seele-Problem", in: *Philosophische Jahrbuch*, 11. Jg. 2004.

Foucault, M., "Sex als Moral. Gespräch mit Herbert Dreyfus und Paul Rainnow", in: Ders. *Von der Freundschaft*, Frankfurt a. M., 1984.

Grätzel, S., *Die philosophische Entdeckung des Leibes*, Stuttgart, 1989.

Husserl, E., "Ideen zu einen reinen Phänomenologie und phänomenolog-schen Philosophie, II", in: *Husserliana*, Bd. IV, Haag Martinus Nijhoff, 1952.

Kaulbach, F., *Nietzsches Interpretation der Natur*, in: *Nietzsche-Studien*, 10/11(1981/1982).

Lash, S., "Genealogy and the body: Foucault, Deleuze, Nietzsche," in: *The Body, Critical Concepts*, The Aberdeen(Hg.), New York: Routledge, 2004.

Nietzsche, F., *Sämtliche Werke*, hrsg. v. M. Nontinari, Bd. 1, 3, 4, 7, 10,

11, 12, 13, Berlin/NewYork, 1980.

Schopenhauer, A., *Sämtliche Werk*, Bd. 1, von Löhneyen, Frankfurt a. M., 1986.

Waldenfels, B., *Das leibliche Selbst*, Frankfurt a. M., 2000,

Zittel, C. "Ästhetisch fundierte Ethiken und Nietzsches Philosophie," in: *Nietzsche-Studien*, Bd. 32, 2003.

[제 6 장] 메를로-퐁티의 몸의 문화현상학

김정현, 『니체의 몸철학』, 지성의 샘, 1995.

김용호, 『몸으로 생각한다』, 한길사, 1998.

김형효, 「동서 사상에 대한 어떤 철학적 독법」, 『철학연구』 제47집, 철학연구회, 1999 가을.

김형효, 『메를로-퐁티와 애매성의 철학』, 철학과현실사, 1997.

김홍우, 『현상학과 정치철학』, 문학과지성사, 1999.

A. 로비네, 류종렬 옮김, 『프랑스철학사』, 서광사, 1987.

류의근, 「메를로-퐁티에 있어서 신체와 인간」, 『철학』 제50집, 1997 봄.

발덴펠스, 최재식 옮김, 『현상학의 지평』, 울산대 출판부, 1998.

신오현, 『자유와 비극: 사르트르의 인간존재론』, 문학과지성사, 1986.

이거룡 외, 『몸 또는 욕망의 사다리』, 한길사, 1999.

장문정, 『메를로-퐁티의 살의 기호학』, 한국학술정보(주), 2005.

장문정, 「메를로-퐁티의 데카르트적 성찰」, 『철학연구』 제21집, 고려대학교 철학연구소, 1988.

정화열, 『혁명의 변증법: 모택동과 메를로-퐁티』, 민음사, 1999.

정화열, 이주환 외 옮김, 『몸의 정치와 예술, 그리고 생태학』, 아카넷, 2005.

조광제, 「모리스 메를로-퐁티」, 조광제 외, 『현대철학의 흐름』, 동녘, 1996.

조광제, 「메를로-퐁티의 후기 철학에서의 살과 색」, 한국현상학회 편, 『예술과 현상학』, 철학과현실사, 2001.

조광제, 『주름진 작은 몸들로 된 몸: 몸 철학의 원리와 전개』, 철학과현실사, 2003.

최재식, 「메를로-퐁티 현상학에 있어 형태 개념에 의거한 사회성 이론 (I)」, 한국현상학회 편, 『현상학과 실천철학』, 철학과현실사, 1993.

한국사르트르연구회 편, 『사르트르와 20세기』, 문학과지성사, 1999.

Herbert Spiegelberg, 김경호 옮김, 『현상학적 운동 II』, 이론과 실천, 1992.

Alexandre Metraux, "Zur Wahrnehmungstheoretie Merleau-Pontys", in: B. Waldenfels, *Leibhaftige Vernunft*, München, 1986.

Barral, Mary Rose, *Merlau-Ponty: The Role of the Body-subjekt Interpersonal Relations*, Doqesne University Press, 1965.

Frostholm, Birgit, *Leib und Unbewußtes. Freudes Begriff des Unbewußten interpreitiert durch den Leib-Begriff Merleau-Pontys*, Bonn, 1978.

Bubner, Rüdiger, "Kritische Fragen zum Ende des Französischen Existentialismus", in: *Philosophische Rundschau*, 14, Jg. 1967.

Levin, David Michael, "Tracework: Myself and in the Moral Phenomenologie of Merleau-Ponty and Levinas", in: *International Journal of Philosophical Studies*, Vol. 6, No. 3, 1988.

Dillon, M. C., "Gestalt theory and Merleau-Ponty's Concept of Intentionality", in: *Man and World*, Vol. 4, 1971.

Grätzel, Stephan, *Der Mensch und Sein Leib*, Tübingen, 1967.

Hastedt, Heiner, "Neuerscheinungen zum Leib-Seele-Problem", in: *Philosophische Rundschau*, Bd. 42, 1995.

Hwa Yol, Jung, "The Radical Humanization of Politics: Maurice Merleau-Ponty's Philosophy's of Politics", in: *Archive für Rechts- und Sozialphilosophie*, Vol. 53, 1967.

Kaufmann, Walter, *The Portable Nietzsche*, New York: Penguin Books, 1959.

Käte, Meyer-Drawe, "Merleau-Pontys Kritik an Husserls Konzeption des Bewußtsein", in: *Phänomenologische Forschungen*, Bd. 30, 1996.

Langer, Monika M., *Merleau-Ponty's Phenomenologie of Perception*, London, 1989.

Lyotard, Jean François, *Die Phänomenologie*, Hamburg, 1993.

Maier, Willi, *Das Problem der Leiblichkeit bei Jean-Paul Satre und Maurie Merleau-Ponty*, Tübingen, 1964.

Merleau-Ponty, Maurice, *Phänomenlogie der Wahrnehmung*, ueberst. von Rudolf Boehn, Berlin, 1966.

Merleau-Ponty, Maurice, *Signs*, trans. R. C. McCleary, Evanston: Northwestern University Press, 1964.

Merleau-Ponty, Maurice, *The Primacy of Perception and Other Essays*, ed.

James M. Edie, Evanston: Northwestern University Press, 1964.

Merleau-Ponty, Maurice, *The Structureof Behavior*, Boston, 1963.

Nietzsche, F., *Sämtliche Werke. Kritische Studienausgabe*, hrsg. v. M. Nontinari, de Gruyter, Berlin/New York, 1980.

Plügger, Herbert, *Vom Spielraum des Leibes, klinisch-phänomenologische Erwägungen über Köperschma und Phantomgild*, Salzburg, 1970.

Mallin, Samuel B., *Merleau-Ponty's philosophy*, New Haven/London, 1979.

Grätzel, Stephan, *Die philosophische Entdeckung des Leibs*, Stuttgart, 1989.

Taylor, Ch., "Leibliches Handelns", in: B. Waldenfels(Hg.), *Leibhaftige Vernunft*, München, 1986.

Waldenfels, Bernhard, "Das Problem der Leiblichkeit bei Merleau-Pony", ders. *Der Spielraum des Verhaltens*, Frankfurt a. M., 1980.

Waldenfels, Bernhard, *In den Netzen der Lebenswelt*, Frankfurt a. M., 1994.

Walhens, S. de., *Une philosophie de l'Ambiguïte L'Existentialisme de Maruice Merleu-Ponty*, Louvatin, 1951.

Werner Schneiders, *Deutsche Philosophie im 20. Jahrhundert*, München: Beck, 1988.

Wormser, Gérard, "Maurice Merleau-Ponty: Phänomenologie Leiblichkeit und Rehabilitation der Erscheinung", in: René Weiland(Hg.), *Philosophische Anthropologie der Moderne*, Weinheim, 1995.

[제 7 장] 푸코의 남성주체에 관한 몸과 성의 담론

마크 포스트, 이정우 옮김, 『푸꼬, 마르크시즘, 역사』, 인간사랑, 1990.

미셸 푸코, 이규현 옮김, 『성의 역사 제1권: 앎의 의지』, 나남출판, 1996.

미셸 푸코, 문경자 외 옮김, 『성의 역사 제2권: 쾌락의 활용』, 나남출판, 1996.

미셸 푸코, 이혜숙 외 옮김, 『성의 역사 제3권: 자기에의 배려』, 나남출판, 1996.

미셸 푸코, 박정아 옮김, 『성과 권력』, 인간사랑, 1989.

브라이언 터너, 임인숙 옮김, 『몸과 사회』, 몸과 마음, 2002.

시몬 드 보부아르, 조홍식 옮김, 『제2의 성』, 을유문화사, 2000.

M. 존슨, 노양진 옮김, 『마음 속의 몸』, 철학과현실사, 1999.

양해림, 「젠더란 무엇인가」, 양해림 외, 『성과 사랑의 철학』, 철학과현실사, 2001.

연효숙, 「포스트모던 시대의 페미니즘의 여성주체성」, 연효숙 외, 『철학의 눈으로 읽는 여성』, 철학과현실사, 2001.

앤서니 기든스, 배은경 외 옮김, 「푸코와 섹슈얼리티」, 『현대사회의 성·사랑·에로티시즘』, 새물결, 1996.

오생근, 「성의 역사와 성, 권력, 주체」, 『성과 사회』, 나남출판, 1998.

이은선, 「유교적 몸의 수행과 페미니즘」, 한국유교학회 편, 『유교와 페미니즘』, 철학과현실사, 2001.

이정은, 「남녀 불평등의 철학적 기원」, 연효숙 외, 『철학의 눈으로 읽는 여성』, 철학과현실사, 2001.

이진우, 「감성, 욕망, 그리고 실존의 미학: 미셸 푸꼬의 성의 역사를 중심으로」, 『성의 철학』, 민음사, 1996.

장 보드리야르, 이상률 옮김, 『소비의 사회』, 문예출판사, 1999.

J. 그림쇼, 이희원 옮김, 『푸코와 페미니즘』, 동문선, 1997.

제프리 윅스, 서동진 외 옮김, 『섹슈얼리티: 성의 정치』, 현실문화연구, 1999.

크리스 쉴링, 임인숙 옮김, 『몸의 사회학』, 나남출판, 1999

홍성민, 「부르디외와 푸코의 권력개념비교: 새로운 주체화 전략」, 『문화와 권력』, 나남출판, 1998.

홍성욱, 「푸코의 새로운 지식비판: 시선과 권력」, 『파놉티콘: 정보사회 정보감옥』, 책세상, 2002.

홍은영, 『푸꼬와 몸에 대한 전략』, 철학과현실사, 2004.

Butler, Juduth, *Gender Trouble*, Routledge, 1990.

Cronin, Ciaran, "Broudieu and Foucault on Modernity", in: *Philosophy & Social Criticism*, Vol. 22, No. 6, 1996.

Fink-Eitel, Hinrich, "Zwischen Nietzsche und Heidegger. Michel Foucaults Sxxualitäy im neuerer Sekundärliteratur", in: *Philosophische Jahrbuch*, 97, Jg. 1990.

Kammler, Clmens/Plumpe, Gerhard, "Antikes Ethos und Postmoderne Lebenskunst. Michel Foucault Studien zur Geschichte der Sextalität", in: *Philosophischen Runschau*, 34(1987).

Mcwhorter, Ladelle, "Foucault and the Paradox of Bodily Inscriptions", in: *The Journal of Philosophy*, No. 11, 1989.

Philp, Marx, "Foucault on Power", in: *Political Theory*, Vol. 11, No. 31, 1983.

[제 8 장] 예술, 과학 그리고 창의성

강성원,『미학이란 무엇인가』, 사계절, 2000.
강성원,「서양미술사: 육체・권력・이미지의 역사」, 이거룡 외,『몸 또는 욕망의 사다리』, 한길사, 1999.
김문환,「과학과 예술의 비교」,『과학사상』제13호, 1995 여름.
김영기,『한국의 미의 이해』, 이화여대 출판부, 1998.
김영식,『과학, 인문학 그리고 대학』, 생각의 나무, 2007.
김용석,『문화적인 것과 인간적인 것』, 푸른숲, 2000.
노성두,『유혹하는 모나리자』, 한길아트, 2001.
미카엘 하우스켈러, 이영경 옮김,『예술이란 무엇인가?』, 철학과현실사, 2004.
박은진,「예술과 생명(체)에 대한 탐구」,『과학사상』제36호, 2001.
박이문,「예술과 과학」,『이성은 죽지 않았다』, 당대, 1996.
베르트랑 제타, 김택 옮김,『건축의 르네상스』, 시공사, 1999.
브라디슬로프 타타르키비츠, 손효주 옮김,『미학의 기본 개념사』, 미진사, 1999.
알베르티, 노성두 옮김,『알베르티의 회화론』, 사계절, 2002.
양해림,「미와 예술은 어떻게 만날까」,『미의 퓨전시대: 미・예술・대중문화의 만남』, 철학과현실사, 2000.
엘리안 스트로스베르, 김승윤 옮김,『예술과 과학』, 을유문화사, 2002.
원광연・김숙진,「과학과 예술 헤어짐 그리고 반복」,『과학사상』제42호, 범양사, 2002.
이경희,『백남준 이야기』, 열화당, 2000.
이용우,『백남준 그 치열한 삶과 예술』, 열음사, 2000.
장 보드리야르, 하태환 옮김,『시뮬라시옹』, 2003, 민음사.
조지 딕키, 오병남 외 옮김,『미학입문』, 서광사, 1980.
홍성욱,「과학적 창조성, 천재를 어떻게 이해할 것인가」,『과학사상』, 2003 여름.
홍성욱,「과학과 예술」, 홍성욱 외,『예술, 과학과 만나다』, 이학사, 2007.

Brace, R., *Offene Musik: Vom Klang zum Ritus. In Juergen Becker und Wolf Vostell: Happenings, Fluxus, Pop Art, Nouveu Realisme*, Hamburg, 1965.

Benjamin, W., *Das kunstwerk im Zeitalter seiner technischen Reproduzierbarkeit*, Frankfurt a, M.: Suhrkamp, 1955.

Platon, *Timaios*, 31c.

[제 9 장] 인문학의 이해와 설명의 방법

막스 베버, 전성우 옮김, 『막스 베버의 사회과학 방법론』, 사회비평사, 1997.

전성우, 『막스 베버의 역사사회학 연구』, 사회비평사, 1996.

양해림, 「구조의 독해: 딜타이와 푸코의 연속과 불연속의 역사상」, 『철학연구』 제84집, 대한철학회, 2002,

이병혁, 「막스 베버의 '이해' 사회학 대한 기호학적 해석」, 『막스 베버의 사회학의 쟁점들』, 민음사, 1995.

Acham, Karl, "Diltheys Beitrag zur Theorie der Kultur- und Sozialwissenschaften", in: *Dilthey-Jahrbuch*, Bd. 3. 1985.

Angehren, Emil, "Handlungserklärung und Rationalität. Zur Methodologie Max Weber", in: *Zeitschrift für philosophische Forschung*, 37. Bd. 1983.

Apel, Karl-Otto, *Die Erklären: Verstehen-Kontrovers*, Frankfurt a. M., 1979.

Apel, Karl-Otto, "Das Verstehen (Eine Problemgeschichte als Begriffsgeschichte)", in: *Archiv für Begriffsgeschichte*, I, 1955.

Bechermann, Ansgar(Hg.), *Analytische Handlungstheorie, Handlungserklärungen*, Bd. 2, Frankfurt a. M., 1985.

Bleicher, Josef, *The Hermeneutic Imagination*, Routledge/Kegan Paul, 1982.

Brubaker, Rogers, *The Limits of Rationality: An Essy on the Social and Moral Thought of Max Weber*, London, 1984.

Deissler, Hans Herbert, *Die Geschichtlichkeit bei Wilhelm Dilthey*, Diss. Phil. Freiburg, 1949.

Dietrich, Rudolf, *Die Ethik Wilhelm Diltheys*, Düsseldorf, 1937.

Dilthey, Wilhelm, *Der Aufbau der geschichtlichen Welt in den Geisteswissenschaften. Einleitung von Manfred Riedel*, Frankfurt a. M., 1993.

Dilthey, Wilhelm, *Gesammelte Schriften*, VII, Stuttgart, 1958.

Ebert, Theodr, "Zweck und Mittel Zur Klarung einiger Grundbegriffe der Handlungstheorie", in: *Allgemeine Zietschrift für Philosophie*, 2, 1977.

Glock, Carl Theodor, *Wilhelm Diltheys Grundlegung einer wissenschaftlichen Lebensphilosophie*, Berlin, 1939.

Heicke, Herbert, *Der Strukturbegriff als methodischer Grundbegriff einer geistewissenschaftlicher Psychologie bei Dilthey und Spranger und Bedeutung für die Pädagogik*, Diss. Phil. Halle, 1928.

Helfrich, Karl, *Die Bedeutung des Typusbegriff im Denken der Geisteswissenschaften*, Diss. Phil. Gießen, 1918.

Heinen, Michael, *Die Konstitution der Aesthik in Wilhelm Diltheys Philsophie*, Bonn, 1974.

Heynen, Walter, *Dilthey Psychologie des dichterischen Schaffens*, Halle, 1916.

Jonas, Hans, *Das Prinzip Verantwortung*, Frankfurt a. M., 1984. (이진우 옮김,『책임의 원칙: 기술시대의 생태학적 윤리』, 서광사, 1994.)

Johach, Helmut, *Handelner Mensch und objektiver Geist, Zur Theorie der Geistes- und Sozialwissenschaften bei Wilhelm Dithey*, Meisenheim am Glan, 1974.

Jwantscheff, Dimiter, *Die ethischen Auffassungen W. Dilthey*, Diss. Phil. Tübingen, 1942.

Kläsler, Dirk, *Einführung in das Studium Max Weber*, München, 1979.

Kläsler, Dirk, *Max Weber*, in: ders, *Klassiker des soziologischen Denken*, 2. Bd. München, 1978.

Karl-Heinz, "Verstehen und Erklären bei Max Weber", in: *Philosophisches Jahrbuch*, 93. Jg. 1986.

Kunneman, Harry, *Der Wahrheitstrichter, Habermas und Postmoderne*, Frankfurt a. M., 1991.

Landgrebe, Ludwig, "Vom Geisteswissenschaften Verstehen", in: *Zeitschrift für philsophische Forschung*, 6. Jg. 1951.

Loos, Fritz, *Zur Wert- und Rechtslehre*, Tübingen, 1970.

Löwith, Karl, "Max Weber und seine Nachfolger", in: ders, *Sämtliche Schriften*, Bd. 5, Stuttgart, 1988,

Maraldo, John, C., *Der hemeneutische Zirkel*, Freiburg/München, 1974.

Makkreel, Rudolf, *Dilthey, Philosophie der Geisteswissenschaften*, Frankfurt a. M., 1991.

Nusser, Karl-Heinz, "Verstehen und Erklären bei Max Weber", in: *Philosophisches Jahrbuch*, 93. Jg. 1986. \

Otto-Friedrich, *Dilthey, Eine Einführung in seine Philsophie*, Stuttgart, 1967,

Rickert, Heinrich, *Die Grenzen naturwissenschaftlichen Begriffsbildung*, Tübingen/Liepzig, 1902.

Rickert, Heinrich, *Kulturwissenschaft und Naturwissenschaft*, Stuttgart, 1986.

Rohbeck, Johannes, *Technologische Urteilskraft*, Frankfurt a. M., 1993.

Schnädelbach, Herbert, *Philosophie in Deutschland 1831-1933*, Frankfurt a. M., 1991.

Schluchter, Wolfgang, *Die Entwicklung des okzidentalen Rationalsmus*, Frankfurt a. M., 1997.

Schütz, Alfred, *Der sinnhaft Aufbau der sozialen Welt, Eine Einleitung in die verstehende Soziologie*, Wien, 1932.

Waas, Lathar, *Max Weber und die Falgen Die Krise der Moderne und der moralisch-politische Dualismus des 20. Jahrhundert*, Frankfurt a. M./New York, 1995.

Weber, Max, *Aufsätze zur Wissenschaftslehre*, Tübingen, 1922.

Weber, Max, *Gesammelte Aufsätze zur Wissenschaftslehre*, Tübingen, 1968.

Weber, Max, *Wirtschaft und Gesellschaft*, Tübingen, 1947.

Weber, Max, *Soziaologische Grundbegriffe, Mit einer Eirführung von Johannes Winkelmann*, Tübingen, 1984.

Weber, Max, *The Methodology of the Social Sciences*, Oxford University Press, 1949.

Weiss, Johannes, *Max Webers Grundlegung der Soziologie*, München, 1975.

Winckelmann, Johannes, *Gesellschaft und Staat in der verstehenden Soziologie Max Webers*, Berlin, 1957.

Wuchterl, Kurt, *Bausteine zu einer Geschichte der Philosophie des 20. Jahrhunderts. von Husserl zu Heidegger*, Stuttgart, 1995.

Zöckler, Christorfer, *Dilthey und Hermeneutik*, Stuttgart, 1975.

[제10장] 인문학의 패러다임과 인문학 위기의 극복책을 위하여

김영민, 『진리・일리・무리: 인식에서 성숙으로』, 철학과현실사, 1998.

백낙청, 「세계시장의 논리와 인문교육의 이념」, 『현대의 학문체계: 대학에서 무엇을 배울 것인가』, 민음사, 1994.

이진우, 「포스트모던사회와 인문학의 과제」, 『한국 인문학의 서양 콤플렉스』, 민음사, 1999.

이한구, 「문화과학과 설명의 논리」, 『인문과학의 이념과 방법론』, 성균관대 출판부, 1995.

윤평중, 「인문학이 서 있는 곳과 가야 할 길」, 『담론이론의 사회철학』, 문예 출판사, 1998.

양해림, 「인문학의 정립을 위하여」, 『디오니소스와 오디세우스의 변증법』, 철학과현실사, 2000.

양해림, 「딜타이의 문화해석학」, 『문화와 해석학』, 철학과현실사, 2000.

송전, 「유럽 인문학의 실상」, 『정보지식사회와 인문학』, 전국대학인문학연구 소 협의회(1999. 10. 22).

정대현 외, 『표현인문학』, 생각의 나무, 2000.

최종욱, 「인문과학 위기에 대한 담론분석을 위한 시도」, 『한국인문사회과학 의 현재와 미래』, 푸른숲, 1998.

Acham, Karl, "Diltheys Beitrag zur Theorie der Kultur- und Sozialwissen-schaften", in: *Dilthey-Jahrbuch*, Bd. 1985.

Angehren, Emil, "Handlungserklärung und Rationalität. Zur Methodologie Max Weber", in: *Zeitschrift für philosophische Forschung*, 37. Bd.

Apel, K.-O., *Das Verstehen(Eine Problemgeschichte als Begriffsgeschichte)*, in: *Archiv für Begriffgeschichte*, I, 1953

Apel, K.-O. *Die Erkrären-Verstehen-Kontroverse in transzendentalprag-matischer Sicht*, Frankfurt a. M., 1979.

Boman, P. J., "Kausalität und Funktionalzusammenhang in der Soziologie Max Weber", in: *Zeitschrift für die Gesamte Staatswissenschaft*, 105. Bd. 1947.

Dilthey, Wilhelm, *Gesammelte Schriften*, Bd. I, Stuttgart/Göttingen, 1959.

Dilthey, Wilhelm, *Gesammelte Schriften*, Bd. VII, Stuttgart, 1957.

Diwald, Helmut, *Wilhelm Dilthey. Erkenntnistheorie und Philosophie der*

Geschichte, Göttingen, 1963.

Drysen, Johann Gustav, *Historik Vorlesungenen über Enzyklopädie und der Geschichte*, Darmstadt, 1967.

Erxleben, Wolfang, "Wilhelm Diltheys Grundlegung der Geisteswissenschaften", in: *Kant-Studien*, Bd. 42, 1942/43.

Frühwald, Wolfang(Hg.), *Geisteswissenschaft heute*, Frankfurt a. M., 1992.

Gadamer, H. -G., *Wahrheit und Methode*, Tübingen, 1972.

Gadamer, H. -G., *Vom Zirkel des Verstehen*, in: *Kleine Schriften* IV, Tübingen, 1977.

Giddens, Anthony, *Interpretative Soziologie*, Frankfurt a. M., 1984.

Haferkamp, Hans, "Interaktionsaspekte, Handlungszusammenhänge und die Rolle des Wissenstransfers. Eine handlungstheoretische Kritik der Theorie des kommunikativen Handelns", in: *Kölner Zeitschrift für Soziologie und Sozialpsychologie*, Jg. 36. H. 4. 1984,

Habermas, Jürgen, *Erkenntnis und Interesse*, Frankfurt a. M., 1971.

Habermas, Jürgen, *Theorie des kommunikativen Handelns*, Bd. 1, Frankfurt a. M. 1981.

Habermas, Jürgen, *Zur Logik der Sozialwissenschaften*, Frankfurt a. M., 1971.

Heicke, Herbert, *Der Strukturbegriff als methodischer Grundbegriff einer geisteswissenschaftlicher Psychologie bei Dilthey und Spranger und Bedeutung für die Pädagogik*, Diss. Phil. Halle, 1928.

Herrmann, Ulrich, *Die Pädagogik Wilhelm Dilthey*, Göttingen, 1971.

Ineichen, Hans, *Philosophische Anthropologie in 19. Jahrhundert*, Würzburg, 1991.

Johach, Helmut, *Handelner Mensch und objektiver Geist, Zur Theorie der Geistes- und Sozialwissenschaften bei Wilhelm Dilthey*, Meinsenheim am Glan, 1974.

Käsler, Dirk, *Einführung in das Studium Max Webers*, München, 1979.

Krauser, Peter, *Kritik der endlichen Vernunft*, Frankfurt a. M., 1968.

Kunneman,Harry, *Der Wahrheitstrichter, Habermas und Postmoderne*, Frankfurt a. M., 1991.

Lieber, Annelies, *Die Ästhetik Wilhelm Ditheys*, Halle/Saale, 1938.

Lanbardt, Gero, "Theorie der Rationalisierung und Sozialismuskritik bei Max Weber", in: *Leviathan*, 9. Jg. 1980.

Lorenz, Heinz, *Geschichte und Glaube bei Wilhelm Dilthey*, Leipzig, 1959.

Maraldo, John C., *Der hermeneutische Zirkel*, Freiburg/München, 1974.

Möckel, Christian, "Das Problem des Verstehens von sprachlichen Ausdruecken: Zur Rezeption von Edmund Husserls I. Logischen Untersuchung durch Gustav Spet", in: *Recherches husserliennes*, Vol. 5, 1996.

Pannenberg, Walfahrt, "Die Emanzipation der Geisteswissenschaften von den Naturwissenschaften", in: ders, *Wissenschaftstheorie und Theologie*, Frankfurt a. M., 1987.

Pfafferott, Gerhard, *Ethik und Hermeneutik*, Hanstein, 1981.

Rehberg, Karl-Siegbert, "Rationalität als Grossbürgerliches Aktionsmodell. Thesen zu einige handlungstheoretischen Implikationen der "Soziologieschen Grundbegriffe" Max Webers", in: *Kölner Zeitschrift für Soziologie und Sozialpsychologie*, 31. Jg. 1979.

Reisinger, Peter, *Über die Zikelennatur des Verstehens in der traditionallen Hermeneutik*, in: *Philosophische Jahrbuch*, Bd. 87, 1974.

Rickert, Heinrich, *Die Grenzen naturwissenschaftlichen Begriffsbildung*, Tübingen/Leipzig, 1902.

Richert, Heinrich, *Kulturwissenschsft und Naturwissenschsft*, Tübingen, 1915.

Riedel, Manfried, *Verstehen oder Erklären? Zur Theorie und Geschichte der hermeneutischen Wissenschaften*, Stuttgart, 1978.

Riedel, Manfred, *Wilhelm Dilthey: Der Aufbau der geschichtlichen Welt den Geisteswissenschaften*, Frankfurt a. M., 1993.

Rentsch, Thomas, *Verstehen und Erklären -Idiographische und nomothetische Methode*, in: Hermut Bachmaier(Hg.), *Glanz und Elend der Zwei Kulturen*, Kontstanz, 1991.

Rohbeck, Johannes, *Technologische Urteilskraft*, Frankfurt a. M., 1996.

Rosenberg, R., "Nochwort zu Wilhelm Dilthey", in: *Das Erlebnis und die Dichtung*, Leipzig, 1988.

Rothacker, Erich, "Die traditionallen Spannungen zwischen Natur- und Geisteswissenschaften", in: *Studium Generale*, 6. Jg. 1953.

Schmid-Schoenbein, Thomas, "Zwecktätigkeit und Verständigung. Über des kommunikativen Handelns", in: *Ökonomie und Gesellschaft*, Jahrbuch 2, 1984.

Scholtz, Gunter, *Ethik und Hermeneutik. Schleiermachers Grundlegung der Geisteswissenschaften*, Frankfurt a. M. 1995.

Schütz, Alfred, *Der sinnhafte Aufbau der sozialen Welt, Eine Einleitung in die verstehende Soziologie*, Wien, 1932.

Spet, Gustav, *Die Hermeneutik und ihre Probleme(Moskau 1918)*, München, 1993.

Seebohm, Thomas M., *Die Begründung der Hermeneutik Diltheys in Husserls tranzentaler Phänomenologie*, in: W. Orth(Hg.), *Dilthey und Philosophie der Gegenwart*, Freiburg, 1985.

Wach, Joachim, *Das Verstehen. Grundzüge einer Geschichte der hermeneutischen Theorie im 19. Jahrhundert*, Tübingen, 1926.

Weber, Dagmar, *Zum Problem des ästhetischen Erkennens bei Wilhelm Dilthey*, Köln, 1983.

Waber, Max, *Soziologische Grundbegriffe*, Tübingen, 1960.

Weber, Max, *Gesammelte Aufsatze zur Wissenschaftslehre*, Tübingen, 1968.

Weber, Max, *Wirtschaft und Gesellschaft*, Tübingen, 1947.

Windelwand, Wilhelm, *Geschichte und Naturwissenschaft*, Straßenburg, 1894.

Zöckler, Christofer, *Dilthey und Hermeneutik, -Diltheys Begruendung der Hermeneutik als Praxiswissenschaft und die Geschichte ihrer Rezeption*, Stuttgart, 1975.

[제11장] 지방분권화 시대, 차별화 전략으로서의 철학

김세균, 「신자유주의와 정치구조의 변화」, 김성구 외 『자본의 세계화와 신자유주의』, 문화과학사, 1998.

류지성 외, 『대학혁신』, 삼성경제연구소, 2006,

마르코스, 「제4차 세계대전이 시작되었다: 우리는 왜 싸우는가」, 전태일을 따르는 민주노동 운동연구소 편역, 『신자유주의와 세계 민중 운동』, 한울, 1998.

박거용, 「대학서열화와 학벌주의」, 『역사비평』, 2004 여름.

박정원, 「대학특성화 및 선택과 집중원칙의 문제」, 전국교수노동조합 편, 『우리 대학, 절망에서 희망으로』, 도서출판 노기연, 2006.

박정원, 「BK21과 NURI사업: 고등교육정책의 반민중성」, 정진상 편, 『교육부의 대국민 사기극』, 책갈피, 2006

양해림 외, 『과학기술시대의 공학윤리』, 철학과현실사, 2006.

임재홍, 「교육부의 대학구조개혁방안에 대한 비판과 대안」, 민교협 공개토론회, 『대학구조조정의 현실과 과제』, 책갈피, 2005

임재홍, 「국립대 법인화: 공교육 포기로 가는 길」, 정진상 편, 『교육부의 대국민 사기극』, 책갈피, 2006.

임재홍, 「신자유주의대학정책의 교육공공성」, 『민주법학』 제24호, 2004.

정진상, 「대학서열체제 혁파방안: 국립대 통합네트워크」, 경상대학교 사회과학연구원 편, 『대학서열 체제 연구: 진단과 대안』, 한울, 2004.

정진상, 「대학구조개혁」, 정진상 편, 『교육부의 대국민 사기극』, 책갈피, 2006.

조우현, 『대학을 바꿔야 나라가 산다: 향후 10년의 대학혁신』, 랜덤하우스 중앙, 2006.

『교수신문』, 2006년 4월 24일자; 2006년 5월 16일자.

『한국일보』, 2005년 7월 4일자.

U. S. Congress, *Unlocking Our Future: Toward a New National Science Policy*, A Report to Congress by the House Committe on Science, 1998.

[제12장] 인권과 민주주의

강정인, 『민주주의의 이해』, 문학과지성사, 2000.

강정인, 『서구중심주의를 넘어서』, 아카넷, 2004.

김석수, 『칸트와 현대사회철학』, 율력, 2005.

로버트 달, 김왕식 외 옮김, 『민주주의』, 동명사, 2002.

위르겐 하버마스, 「민주주의의 세 가지 규범적 모델」, 한상진 편, 『현대성의 새로운 지평』, 나남출판, 1996.

Alexy, Robert, "Jürgen Habermas' Theorie des juristischen Diskures", in: Robert Alexy, *Recht, Vernunft, Diskurs*, Frankfurt a. M., 1995.

Angehrn, Emil, "Das unvollendete Projekt der Demokratie", in: *Philoso-*

phische Rundschau, 40. Jg. 1993.

Apel, Karl-Otto, *Auseinandersetzungen in Erprobung des transzendental-pragmatischen Ansatz*, Frankfurt, a. M., 1998.

Cortina, Adela, "Diskursethik und Menschenrechte", in: *Archiv für Rechts- und sozialphilosophie*, 76, 1990.

Dahl, Robert, *Democtacy and Its Critics*, New Haven, CT: Yale University Press, 1989.

Deflem, Nathieu, "Introduction; law in Habermas's theory of communicative action", in: *Philosophy & Social Criticism*, Vol. 20, No. 4, 1994.

Dreier, Ralf, "Rechtphilosophie und Diskurse-Bemerkung zu Habermas Faktizität und Geltung", in: *Zeitschrift für philosophische Forschung*, Bd. 48, 1994.

Engländer, Armin, "Grundrechte als Kompensation diskursethische Defizite? Kritische Anmerkungen Jürgen Habermas' Diskurstheorie des Rechts", in: *Archive für Rechts- und Sozialphilosophie*, Vol. 81, 1995.

Habermas, Jürgen, *Der interkulturelle Diskurs über Menschenrechte*, Wolfgang R. Köhler/Matthias Lutz-Bachmann(Hg.), *Recht auf Menschen*, Frankfurt a. M., 1999.

Habermas, Jürgen, "Entgegnung", in: Axel Honneth und Hans Joas(Hg.), *Beiträge zu Jürgen Habermas' Theorie des kommunikativen Handelns*, Frankfurt a. M., 1988.

Habermas, Jürgen "Kants Idee des ewigen Friedens", in: *Kritische Justiz*, 28/3.

Habermas, Jürgen, *Faktizität und Geltung*, Frankfurt a. M., 1992. (한상진 외 옮김,『사실성과 타당성』, 나남출판, 2000.)

Habermas, Jürgen, "Postscript to Faktizität und Geltung", in: *Philosophy & Social Criticism*, Vol. 20, No. 4, 1994.

Habermas, Jürgen, "Wie ist Legitimät durch Legalität mäglich?" in: *Kritische Justiz*, 20/1, 1987.

Horster, Delef, "Recht und Moral: Analogien, Komplementaritäten und Differenzen", in: *Zeitschrift für philosophische Forschung*, Bd. 51, 1997.

Horster, Delef, *Rechtsphilosophie*, Hamburg, 2003.

Hilgendorf, Eric, "Rechtsphilosophie im vereinigten Deutschland", in:

Philosophische Rundschau, 1-2, 1993.

Larmore, Charles, "Die Wurzeln radikaler Demokratie", in: *Deutsche Zeitschrit für Philosohie*, 41, 1993.

Lohmann, George, *Philosophie der Menschenrecht*, Frankfurt a. M., 1998.

O'Neil, Onora, "Kommunikative Rationalität und praktische Vernunft", in: *Deutsche Zeitschrift für Philosophie*, Bd. 41, 1993.

Rasmussen, David M, "How is valid law possible?" in: *Philosophy & Social Criticism*, Vol. 20, 1994.

Rehg, William, Morality, "Discourse, and Decision in the Legal Theory of Jürgen Habermas", Michel Rosenfeld(Hg), *Habermas on Law and Democracy*, University of California Press, 1998.

Somek, Alexander, "Unbestimmtheit: Habermas und die Critical Legal Studies", in: *Deutsche Zeitschrift für Philosophie*, 41, 1993.

Tietz, Udo, "Faktizität, Geltung und Demokratie, -Bemerkungs zu Habermas' Diskurstheorie der Wahrheit und der Normenbegründung", in: *Deutsche Zeitschrift für Philosophie*, 1993.

[제13장]　한국사회에서 공화주의의 이념은 부활할 수 있는가?

김상봉, 「모두를 위한 나라는 어떻게 가능한가?: 공화국에 대한 철학적 성찰」, 참여사회연구소, 『다시 대한민국을 묻는다』, 한울, 2007.

김석수, 「칸트의 반성적 판단력과 아렌트의 정치철학」, 『칸트와 현대사회철학』, 울력, 2005.

김선욱, 『정치와 진리』, 책세상, 2005.

김선욱, 『한나 아렌트 정치판단이론』, 푸른숲, 2002.

루소, 이태일 옮김, 『사회계약론』, 범우사, 1994.

마키아벨리, 임명방 옮김, 『군주론』, 삼성출판사, 1977.

J. Martin, 「사회적인 것과 정치적인 것」, 파델마 아세 외, 이항우 옮김, 『현대 사회·정치이론』, 한울, 2006.

양해림, 「인권과 민주주의: 하버마스의 『사실성과 타당성』을 중심으로」, 『철학연구』 제96집, 대한철학회, 2005.

이동수, 「민주화 이후 공화주의의 재발견」, 철학연구회 한국정치사상학회 공동 학술대회, 『대통령 직의 위기와 유목적 정치질서』, 2007년 9월 15일.

정윤석, 『아렌트 공화주의의 현대적 전개』, 서울대 대학원 철학박사학위 논문, 2001.

존 크리스먼, 실천철학회 옮김, 『사회정치철학』, 한울아카데미, 2004.

송기호, 『한미 FTA 핸드북』, 녹색평론사, 2007.

하버마스, 「민주주의의 세 가지 규범」, 한상진 편, 『현대성의 새로운 지평』, 나남출판, 1996,

한나 아렌트, 이진우·태정호 옮김, 『인간의 조건』, 한길사, 1996.

한나 아렌트, 김선욱 옮김, 『칸트 정치철학 강의』, 푸른숲, 2002.

한나 아렌트, 김정한 옮김, 『폭력의 세기』, 이후, 1999.

한홍구, 『대한민국사 04: 386세대에서 한미 FTA까지』, 한겨레출판, 2006.

홍세화, 『악역을 맡은 자의 슬픔』, 한겨레신문사, 2004.

Arendt, H., *Macht und Gewalt*, München, 1970.

Arendt, H., *Vita activa oder tätigen Leben*, München, 1981.

Benhabib, Seyla "Modelle des öffentlichen Raums: Hannah Arendt, die liberale Tadition und Jürgen Habermas", in: *Soziale Welt*, 42. Jg. 1991.

Benhabib, Seyla, "Unteilskraft und die moralischen Grundlagen der Politik im Werk Hannah Arendt", in: *Zeitschrift für philosophische Forschung*, Bd. 41, H. 4, 1987.

Canovan, M., "A case of distoreted communitation: A Note on Habermas and Arendt", in: *Political Theory*, Vol. 11, No. 1, 1983.

Gerhardt, V., *Immanuel Kants Entwurf zum ewigen Frieden, -Eine Theorie der Politik*, Darmstadt, 1995.

Grossßmann, A., "Renaissance einer streitbaren Denkerin, -Hannah Arendt in der neueren Diskussion", in: *Philosophische Rundschau*, 44. Jg. H. 3. 1997.

Habermas, J., *Faktizität und Geltung: Beiträge zur Diskurstheorie und des demokratischen Rechtsstaats*, Frankfurt a. M., 1992. (한상진 외 옮김, 『사실성과 타당성: 담론적 법이론과 민주주의 법치국가 이론』, 나남출판, 2000.)

Habermas, J., "Hannah Arendt: On the Concept of Power", F. G. Lawrence(tr.), *Philosophical-political Profiles*, Cambridge, 1983.

Kant, I., *Zum ewigen Frieden*, hrsg. u. eingen. v. H. F. Klemme, Hamburg, 1992.

528

Kant, I., *Metaphysical Elements of Justice*, ed. John Ladd, Indianapolis, IN: Hackett, 1797, 1999.

Kersting, W., "Die Bürgerliche Verfassung in jedem Staate soll republikanische sein", O. Höffe(Hg.), *Immanuel Kant: Zum ewigen Frieden*, Berlin Akademie, Verlag, 1995.

Nordmann, I., *Hannah Arendt*, Frankfurt a. M./New York, 1994.

Skinner, Q., "The republican idea of political liberty", in: G. Bock, Q Skinner and M. Viroli(eds), *Machiavelli and Republicanism*, Cambridge: Cambtidge University Press, 1990.

www.ohmynews.com/2007-07-04.

www.pressian.com/2007-07-04.

[제14장] 고령화 사회에서 노동의 소외는 극복될 수 있는가?

게오르그 루카치, 이춘길 옮김, 『청년 헤겔 2』, 동녘, 1998.

김용해, 「인간은 노동을 통해서 자신을 실현시키는가?」, 『철학연구』, 대한철학회, 2006.

김재훈, 「생산직 노동자의 고령화와 초과노동」, 김재훈・조효재, 『노동과 조직 그리고 민주주의』, 한울, 2005.

김종일, 『서구의 근로연계복지: 이론과 실천』, 집문당, 2006.

김태성・손병돈, 『빈곤과 사회복지정책』, 청목출판사, 2002.

구해근, 신광영 옮김, 『한국 노동계급의 형성』, 창작과비평사, 2003

닉 다이어-위데포드, 신승철・이현 옮김, 『사이버-맑스』, 이후, 2003.

마뉴엘 카스텔, 김묵한・박행웅・오은주 옮김, 『네트워크 사회의 도래』, 한울, 2003.

마뉴엘 카스텔, 최병두 옮김, 『정보도시』, 2001.

마인하르트 미겔, 이미옥 옮김, 『성장의 종말』, 에코리브르, 2006.

박상태, 「저출산과 고령화 사회」, 『철학과 현실』, 철학문화연구소, 2006 여름.

박형준, 『현대노동과정론: 자동화에 대한 연구』, 백산서당, 1991.

석재은, 「공적연금사각지대: 실태, 원인과 정책방안」, 『한국사회복지학』 제53호, 한국사회복지학회, 2003.

양해림, 「마르크스의 행복관: 인간은 노동을 통해 행복을 느낀다」, 『행복이라 부르는 것들의 의미: 행복의 철학적 성찰』, 철학과현실사, 2001.

울리히 벡, 정일준 옮김, 『적이 사라진 민주주의』, 새물결, 2000.

이진경, 『미래의 맑스주의』, 그린비, 2006.

이진경, 『자본을 넘어선 자본』, 그린비, 2004.

이진우, 「정보화 시대의 노동과 인간소외」, 『이성정치와 문화민주주의』, 한
길사, 2000.

인권운동사랑방, 『인권오름』 제23호.

제레미 리프킨, 이영호 옮김, 『노동의 종말』, 민음사, 1996.

최현수, 「노인과 빈곤: 우리나라의 노인빈곤농향 및 빈곤구성 실태」, 한국사
회연구소 편, 『한국사회의 신빈곤』, 한울, 2006.

최형익, 『마르크스의 정치이론』, 푸른숲, 1999.

칼 맑스, 최인호 옮김, 『1844년의 경제학 철학 초고』, 박종철출판사, 1991.

한스 페터 마르틴·하랄트 슈만, 강수돌 옮김, 『세계화의 덫』, 영림카디널,
1997.

G. W. F. 헤겔, 임석진 옮김, 『정신현상학』, 지식산업사, 1989.

「준비 없는 100살은 재앙이다」, 한겨레 21 편, 『이제는 재무설계다』 제627
호 별책부록, 한겨레신문사, 2006.

「특집: 100세 시대 老테크」, 『시사저널』 제849·850 합병호, 2006년 1월
31일-2월 2일.

『한겨레신문』, 2006년 9월 25일자.

www.pressian.com/2006-09-30.

Marx, Karl, *Ökonomisch-philosophische Manuskrift(1844)*, MEW. 40,
Berlin, 1985.

[제15장] 노동자의 비정규직화와 사회 양극화, 어떻게 대처할 것인가?

고병권, 「한미 FTA와 한국사회의 양극화」, 『한미 FTA 국민보고서』, 그린
비, 2006.

구인회, 『한국의 소득 불평등과 빈곤』, 서울대 출판부, 2006.

구춘권, 『지구화 현실인가 또 하나의 신화인가』, 책세상, 2004.

경향신문 특별취재팀, 『민주화 20년의 열망과 절망』, 후마니타스, 2007,

김소연, 「비정규직 헤어날 수 없는 수렁」, 『한겨레신문』, 2007년 4월 13일자.

김유선, 「비정규직 규모와 실태: 통계청, '경제활동인구조사 부가조사'(2004.
8) 결과」, 『노동사회』 통권 제93호, 2004.

김유선,『노동시장 유연화와 비정규직 고용』, 한국노동사회연구소, 2004.

김유선,「한국의 노동: 진단과 과제」, 한국노동연구소 창립10주년, 월간 사회노동 100호 기념 심포지엄 발표자료.

김진욱,『새로운 빈곤층의 대두와 정부의 정책과제』, 집문당, 2006.

김정수,「노동시장 양극화 진단은 일치, 처방은 각각」,『한겨레신문』, 2007년 2월 17일자.

김진욱,『새로운 빈곤층의 대두와 정부의 정책과제』, 집문당, 2006.

김홍종·김균태·오형범·나수엽·하유정,『전세계적 양극화 추세와 해외 주요국의 대응』, 정책자료, 대외경제정책연구원, 2005.

노대명,「신빈곤 극복의 대안적 복지체제 모형연구」, 신영복·조희연 편,『민주화·세계화 '이후' 한국민주주의의 대안 체제 모형을 찾아서』, 함께읽는 책, 2006.

문숙재·최혜경·정순희,『한국중산층의 생활문화』, 집문당, 2000.

박수진,「시간당 평균 3만 원 선… "생계유지도 힘들다"」,『교수신문』, 2006년 11월 13일자.

방하남,「IMF 경제위기 이후의 노동시장과 실업현황」, 박준식 편,『실업과 지역사회』, 한림대 출판부, 2000.

송호근,『21세기 한국고용의 고용구조변화와 비정규직 근로자 대책』, 2000.

신광영,『한국의 계급과 불평등』, 을유문화사, 2004.

안토니오 네그르·마이클 하트, 윤수종 옮김,『제국』, 이학사, 2001.

유팔무·김원동·박경숙,『중산층의 몰락과 계급양극화: 1990년대 한국 중산층에 관한 연구』, 천하, 2005.

윤수종,「새로운 주체(대중)의 등장과 사회운동의 방향」,『대한철학회 2007년 봄 학술대회 자료집』, 2007년 5월 19일.

이강국,『가난에 빠진 세계』, 책세상, 2007.

이미나,「이중노동시장과 임금수준으로의 교육정책」, 송호근 편,『노동과 불평등』, 나남출판, 1990.

이성균,「노동유연성과 비정규직 고용」, 강정구 외,『한국사회발전연구』, 나남출판, 2003.

이정우,「경제위기 이후의 분배정책 방향」,『소득분배와 사회복지』, 여강출판사, 2003.

이정우,「소득 및 자산의 분배」, 석현호 외,『한국사회의 불평등과 공정성 의식의 변화』, 성균관대출판부, 2004.

이종오, 「대학정론: 부동산 문제와 사회통합의 과제」, 『교수신문』, 2005년 6월 20일자.

이태수, 「삼각복지 체제로 양극화 해소해야」, 『한겨레신문』, 2007년 3월 13일자.

임혁백, 「시론: 한국사회는 보수화되고 있는가」, 『교수신문』, 2006년 6월 5일자.

장 지글러, 유영미 옮김, 『왜 세계의 절반은 굶주리는가?』, 갈라파고스, 2007.

장세훈, 「한국사회에 신빈곤은 존재하는가?」, 한국도시연구소 편, 『한국사회의 신빈곤』, 한울, 2006.

장시복, 『세계화시대 초국가적기업의 실체』, 책세상, 2005.

정건화, 「1980년대 이후 미국노동시장 구조 변화의 배경과 특징」, 『동향과 전망』 제42호, 한국사회과학연구소, 1999.

정성진, 「21세기 사회주의와 참여계획경제의 가능성」, 『진보평론』 30, 2006.

정이환, 「주변노동자의 동원화·조직화」, 『한국사회학』 34집, 2002 겨울.

정이환 외, 『노동시장 유연화와 노동복지』, 인간과 복지, 2003.

제프리, D. 삭스, 김현구 옮김, 『빈곤의 종말』, 21세기북스, 2007.

존 롤즈, 황경식 옮김, 『사회정의론』, 서광사 1998.

진미석, 「신규박사 10명 중 4명 '비정규직·강사': 박사인력의 양성과 활용 실태」, 『교수신문』, 2007년 4월 16일자.

최우성, 「비정규직 임금, 정규직의 64% 통계청 조사 "비정규직 늘어"」, 『한겨레신문』 2007년 5월 24일자.

최장집, 『민주주의의 민주화』, 후마니타스, 2006.

최희갑, 「외환위기와 소득분배의 양극화」, 『국제경제연구』 8(2), 2002.

한스 페터 마르틴·하랄트 슈만, 강수돌 옮김, 「20 대 80의 사회」, 『세계화의 덫』, 영림카디널, 2003.

황보연, 「제조업 일자리 줄어 양극화 심화」, 『한겨레신문』, 2007년 5월 22일자.

「사설: 외환위기 10년, 중산층 서민 대책 무엇 있었나」, 『한겨레신문』, 2007년 3월 26일자.

「우리 사회 중산층 있나?… 박탈당한 중산층의 꿈」, 『헤럴드 생생뉴스』, 2007년 6월 1일자.

『교수신문』, 2006년 3월 20일자; 2006년 11월 13일자.

『동아일보』, 2007년 3월 30일자.

『한겨레신문』, 2007년 5월 25일자; 2007년 6월 12일자; 2007년 6월 21일자.

Negri-Hardt, *Multitude: War and Democary in the Age of Empire*, The Penguin Press, 2004.

Mangan, J., *Workers without Traditional Employment*, Cheltenham, UK: Edward Elgar, 2000.

"The World's Freest Labor Markets", in: *Forbes*, 2003. 1. 30.

www.pressian.com/2007-04-26.

www.pressian.com/2007-05-23.

[제16장] 한국사회의 생명공학에 대한 성찰

강신익, 「황우석 사태를 통한 한국의 과학문화 진단」, 민주정책연구원 주최 토론회, 『황우석 사건을 보는 한국의 과학과 민주주의』, 서울 민주화운동 기념사업회 교육장, 2006년 2월 2일.

강양구 · 김병수 · 한재각, 『침묵과 열광: 황우석 사태의 7년 기록』, 휴머니타스, 2006.

국가생명윤리심의위원회, 「황우석 교수 연구의 윤리문제에 대한 중간보고서」, 2006.

김정수, 「정책레짐을 이용한 미국 통상정책의 제도적 변화분석」, 『국제정치논총』, 36. 1, 2006.

박충구, 「생명복제에 대한 법적 조치」, 『생명복제 생명윤리』, 가치창조, 2001.

송상용, 「생명공학의 도전과 윤리적 대응」, 『생명공학시대의 철학적 성찰』, 제14회 한국철학자대회보(별책부록), 2001.

양해림, 「생태계의 위기와 책임윤리의 도전: 한스 요나스의 책임개념을 중심으로」, 『철학』 제65집, 한국철학회, 2000 겨울.

원용진, 「두 방송 저널리즘, 기자 저널리즘」, 한국언론재단 · 전국언론정보학회 주최, 『황우석 신드롬과 PD수첩 그리고 언론보도의 문제 토론회 논문집』, 2005년 12월 13일.

이성주, 『황우석의 나라: 황우석 사건은 한국인에게 무엇을 말하는가』, 바다출판사, 2006.

이영희, 「과학기술정책과 시민참여모델」, 참여연대시민과학센터 편, 『과학기술 · 환경 · 시민참여』, 한울, 2002.

이영희, 「황우석 사태와 과학기술정책」, 김세균 외 편, 『황우석사태와 한국사회』, 나남출판. 2006.

이충웅, 『과학은 열광이 아니라 성찰을 필요로 한다』, 이제이북스, 2005.

전규찬, 『공통이익 보호, 민주언론 책임의 실패』, 김세균 외 편, 『황우석 사태
와 한국사회』, 나남출판, 2006.

최장집, 『민주화 이후의 민주주의: 한국 민주주의의 보수적 기원과 위기』,
후마니타스, 2005.

최종덕, 「기획적 속임과 자발적 속임의 진화발생학적 해부」, 민주정책연구원
주최 토론회, 『황우석 사건을 보는 한국의 과학과 민주주의』, 서울 민주화
운동기념사업회 교육장, 2006년 2월 2일.

한재각, 「황우석 사태를 키워온 자 누구인가?: 정부와 정치권의 책임」, 생명
공학감시연대 주최 토론회, 『황우석 사태로 본 한국사회의 현대와 미래』,
서울 사회복지모금회관, 2006년 1월 18일.

허만섭, 「한나라당 박재완 의원, 황우석 예산의혹 제기」, 『신동아』 제557호,
2006.

홍성태, 「황우석 사태의 형성과 전개」, 김세균 외 편, 『황우석 사태와 한국
사회』, 나남출판, 2006.

홍성태, 「황우석 사태와 한국사회: 정언학 유착망과 박정희 체계의 덫」, 민
주정책연구원 주최 토론회, 『황우석 사태로 보는 한국의 과학과 민주주의』,
서울 민주화운동기념사업회 교육장, 2006년 2월 2일.

황상익, 「황우석 사태와 생명윤리」, 김세균 외 편, 『황우석 사태와 한국사회』,
나남출판, 2006.

『경향신문』, 2005년 12월 24일자.

『동아일보』, 2001년 5월 25일자; 2004년 2월 9일자; 2004년 8월 11일자.

『시사저널』, 2006년 5월 18일자.

『세계일보』, 2004년 10월 11일자.

『프레시안』, 2004년 6월 8일자; 2005년 1월 4일자.

『한겨레신문』, 2000년 11월 7일자.

Jonas, Hans, *Das Prinzip Verantwortung. Versuch einer für die techonolo-
gische Zivilisation*, Frankfurt, a. M., 1984. (이진우 옮김, 『책임의 원칙:
기술시대의 생태학적 윤리학』, 서광사, 1994.)

Rophol, Günter, "Neue Wege, die Technik zu verantworten", in: *Technik
und Ethik*, Stuttgart, 1993.

Wilmut, Rudolf Ian, "Dont' Clone Humans!", in: *Science*, 30. March, Vol.
291, 2001.

찾아보기

※ 인명 ※

갈레노스 207
갈릴레이 224
게이츠 473
겔렌(Gehlen) 137
괴테(Johann Wolfgang von Goethe)
  110, 116
구딘(Robert E. Goodin) 84
기든스(Anthony Giddens) 28
네그로폰테(N. Negroponte) 37, 232
노르베리-호지 94
니체(F. Nietzsche) 39, 116
다 빈치(Leonardo da Vinci) 231, 236
다스만 96
데리다(J. Derrida) 26
데카르트(R. Descartes) 27
드로이젠 266, 285
들뢰즈(G. Deleuze) 26
디오니소스 208

딜타이(Wilhelm Dilthey) 52, 252, 257
라캉(J. Lacan) 26
로크(J. Locke) 425
롤즈(John Rawls) 42
루소(J.-J. Rousseau) 346, 377
르노(Alain Renaut) 26
리오타르(J.-F. Lyotard) 25, 27
리카도(D. Ricardo) 427
리케르트(Heinrich Rickert) 52, 266,
  269, 299
리프킨(J. Rifkin) 438
마르셀(Gabriel Marcel) 162
마르크스(K. Marx) 426, 432
마이어-아비히(Klaus Michael Meyer-
  Abich) 84
마치우나스(George Maciunas) 242
마키아벨리 57
매디슨(James Madison) 376
맥루한(H. M. McLuhan) 40, 232
메를로-퐁티(Maurice Merleau-Ponty)

39, 162

멘 드 비랑(Maine de Biran) 161

몸젠(Wolfang Mommsen) 280

무페 375

문순홍 81

바로(Marcus Terentius Varro) 222

바타이유(G. Bataille) 140

반스트라트(Renate Wanstrat) 280

발레리(P. Valéry) 232

백남준 232, 237

버그(Peter Berg) 96

베르그송(A. Bergson) 52

베버(M. Weber) 270

베이컨(Francis Bacon) 86

벤야민(Benjamin) 52, 221

보드리야르(Jean Baudrillard) 191, 233

보부아르(Simone de Beauvoir) 193

보이스 242

부르디외 26

부시 53

브루넬레스키(P. Brunelleski) 222, 227

블랙 68

비코(Vico Giovani Battista) 109

빈델반트(Wilhelm Windelband) 52, 299

사르트르(Jean-Paul Sartre) 162, 171, 176

사이드 62

셸러(M. Scheler) 137

소로킨(Pitirim A. Sorokin) 132

소크라테스 28

쇼펜하우어(A. Schopenhauer) 137

슈뢰더(Schröder) 438

슈미트(Carl Schmitt) 252

슈펭글러(Oswald Spengler) 78, 107

스미스(A. Smith) 427

스키너(Quentin Skinner) 375, 376

스트로스베르(E. Strosberg) 235

슬로터다이크(P. Sloterdijk) 140

아도르노(T. Adorno) 30, 52, 252

아렌트(H. Arendt) 375, 384

아리스토텔레스 472

아베(Shuya Abe) 239

아우구스티누스 71

아펠(K.-O. Apel) 267, 357

알리 69

알베르티(Leon Battista Alberti) 228

알튀세 26

에코 32

왈쩌(M. Walzer) 46

요나스(Hans Jonas) 92, 252

요하흐(Helmut Johach) 253

윌리엄스(Raymond Williams) 24

이충웅 488

제퍼슨(Thomas Jefferson) 376

젱크스 29

지오토(Giotto di Bondone) 225

짐멜(Georg Simmel) 52, 254

카스텔(M. Castells) 436

카시러(E. Cassirer) 52

칸트(Immanuel Kant) 20, 251, 377

캉티용(R. Cantillon) 425

코파(K. Koffa) 176

크라카우어(Kracauer) 52

테일러 44

텐브루크(Friedrich H. Tenbruck) 281

토인비(Arnold J. Toynbee) 78, 79

토플러(A. Toffler) 34, 318

튀르고(A. Turgot) 425

페리(Luc Ferry) 26

푸코(Michel Foucault) 193, 194
플라톤 160, 348
플레게(Herbert Plügger) 184
플레스너(Plessner) 137
피타고라스(Pythagoras) 223
하버마스(J. Habermas) 28, 56, 75
해링턴(James Harrington) 376
헌팅턴 59
헤겔(G. W. F. Hegel) 56, 427
헤라클레이토스 242
헤르더(Johann Gotfried Herder) 110
호르크하이머(M. Horkheimer) 30, 52, 252
회페(Otfrid Höffe) 45
후설(E. Husserl) 137
흄(D. Hume) 425

※ 용어 ※

[ㄱ]

가상현실 40
가정관리기술 202, 203
가치 합리적 행위 275
건강관리 422
경제의 양극화 444
『경제학 철학 수고』 429
경험사회학 268
『계몽의 변증법』 252
계보학 216
고령 사회 412
고령화 사회 412
공공성 374, 375
공동세계 390
공동체주의 58
공작인(homo faber) 386
공적 영역 388
공적 자율성 366
공적인 일 387
공통감(sensus communis) 384
공화국 374
공화주의 모델 351
공화주의 헌법 380
공화주의의 이념 374
과학기술 90
과학기술동맹 486
과학기술의 개발 88
과학기술정책 490
과학의 수학화 246
관용 47, 49
국가 시민적 관용 45
국가보안법 406
국민성 380
국민주권 343
『권력에의 의지』 161
권위주의 476
『근본주의의 충돌』 68
기독교 근본주의자 65
기독교 문명권 63
『기술복제시대의 예술작품』 221
기술영향평가 500

[ㄴ]

나르시시즘 191
낙타 151, 152
난자의 사용 482
『네이처』 478
노동 385

노동시장 465, 471
노동의 소외 429, 434
노동의 인간학 425
노동의 인간화 473
『노동의 종말』 434
노동자 계급 431
노동하는 동물 386
『니코마코스 윤리학』 209

[ㄷ]

다문화 75
단순한 다원주의 43
담론원리 360
대전대학교 철학과 332
대중매체 36
대중문화 31
대학의 차별화 전략 328
대학의 특성화 전략 326
도덕 357, 362
도덕원리 356, 358
도덕적 지위 481
『독일 이데올로기』 429
두뇌한국(BK21) 324
두터운 도덕 73
디지털 미디어 35, 36
디지털 시대 35
디지털 정보화 41
디지털 테크놀로지 42

[ㄹ]

라다크 95
레바논 침공 70
레스 푸블리카 376

[ㅁ]

마드리드 회의 422
마스터 패턴 121
『만민법』 42
명제 295
모더니즘 30
모든 연령을 위한 사회 441
목적 합리적 행위 275
목적의 왕국 251
몸 39, 143
몸성(Leiblichkeit) 183
몸의 변화유형 151
몸의 언어 147
몸의 철학 142
몸의 확장 40
몸적인 이성 163
문명의 대화 70
문명의 충돌 59
문명충돌론 62
문명형태론 111
문화 19
문화과학 269
문화교육 19
문화다원주의 44, 75
문화상대주의 48
문화유기체론 109
문화의 비교연구 130
문화이론 51
문화적 세계 168
문화체계의 과학 292
문화충돌 53
미래세대 85
민주공화국 373
민주주의 원리 356, 358, 361

[ㅂ]

배재대학교 심리철학과 330
법 357, 362
법이론 348
『법철학』 56
베이비 붐 413
보편적 상징주의 116, 117
보편적 정치윤리 51, 71
분권과 자율 317
불량국가 69
비디오 아트 238
비물질적 노동 473
비서구문명 61
비엔나 회의 422
비정규직 448, 455
비트(bits) 36, 37
빈곤층 470
빙 디지털(being digital) 38

[ㅅ]

사랑의 기술 202
『사실성과 타당성』 341
사자 151
사적 영역 388
사적 자율성 366
사회계약 382
『사회계약론』 377
사회과학 300
사회과학 방법론 306
『사회과학의 논리를 위하여』 308
사회생태주의 96
사회의 양극화 443
사회의 외부제도 292

사회적 행위 268
사회적-역사적 현실 254
『사회정의론』 42, 54
사회통합 345
살(Fleisch) 165
삶의 객관화 290
삼성경제연구소 453
상호교호성 188
상호작용 255
『새로운 아틀란티스』 88
생리-심리학 143
생리-심리학적 존재개념 159
생리학 142
생물학적 권력 199
생태공원 99
생태문화 82
생태문화운동 94
생태위기 82
생활세계(Lebenswelt) 27, 179, 187, 349
생활세계의 합리화 359
서구문명 61
『서구의 몰락』 78, 107
『선악의 저편』 139
선택과 집중 324, 340
선험적 화용론 357
설명적 이해 274
성윤리 214
성의 과학 212
『성의 역사』 193, 196
성의 진실 212
성장지상주의 476
성적 욕망의 주체 195
세계-로의-존재 177
소극적 관용 45

소득 불평등 415
소득 재분배 469
소비사회 191
소외 432
수단/목적 261, 279
순수의식 154
『순수이성비판』 287
순환사관 130
시간강사 461
신개발주의 81
신자유주의 52, 315, 320
신자유주의 교육정책 321, 323
심리적-육체적 통일체 291
심의민주주의 367, 368
심층생태운동 92
심층생태주의 96

[ㅇ]

아날로그 37
아날로그 미디어 37
아는 것이 힘이다 87
아방가르드 241
아폴론인 120
아폴론형 114
아프가니스탄 64
아프로디지아(aphrodisia) 205
악의 축 65, 67
애매성의 철학 168
양극화 현상 446, 448, 469
여성의 인권 482
역사로서의 세계 125
『역사 연구』 266
역사의 순환론 109
『역사학강요』 285

연금복지재정 419
『영구평화론』 378, 379
영상문화 35
영월 동강 댐 97
『오래된 미래』 95
『오리엔탈리즘』 62
용산 미군기지 99
운명애 124
운명이념 123
유적 존재 432
유토피아 87
유토피아주의자 105
윤리적 자기실현 353
『음악정신으로부터 비극의 탄생』 27
의견형성 399
의미(Sinn/Bedeutung) 279
의사소통의 조건 398
『의사소통 행위이론』 252
의지형성 399
이라크 67, 69
이성중심주의 139
이스라엘 69
이슬람 근본주의 76
이해 258
이해사회학 273
이해와 설명 279
이해와 설명의 대립 260
이해의 순환 294
인간과 자연의 통합 83
인간배아 481
인간배아복제 480
인간본성의 총체성 292
『인간·사회·국가의 학문 역사에 관한 연구』 289
인간소외 433

인간적-역사적-사회적 현실 287
인간중심주의 91
인구의 고령화 411
인권과 국민주권 342, 353
인권과 민주주의 341
인권선언 58
『인류역사의 철학에 대한 이념』 110
인문학의 위기 284, 311
일반의지 390

[ㅈ]

자기반성 293
『자기에의 배려』 214
자본주의 시대 210
자아의 테크닉 214
자연 51
자연과학 259, 299
『자연과학적 개념형성의 한계』 266,
299
자연보호원칙 104
자연으로서의 세계 125
자연파괴 원인 86
자유 377
자유주의 58
자유주의 모델 350
작업(work) 385
작은 이성 141, 144
장르 30
저출산 문제 410
적극적 관용 45
적극적 노년 421
전체론적 인식 94
전통적 행위 275
절차적 민주주의 402

정규직 448
정서적, 감정적 행위 275
정신과학 261, 287
「정신과학에 있어서 역사적 세계의 구
성」 257
『정신과학 입문』 289, 295
『정신과학의 역사적 세계의 구성』 294
정책레짐 475
정치적 동물 387
『정치적 자유주의』 42, 43, 54, 64
정치적 영역 388
정치철학 56
『제2의 성』 194
『제3의 물결』 34
젠더(gender) 217
『존재와 시간』 179
주관적 의미 272
주요 상징 113
중산층 449
중산층의 몰락 449
중소기업 464
지각의 문제 169
『지각의 현상학』 178
지방분권화 316, 339
지향성 174
진보개념 88
질병 422

[ㅊ]

『차라투스트라는 이렇게 말했다』 140
차별화 전략 333
참여정부 402
창의성 237, 247
책임 501

책임의 문제 494
『책임의 원칙』 93, 501
체험(Erlebnis) 257
체험표현 295
초고령 사회 412
최소한의 도덕 73
최소한의 윤리 72
충남대학교 철학과 336

[ㅋ]

코기토(Cogito) 145
콜레레(colere) 21
쾌락의 양생술 202
쾌락의 활용 204
『쾌락의 활용』 214
쿨투라(cultura) 21
큰 이성 141

[ㅌ]

탈기술지향주의 91
탈장르 33, 34
탈중심 35, 316
테크네(techne) 219
테크놀로지 232, 239

[ㅍ]

『파우스트』 114, 117
파우스트인 120
파우스트형 114
파워 엘리트 503
『판단력비판』 251
팬덤 문화 497

팬덤 현상 498
페미니스트 192
평화 377
포괄적인 교리 55
포스트모더니즘 25
『포이어바흐에 관한 테제』 430
폭력의 세기 407
퓨전(fusion) 32
퓨전의 융합현상 33
플럭서스 241, 242

[ㅎ]

하이퍼텍스트 38
한국공학교육인증원(ABEEK) 329
한남대학교 철학과 334
한미 자유무역협정(FTA) 404, 445
한양주택 생태마을 102
합당한 다원주의 43
합목적성 262
합의 350, 369
「해석학의 발생」 256
『행동의 구조』 171
행위 295, 385
행태 303
헌법규범 76
『현대성의 철학적 담론』 140
현실적 이해 273
호모 사피엔스 22
호모 파베르 22
호모 하빌리스 22
혼성화 246
황빠 현상 498
황우석 사태 477
휴먼 빙(human being) 38

양해림(梁海林)

강원도 춘천에서 태어났다. 2002년부터 충남대학교 인문대학 철학과에서 학생들을 가르치고 있다. 민주화를 위한 전국교수협의회 감사(2004-2006), 정책위원(2006-2007)을 지냈고, 지금은 상임정책위원장으로 활동하고 있다.

주요 저서로『한스 요나스가 들려주는 환경이야기』(2008),『현대 해석학 강의』(2007),『에코 · 바이오테크 시대의 책임윤리: 과학기술의 진보와 이성』(2005),『현상학과의 대화』(2003),『행복이라 부르는 것들의 의미: 행복의 철학적 성찰』(2002),『미의 퓨전시대: 미 · 예술 · 대중문화의 만남』(2001),『디오니소스와 오디세우스의 변증법: 예술 · 인문학 · 과학기술 그리고 한국사회의 반성적 고찰』(2000) 등이 있다.

21세기 한국사회와 철학

．

2008년 5월 10일 1판 1쇄 인쇄
2008년 5월 15일 1판 1쇄 발행

지은이 / 양 해 림
발행인 / 전 춘 호
발행처 / 철학과현실사
서울시 서초구 양재동 338-10
전화 579-5908 · 5909
등록 / 1987.12.15.제1-583호

ISBN 978-89-7775-663-2   03130
값 25,000원